WORDS

Sciences de la santé

La structure de cet ouvrage a été réalisée d'après une idée originale de **Florent Gusdorf**, auteur de la série WORDS parue chez le même éditeur.

Didier CARNET
Maître de conférences, Agrégé de l'Université

Gérard FOUCHER
Professeur d'anglais, Agrégé de l'Université

Paul WALKER
Maître de conférences, Praticien hospitalier

Louis JEANNIN
Professeur des Universités, Praticien hospitalier

Enseignants à la faculté de médecine de Dijon
Université de Bourgogne

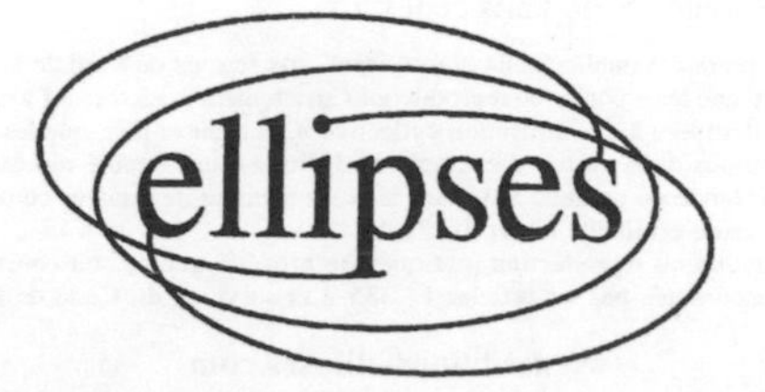

ISBN 2-7298-0176-6

www.editions-ellipses.com

Remerciements

Les auteurs tiennent à remercier vivement tous les spécialistes francophones et anglophones qui par leur relecture minutieuse leur ont permis de nombreuses mises au point durant la rédaction de ce livre.

ALIZON M., ANDERSON W., BEDENNE L., BRON A., COSMIDIS A., DOUVIER S., DUONG M., GENESTE N., GIROUD M., GISSELMANN A., GUSDORF F., HADDAD B., LEFEZ C., MAILLEFER J.F., MICHEL F., MORGAN S., PFITZENMEYER P., PIERRE O., TATOU E., VAILLANT G.

Foreword
Avertissement

A command of English is useful to all health-care professionals, be it for seeing patients at the hospital or the pharmacy, for installing equipment with poorly-translated instructions or else when consulting an Internet data-bank, registering for a congress or talking to an English-speaking colleague.

Future or qualified doctors in different professional situations, medical secretaries, pharmacists, midwives, nurses, stretcher-bearers, or ambulance officers, are all concerned, to varying extents.

What are their needs?

First and foremost, they should, of course, be able to use simple items of technical vocabulary: "case file, dressing, stretcher"... But they have learnt from experience that apart from various technical terms whose meaning is self-evident or which are identical to the French or familiar to the specialist, the real linguistic problem for them lies in everyday clinical examination. Such basic phrases as "strip from the waist down", "put out your tongue and say ah" can't be guessed at and have to be learnt by heart.

To meet this need, the authors have tried to cover the vast field of health-care practice by taking each profession in turn and providing the relevant items of vocabulary. They have attempted to ensure that these items appear in phrases which are regularly used by practitioners in their day-to-day hands-on-work so that the context makes it easier to commit them to memory.

The words and phrases are represented in two ways:

- lists of words where this is the more effective option, involving for example a sequence of anatomical terms.

- more often, however, a list of phrases is provided which health people can put to immediate use with full awareness of a context in which they can be employed.

The listed items have been collected and arranged bearing in mind both medical and lexical parameters. Whenever possible, "key words" highlight the change of theme thus making it easier for readers to locate the items they are seeking.

La pratique de l'anglais intéresse toutes les professions de santé car elle est nécessaire partout, que l'on accueille un patient anglophone à l'hôpital, dans une pharmacie, que l'on installe du matériel à l'aide d'une notice à la traduction douteuse, que l'on accède à une banque de données sur Internet, que l'on remplisse une fiche d'inscription pour un congrès, que l'on échange avec un membre d'une profession de santé anglophone.

Médecin en formation ou diplômé exerçant la médecine dans des conditions variées, secrétaire médicale, pharmacien, sage-femme, infirmière, brancardier, ambulancier, tous, bien qu'à des degrés divers, sont concernés.

Quels sont les besoins de tous ces professionnels ?

Bien sûr, disposer d'abord d'un vocabulaire technique fait de termes simples : "dossier médical, pansement, brancard"... Mais bien plus que les termes techniques, dont beaucoup sont transparents, ou déjà utilisés tels quels en français, ou parfaitement connus du spécialiste, l'expérience montre que ce sont en fait les situations cliniques les plus courantes qui posent problème : des expressions telles que "déshabillez-vous à partir de la taille", "tirez la langue et dites ah", ne sont pas acquises par hasard.

Pour répondre à ce besoin, il faudrait donc couvrir l'immense champ des professions de santé, en fournissant à chacune d'entre elles le vocabulaire nécessaire à sa pratique, mais sous réserve que ce vocabulaire soit inclus dans une expression correspondant à une situation pratique courante, en quelque sorte contextualisée, pour être ainsi plus facile à mémoriser.

Nous proposons donc la présentation des termes sous deux formes :

- énumération de mots quand cette forme est la plus adaptée, par exemple énumération de termes anatomiques ;

- mais surtout intégration des termes au sein d'expressions immédiatement utilisables, permettant d'en montrer les conditions d'utilisation mais aussi les limites.

La présentation en colonne propose des listes de mots ou de phrases qui ont en commun un lien de logique médicale et parfois lexicale. Dans la mesure du possible, de nombreux "mots clefs" signalent les changements de thèmes et permettent au lecteur un repérage rapide.

The book also tackles a wide range of health-linked topics. Each chapter has been designed as a self-contained unit dealing with a single field of practice. This approach has entailed a number of unavoidable repetitions with the same words being found under several different headings This makes it easier for readers to find terms used in several different sections.

The authors have chosen to focus mainly on clinical aspects of health-care. Hence, the book deals firstly with general medicine and related sectors followed by hospital care. All the various medical specialities are then presented along lines matching a GP's mode of thinking: anatomy, physiology, clinical examination including the patient's past medical history and presenting symptoms followed by physical examination. In this context, sets of questions and answers are introduced reproducing situations found during consultations and physical examinations. Next, some various sections related to complementary examinations, typical features of various diseases and their appropriate forms of treatment. The final section provides a list of the most currently used abbreviations in each speciality.

The following section deals with alternative forms of medicine, preventive medicine, medical research, medical communication, the economics of health-care and humanitarian medicine. The final section covers a number of major issues related to medical ethics.

As it stands, this book cannot claim to have recorded every medical theme, term or phrase. A measure of arbitrary selection has been adopted in the compilation process although the authors have given preference to those themes which, in their opinion, are the major concerns of health-care professionals with the opportunity to acquire the minimum language skills to cope with specific clinical situations. and to meet their actual linguistic needs. The authors hope that this book has achieved this purpose.

L'ouvrage aborde une grande diversité de domaines rattachés à la santé. Chaque chapitre est conçu comme un tout et traite de façon aussi autonome que possible le problème abordé. Ce parti pris oblige donc à certaines redondances pour éviter au lecteur d'avoir recours à plusieurs sources dispersées dans l'ouvrage.

La médecine de soins reste à juste titre l'essentiel du champ couvert, en abordant en premier lieu la médecine générale et ses partenaires, puis l'hôpital. Toutes les spécialités médicales sont alors présentées suivant le même plan, qui correspond à la démarche logique du praticien : anatomie, physiologie, examen clinique comportant d'abord les antécédents et les symptômes actuels, puis l'examen physique (ce qui permet de présenter toutes les questions et réponses que l'on rencontre durant l'interrogatoire et l'examen du malade). Ensuite sont présentés les différents examens complémentaires, quelques caractéristiques des différentes maladies et leur traitement. On a placé enfin, quand nécessaire, un récapitulatif des sigles les plus courants de la spécialité.

Alors sont abordées les médecines parallèles, la médecine préventive, la recherche, la communication médicale, l'économie de la santé, la médecine humanitaire et enfin quelques grandes questions d'éthique médicale.

Tel qu'il est, ce livre ne peut prétendre à l'exhaustivité ni des thèmes traités ni des expressions possibles. Le choix des uns et des autres comporte forcément une part d'arbitraire. Les auteurs ont privilégié les thèmes qui leur paraissaient les plus représentatifs des préoccupations des acteurs de santé et les formes d'expression les plus intéressantes à connaître pour leur exercice professionnel. Le but principal de cet ouvrage est de permettre à chacun d'acquérir les compétences minimales nécessaires dans une situation donnée pour répondre à des besoins immédiats. Les auteurs souhaitent que cet ouvrage permette d'atteindre ce but.

ORTHOGRAPHE

Des différences notoires existent dans l'orthographe entre l'anglais britannique (GB) et l'anglais américain (US). Le tableau suivant fournit les principales différences concernant le lexique médical à partir d'exemples.

	français	GB	US
our / or	*travail*	labour	labor
re / er	*fibre*	fibre	fiber
oea / ea	*dyspnée*	dyspnoea	dyspnea
ae / e	*hémorragie*	haemorrhage	hemorrhage
oe / e	*œdème*	oedema	edema
en / in	*s'assurer*	ensure	insure
ce / se	*défense*	defence	defense
ise / ize	*s'excuser*	apologise	apologize
xion : ction	*connection*	connexion	connection

Sommaire

Table des matières

VII. EMERGENCY — VII. URGENCES — 89

CHAPITRE 2
SPECIALITIES — ***SPECIALITES***

I. CARDIOLOGY — ***I. CARDIOLOGIE***

III. DRUGS — *III. LA DROGUE* 274

CHAPITRE 8 VOLUNTEER MEDECINE — *MEDECINE HUMANITAIRE* 339

I. A HUMANITARIAN MISSION — *I. UNE MISSION HUMANITAIRE* 339

CHAPITRE 9
MEDICAL ETHICS — ETHIQUE MEDICALE 353

Healthcare medicine
Médecine de soins

I. General medicine — *Médecine générale*

1. General background — *Généralités*

A. Life and death — *La vie et la mort*

<u>life</u>	<u>*la vie*</u>
lives	*des vies*
a matter / a question of life or death	*une question de vie ou de mort*
He lost his life.	*Il a perdu la vie.*
He took his own life.	*Il s'est donné la mort.*
life cycle	*le cycle de la vie*
life expectancy	*espérance de vie*
life expectancy table	*table de mortalité*
life span	*durée de vie*
live	*vivre*
Will he live?	*Va-t-il survivre ?*
live to be 90	*vivre jusqu'à 90 ans*
He won't live long.	*Il n'en a plus pour longtemps.*
He has only 3 months to live.	*Il ne lui reste plus que trois mois à vivre.*
He hasn't got long to live.	*Il lui reste peu de temps à vivre.*
live a healthy life	*mener une vie saine*
They live on rice only.	*Ils se nourrissent uniquement de riz.*
live through	*surmonter / survivre à*
He won't live through the night.	*Il ne passera pas la nuit.*
<u>living conditions</u>	<u>*conditions de vie*</u>
be living	*être en vie*
a living skeleton	*un cadavre ambulant*
be alive	*être vivant / au monde*
be alive and kicking	*être plein de vie / bien vivant*
stay alive	*rester en vie*
live	*vivant / en activité*
a live birth	*une naissance viable*
a still birth	*un enfant mort-né*
a still life	*une nature morte*
<u>death</u>	<u>*mort*</u>
His demise was announced in the papers yesterday.	*Son décès a été annoncé dans la presse hier.*
be dead	*être mort*
She has been dead for a long time.	*Il y a longtemps qu'elle est morte.*
have died	*être mort (avoir décédé)*
He has just died.	*Il vient de mourir / décéder.*
She died in 1922.	*Elle est morte en 1922.*
last year.	*l'an passé.*
<u>the living and the dead</u>	<u>*les vivants et les morts*</u>
a living dead	*un mort vivant*
a dead girl	*une jeune morte*
a corpse / a dead body	*un cadavre*
deadly pale / deathly pale	*d'une pâleur mortelle*

B. Health — *La santé*

in good health	*en bonne santé*
in bad / poor health	*en mauvaise santé / de santé médiocre*
enjoy good health	*jouir d'une bonne santé*
The child is blooming with health.	*L'enfant est d'une santé resplendissante.*
He looks the picture of health.	*Il respire la santé.*
sickly complexion	*teint maladif*
have a health problem	*avoir un ennui de santé*
as a health measure	*par mesure de salubrité*

health hazard	*danger pour la santé*
It's healthy for everybody not to smoke.	*Il est sain pour tous de ne pas fumer.*
someone healthy	*une personne bien portante*
healthy eating	*une alimentation saine*
healthy food	*de la nourriture saine*
be healthy	*être sain / en bonne santé*
well	*bien portant*
wellness (US)	*bonne santé*
well-being (GB)	*bien-être*
be / feel well	*être / se sentir bien*
I hope you're well.	*J'espère que vous allez bien.*
be / feel fine	*être / se sentir bien*
Get well soon!	*Rétablissez-vous vite !*
a well-tried remedy	*un remède éprouvé*
Can you see well?	*Est-ce que vous voyez bien ?*
Can you hear well?	*Est-ce que vous entendez bien ?*
be good	*être bon / salutaire*
Walking is good for your health.	*La marche, c'est bon pour la santé.*
Smoking is bad for your health.	*Le tabac, c'est mauvais pour la santé.*
have a good eyesight	*avoir une bonne vue*
have a weak eyesight	*avoir la vue basse / une mauvaise vue*
have a good sense of hearing	*avoir l'ouïe fine*
have a poor sense of hearing	*entendre mal / médiocrement*
do good	*faire du bien / le bien*
Did the drug do you good?	*Ce médicament vous a-t-il fait du bien ?*
He must stay home for the good of his health.	*Il faut qu'il reste chez lui pour des raisons de santé.*
be unwell	*être souffrant / indisposé*
feel unwell	*ne pas se sentir très bien*
strength	*force / puissance / robustesse*
The patient is getting his strength back.	*Le malade retrouve ses forces.*
strengthen	*fortifier / tonifier*
strengthening	*augmentation / consolidation / renforcement*
have a strengthening effect on the heart	*qui fortifie le cœur*
a strong heart	*un cœur robuste*
be strong / weak	*être fort / faible*
have strong nerves	*avoir les nerfs solides*
Do you feel strong?	*Est-ce que vous vous sentez d'attaque ?*
He has never been very strong.	*Il a toujours eu une petite santé.*
90 and still going strong!	*Toujours solide à 90 ans !*
fitness	*forme physique*
keep fit	*se maintenir / rester en forme*
be on form	*être en forme*
in fighting form	*dans une forme olympique*
on top / in fine form	*en grande forme*
be out of / off form	*ne pas être en forme*
feel poorly	*être patraque*
feel out of sorts	*ne pas être dans son assiette*
feel under the weather	*être mal fichu*
in fine / good fettle	*d'attaque*
be / feel ship shape (and Bristol fashion)	*être / se sentir dans une forme olympique*
tip top	*en pleine forme*
be hale and hearty	*se porter comme un charme*
hearty	*robuste*
someone hearty	*une personne robuste / quelqu'un de vigoureux*
be sound	*être en bonne santé*
be unsound	*être en mauvaise santé*
sound heart	*cœur solide*
sound teeth	*dents saines*
soundness	*santé*
soundness of mind	*équilibre*
be of unsound mind	*ne pas avoir toutes ses facultés mentales*
have an unsound health	*avoir une santé précaire*
weak	*faible / affaibli*
have a weak heart	*avoir le cœur fragile*
have a weak stomach	*avoir l'estomac délicat*
go / become weak	*s'affaiblir*
I nearly fainted and went weak at the knees.	*J'ai failli m'évanouir et mes jambes se sont dérobées.*
weaken	*affaiblir / fatiguer / miner*
weakening	*affaiblissement*
have a weakening effect	*qui affaiblit*
weakening disease	*maladie débilitante*
weakness	*faiblesse / fragilité*
weakly child	*enfant maladif*

C. Disease
Maladie

(non-)communicable disease	*maladie (non) contagieuse*
contagious / catching	*contagieux*
transmissible	*transmissible*
infectious	*infectieuse*
infection	*infection*
infected with	*atteint de / touché par*
contract a disease	*contracter une maladie*
a life-threatening disease	*une maladie potentiellement fatale*
fatal disease	*maladie fatale*
deadly	*mortel*

lethal dose	*dose mortelle*
benign disease	*maladie bénigne*
malignant	*malin*
malignancy	*caractère malin*
incurable	*incurable*
curable	*curable / guérissable*
mental disease / illness	*maladie mentale*
suffer from a disease	*souffrir d'une maladie*
course of a disease	*évolution d'une maladie*
disease process	*processus morbide*
full-blown disease	*maladie (qui s'est) déclarée*
disease-carrier	*porteur de maladie*
vector of disease	*vecteur de maladie*
agent of disease	*agent d'une maladie*
catch a viral disease	*contracter une maladie virale / à virus*
be sickening for a disease	*couver une maladie*
genetic disease	*maladie génétique*
predisposition to disease	*prédisposition à la maladie*
He's coming down with another bout.	*Il nous prépare une autre crise.*
onset of a disease	*début d'une maladie*
outbreak of a disease	*apparition brutale d'une maladie*
outcome of a disease	*issue d'une maladie*
spread of a disease	*propagation / progression d'une maladie*
stricken with a disease	*affligé d'une maladie*
be diseased	*être malade*
affection	*maladie*
affection of the throat	*affection de la gorge*
<u>condition</u>	<u>*état de santé*</u>
mental / physical condition	*état mental / physique*
in good physical condition	*en bon état physique*
in condition	*en bon état physique*
be out of condition	*ne pas être en bon état physique*
not be in a condition to	*ne pas être en état de*
in a serious condition	*dans un état sérieux*
<u>disorder</u>	<u>*trouble*</u>
health disorder	*problème de santé*
cardiac disorder	*problème cardiaque*
mental / stomach / kidney disorder	*problèmes mentaux / gastriques / rénaux*
genetic disorder	*maladie génétique*
<u>illness</u>	<u>*maladie*</u>
have a long illness	*avoir une longue maladie*
mild form of an illness	*forme atténuée de la maladie*
roots of an illness	*origines d'une maladie*
succumb to an illness	*succomber à une maladie*
chronic illness	*maladie chronique*
mental illness / disease	*maladie mentale*
ill	*malade*
fall ill / be taken ill	*tomber malade*
feel ill	*se sentir malade*
look ill	*avoir l'air malade*
a child who is ill	*un enfant (qui est) malade*
seriously ill	*gravement malade*
mentally ill patient	*malade mental*
the mentally ill	*les malades mentaux*
<u>sickness</u>	<u>*maladie*</u>
suffer from mountain sickness	*avoir le mal des montagnes*
suffer from sea sickness	*avoir le mal de mer*
suffer from air sickness	*avoir le mal de l'air*
suffer from car sickness	*être malade en voiture*
bouts of sickness	*des vomissements*
feel sick	*avoir envie de vomir / la nausée*
the sick / the vomit	*le vomi / les vomissures*
fall sick	*tomber malade*
be sick	*vomir / être malade*
be air / car sick	*être malade en avion / voiture*
sick child	*enfant malade*
sickly child	*enfant souffreteux*
<u>ailment</u>	<u>*affection bénigne*</u>
little ailments	*maux bénins / bobos*
be ailing with	*couver une maladie*

2. The doctor — *Le médecin*

A. General background — *Généralités*

<u>practitioner</u>	<u>*praticien*</u>
general practitioner (GP) (GB) / physician (US)	*médecin généraliste*
lady GP	*femme médecin / doctoresse*
country GP	*médecin de campagne*
junior GP	*généraliste débutant*
senior GP	*médecin chevronné*
able / skilled GP	*généraliste compétent*
qualified	*qualifié*
referral GP	*médecin référent*
a community doctor (US)	*un médecin de quartier / de terrain*
local GP	*médecin du quartier*
locum / replacement doctor	*remplaçant*
practise medicine	*exercer la médecine*
medical practice	*exercice de la médecine*
a practice	*une clientèle*
build up a practice	*se faire une clientèle*
put up a shingle	*visser sa plaque*
a brass plate	*une plaque de cuivre*

<u>patient</u>	<u>*patient*</u>
a GP's patients	*les patients d'un généraliste*
a panel patient	*un patient inscrit auprès d'un médecin*
a male patient	*un patient*
a female patient	*une patiente*
a boy patient	*un jeune patient*
a girl patient	*une jeune patiente*
a diabetic patient	*un diabétique*
a haemophiliac	*un hémophile*
an AIDS carrier	*un porteur du sida*
an AIDS sufferer	*un malade du sida*
sufferer	*accidenté / malade / victime*
sufferer from	*malade atteint de*
suffer from severe pain	*souffrir beaucoup / gravement*
suffer from somatic pain	*souffrir de douleur(s) d'origine somatique*
suffer from psychic pain	*souffrir de douleur(s) d'origine psychique*
The patient's suffering was intolerable.	*Les souffrances du patient étaient intolérables.*
<u>health care facilities</u>	<u>*lieux de soins*</u>
health centre / medical facility	*point médical / centre médico-social*
infirmary	*dispensaire*
preventive care centre	*centre de médecine préventive*
rest home	*maison de repos*
convalescent home	*maison de convalescence*
medical-social workers	*personnel médico-social*
a social worker	*une assistante sociale*
doctor's surgery	*cabinet du médecin*
visit a GP	*se rendre chez un généraliste*
consulting hours	*heures de consultation*
<u>send for the doctor</u>	<u>*faire venir le médecin*</u>
call in the doctor	*appeler le médecin*
call schedules (US) / calling hours (GB)	*horaires de garde*
night on call	*astreinte de nuit*
be on call	*être d'astreinte*
be on duty	*être de garde*
doctor on duty	*service de garde*
be off duty / not be on duty	*ne pas être de garde*
home visit	*visite à domicile*
visit a patient	*faire une visite*
The consultant makes his rounds in the hospital.	*Le spécialiste fait sa visite.*
The doctor is on visit.	*Le médecin est en visite.*

B. Making an appointment
Prendre un rendez-vous

secretary's office	*secrétariat*
secretary	*secrétaire*
fill-in / stand-in secretary	*secrétaire temporaire*
attendant / health attendant	*assistant médical*
receptionist	*personne à l'accueil*
Hello, this is doctor Smith's surgery.	*Allô, cabinet du docteur Smith.*
Hello, what can I do for you?	*Bonjour, que puis-je pour vous ?*
I've got to see doctor Smith, I' ve been having terrible headaches.	*Il faut absolument que je voie le docteur Smith, j'ai horriblement mal à la tête.*
I must see doctor Smith, I'm going abroad.	*Il faut que je voie le docteur Smith, je pars à l'étranger.*
I've an appointment, I'm here to see the doctor this afternoon.	*J'ai un rendez-vous, je dois voir le docteur cet après midi.*
health record	*carnet de santé*
medical record	*dossier médical*
Have you got a medical record, here?	*Avez-vous un dossier médical au cabinet ?*
What is your NHS number?	*Quel est votre numéro de Sécurité Sociale ?*
Is this your first visit to doctor Smith?	*S'agit-il de votre première visite au docteur Smith ?*
Is this the first time you've seen doctor Smith?	*Est-ce la première fois que vous voyez le docteur Smith ?*
When did you last see doctor Smith?	*Quand avez-vous vu le docteur Smith pour la dernière fois ?*
That was 3 weeks ago	*Il y a 3 semaines.*
Which doctor is in charge of your case?	*Quel médecin vous prend en charge ?*
Have you registered with a GP? (GB)	*Etes-vous inscrit auprès d'un médecin ?*
Who is your family GP / doctor?	*Qui est votre médecin de famille ?*
your referral?	*votre médecin référent ?*
Where does she practise (GB) / practice (US)?	*Où exerce-t-elle ?*
Come in and sit down, please.	*Voulez-vous entrer et vous asseoir, s'il vous plaît.*
If you would just sit here for a few minutes, I'll get a nurse to come and take care of you.	*Si vous voulez bien vous asseoir quelques minutes, je vais demander qu'une infirmière s'occupe de vous.*
We have to fill in an admission card.	*Il faut remplir un formulaire d'admission.*

C. Fill in a form
Remplir un formulaire

Read carefully.	*Lisez attentivement.*
Ask for help.	*Demandez l'aide nécessaire.*
<u>name and address</u>	<u>*nom et adresse*</u>

What is your surname / family name?	*Quel est votre nom de famille ?*
Can I have your last name?	*Puis-je avoir votre nom de famille ?*
Would you mind spelling it, please?	*Voulez-vous l'épeler, s'il vous plaît ?*
What is your Christian name (GB) / first name (US)?	*Quel est votre prénom ?*
first names	*prénoms*
How old are you?	*Quel âge avez-vous ?*
Where were you born?	*Où êtes-vous né ?*
What is your date of birth? (GB) / What is your birth date? (US)	*Quelle est votre date de naissance ?*
Where do you live?	*Où habitez-vous ?*
Have you moved to this district lately?	*Avez-vous emménagé récemment dans ce quartier ?*
What is your home address?	*Quelle est votre adresse personnelle ?*
What is your address in this country?	*Quelle est votre adresse en France ?*
Are you on the phone?	*Avez-vous le téléphone ?*
What is your telephone number?	*Quel est votre numéro de téléphone ?*
What is your marital status?	*Quelle est votre situation matrimoniale ?*
Are you married?	*Etes-vous marié ?*
Are you single?	*Etes-vous célibataire ? (M / F)*
Are you a bachelor?	*Etes-vous célibataire ? (M)*
Do you have a (live-in) partner?	*Vivez-vous avec quelqu'un ?*
Are you divorced?	*Etes-vous divorcé ?*
Are you separated?	*Etes-vous séparé ?*
Are you widowed?	*Etes-vous veuve ?*
a widow	*une veuve*
a widower	*un veuf*
next of kin	*personne proche*
It says here, "Name and address of next of kin".	*Je lis ici : « Nom et adresse d'un proche »*
Who is your nearest relation?	*Quelle est la personne la plus proche ?*
Do you live at the same address?	*Vous habitez à la même adresse ?*
occupation	*activité*
What do you do for a living? / what's your job?	*Quelle est votre profession ?*
occupation	*activité*
blue collar	*employé*
manual worker / labourer	*travailleur manuel*
white collar	*administratif*
executive	*cadre*
be self-employed	*être un travailleur indépendant*
be in the profession	*avoir une profession libérale*
be a civil servant	*être fonctionnaire*
housewife	*femme au foyer*
work full-time	*travailler à temps plein*
part-time	*temps partiel*
half-time	*mi-temps*
unemployed / jobless	*sans emploi*
be on the dole	*percevoir l'assurance-chômage*

3. The examination — *La consultation*

A. The routine exam — *L'examen de routine*

a case	*un cas*
examine a patient	*examiner un patient*
carry out an examination	*procéder à un examen*
the occupational health doctor	*le médecin du travail*
check-up / personal health appraisal	*bilan de santé*
We will start with a general check-up.	*Un bilan pour commencer.*
How have you been feeling since I last saw you?	*Comment ça va depuis la dernière fois ?*
How tall are you?	*Quelle taille faites-vous ?*
Please, pop up on the scales so that I can check your weight.	*Vous montez sur la balance, s'il vous plaît, afin que je vérifie votre poids.*
Your weight is...	*Votre poids est...*
You've gained quite a lot since your last visit.	*Vous avez pris beaucoup depuis la dernière fois.*
I think you'll have to cut down a little.	*Je crois qu'il va falloir vous priver un peu.*
gain / put on weight	*prendre du poids*
lose weight	*perdre du poids*
Have you brought your urine sample?	*Avez-vous apporté votre flacon d'urine ?*
I'll check it while you take off your clothes.	*Je vais vérifier cela pendant que vous vous déshabillez.*
If you'd like to lie on the couch...	*Si vous voulez bien vous allonger sur la table d'examen...*
Would you like to sit up.	*Voulez-vous bien vous asseoir ?*
I'll take your blood pressure.	*Je vais contrôler votre tension artérielle.*
Do you smoke?	*Etes-vous fumeur ?*
Do you drink alcohol?	*Consommez-vous de l'alcool ?*
Do you eat much?	*Est-ce que vous mangez beaucoup ?*
Do you exercise?	*Avez-vous une activité physique ?*

Anything else worrying you?	*Y-a-t-il autre chose qui vous tracasse ?*
I'm a little concerned about...	*Je m'inquiète un peu à cause de...*
When I took my temperature, it was only 97°7.	*Quand j'ai pris ma température, je n'avais que 36°5.*
Maybe, you were feeling a little anxious.	*Peut-être que vous étiez un peu anxieux.*
I think it runs in the family.	*Je pense que c'est un trait familial.*
I'm relieved to hear that.	*Je suis soulagé d'entendre cela.*
You can get dressed, now.	*Vous pouvez vous rhabiller à présent.*
Take things easy until I see you again.	*Vous vous détendez jusqu'à ce que je vous revoie.*
There shouldn't be any problem since you've stopped smoking.	*Il ne devrait pas y avoir de problème étant donné que vous avez arrêté de fumer.*
You've nothing to worry about.	*Il n'y a aucune raison de s'inquiéter.*
Well, there's no reason to worry.	*Bon, il n'y aucune raison de s'inquiéter.*
That's quite normal.	*C'est tout à fait normal.*
You are perfectly healthy.	*Vous êtes en parfaite santé.*
Everything is perfect.	*Tout est parfait.*

B. A new patient
Un nouveau patient

physical appearance	*aspect physique*
be well-developed / well-built	*être bien développé*
stunted	*chétif*
slim	*mince*
lean	*maigre*
I'll have a look at you.	*Je vais vous examiner.*
Relax.	*Détendez-vous.*
Will you please slip off / take off your clothes	*Veuillez, s'il vous plaît, retirer vos vêtements.*
Please, get undressed.	*Déshabillez-vous, s'il vous plaît.*
Will you please get undressed.	*Veuillez vous déshabiller, s'il vous plaît.*
Undo your collar / tie, please.	*Défaites votre col / votre cravate, s'il vous plaît.*
Strip to the waist, please.	*Mettez-vous torse nu, s'il vous plaît.*
pull over	*pull*
jumper	*lainage*
blouse	*chemisier*
bra	*soutien-gorge*
dress	*robe*
skirt	*jupe*
pants	*slip (femme)*
panties	*gaine culotte*
tights	*collants*
jacket	*veste*
shirt	*chemise*
vest	*maillot de corps*
track suit	*jogging*
trousers	*pantalon*
briefs	*slip (homme)*
socks	*chaussettes*
shoes	*chaussures*
movements	*motricité*
stay still	*rester immobile*
bend forward / stoop forward	*se pencher en avant*
bend down	*se plier / se courber*
I have difficulty in climbing up stairs.	*J'ai des difficultés à monter un escalier.*
getting down stairs.	*descendre un escalier.*
Can you run?	*Pouvez-vous courir ?*
walk fast?	*marcher à pas vifs ?*
slowly?	*à pas lents ?*
I have to roll over in bed to seek a comfortable position.	*Je dois me retourner dans le lit à la recherche d'une bonne position.*
lying doubled up	*position fœtale*
lying on one side	*couché sur le côté*
sit down	*s'asseoir*
sit	*être assis*
sitting	*position assise*
stand up	*se mettre debout*
stand	*être debout*
standing	*position debout*
turn round	*se tourner / se retourner*
turn over	*se retourner*
lie down	*se coucher à plat*
lie	*être à plat*
@lie still	*rester allongé sans bouger*
lie prone / on the back	*rester couché sur le dos*
lie supine / on the chest	*rester couché sur le ventre*
recline	*se dresser sur les coudes*
sit up	*se redresser (de la position couchée)*
look up	*lever les yeux*
Raise your arm.	*Levez le bras.*
Move your head.	*Bougez la tête.*
Lift your leg.	*Levez la jambe.*
Arch your back.	*Courbez le dos.*
Raise your foot.	*Relevez le pied.*
Lower your foot.	*Abaissez le pied.*
Bend your knees.	*Pliez les genoux.*
Touch your toes.	*Touchez vos orteils.*
Move your fingers.	*Bougez les doigts.*
Wriggle your fingers.	*Agitez les doigts de pied / les orteils.*
Hold your head up.	*Relevez la tête.*
Keep your eyes shut.	*Restez les yeux fermés.*
Do as I do, please.	*Faites ce que je fais, s'il vous plaît.*

Turn your head to the / one side please.	*Tournez la tête de coté, s'il vous plaît.*
Tilt your head, please.	*Inclinez la tête sur le coté, s'il vous plaît.*
Tilt your head backwards / forwards please.	*Inclinez la tête en arrière / en avant, s'il vous plaît.*
Open / shut your eyes, please.	*Ouvrez / fermez les yeux, s'il vous plaît.*
size and weight	*taille et poids*
check	*vérifier*
What is your weight in kilos?	*Quel est votre poids en kilos ?*
How much do you weigh?	*Combien pesez-vous ?*
Pop up on the scales, please.	*Montez sur la balance, s'il vous plaît.*
Step onto the weighing machine, please.	*Montez sur la balance, s'il vous plaît.*
Have you kept the same weight for a long time?	*Il y a longtemps que vous faites ce poids-là ?*
Is this your usual weight?	*Est-ce votre poids habituel ?*
Do your clothes feel tighter?	*Vous sentez-vous à l'étroit dans vos vêtements ?*
Do your clothes feel looser?	*Avez-vous l'impression de flotter dans vos vêtements ?*
Have you been putting on weight lately?	*Avez-vous pris du poids dernièrement ?*
Over how long?	*En combien de temps ?*
Are you on a slimming diet?	*Suivez-vous un régime amaigrissant ?*
Do you have a good appetite?	*Avez-vous bon appétit ?*
Has your appetite kept the same?	*Avez-vous toujours le même appétit ?*
Has your appetite decreased lately?	*Votre appétit a-t-il diminué ces derniers temps ?*
decreased appetite	*perte d'appétit*
not notice any change	*ne pas remarquer de changement*
How tall are you?	*Quelle est votre taille ?*
I'll have a look at your throat.	*Je vais vous examiner la gorge.*
Swallow your saliva.	*Avalez votre salive.*
Open your mouth wide, please.	*Ouvrez grand la bouche, s'il vous plaît.*
Keep your mouth open.	*Maintenez la bouche ouverte.*
Show me your tongue, please.	*Montrez-moi votre langue, s'il vous plaît.*
Say Ah!	*Dites Ah !*
Now for the blood pressure (BP).	*La pression artérielle (TA) à présent.*
I will check your blood pressure.	*Je vais vérifier votre tension artérielle.*
Roll up your left / right sleeve, please.	*Vous remontez votre manche gauche / droite, s'il vous plaît.*
blood pressure gauge	*tensiomètre*
I'll fix this around you arm, here.	*Je vais vous ajuster cela, ici, autour du bras.*
I'll inflate this arm-cuff in order to take your blood pressure.	*Je vais gonfler ce brassard afin de prendre votre tension.*
What is your usual blood pressure?	*Combien avez-vous d'habitude ?*
usual reading	*chiffre habituel*
Your blood pressure is quite high.	*Votre tension est assez élevée.*
low.	*basse.*
Your blood pressure is 110 / 90 (one hundred and ten over ninety).	*Vous avez 11 / 9 (onze neuf).*
have sustained blood pressure	*avoir une pression artérielle stable*
raised blood pressure	*hypertension artérielle*
pregnancy-induced hypertension (PIH)	*hypertension artérielle gravidique (HTAG)*
rise in blood pressure	*augmentation de la pression artérielle*
fall in blood pressure	*baisse de la pression artérielle*
drop in blood pressure	*chute de la pression artérielle*
I'll take your pulse, now.	*Je vais vous prendre le pouls, à présent.*
feel the pulse	*prendre le pouls*
Hold out your wrist, please.	*Tendez le poignet, s'il vous plaît.*
Your pulse is 80.	*Votre pouls est de 80.*
rapid	*rapide*
slow	*lent*
regular	*régulier*
irregular	*irrégulier*
pulse rate	*nombre de pulsations-minute*
sound the chest	*ausculter la poitrine*
I will listen to your heart.	*Je vais ausculter votre cœur.*
Lie right out, please.	*Vous vous étendez bien à plat, s'il vous plaît.*
left lateral decubitus (LLD)	*décubitus latéral gauche (DLG)*
Hold out, please.	*Ne respirez plus, s'il vous plaît.*
Hold your breath.	*Retenez votre respiration.*
heart rate	*fréquence cardiaque*
beats per minute (BPM)	*battements-minute (BM)*
tachychardia	*tachycardie*
bradychardia	*bradycardie*
Would you sit up a bit more for me, please.	*Redressez le buste un peu plus, s'il vous plaît.*
Breathe slowly through your mouth.	*Respirez lentement par la bouche.*
Breathe in deeply.	*Prenez une grande inspiration.*
Breathe in / out, please.	*Inspirez / expirez, s'il vous plaît.*
Cough, please.	*Toussez, s'il vous plaît.*

Say "ninety-nine", please.	*Dites : « 33 ».*
eyesight and hearing	*la vue et l'ouïe*
Is your eyesight normal?	*Avez-vous une bonne vue ?*
Do you normally wear glasses / lenses?	*Portez-vous habituellement des lunettes / lentilles ?*
Do you hear well?	*Est-ce que vous entendez bien ?*
I am hard of hearing.	*J'entends mal.*
I wear a hearing aid.	*Je porte une prothèse auditive.*
a clean bill of health	*un bilan de santé normal*
nothing abnormal detected (NAD)	*rien à signaler (RAS)*
I don't think there is any cause for concern.	*Je ne pense pas qu'il y ait des raisons de s'inquiéter.*
You needn't come back until...	*Inutile de revenir avant...*
visit a specialist doctor	*se rendre chez un spécialiste*
seek out expert advice from a doctor	*consulter un médecin pour un avis autorisé*
I'll refer you to a specialist doctor.	*Je vais vous adresser à un médecin spécialiste.*

C. Two common complaints
Deux plaintes courantes

Hello, what's brought you along today?	*Bonjour, qu'est-ce qui vous amène aujourd'hui ?*
What brings you to the clinic today?	*Qu'est-ce qui vous amène à consulter aujourd'hui ?*
What seems to be the matter with you?	*Qu'est-ce qui ne va pas, selon vous ?*
What is your complaint?	*De quoi vous plaignez-vous ?*
complain of pain in	*se plaindre de douleurs dans / à*

1. Pain
La douleur

ache	*faire mal*
complain of aches and pains	*se plaindre d'avoir mal partout*
toothache	*mal aux dents*
earache	*mal aux oreilles*
backache	*mal aux reins / lumbago / mal de dos*
stomach-ache	*mal au ventre*
His stomach aches.	*Il a mal à l'estomac / au ventre.*
Do you get discomfort after eating?	*Avez-vous une digestion pénible ?*
Do you complain of heartburn?	*Eprouvez-vous des brûlures d'estomac ?*
Do you have nausea?	*Avez-vous des nausées ?*
Do you feel sick at times?	*Vous arrive-t-il d'avoir mal au cœur ?*
Do you have an upset stomach?	*Avez-vous l'estomac dérangé ?*
vomit / throw up / bring up	*vomir*
Does anything relieve the pain?	*Y a-t-il quelque chose qui atténue cette douleur ?*
having liquid food?	*l'absorption de nourriture liquide ?*
solid food?	*de nourriture solide ?*
headache	*le mal de tête*
Do you suffer from headaches?	*Avez-vous des maux de tête ?*
Since when?	*Depuis quand ?*
feel giddy / dizzy	*être pris d'étourdissements*
giddiness / dizziness	*étourdissements*
Are you prone to headaches?	*Etes-vous sujet au mal de tête ?*
Does the pain come about with the feeling that you are going to get sick?	*Quand la douleur survient, avez-vous le sentiment que vous allez vomir ?*
Is the pain accompanied by nausea?	*Cette douleur s'accompagne-t-elle de nausées ?*
vomiting?	*de vomissements ?*
photophobia / the wish to shun glaring light?	*d'intolérance à la lumière ?*
eyesight disorders?	*de troubles de la vision ?*
redness of the face?	*de rougeurs du visage ?*
Does anything relieve the pain?	*Y a-t-il quelque chose qui soulage cette douleur ?*
staying in the dark?	*rester dans l'obscurité ?*
staying still?	*l'immobilité ?*
sore	*endolori / (qui fait) mal*
a sore	*plaie*
pain	*la douleur*
be in pain	*souffrir*
have a pain in	*avoir une douleur à / dans*
twinge of pain	*élancement douloureux*
phantom-pain limb	*douleur de l'amputé*
have rheumatic pains	*souffrir de rhumatismes*
painful	*douloureux / pénible*
painless	*indolore*
ill-defined pain	*douleur mal définie*
episode of pain	*épisode douloureux*
persistent pain	*douleur persistante*
recurrent pain	*douleur périodique*
persist for a period of	*s'étendre sur une période de*
pain on awakening	*douleur au réveil*
Where have you got a pain?	*Où avez-vous mal ?*
Where do you feel pain?	*Où avez-vous mal ?*
I've got a pain in my chest.	*J'ai une douleur à la poitrine.*
Where does it hurt?	*Où avez-vous mal ?*
My chest hurts	*J'ai mal à la poitrine*
Where is it sore?	*Où avez-vous mal ?*
My chest aches.	*La poitrine me fait mal.*
location of pain	*emplacement de la douleur*

He' got a pain in his stomach.	*Il a une douleur à l'estomac.*
located to the right	*situé à droite*
I'm aching all over.	*J'ai plein de courbatures / mal partout.*
My back is giving me trouble.	*Je souffre du dos.*
My back is playing me up.	*Mon dos me joue des tours.*
have back trouble	*avoir des problèmes de dos*
Does the pain radiate to the left wrist?	*La douleur irradie-t-elle au poignet gauche ?*
extent of pain	*étendue de la douleur*
Does the pain spread downwards?	*La douleur (se) diffuse-t-elle vers le bas ?*
upwards?	*vers le haut ?*
(from the back) forwards?	*d'arrière en avant ?*
(from the front) backwards?	*d'avant en arrière ?*
sideways?	*latéralement ?*
onset of pain	*apparition de la douleur*
long-standing pain	*douleur ancienne / de longue date*
occur	*se produire / survenir*
When did the pain start?	*Quand cette douleur a-t-elle commencé ?*
How long does the pain last?	*Combien de temps dure cette douleur ?*
Do you get warning signals before the pain sets on?	*Avez-vous des signes précurseurs de la douleur ?*
How long have you felt the pain?	*Depuis combien de temps ressentez-vous cette douleur ?*
How does the pain start?	*Comment cette douleur démarre-t-elle ?*
end?	*se termine-t-elle ?*
gradually	*progressivement*
slowly	*lentement*
steadily	*régulièrement*
sharply	*brutalement*
suddenly	*subitement*
Does the pain start at its maximum / peak?	*Cette douleur est-elle immédiatement maximale ?*
Does the pain come about in fits and starts?	*Cette douleur est-elle capricieuse / intermittente ?*
Is the pain in waves?	*Cette douleur survient-elle par crises ?*
What brings the pain on?	*Qu'est-ce qui provoque cette douleur ?*
How quickly does the pain go away?	*En combien de temps cesse-t-elle ?*
types of pain	*types de douleur*
Is it a burning pain?	*Est-ce une douleur qui vous brûle ?*
Is it a sharp pain?	*Est-ce une douleur aiguë ?*
Is it a boring pain?	*Est-ce une douleur vrillante ?*
Is it a gnawing pain?	*Est-ce une douleur qui ronge ?*
Is it a nagging pain?	*Est-ce une douleur lancinante ?,*
Is it a stabbing pain?	*Est-ce une douleur en coup de poignard ?*
Is it a stitch?	*Est-ce un point de côté ?*
Is it a colicky pain?	*Est-ce une douleur de type colique ?*
Is it a splitting pain?	*Est-ce une douleur qui déchire ?*
Is it a darting pain?	*Est-ce une douleur en coup d'aiguille ?*
Is it a searing pain?	*Est-ce une douleur fulgurante ?*
Is it a stinging pain?	*Est-ce une décharge électrique ?*
Is the pain like pins and needles?	*Cette douleur donne-t-elle une sensation de fourmillement ?*
Is it a tingling sensation of pain?	*Est-ce une douleur urticante / de fourmillement ?*
Is it a gripping pain?	*Est-ce un crampe ?*
Is it a squeezing pain?	*Est-ce une douleur de constriction ?*
Is it a band-like sensation of pain?	*Est ce une sensation de serrage ?*
Is it a tightening sensation of pain?	*Est-ce une douleur qui serre ?*
Is it a throbbing pain?	*Est-ce une douleur pulsative ?*
Is it a thumping sensation of pain?	*Est-ce une douleur qui cogne ?*
Is it a chronic pain?	*Est-ce une douleur chronique ?*
Is it a dull pain?	*Est-ce une douleur sourde ?*
Is it a pain that comes and goes?	*Est-ce un douleur intermittente ?*
cramp	*crampe*
seized with cramp	*saisi d'une crampe*
intensity of pain	*intensité de la douleur*
Is it a slight / a faint sensation of pain?	*Est-ce une douleur légère ?*
a mild discomfort	*une simple gêne*
mild pain	*douleur supportable*
moderate pain	*douleur moyenne*
severe pain	*douleur sévère*
sharp pain	*douleur intense*
acute pain	*douleur aiguë*
excruciating pain	*douleur atroce*
blinding pain	*douleur qui rend fou*
shooting pain	*violente douleur*
intractable pain	*douleur insurmontable*
agonising pain	*douleur déchirante*
agony	*douleur atroce*
I'm in agony.	*Je souffre, c'est horrible.*
suffer agonies	*être à la torture*

Does the pain prevent you from sleeping at night?	*Cette douleur vous empêche-t-elle de dormir la nuit ?*
awaken the patient at night	*réveiller le malade la nuit*
Do you experience pain during the night?	*Avez-vous mal la nuit ?*
Does the pain wake you up at night?	*Cette douleur vous réveille-t-elle la nuit ?*
Do you have to go to bed because of the pain?	*Devez-vous vous aliter en raison de cette douleur ?*
Does the pain force you to lie still?	*La douleur vous oblige-t-elle à rester allongé sans bouger ?*
Does the pain go away on its own?	*Cette douleur cesse-t-elle spontanément ?*
Did you have to call a doctor?	*Avez-vous dû appeler un médecin ?*
groan with pain	*gémir de douleur*
cry out with pain	*crier de douleur*
shriek with pain	*hurler de douleur*
writhe with pain	*se tordre de douleur*
play up pain	*exagérer la douleur*
play down pain	*minimiser la douleur*
increase in pain	*augmentation de la douleur*
increase / worsen pain	*augmenter / aggraver la douleur*
worsening	*détérioration*
get worse	*se détériorer*
What makes the pain worse?	*Qu'est-ce qui aggrave cette douleur ?*
coughing	*la toux*
exertion	*exercice physique / effort*
fatigue	*fatigue*
eating particular foods	*de la nourriture particulière*
glaring light	*la lumière intense*
noise	*bruit*
periods	*règles*
resting	*repos*
changes in posture	*changer de position*
sexual intercourse	*activité sexuelle*
stressful situation	*tension nerveuse*
weather conditions	*le temps qu'il fait*
sensitivity to pain	*sensibilité à la douleur*
sensitive to	*sensible à*
sensible	*sensé / raisonnable*
responsiveness to	*réceptivité à*
be responsive to	*réagir à*
trigger a response from	*enclencher / déclencher une réaction chez*
Does it hurt when I press?	*Avez-vous mal quand j'appuie ?*
hurt	*mal / blessure*
hurt	*faire mal à / faire mal*
Am I hurting you?	*Est-ce que je vous fais mal ?*
Ouch! That hurts!	*Aie ! Ça fait mal !*
It hurts worse than ever.	*J'ai encore plus mal qu'auparavant.*
hurt oneself	*se blesser / se faire (du) mal*
hurt one's head	*se blesser à la tête*
get hurt	*se blesser / se faire du mal*
be badly hurt	*être sérieusement blessé*
manage pain in a patient	*traiter / prendre en charge la douleur chez le patient*
pain management in	*traitement / prise en charge de la douleur chez*
increase in pain	*augmentation de la douleur*
increase / worsen pain	*augmenter / aggraver la douleur*
decrease in pain	*diminution de la douleur*
decrease pain / lessen pain	*atténuer / diminuer / réduire la douleur*
Do you have to take pain-relievers because of the pain?	*Devez-vous recourir à des analgésiques en raison de cette douleur ?*
ease / relieve / soothe / alleviate pain	*calmer / soulager / atténuer la douleur*
Does anything ease the pain?	*Y-a-t-il quelque chose qui soulage cette douleur ?*
taking medicines	*le fait de prendre des médicaments*
sedatives	*des sédatifs*
pain-killer	*calmant / antalgique*
pain-reliever	*analgésique*
tranquilliser	*tranquillisant*
provide pain relief in a patient	*apporter un soulagement chez le malade*
provide effective / poor relief	*apporter un soulagement efficace / médiocre*
effective in treating pain	*efficace dans le traitement de la douleur*
ineffective	*inefficace*
perform pain-relieving surgery	*avoir recours à une chirurgie de la douleur*
respond to a treatment	*réagir / répondre à un traitement*
insensitive to	*insensible à*
be better off	*se / s'en trouver mieux*
be worse off	*se / s'en porter plus mal*
residual / subsiding pain	*douleur résiduelle / qui s'atténue*

2. The febrile patient
Le patient fébrile

What is your temperature?	*Quelle est votre température ?*
99.5 °F	*37.5 °C*
Do you have a (raised) temperature?	*Avez-vous de la température ?*
Have you had a temperature?	*Avez-vous eu de la fièvre ?*
I've been feeling feverish for two or three days.	*Je me sens fiévreux depuis deux ou trois jours.*

I took my temperature this morning just before I came. — *J'ai pris ma température ce matin juste avant de venir ici.*
fever — *la fièvre*
have a fever — *avoir de la fièvre*
high fever — *forte fièvre*
run a high fever — *faire / avoir une forte fièvre*
Have you had any bouts of fever? — *Avez-vous eu des accès de fièvre ?*
Since when? — *Depuis quand ?*
How long for? — *Pendant combien de temps ?*
When? — *Quand ?*
in the daytime — *le jour*
in the morning — *le matin*
at midday — *à midi*
in the afternoon — *l'après-midi*
in the evening — *le soir*
at night — *la nuit*
climb — *augmenter*
rise — *augmenter*
be on the rise — *être en hausse*
fall — *tomber*
drop — *chuter*
a drop in temperature — *une chute de température*
keep level — *être stable*
level off — *se stabiliser*
shiver — *grelotter*
Do you have attacks of shivering? — *Etes-vous saisi de frissons ?*
Do you sweat? — *Avez-vous des sueurs ?*
Do you perspire? — *Transpirez-vous ?*
chill — *refroidissement*
catch a chill — *prendre froid*
have a chill — *avoir un refroidissement*
catch a cold — *attraper un rhume*
have a cold — *avoir un rhume*
a cold in the head — *un rhume de cerveau*
runny nose — *nez qui coule*
Blow your nose, please. — *Mouchez-vous, s'il vous plaît.*
sniff — *renifler*
sneeze — *éternuer*
cough — *tousser*
sore throat — *mal de gorge / angine*
hoarse — *enroué*
rhinitis — *rhinite*
debilitated patient — *malade affaibli*
in a critical condition — *dans un état critique*
listed in serious condition — *dans un état jugé sérieux*
suffer from loss of strength — *sentir ses forces s'amenuiser*
loss of function — *perte des fonctions*
lack or energy — *manque d'énergie*
chronic fatigue syndrome (CFS) — *syndrome d'asthénie chronique (SAC)*
be fatigued with effort — *avoir une mauvaise résistance à l'effort*

D. Risk factors
Facteurs de risque

1. Hereditary factors
Facteurs héréditaires

have a family history — *avoir des antécédents familiaux*
Are your grandparents, parents, brothers, sisters still alive? — *Vos grand-parents, vos parents, vos frères, vos sœurs sont-ils / elles toujours vivant(e)s ?*
At what age did they die? — *A quel âge sont-elles / ils décédés ?*
What did they die from? — *De quoi sont-ils décédés ?*
Did they die from a disease? — *Sont-elles / ils décédé(e)s à la suite d'une maladie ?*
Was it an infectious disease? — *Etait-ce une maladie infectieuse ?*
Was it a hereditary disease? — *Etait-ce une maladie héréditaire ?*
Was any of them susceptible to allergies? — *L'un d'eux était-il sujet à des allergies ?*
prone to developing fractures? — *fâcheusement enclin à se faire des fractures ?*
heredity — *hérédité*
suffer from genetic impairment — *souffrir d'anomalies génétiques*
genetic legacy — *héritage génétique*
It runs in the family. — *C'est une maladie familiale.*
The streak runs in the family. — *C'est un caractère familial.*
genetic disorder — *maladie génétique*
pass on from parents to children — *se transmettre aux enfants*
handed down from generation to generation — *transmis aux générations suivantes*
Are your parents in good health? — *Vos parents sont-ils en bonne santé ?*
What do they suffer from? — *De quoi souffrent-ils ?*
Do you have brothers or sisters / siblings? — *Avez-vous des frères ou des sœurs ?*
Have you got a twin? — *Avez-vous un jumeau ?*
Is it an identical twin? — *Est-ce un vrai jumeau ?*
Are you an only child? — *Etes-vous enfant unique ?*
Do you have children? — *Avez-vous des enfants ?*
How old are they? — *Quel âge ont-ils ?*
Are they in good health? — *Sont-ils en bonne santé ?*

2. Personal factors
Facteurs personnels

Have you had any surgery? — *Avez-vous bénéficié d'opérations chirurgicales ?*

Have you been hospitalised lately?	*Avez-vous été hospitalisé dernièrement ?*
When?	*Quand ?*
What for?	*Pour quoi ?*
Do you exercise / take exercise?	*Faites-vous du sport ?*
practise	*s'entraîner*
not exercise	*ne pas avoir d'activité*
be sedentary	*être sédentaire*
have a lack of regular exercise	*mener une vie sédentaire*
Do you eat much / large amounts of food?	*Mangez-vous beaucoup / en grande quantité ?*
big	*fort / gros*
fat	*gras*
overweight	*en surpoids / en excès pondéral*
obese	*obèse*
obesity	*obésité*
Have you put on weight lately?	*Avez-vous pris du poids ces derniers temps ?*
Do you have a fatty diet?	*Avez-vous vous une alimentation riche en graisse ?*
Do you have a high carbohydrate diet?	*Avez-vous une alimentation riche en sucre ?*
Is your diet rich...	*Votre alimentation est-elle riche...*
in fats?	*en graisse ?*
in sugars?	*en sucre ?*
Are you a diabetic?	*Etes-vous diabétique ?*
have a high blood pressure	*être hypertendu*
high blood pressure	*hypertension*
Are you on any drug treatment?	*Suivez-vous un traitement médical quelconque ?*
Are you on any contraception?	*Prenez-vous une contraception ?*
Are you on the pill?	*Prenez-vous la pilule ?*
coil / intra-uterine device (ICU)	*stérilet*
diaphragm	*diaphragme*
morning-after pill	*pilule du lendemain*
sponge	*éponge spermicide*
condom	*préservatif*
When did you have your last periods?	*Quand avez-vous eu vos dernières règles ?*
menopause	*ménopause*
menopause disorders	*troubles de la ménopause*

3. Risk behaviour
Conduite à risque

Do you drink a lot of coffee?	*Buvez-vous beaucoup de café ?*
tea?	*de thé ?*
Do you smoke?	*Est-ce que vous fumez ?*
How many cigarettes a day?	*Combien de cigarettes par jour ?*
How long have you been smoking?	*Vous fumez depuis combien de temps ?*
Have you ever smoked?	*Avez-vous déjà fumé ?*
When did you start smoking?	*Quand vous êtes-vous mis à fumer ?*
When did you stop smoking?	*Quand avez-vous cessé de fumer ?*
Do you drink alcohol?	*Buvez-vous de l'alcool ?*
What about drink?	*Qu'en est-il de l'alcool ?*
have a drink problem	*avoir un problème d'alcoolisme*
How much / how many glasses of beer do you drink a day?	*Quelle quantité de / combien de verres de bière buvez-vous quotidiennement ?*
liqueur	*liqueur*
spirits	*alcool fort*
wine	*vin*
strong drink	*boisson alcoolisée*
soft drink	*boisson sans alcool*
Have you ever drunk previously?	*Avez-vous déjà eu un problème d'alcool ?*
Have you ever been on drugs?	*Vous est-il déjà arrivé de prendre de la drogue ?*
a drug addict	*un toxicomane*
When did you start taking soft drugs?	*Quand avez-vous commencé à prendre des drogues douces ?*
hard drugs?	*des drogues dures ?*
induce dependence / addiction in a patient	*provoquer l'assuétude / la dépendance chez un malade*
Are your vaccinations up to date?	*Etes-vous à jour dans vos vaccinations ?*
Have you got your vaccination book with you?	*Avez-vous votre carnet de vaccination ?*

4. Occupational disease / hazard
Maladie / risque professionnel(le)

industrial injury	*accident du travail*
work place	*lieu de travail*
exposed to	*exposé à*
exposure	*exposition*
avoid exposure	*éviter l'exposition*
prevent exposure	*empêcher l'exposition*
noxious	*nocif*
noxious gas	*gaz délétère*
injurious to the health	*mauvais pour / préjudiciable à la santé*
unwholesome job	*travail insalubre*
wholesomeness	*salubrité*
unwholesome to	*malsain / insalubre pour*

E. Diagnosis and prognosis
Diagnostic et pronostic

symptom	*symptôme*
present with a symptom of	*présenter un symptôme de*
symptomatic of	*symptomatique de*
symptoms of a disease	*symptômes d'une maladie*
What triggers the symptoms?	*Qu'est-ce qui déclenche ces symptômes ?*
transitory / enduring symptoms	*symptômes passagers / qui perdurent*
prodrome / early symptoms	*premier symptôme*
syndrome	*syndrome*
a diagnosis (sg) / diagnoses (pl)	*un diagnostic*
the diagnostic value	*la valeur diagnostique*
How far should we proceed down the diagnostic pathway?	*Jusqu'où doit-on aller pour faire ce diagnostic ?*
make a diagnosis	*faire un diagnostic*
confirm a diagnosis	*confirmer un diagnostic*
rule out a hypothesis	*éliminer une hypothèse*
temporary diagnosis	*diagnostic provisoire*
accurate	*précis*
inaccurate	*imprécis*
reliable	*fiable*
unreliable	*non fiable*
be diagnosed with	*faire l'objet d'un diagnostic de*
diagnosed as	*diagnostiqué(e) comme*
receive a diagnosis	*être informé(e) d'un diagnostic*
detect	*détecter*
early detection	*détection précoce*
escape detection	*échapper à l'examen*
baffle analysis	*déjouer / échapper à l'analyse*
a prognosis (sg) / prognoses (pl)	*un pronostic*
reserve one's prognosis	*réserver son pronostic*
short-term prognosis	*pronostic à court terme*
long-term prognosis	*pronostic à long terme*
poor prognosis	*mauvais pronostic*

F. Prescribe
Prescrire

be on sick leave (GB) / have leaves of absence (US)	*être en congé maladie*
prescription	*ordonnance*
write out a prescription	*remplir une ordonnance*
I will make out a prescription for you.	*Je vous rédige une ordonnance.*
put a patient on a treatment	*mettre un patient sous traitement*
renew a prescription	*renouveler une ordonnance*
When does it come up for renewal?	*A quelle date faudra-t-il la renouveler ?*
Do you benefit from third-party payment?	*Avez-vous le tiers-payant ?*
delivered on prescription	*délivré sur ordonnance*
Prescription-only Medication (PoM)	*médicament sur ordonnance*
Over The Counter medication (OTC)	*médicament en vente libre*
British National Formulary (BNF)	*équivalent du VIDAL*
Monthly Index of Medical Specialties (MIMS)	*actualisation mensuelle de l'équivalent du VIDAL*
Are you on any medical treatment?	*Suivez-vous un traitement médical ?*
How long have you been on a treatment?	*Depuis combien de temps êtes-vous sous traitement ?*
What for?	*A quel effet ?*
Since when?	*Depuis quand ?*
Have you ever been on extended treatment?	*Avez-vous déjà été sous traitement médicamenteux prolongé ?*
Have you taken or are you taking such medicine as antidepressant?	*Avez-vous pris ou prenez-vous toujours un médicament du type antidépresseur ?*
antipsychotic / neuroleptic?	*neuroleptique ?*
pain-killer?	*analgésique ?*
pain reliever?	*antalgique ?*
tranquilliser?	*tranquillisant ?*
What is the dosage form of your treatment?	*Sous quelle forme votre traitement se présente-t-il ?*
ampoule	*ampoule*
capsule	*gélule*
drops	*gouttes*
gargle	*gargarisme*
gel	*gel*
injection	*injection*
lozenge	*pastille*
mouthwash	*bains de bouche*
paste	*crème / pâte*
patch	*timbre cutané autocollant*
pellets	*granulés / pilules*
pill	*pilule*
tablet	*comprimé*
spray	*spray nébuliseur*
suppository	*suppositoire*
syrup	*sirop*
put a patient on drugs	*instaurer un traitement chez le malade*
drug regimen	*régime médicamenteux*
once a day	*une fois par jour*
twice a day	*deux fois par jour*
three times a day	*trois fois par jour*
before meals	*avant les repas*
after	*après*
half way through the meal	*au milieu des repas*

away from meals	*loin des repas*
in between meals	*entre les repas*
before going to bed	*avant le coucher*
when you wake up	*au réveil*
make sure that	*veiller à ce que*
consider long-term / short-term therapy	*envisager une thérapie longue / courte*
an extended period of	*une longue période de*
inactivity due to	*absence d'activité causée par*
Make sure you keep to your treatment.	*Veillez à bien suivre votre traitement.*
comply with a treatment	*se plier à son traitement*
compliance	*obéissance*
extend a treatment	*prolonger un traitement*
Make sure you take... / you don't forget to...	*Veillez à prendre / à ne pas oublier de...*
side-effect	*effet secondaire*
adverse side-effect	*effet secondaire indésirable*
understand one's drug regimen	*comprendre son traitement*
It says on the prescription that you are to take the drug every 2 hours.	*D'après l'ordonnance, vous devez prendre ce médicament toutes les 2 heures.*
Avoid directions that can be forgotten or misinterpreted like "ut dict" (as directed).	*Eviter de donner des instructions du type : « comme indiqué » qui peuvent faire l'objet d'un oubli ou être mal comprises.*
Establish specific times for medication that are compatible with the patient's normal routine.	*Mettre en place un horaire précis compatible avec l'activité habituelle du malade.*
Make sure the patient understands how to take the medication and what it will do to him.	*S'assurer que le malade comprend comment il faut prendre le médicament et l'effet qu'il en retirera.*
Emphasise the positive results to be gained by taking the drug.	*Souligner les résultats positifs à attendre de la prise du médicament.*
Discuss what side effects to expect, why it is important to report them, what measures may alleviate them.	*Expliquer les effets probables indésirables, la raison pour laquelle il est important de les signaler, ce qui peut être fait pour les tempérer.*
a written medication schedule	*un tableau écrit des heures de prise*
Have the patient write the schedule himself.	*Faire que le malade écrive lui-même le tableau des prises.*
Post the schedule in a highly visible place.	*Afficher le tableau dans un endroit bien visible.*
feel free to call the pharmacist after the pharmacy visit	*ne pas craindre d'appeler son pharmacien après s'être rendu à la pharmacie*
What if you miss a dose?	*Que faire en cas d'oubli ?*
The more drug you take, the more likely it is to occur.	*Plus vous prenez de médicaments, plus vous êtes susceptible d'en oublier un.*
take the missed one as soon as remembered	*prendre la dose dès qu'on s'en souvient*
miss 2 pills in the row	*manquer deux pilules à la suite*
skip the dose	*renoncer à cette prise*
take 2 pills on each of the next 2 days	*prendre 2 pilules chacun des 2 jours suivants*
take the next dose at the regular time	*prendre la dose suivante à l'heure prescrite*
simplify regimen	*simplifier le régime médicamenteux*
avoid a poor result of therapy	*éviter que le traitement ait un effet médiocre*
I will complete your Social Security "Prior Approval" form.	*Je remplis une demande d'Entente préalable (avec la Sécurité Sociale).*
follow-up a patient	*suivre un patient*
renew a prescription	*renouveler une ordonnance*
be on a treatment	*suivre un traitement*
be followed up by a care-giver	*bénéficier d'un suivi médical*
I need to see you again next week / in two weeks' time / in a month from now.	*Il faut que je vous revoie la semaine prochaine / dans deux semaines / dans un mois maintenant.*
If you are in pain, just give me a ring.	*Si vous souffrez, passez-moi un coup de fil.*
Should you have any further problems, make an appointment.	*Au cas où, par hasard, se poserait un nouveau problème, prenez un rendez-vous.*
a few tips on how to take drugs	*conseils pour prendre vos médicaments*
Do	*Il faut*
take medicine in the exact amount and on the same schedule as prescribed by your doctor.	*prendre la quantité exacte de médicaments et selon les indications fixées par le médecin.*
always tell your doctor about past problems you have had with drugs, such as rashes, indigestion, dizziness or feeling hungry.	*ne pas oublier de signaler les problèmes rencontrés avec les médicaments, antérieurement : éruptions de boutons, indigestion, vertige ou sensation de faim, par exemple.*
keep a daily record of all the drugs you take.	*faire un état quotidien de tous les médicaments absorbés.*
review your drug record with the doctor at every visit.	*passer cette liste en revue à chaque consultation du médecin.*

make sure you can read and understand the drug name and directions on the container.	*s'assurer que le nom du médicament et sa posologie vous soient lisibles et compréhensibles.*
If the label is hard to read, ask your pharmacist to use large type.	*demander au pharmacien d'écrire gros si l'étiquette est difficile à lire.*
check the expiration date on your medicine bottles.	*vérifier la date de péremption sur les emballages.*
Do not	*Il ne faut pas*
take more or less than the prescribed amount of any drug.	*prendre plus ou moins que ce qui est spécifié.*
mix alcohol and medicine unless your doctor says okay.	*prendre en même temps des médicaments et de l'alcool sauf accord du médecin.*
<u>routine complementary exams</u>	*<u>examens complémentaires courants</u>*
a blood analysis / a blood test.	*une analyse de sang.*
have a test done on a patient for	*faire faire un test à un malade pour savoir si*
take a blood sample	*faire une prise de sang*
radiograph / X-ray	*radiographie*
chest-X-ray	*radio des poumons*
CT scan	*scanner*
smear	*frottis*
TB test	*test tuberculinique*
fasting glycemia	*glycémie à jeun*
blood sugar level	*taux de glycémie*
Full Blood Cell count (FBC) / Complete Blood Cell count (CBC)	*numération formule sanguine (NFS)*

G. Hospitalisation
Hospitalisation

I'll refer you to a specialist.	*Je vous adresse à un spécialiste.*
You need to be hospitalised.	*Il faut vous hospitaliser.*
You require an operation.	*Il faut vous opérer.*
be taken to hospital	*être emmené à l'hôpital*
be rushed to hospital	*être emmené à l'hôpital en urgence*
deliver a patient to hospital	*conduire un malade à l'hôpital*
hospitalised	*hospitalisé*
hospital stay	*séjour à l'hôpital*
keep a patient in	*garder un malade*
discharge a patient	*(autoriser le malade à) sortir*
inpatient	*malade hospitalisé*
outpatient	*malade en soins externes*
fight off a disease	*lutter contre la maladie*

4. The wounded — *Les blessés*

<u>wound</u>	*<u>plaie</u>*
wound in	*une plaie à*
bullet wound	*une plaie par balle*
arm wound	*une plaie au bras*
wound	*blesser*
wounded in	*être blessé / avoir une plaie à*
wounded in a limb	*être blessé à un membre*
wounded in the war	*être blessé à la guerre*
the war-wounded	*les blessés de guerre*
the walking wounded	*les blessés capables de marcher*
the wounded	*les blessés*
dress a wound	*panser une blessure*
dressing	*pansements*
apply dressing	*appliquer un pansement*
<u>injury</u>	*<u>blessure / lésion</u>*
injury to	*une blessure / une lésion à*
susceptible to injury	*sujet aux accidents*
accident-prone patient	*malade / patient sujet aux accidents*
be accident-prone	*avoir souvent des accidents*
be prone to doing	*avoir une fâcheuse tendance à faire*
do oneself / someone an injury	*se blesser / blesser quelqu'un*
have injuries	*être blessé*
internal injuries	*lésions internes*
pain following injury to	*une douleur consécutive à*
injure	*blesser*
injure oneself	*se blesser*
injure one's health	*se ruiner la santé*
injure one's arm	*se blesser au bras*
injured	*accidenté / blessé*
be fatally injured	*mortellement blessé*
the injured	*les accidentés / les blessés*
the badly injured	*les blessés graves*
<u>casualties</u>	*<u>les pertes / les morts et blessés</u>*
road casualties	*les accidentés de la route*
death toll	*bilan des victimes / nombre de morts*
badly mangled	*horriblement blessé*
suffering from shock	*commotionné*
concussion	*commotion*
sustain concussion	*être commotionné*
<u>bleeding</u>	*<u>saignement</u>*
bleeding / haemorrhage	*hémorragie*
nose bleed	*épitaxis*

blood loss	*perte de sang*
blood clot	*caillot de sang*
maim	*estropier*
maimed for life	*estropié à vie*
impaired	*handicapé*
amputate	*amputer*
an amputee	*un amputé*
be one-legged	*être unijambiste*
be without feet	*ne pas avoir de pieds*
be without hands	*ne pas avoir de mains*
armless	*sans bras*
legless	*ne pas avoir de jambes*
be lame	*boiter*
have a club foot	*avoir un pied bot*
stump	*moignon*
arm stump	*moignon de bras*
a cast	*un plâtre*
be in a cast	*avoir un plâtre / être plâtré*
lay a cast	*poser un plâtre*
a splint	*une attelle*
have an arm / a leg in splints	*avoir le bras / la jambe dans une attelle*
a sling	*une écharpe*
carry / have an arm in a sling	*avoir le bras en écharpe*
walk on crutches	*marcher avec des béquilles*

5. The disabled — *Les handicapés*

incapacitation	*déficience*
incapacitated	*handicapé*
the disabled / the handicapped	*les handicapés*
a disabled / handicapped person	*un handicapé*
disabled / handicapped	*handicapé*
be handicapped in a limb	*présenter un handicap d'un membre*
war-disabled	*blessé de guerre*
disabling condition	*affection invalidante*
be an invalid	*être invalide*
be bed-ridden	*être cloué au lit*
abnormal	*anormal*
abnormality	*anormalité*
malformed	*difforme*
deformed / misshapen	*déformé*
malformation	*difformité*
cause malformation	*provoquer une difformité*
defect	*défaut*
birth defect	*défaut de naissance*
stunted growth	*croissance retardée*
stunted lungs	*poumons atrophiés*
stunted limbs	*membres atrophiés*
congenital	*congénital*
a retard	*un handicapé mental*
mentally retarded	*handicapé mental*
the mentally handicapped	*les handicapés mentaux*
be mildly retarded	*(un) débile léger*
retardation	*handicap mental*
spastic	*handicapé moteur*
functional ability / disability	*capacité / incapacité fonctionnelle*
disabling condition	*affection invalidante*
crippled	*infirme*
one-armed	*manchot*
one-eyed	*borgne*
the visually impaired	*les mal-voyants*
blind	*aveugle*
blind in one eye	*borgne*
the blind	*les aveugles*
blindness	*cécité*
deaf	*sourd*
deaf in one ear	*sourd d'une oreille*
deafness	*surdité*
mute / dumb	*muet*
the mute	*les muets*
a mute patient	*un malade muet*
the deaf and dumb	*les sourds-muets*
a deaf and dumb girl	*une jeune sourde-muette*
dumbness	*mutisme*
speech impediment	*défaut de prononciation*
stammer / stutter	*bégayer*

6. Outcome — *Evolution*

A. Favourable outcome — *Evolution favorable*

tend	*soigner*
tend a wound	*soigner une plaie*
attend to a patient	*s'occuper d'un malade*
look after	*s'occuper de*
take care of	*prendre soin de*
treat	*dispenser des soins à*
heal	*se cicatriser*
heal of	*guérir de*
heal over / up	*cicatriser*
healing	*cicatrisation / guérison*
healing ointment	*pommade apaisante / cicatrisante*
cure	*guérir*

cure	*remède*
miracle cure	*remède miracle*
cure-all	*panacée*
recover	*se remettre / récupérer*
recovery	*guérison / rétablissement*
enjoy a speedy recovery	*bénéficier d'un prompt rétablissement*
speed up recovery	*accélérer le rétablissement*
delay recovery in a patient	*retarder le rétablissement du patient*
long-delayed recovery	*rétablissement qui se fait attendre*
be beyond recovery	*être dans un état désespéré*
recovery room	*la salle de réveil*
have recovered	*(s') être rétabli*
recover slowly	*se rétablir lentement*
quickly	*rapidement*
recover one's health	*recouvrer la santé*
eyesight	*la vue*
breath	*reprendre souffle*
strength	*des forces*
recover / regain consciousness	*reprendre conscience*
gain strength	*prendre des forces*
rally	*reprendre des forces*
make progress / headway	*faire des progrès*
come along	*faire des progrès*
be on the mend	*s'améliorer*
improve	*s'améliorer*
improvement	*amélioration*
take a turn for the better	*voir son état s'améliorer*
change for the better	*voir son état s'améliorer*
be on the upswing	*remonter la pente*
get better	*aller mieux*
perk up	*se retaper / se requinquer*
pick up	*se remettre / récupérer*
come around	*se remettre*
come through	*s'en tirer*
pull through	*en réchapper*
make it	*s'en sortir*
emerge from an illness	*sortir d'une maladie*
The patient got back on his feet, at last.	*Le malade a fini par se remettre sur pied.*
recuperate	*récupérer*
recuperation	*récupération*
after effect / sequellae	*séquelles*
aftermath	*conséquences / suites*
rest	*se reposer*
be at rest	*se reposer / prendre du repos*
Rest and Recuperation (RR)	*convalescence*
unharmed	*indemne*
come off uninjured	*s'en sortir indemne*
save	*sauver*
rescue	*tirer d'affaire / sauver*
survive	*survivre*

B. Unfavourable outcome
Evolution défavorable

complication	*complication*
worsen	*s'aggraver*
worsening	*aggravation*
take a turn for the worse	*s'aggraver soudain*
be getting / taken worse	*voir son état empirer*
deteriorate	*le fait d'empirer*
deterioration	*détérioration*
His life is in jeopardy.	*Sa vie est en danger.*
jeopardise	*mettre en danger*
recur	*se reproduire*
recurrence	*retour / réapparition*
relapse	*rechuter*
a relapse	*une rechute*
lose one's grip	*décliner / perdre le contrôle*
decline	*décliner*
slip into (a coma)	*glisser dans (le coma)*
go into a coma	*plonger dans le coma*
lapse into a coma	*tomber dans le coma*
wither away	*dépérir*
be dead	*être mort*
pass away / slide away	*s'éteindre*
die	*mourir*
have died	*(venir de) mourir*
She has just died.	*Elle vient de mourir.*
She is dead.	*Elle est morte.*
She died yesterday.	*Elle est morte hier.*
demise	*décès*
death	*la mort*

7. Numbers & measures *Nombres & mesures*

weight	*poids*
1 lb (pound)	*0,45 kg (kilogramme)*
2.2 lb	*1 kg*
1 st (stone) =14 lb	*6,36 kg*
length	*longueur*
1 in (inch)	*2,5 cm (centimètre)*
0. 39 in	*1 cm*
1 ft (foot)	*0,3 m (mètre)*
3.33 ft (feet)	*1 m*
temperature	*température*
y °F.=(x °C X 9/5) + 32	*y °C. = (x °F. - 32) X 5/9*
98.°6F	*37°C*

100.°4F	*38°C*	104 °F	*40°C*
102.°2F	*39°C*		

8. Abbreviations — *Sigles*

BNF	British national formulary	-	*équivalent du VIDAL*
BP	blood pressure	*TA*	*pression artérielle*
BPM	beats per minute	*BM*	*battements-minute*
CBC	complete blood cell count	*NFS*	*numération formule sanguine*
CFS	chronic fatigue syndrome	*SAC :*	*syndrome d'asthénie chronique*
CT scan	computerised tomography scan	-	*scanner*
FBC	full blood cell count	*NFS*	*numération formule sanguine*
GP	general practitioner	-	*médecin généraliste*
LLD	left lateral decubitus	*DLG*	*décubitus latéral gauche*
MIMS	monthly index of medical specialties	-	*actualisation mensuelle de l'équivalent du VIDAL*
NAD	nothing abnormal detected	*RAS*	*rien à signaler*
NHS	national health service	*SS*	*Sécurité Sociale*
OTC	over the counter medication	-	*médicament en vente libre*
PIH	pregnancy-induced hypertension	*HTAG*	*hypertension artérielle gravidique*
PoM	prescription-only medication	-	*médicament sur ordonnance*
RR	rest and recuperation	-	*convalescence*
TB test	tuberculosis test	-	*test tuberculinique*

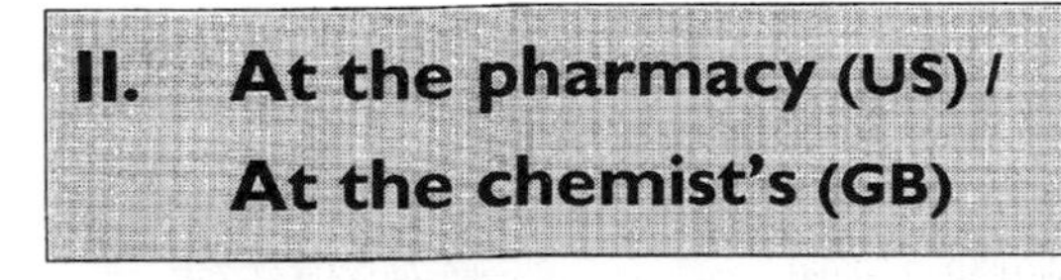

II. At the pharmacy (US) / At the chemist's (GB) — *A la pharmacie*

I. The shop — *L'officine*

the staff	*le personnel*
a registered pharmacist	*un pharmacien inscrit au Conseil de l'Ordre*
a pharmacist in training	*un pharmacien en formation*
a pharmacy student	*un étudiant en pharmacie*
the assistant to the pharmacist	*l'assistant du pharmacien*
the premises	*les locaux*
located in / on	*situé dans / sur*
opening / business hours	*heures d'ouverture*
round-the-clock opening	*ouvert en permanence*
not on bank holidays	*sauf les jours fériés*
"We do not work on bank holidays and Sundays".	*« Fermé dimanche et jours fériés »*
the pharmacist on duty	*la pharmacie de garde*
the shop presentation	*l'agencement du magasin*
a counter	*un comptoir*
the till	*le tiroir-caisse*
till money	*la recette*
a telephone and directory book	*un téléphone avec annuaire*
an information rack	*un présentoir pour brochures*
a leaflet to be taken away	*une brochure à disposition du public*
hand-out	*prospectus*
pamphlet	*brochure*
pull-out brochure	*encart détachable*
the sliding drawers	*les tiroirs coulissants*
a shelf (pl. shelves)	*une étagère*
running the shop / shop management	*la gestion de l'officine / du magasin*
the shop window	*la vitrine*
do / dress the shop window	*faire la vitrine*
advertise the shop's wares	*faire de la publicité pour les produits vendus dans le magasin*
put up advertising in the window	*mettre de la publicité en évidence / dans la vitrine*
a refund	*un remboursement*
pay with a bank / credit card	*payer par carte bancaire*
pay in cash	*payer en liquide*

cheque (GB) / check (US) made payable to	*rédiger les chèque à l'ordre de*
an item	*un article*
display the drugs	*mettre les médicaments en évidence*
a price tag	*une étiquette pour le prix*
a label	*une étiquette*
label	*donner un nom*
a bar code	*un code barre*
a bar-code reader	*un lecteur de code-barres*
a brand / a brand name	*une marque / une marque déposée*
an over-the-counter drug (OTC)	*un médicament sans ordonnance*
a prescription drug / prescription-only medication (PoM)	*un médicament sur ordonnance*
a proprietary name	*un médicament propriétaire (une specialité pharmaceutique)*
a generic	*un médicament générique*
a drug for external use	*un médicament pour usage externe*
a lifestyle drug	*un médicament de confort*
various products	*produits divers*
a line / a range of products	*une gamme de produits*
cosmetics	*produits de beauté*
shampoo	*shampooing*
toothbrush	*brosse à dent*
food supplement	*complément alimentaire*
nutritional supplement / nutracical	*alicament*
store / keep in store	*avoir en réserve / stocker*
a supplier	*un fournisseur*
supply	*fournir / approvisionner*
deliver	*livrer*
delivery	*livraison*
a batch (pl. batches)	*un lot*
best before march 2004	*utiliser avant mars 2004*
a best-before date	*date de péremption*
discard / throw away a drug	*mettre au rebut*
the stock-in-hand	*le stock du magasin*
take stock	*faire l'inventaire*
the stock book	*le livre de l'inventaire*
store products	*avoir des produits en stock*
a customer	*un client*
Are you being attended to?	*Est-ce qu'on s'occupe de vous ?*
May I help you?	*Puis-je vous aider ?*
deliver the drugs	*délivrer les médicaments*
the local hospital	*l'hôpital local*
the nearest doctor's surgery	*le cabinet médical le plus proche*

2. Medications — *Classes de médicaments*

What is the dosage form of your current treatment?	*Sous quelle forme votre traitement actuel se présente-t-il ?*
dosage form	*forme galénique*
come in different forms	*se présenter sous différentes formes*
in different formulations: 2 or 5 mg	*sous différents dosages : 2 ou 5 mg*
available as capsule or syrup	*disponible sous la forme de gelule ou sirop*
oral medications	*médicaments oraux*
to be swallowed	*à avaler*
capsule	*gélule*
sachet	*sachet*
tablet	*comprimé*
pill	*pilule*
coated with a thin layer	*enrobé d'une mince pellicule*
a protective coating	*un enrobage de protection*
a slow-dissolving pill	*une pilule à dissolution lente*
enclose a powdered form of the drug	*être rempli du médicament en poudre*
controlled-release drug	*médicament à libération contrôlée*
sustained-release drug	*médicament à libération prolongée*
lozenge	*pastille*
pellet	*granule / pilule*
troche	*pastille*
liquid medications	*médicaments liquides*
drops	*gouttes*
ear drops	*gouttes auriculaires*
eye drops	*collyre*
nose drops	*gouttes nasales*
oral suspension for	*suspension orale pour*
to be shaken before taken	*à agiter avant emploi*
to be refrigerated	*à conserver au réfrigérateur*
ampoule	*ampoule*
mouthwash	*bains de bouche*
gargle	*gargarisme*
cough syrup	*sirop pour la toux*
rectal / vaginal medications	*médicaments par voie rectale / vaginale*
to be inserted rectally	*à introduire dans l'anus*
suppository	*suppositoire*
useful for young children	*utile chez les petits*
injections	*injections*
use when a rapid response is needed	*utiliser si un effet rapide est nécessaire*
inject beneath the surface of the skin	*injecter sous la surface de la peau*

injection site	*lieu d'injection*
absorbed through the skin or mucous membranes	*à absorption trans-cutanée ou à travers une muqueuse*
implant	*implant sous-cutané*
transdermal patch	*timbre trans-dermique / patch*
apply to the skin	*appliquer sur la peau*
gradually release the drug into the body for / over an extended period	*libérer peu à peu un médicament dans l'organisme pendant une période de temps prolongée*
sublingual tablet	*comprimé sublingual*
hold under the tongue for rapid absorption into the blood stream	*conserver sous la langue pour absorption rapide dans le sang*
place between cheek and gum	*placer entre joues et gencives*
inhalation therapy	*traitement par inhalation*
aerosol	*aérosol*
spray	*pulvérisation / spray*
nebulizer	*nébuliseur*
metered-dose inhaler (MDI)	*aérosol doseur*
gas	*gaz*
one puff if needed	*une bouffée en cas de besoin*
used for local / topical effect	*utilisé pour un effet local / topique*
without any systemic effect	*sana effet systémique*
creams	*crèmes*
ointment	*pommade*
gel	*gel*
lotion	*lotion / lait*
paste	*crème / pâte*

3. Attending to the client — *Face au client*

What is your complaint?	*De quoi vous plaignez-vous ?*
I feel sick.	*Je ne me sens pas bien.*
I think I am ill.	*Je crois que je suis malade.*
disorder	*problème / trouble*
disease	*maladie*
illness	*maladie*
ill	*malade*
feel ill	*se sentir malade*
look ill	*avoir l'air malade*
sickness	*maladie*
feel sick	*avoir envie de vomir / la nausée*
be sick	*vomir / être malade*
be sea sick	*avoir le mal de mer*
a sick child	*un enfant malade*
ailment	*affection bénigne*
little ailments	*maux bénins / bobos*
be ailing with	*couver une maladie*
pain / a pain	*la douleur / une douleur*
be in pain	*souffrir*
have a pain in	*avoir une douleur à / dans*
Where do you feel the pain?	*Où avez-vous mal ?*
He's got a pain in his stomach.	*Il a une douleur à l'estomac.*
painful	*douloureux / pénible*
painless	*indolore*
complain of pain in	*se plaindre de douleurs dans / à*
ache	*mal*
complain of aches and pains	*sc plaindre d'avoir mal partout*
ache	*faire mal*
I'm aching all over.	*J'ai plein de courbatures. / J'ai mal partout.*
My chest aches.	*La poitrine me fait mal.*
sore	*douloureux*
sore	*emplacement douloureux*
Where is it sore?	*Où souffrez-vous ?*
Where does it hurt?	*Où avez-vous mal ?*
My chest hurts	*J'ai mal à la poitrine*
get hurt	*se blesser / se faire du mal*
I hurt myself.	*Je me suis blessé.*
My back is giving me trouble.	*Je souffre du dos.*
have back trouble / backache	*avoir des problèmes de dos*
My back is playing me up.	*Mon dos me joue des tours. / Je souffre du dos.*
a headache	*le mal de tête / la migraine*
have toothache	*avoir mal au dents*
earache	*mal à l' / aux oreille(s)*
backache	*mal aux reins / lumbago*
stomach-ache	*mal au ventre*
His stomach aches.	*Il a mal à l'estomac.*
When did the pain start?	*Quand cette douleur a-t-elle commencé ?*
How long have you felt the pain?	*Depuis combien de temps ressentez-vous cette douleur ?*
long-standing pain	*douleur ancienne / de longue date*
intensity of pain	*intensité de la douleur*
pain / a pain	*douleur / une douleur*
a slight / a faint sensation of pain	*une douleur légère / vague*
a moderate pain	*une douleur moyenne*
discomfort	*gêne*

Is it a mild sensation of discomfort?	*Est-ce une gêne discrète ?*
a mild pain	*une douleur supportable*
a chronic pain	*une douleur chronique / permanente*
a severe pain	*une douleur sévère*
an acute pain	*une douleur aiguë*
cramp	*crampe*
seized with cramp	*saisi d'une crampe*
<u>extent of pain</u>	*<u>étendue de la douleur</u>*
Does the pain spread downwards?	*La douleur (se) diffuse-t-elle vers le bas ?*
upwards?	*vers le haut ?*
(from the back) forwards?	*d'arrière en avant ?*
(from the front) backwards?	*d'avant en arrière ?*
sideways?	*latéralement ?*
<u>have a temperature</u>	*<u>avoir de la fièvre</u>*
I've been feeling feverish for two or three days.	*Je suis fiévreux depuis deux ou trois jours.*
fever	*la fièvre*
have a fever	*avoir de la fièvre*
high fever	*forte fièvre*
run a high fever	*faire / avoir une forte fièvre*
have attacks of shivering	*être saisi de frissons*
chill	*refroidissement*
sweat	*avoir des sueurs*
perspire	*transpirer*
affection of the throat	*affection de la gorge*
<u>break out</u>	*<u>se déclarer brutalement</u>*
flare up	*se déclarer / se réveiller*
The red spots flared up overnight.	*Les boutons rouges sont apparus en l'espace d'une nuit.*
He broke out into spots.	*Il a eu une éruption de boutons.*
She came out with a rash.	*Elle a eu une éruption soudaine.*
throw up / vomit / bring up food	*rendre / vomir*
have nausea	*avoir des nausées*
vomiting	*vomissements*
complain of heartburn	*se plaindre de douleurs à l'estomac*
pass out / faint	*se trouver mal / s'évanouir*
<u>have diarrhoea</u> (GB) / <u>diarrhea</u> (US)	*<u>avoir de la diarrhée</u>*
in poor physical condition	*en mauvais état physique*
I feel low / down / run-down.	*Je me sens à plat.*
debilitated	*affaibli*
I need a pep-up / pick-me-up.	*J'ai besoin d'un remontant.*
<u>be followed up by a care-giver</u>	*<u>bénéficier d'un suivi médical</u>*
medical follow-up	*suivi médical*
I am followed by Dr Jones.	*Je suis suivi par le Dr Jones.*
<u>heal</u>	*<u>se cicatriser</u>*
a wound	*une plaie*
healing ointment	*pommade cicatrisante*
<u>be on a contraception</u>	*<u>utiliser un moyen de contraception</u>*
be on the pill	*prendre la pilule*
a coil / intra-uterine device (IUD)	*un stérilet*
a diaphragm	*un diaphragme*
the morning-after pill	*la pilule du lendemain*
the sponge	*l'éponge spermicide*
a condom	*un préservatif*
<u>renew a prescription</u>	*<u>renouveler une ordonnance</u>*
come up for renewal	*arriver à renouvellement*
have all one's prescriptions filled at one pharmacy	*faire exécuter toutes ses ordonnances chez le même pharmacien*
when the renewal date has come round	*lors de la date de renouvellement*

4. A prescription — *Une ordonnance*

the half-yearly edition of the British National Formulary (BNF)	*équivalent du Vidal édité deux fois par an*
Monthly Index of Medical Specialties (MIMS)	*équivalent du complément mensuel du Vidal*
the prescription book	*l'ordonnancier*
<u>I'm afraid I can't deliver this medicine / drug without a prescription.</u>	*<u>Désolé, je ne peux pas délivrer ce médicament sans ordonnance.</u>*
You have to have a doctor's prescription for the medicine / drug to be delivered.	*Il vous faut l'ordonnance d'un médecin pour obtenir ce médicament.*
Sorry, we don't deliver the drugs individually.	*Désolé, Nous ne vendons pas les médicaments à l'unité.*
We don't sell this kind of drug / medicine, I'm afraid.	*Nous ne vendons pas ce type de médicament.*
It has been withdrawn from the market.	*Il a été retiré du marché.*
We don't have this medicine under this name in this country.	*Nous ne faisons pas ce médicament sous ce nom-là en France.*
I suggest you take this generic instead.	*Je vous suggère de prendre ce médicament générique à la place.*
<u>the correct dosage</u>	*<u>la bonne posologie</u>*
How much?	*Quelle quantité ?*
the least amount of medication to fight back the disease	*le dosage le plus faible pour combattre la maladie*

as little an amount of medication as possible for as great an effect as possible	*le plus petit dosage possible pour l'effet le plus efficace possible*
Patient's age	*Age du malade*
use a lower dose in the elderly	*dosage plus faible chez les personnes âgées*
in children, the dosage is usually based on the weight	*chez l'enfant, le dosage est ordinairement établi en tenant compte du poids*
not give drugs that adversely affect growth and development	*ne pas donner de médicament à effet négatif sur la croissance et le développement*
weight	*le poids*
a higher dose in a very large person	*une dose supérieure pour une personne très forte*
lower doses in patients with impaired renal function	*doses plus faibles pour les malades avec atteinte rénale*
How often?	*A quelle fréquence ?*
as needed	*si nécessaire / à la demande*
at regular intervals over an extended period of time	*à intervalles réguliers sur une période prolongée*
to achieve the desired effect	*afin d'obtenir le résultat recherché*
four times a day	*quatre fois par jour*
at meals and bedtime	*au moment des repas et au coucher*
every six hours (q6h)	*toutes les six heures*
Are you on any medical treatment?	*Suivez-vous un traitement médical ?*
How long have you been on a treatment?	*Depuis combien de temps êtes-vous sous traitement ?*
What for?	*A quel effet / Pour soigner quoi ?*
Since when?	*Depuis quand ?*
Have you ever been on extended treatment?	*Avez-vous déjà été sous traitement médicamenteux prolongé ?*
Have you taken or are you taking such medicine as...	*Avez-vous pris ou prenez-vous toujours un médicament du type...*
anticonvulsant?	*anti-épileptique ?*
antituberculous?	*anti-tuberculeux ?*
managing a complicated drug schedule	*face à un régime médicamenteux compliqué*
take drugs on different schedules	*prendre des médicaments selon des horaires différents*
a senile patient	*un malade âgé*
busy	*très occupé*
forgetful	*distrait*
Familiarise yourself with the drug you are taking.	*Connaissez votre traitement.*
set up a drug schedule	*se faire un tableau des prises*

You should get your tablet container ready when a new week starts.	*Vous devriez préparer votre semainier au début de la semaine.*
Make sure you keep to your treatment.	*Veillez à bien suivre votre traitement.*
comply with a treatment	*observer / bien suivre son traitement*
patient's compliance	*observance du malade*
non-compliance with medication	*inobservance du traitement*
use properly	*utiliser correctement*
counsel the patient effectively	*conseiller le malade efficacement*
safety rules	*pour être en sûreté*
taking medications	*la prise du médicament*
the leaflet / package insert	*la notice / le feuillet dans la boîte*
keep in original container	*conserver dans sa boite d'origine*
do not transfer to another container	*ne pas transférer dans un autre récipient*
I'll label the box with the dosage information.	*Je vais mentionner le mode de prise sur la boîte.*
do not mix different drugs in the same container	*ne pas mélanger différent médicaments dans la même boîte*
correct doses at correct times	*bonnes doses au bon moment*
do not take the drug in the dark	*pas de prise dans l'obscurité*
do not break tablets unless they are scored	*ne pas rompre les comprimés s'ils ne sont pas pré-fendus*
outer layer that delays absorption	*couche externe qui retarde l'absorption*
not chew or crush	*ne pas mâcher ni écraser*
do not share medication	*ne pas partager ses médicaments*
do not save left-over prescription medication	*ne pas conserver ce qui reste des médicaments sur ordonnance / du traitement médicamenteux*
bring the box back after the expiration date	*rapporter la boîte après la date limite d'utilisation*
ending drug treatment	*arrêt du traitement*
continue taking the drug until the end of the prescription.	*poursuivre le traitement jusqu'à la fin de la prescription*
Do not end the treatment on your own.	*N'arrêtez pas de vous-même.*
The disappearance of symptoms is not enough to ensure that the drug has completed its work.	*La disparition des symptômes ne suffit pas pour assurer l'efficacité totale du traitement.*
continue taking a drug even if you think it is not working	*continuez votre traitement même si vous pensez qu'il ne fait pas d'effet*
discontinue in case of unpleasant side effects	*arrêter en cas d'effets secondaires gênants*

ask you doctor's advice immediately	*demandez immédiatement l'avis de votre médecin*
<u>drug effects</u>	<u>*effets du médicament*</u>
work	*opérer / faire de l'effet*
take effect	*faire de l'effet*
provide pain relief	*soulager la douleur*
provide effective relief	*apporter un soulagement efficace*
provide poor relief	*apporter un soulagement médiocre*
relieved within a few minutes	*soulagé en l'espace de quelques minutes*
ineffective in treating pain	*inefficace dans le traitement de la douleur*
efficient drug	*médicament efficace*
inefficient	*inefficace*
potent drug	*médicament puissant*
benefit from	*tirer profit de*
side-effect / secondary effect	*effet secondaire*
adverse side-effect	*effet secondaire indésirable*
interact with	*entrer en réaction avec*
<u>special care for children</u>	<u>*attention aux enfants*</u>
keep out of children's reach	*ne pas laisser à portée des enfants*
keep childproof caps on containers	*maintenir les couvercles de sûreté en place*
medicines are not "candy"	*les médicaments ne sont pas des « bonbons »*
Grown-ups should not take drugs in front of children.	*Les adultes ne doivent pas prendre de médicaments devant les enfants.*
<u>patient's questions to be answered</u>	<u>*les réponses à apporter au malade*</u>
What the name of the drug is and what it will do.	*Donner le nom du médicament, décrire ses effets.*
How often the patient should take it.	*Fréquence des prises.*
How long he should take it.	*Durée du traitement.*
When he should take it.	*A quel moment de la journée.*
Before, with, after or between meals.	*Avant, pendant, après ou entre les repas.*
At bedtime.	*Au coucher.*
What he should do if he forgets to take it.	*Ce qu'il faut faire en cas d'oubli.*
What side effects might be expected and whether to report them or not.	*Les effets secondaires attendus et la nécessité ou non de les signaler.*
Whether there is any material about the drug that he can take along with him.	*S'il existe une documentation à lire chez soi.*
If the patient can not take this drug, whether there is anything else that would work as well.	*Au cas ou le malade ne peut pas prendre tel médicament, existe-t-il un substitut aussi efficace ?*
<u>tips on giving medicines that taste bad</u>	<u>*astuces pour faire avaler un médicament qui a mauvais goût*</u>
suck an ice cube to numb the tongue partially	*sucer un cube de glace pour engourdir un peu la langue*
serve cold to reduce the taste	*administrer / à prendre refroidi pour atténuer le goût*
mix with fruit juice	*mélanger à un jus de fruit*
take a sip of water after taking the drug	*faire passer le médicament avec une gorgée d'eau*
<u>supply</u>	<u>*stock*</u>
How many tablets have you got left?	*Combien vous reste-t-il se comprimés ?*
I've only one box left at the moment / one jar left at the moment.	*Il ne m'en reste plus qu'une boîte / qu'un flacon en ce moment.*
I'm afraid that's two days too short for your treatment.	*Je crains qu'il manque deux jours pour / dans votre traitement.*
I shall order some from my supplier.	*Je passe commande à mon fournisseur.*
May I suggest that you come back this afternoon to pick up / collect the rest?	*Accepteriez-vous de revenir cet après-midi pour prendre le reste ?*
Make sure you've taken your receipt to collect the medicines.	*Veillez à apporter votre / N'oubliez pas de rapporter votre reçu pour prendre les médicaments.*
I'll deliver 2 boxes right now.	*Je vous donne deux boîtes maintenant.*
That should see you over the week-end.	*Cela devrait vous permettre de passer le week-end.*
Will you pay right now or do you prefer to pay when you collect the medicines?	*Vous payez maintenant ou vous préférez attendre le moment de prendre les médicaments ?*
pay for prescription charges (GB)	*régler la somme forfaitaire à la charge du patient*
the pharmacy bill	*le coût des médicaments prescrits*
<u>cure</u>	<u>*guérir*</u>
cure	*remède*
try a remedy	*essayer un remède*
herbal cure	*traitement par les plantes*
plant brew / herbal tea	*tisane*
follow a cure	*faire une cure*
cure-all	*panacée*
miracle cure / wonder drug	*remède-miracle*
have a curative effect	*avoir un effet curatif*
be beyond cure	*être perdu*
incurable	*incurable*
drug treatment	*traitement médicamenteux*
respond to a treatment	*réagir à un traitement*

5. Abbreviations *Sigles*

	prescription-writing		*ordonnance*
aa	equal amounts of each	-	*quantité identique pour chaque*
ac	before food	-	*avant le repas*
aq	water	-	*eau*
bd / bid	twice daily	-	*deux fois par jour*
coch / cochl	spoonful	-	*cuillerée à café*
d	days	-	*jours*
daw	dispense as written	-	*ne pas substituer / à délivrer tel quel*
dram	teaspoonful	-	*5 ml*
ea	each	-	*chacun*
g / gm	gram	-	*gramme*
gt	drop	-	*goutte*
gtt	drops	-	*gouttes*
od	daily	-	*quotidiennement*
om	in the morning	-	*le matin*
on	at night	-	*la nuit*
oz	ounce	-	*28,50 g*
pc	after food	-	*après le repas*
prn	as needed	-	*selon les besoins / à la demande*
q2h	every 2 hours	-	*toutes les deux heures*
q6h	every six hours	-	*tous les six heures*
qds	four times a day	-	*quatre fois par jour*
qd:	daily / every day	-	*quotidiennement*
qid	four times a day	-	*quatre fois par jour*
qqh	every four hours	-	*tous les quatre heures*
qs	a sufficient quantity	-	*quantité suffisante*
sig	directions to follow	-	*mode d'emploi*
stat	immediately	-	*immédiatement*
tds	three times a day	-	*trois fois par jour*
tid	three times a day	-	*trois fois par jour*
ut dict	as directed	-	*comme indiqué*
ENT	ear, nose, throat	*ORL*	*oto-rhino-laryngologie*
AD	right ear	-	*oreille droite*
AS / AL	left ear	-	*oreille gauche*
AU	both ears	-	*oreilles*
	ophthalmology		*ophtalmologie*
OD	right eye	-	*œil droit*
OU	both eyes	-	*les yeux*
OS / OL	left eye	-	*œil gauche*
OS	(oral suspension / ophthalmic solution)	-	*suspension orale / soluté ophtalmique*
	others		*autres*
BNF	British national Formulary	-	*équivalent anglais semi-annuel du Vidal*
FDA	Foods and Drug Administration	-	*ministère américain de la Santé*
i.v.	an intravenous injection	*IV*	*une intraveineuse*
IM	an intramuscular injection	*IM*	*une intramusculaire*
IUD	intra-uterine device	-	*un stérilet*
MDI	a metered-dose inhaler	-	*un nébuliseur à dose fixe*
MIMS	monthly index of medical specialties	-	*complément mensuel au BNF*
OTC	over the counter medication	-	*médicament en vente libre*
PoM	prescription only medication	-	*médicament sur ordonnance*

III. Medical analysis laboratory — *Laboratoire d'analyses médicales*

1. Taking samples — *Les prélèvements*

tray	*plateau*
kidney dish	*haricot*
swab	*compresse*
needle	*aiguille*
test tube	*éprouvette / tube de prélèvement*
sterile pouch	*poche stérile*
<u>meeting the patient</u>	<u>*face au patient*</u>
Good morning, what can I do for you?	*Bonjour, que puis-je pour vous ?*
I have a prescription for a blood sample.	*J'ai une ordonnance pour un prélèvement sanguin.*
Who is your doctor?	*Qui est votre médecin ?*
What's your doctor's address?	*Quelle est l'adresse de votre médecin ?*
We'll call you in a minute.	*On va vous appeler dans un instant.*
<u>take a blood sample</u>	<u>*le prélèvement sanguin*</u>
Will you come in, please.	*Entrez, voulez-vous ?*
Just sit down here.	*Asseyez-vous donc ici.*
Would you roll up your sleeve.	*Relevez votre manche, s'il vous plaît.*
Which side would you rather be punctured?	*Quel côté préférez-vous ?*
I have a vein which shows more on the right arm.	*J'ai une veine mieux visible à droite.*
You are not an easy person for a taking.	*Vous n'êtes pas quelqu'un de facile à piquer.*
I'll put on a tourniquet.	*Je vais vous mettre un garrot.*
That vein seems to be a good one.	*Cette veine me semble convenir.*
Clench your fist.	*Serrez le poing.*
Now for a small puncture / snip.	*Une petite piqûre, à présent.*
That's it.	*Voilà.*
I'll fill up 3 test tubes.	*Je remplis 3 tubes.*
One tube for each laboratory.	*Un pour chaque laboratoire.*
I'll put on a small piece of dressing not to stain your shirt.	*Je vous mets un petit pansement afin de ne pas tacher votre chemise.*
You can stand up if you wish.	*Vous pouvez vous mettre debout, si vous le désirez.*
How are you feeling?	*Comment vous sentez-vous maintenant ?*
Do you feel all right?	*Ça va ?*
<u>take a urine sample</u>	<u>*le prélèvement d'urine*</u>
see if there is any infection	*vérifier s'il y a une infection*
Will you undress, please.	*Veuillez vous déshabiller s'il vous plaît.*
from the waist down	*à partir la taille*
I'll wash your private parts.	*Je vais faire votre toilette intime.*
use sterile swabs	*utiliser des compresses stériles*
go over / run over the urinary opening	*passer sur le méat urinaire*
Go to the toilet, please.	*Allez aux toilettes, s'il vous plaît.*
Pass urine into the toilet.	*Urinez dans les toilettes.*
Make sure you don't empty the bladder.	*Veillez à ne pas vider la vessie complètement.*
Let me know when you've finished.	*Dites moi quand c'est terminé.*
Would you, please, now urinate into this bag.	*A présent, vous urinez dans cette poche, s'il vous plaît.*
It looks somewhat cloudy / turbid.	*Elles sont un peu troubles.*
bloody.	*sanglantes.*
Has this ever happened before?	*Cela vous est-il déjà arrivé ?*
I'll keep it in a cool place until it's screened for germs.	*Je vais les conserver au froid jusqu'à l'examen bactériologique.*

2. A selection of routine laboratory tests — *Choix d'examens usuels de laboratoire*

full blood cell count (FBC) / complete blood cell count (CBC)	*numération formule sanguine (NFS)*
white blood cell count (WBC)	*numération des globules blancs*
red blood cell count (RBC)	*numération des globules rouges*
platelet count	*numération des plaquettes*
erythrocyte sedimentation rate (ESR)	*vitesse de sédimentation (VS)*
bone marrow cytology	*frottis médullaire*

blood urea nitrogen (BUN)	*urée sanguine*
one dose glucose tolerance test	*hyperglycémie provoquée par voie orale*
fats total	*lipides totaux*
coagulation time	*temps de coagulation*
clotting time (CT)	*temps de coagulation*
clot retraction	*temps de rétraction du caillot*
bleeding time	*temps de saignement*
blood culture	*hémoculture*
spinal fluid / cerebrospinal fluid (CSF)	*liquide céphalo-rachidien (LCR)*
colony count	*numération des colonies*
carbon dioxide tension / content, arterial blood	*Pa CO2 du sang artériel*
Addis sediment count	*compte d'Addis*
creatine and creatinine output	*excrétion de créatine et créatinine / créatinurie*

3. Laboratory apparatus — *Matériel de laboratoire*

look after the lab equipment	*entretenir le matériel du labo*
good working order	*bon état de marche / fonctionnement*
lab coats	*blouse de laboratoire*
test tube	*tube à essai / éprouvette*
culture dishes	*boîtes à cultures*
hot plate	*plaque chauffante*
oven	*four*
fume hood	*hotte*
funnel	*entonnoir*
pressure regulator	*détendeur*
tray	*panier*
ice bucket	*bac à glace*
stirring bar	*agitateur*
mortar	*mortier*
pestle	*pilon*
spoon	*cuillère*
scoop	*grande cuillère*
dropper	*compte-gouttes*
dropping bottle	*flacon avec compte-gouttes*
brown bottle	*bouteille opaque*
binocular research microscope	*microscope binoculaire*
disposable plastic bags	*sacs plastiques jetables*
Bunsen burner	*bec Bunsen*
stopcock	*robinet / vanne*
turn off the faucet	*fermer le robinet*
turn on	*ouvrir*
rubber cap / stopper	*bouchon de caoutchouc*
cap	*fermer / obturer*
screw in	*visser*
screw out	*dévisser*
stream of air	*flux d'air*
blow dry	*sécher / assécher*
distilled water	*eau distillée*
filtered	*filtré*
rinse	*rincer*
buffer	*solution tampon*
thin coating / layer / film	*mince couche*
a minimum amount of	*quantité minimale de*
up to about	*jusqu'à environ*
the solvent can be allowed to flow through	*le solvant peut passer à travers*
not allow the temperature to fall below	*veiller à maintenir la température au-dessus de*
keep at room temperature	*à maintenir à température ambiante*

4. Abbreviations — *Sigles*

BUN	blood urea nitrogen	-	*urée sanguine*
CBC	complete blood cell count	*NFS*	*numération formule sanguine*
CSF	cerebrospinal fluid	*LCR*	*liquide céphalo-rachidien*
CT	clotting time	-	*temps de coagulation*
ESR	erythrocyte sedimentation rate	*VS*	*vitesse de sédimentation*
FBC	full blood cell count	*NFS*	*numération formule sanguine*
RBC	red blood cell count	-	*numération des globules rouges*
WBC	white blood cell count	-	*numération des globules blancs*

IV. The hospital — *L'hôpital*

1. Types of hospital — *Types d'hôpitaux*

teaching hospital / university hospital	*centre hospitalier universitaire (CHU)*
non-teaching hospital / general hospital	*centre hospitalier régional (CHR)*
local hospital	*hôpital périphérique*
public hospital	*hôpital public*
private hospital	*clinique privée*
nursing home (US) retirement home (GB)	*maison de retraite*
convalescence home	*centre de convalescence*
short stay	*moyen séjour*
long stay	*long séjour*
maternity hospital / clinic	*maternité*

2. Administration — *Administration*

the staff	*le personnel*
be on the staff	*faire partie du personnel*
the senior staff	*les cadres supérieurs*
management	*l'encadrement*
chairman / director	*directeur général*
vice chairman / assistant-director	*directeur général adjoint*
the chief accounting officer	*directeur des affaires financières*
personal manager / officer	*directeur des ressources humaines / chef du personnel*
chief / top executive	*cadre supérieur*
executive secretary	*secrétaire de direction*
a clerk	*un employé de bureau*
head offices	*pavillon administratif*
technical services	*services techniques*

3. Care facilities — *Les zones de soins*

the reception area.	*la zone d'accueil.*
emergency room (ER) (US)	*urgences*
casualty and emergency department (GB)	*service des urgences / service de porte*
ambulance service	*SAMU (service d'ambulances médicalisées d'urgence)*
intensive care unit	*unité de soins intensifs*
medical emergency	*urgence médicale*
surgical emergency	*urgence chirurgicale*
operating block / operating suite	*bloc opératoire*
operating theatre (GB) operating room (US)	*salle d'opération*
X-ray department	*service de radiologie*
physiotherapy department	*service de kinésithérapie*
physical medicine, rehabilitation,	*médecine fonctionnelle, rééducation*
inpatient	*patient hospitalisé*
outpatient clinic	*consultations externes*
on an out patient basis / as an outpatient	*en externe*
treatment room	*salle de traitement*
carry out sterile procedures under optimal conditions	*exécuter les opérations d'asepsie dans les meilleures conditions*
scrub up	*se nettoyer efficacement*
surgical appliances	*dispositifs médicaux*
large enough to hold / to accommodate patient in bed	*suffisamment grand pour recevoir le malade alité*
a couch for ambulant patients	*un lit pour les malades qui se déplacent*
allow adequate space for staff to work in comfort	*être suffisamment spacieux pour que le personnel travaille à l'aise*
hospitalisation wards	*services d'hospitalisation*
department	*département*
ward	*service*
unit	*unité*
the speciality	*la spécialité*
the specialists	*les spécialistes*
anaesthetist (GB) anesthesiologist (US)	*anesthésiste*
bacteriologist	*bactériologiste*
cardiologist	*cardiologue*
dermatologist	*dermatologue*
endocrinologist	*endocrinologue*
ENT specialist (ear, nose, throat)	*oto-rhino-laryngologiste (ORL)*
geriatrician	*gérontologue*
GI specialist (gastro intestinal)	*hépato-gastro-entérologue*
gynaecologist	*gynécologue*

haematologist	*hématologue*
nephrologist	*néphrologue*
neurologist	*neurologue*
nutritionist	*nutritionniste*
obstetrician	*obstétricien*
odontologist	*odontologue*
oncologist	*oncologue*
ophthalmologist	*ophtalmologue*
orthopaedist	*orthopédiste*
paediatrician	*pédiatre*
pathologist	*anatomo-pathologiste*
pneumologist / pulmonologist / chest specialist	*pneumologue*
psychiatrist	*psychiatre*
radiologist	*radiologue*
rheumatologist	*rhumatologue*
surgeon	*chirurgien*
urologist	*urologue*
the health care team	*l'équipe médicale*
consultant (GB) / attending physician (US)	*spécialiste*
senior registrar (GB) / senior resident (US)	*chef de clinique / assistant*
registrar (GB) / 2nd or 3rd year resident (US)	*interne (dernière année)*
senior house officer / 1st year resident (US)	*interne*
house officer / houseman (GB) / intern (US)	*interne (première année)*
medical student / extern	*étudiant en médecine*
nurse	*infirmière*
nursing auxiliary (GB) / nurse's aide (US)	*aide soignante*
student nurse	*élève infirmier*
physiotherapist (GB) / masseur / kinesiologist (US)	*masseur-kinésithérapeute*
dietician	*diététicien*
speech therapist	*orthophoniste*

4. Visiting a ward — *Visite d'un service*

a well-planned ward	*un service bien conçu*
the planning of a ward unit	*la plan d'une unité / d'un service*
hospital planners	*architectes de l'hôpital*
focus attention on	*se concentrer sur*
receive attention / much thought	*faire l'objet d'une grande attention*
cater for the patient's personal needs	*pourvoir aux besoins du malade*
modern practice of early ambulation	*la pratique actuelle de la déambulation précoce*
spend days in hospital	*passer ses journées à l'hôpital*
make it essential to	*rendre prioritaire / se donner pour priorité de*
provide space for recreation	*offrir / fournir un lieu / endroit / espace pour se détendre*
a comfortable environment	*un cadre confortable*
shower and toilet facilities	*cabinet de toilette et W-C*
create a cheerful atmosphere	*créer une atmosphère chaleureuse*
use bright colours	*utiliser des couleurs vives*
a colour-scheme	*un assortiment de couleurs*
furniture designed to suit patient's needs	*ameublement conçu pour répondre aux besoins du malade*
use plastic equipment	*utiliser du matériel en plastique*
provide great help in	*être d'un grand secours pour*
reduce / curb unnecessary noise	*éliminer le bruit superflu*
get rid of noise	*se débarrasser du bruit*
disturb patients	*déranger le malades*
diagram of a typical ward (GB)	*un service britannique : schéma classique*
from corridor into day room	*du couloir à la salle de jour*
adjoining rooms on the left	*pièces annexes à gauche*
cloakroom	*vestiaire*
cleaners' cupboard	*stockage du matériel d'entretien*
kitchen	*cuisine*
side ward	*salle annexe*
cubicle	*coin privé*
main ward	*salle principale / commune*
sluice	*salle de bain commune*
ward cleaning	*entretien du service*
preparation room	*pièce pour préparations*
treatment room	*salle de traitement*
consider the question of ward cleaning	*envisager la question du nettoyage dans le service*
provide central dish-washing and sterilising departments	*mettre à disposition une unité centrale de lavage et de stérilisation*
materials to withstand washing and polishing	*matériaux pour supporter le lavage et le polissage*
low-maintenance furniture and fittings	*ameublement et équipement d'entretien facile*
designed to permit easy cleaning and maintenance	*conçu pour un nettoyage et un entretien faciles*
allow easy cleaning	*permettre un nettoyage facile*
accommodation for patients	*hébergement du malade*
A ward has up to thirty beds.	*Une salle peut contenir jusqu'à trente lits.*

arrange beds for patients to have as much privacy as possible	*placer les lits pour que le malade dispose d'autant d'intimité que possible*
as much natural light as possible.	*d'autant de lumière naturelle que possible.*
as much fresh air as possible.	*d'autant d'air frais que possible.*
be observable by nursing staff	*pouvoir être surveillé par le personnel infirmier*
adequate space between beds	*espacement suffisant entre les lits*
prevent cross-infection	*empêcher la transmission des infections*
six cubicles for a thirty-bed ward	*six coins privés pour une salle de trente lits*
accommodation for infectious patients	*locaux prévus pour maladies infectieuses*
an ambulant patient	*un malade capable de se déplacer*
a patient in a wheelchair	*un malade dans un fauteuil roulant*
a patient confined in bed / a bed patient	*un malade alité*
bedridden	*alité / confiné au lit*
<u>spacious / roomy lavatories and bathroom</u>	*<u>toilettes et salles de bain spacieuses</u>*
flush silently and sufficiently	*s'évacuer en silence et correctement*
wide doorways	*portes / accès larges*
enter with ease	*entrer avec facilité*
fit with a grab-rail	*équiper d'une barre pour s'agripper*
a shelf	*une étagère*
a hook	*une patère*
a patient-to-nurse alarm system	*une alarme individuelle*

5. Annexes — *Locaux annexes*

<u>adjoining clean annex / preparation room</u>	*<u>salle de préparation</u>*
trolley	*table roulante*
dust-proof cupboards	*placards hermétiques*
store sterile equipment	*stocker le matériel stérile*
<u>adjoining dirty annex</u>	*<u>pièce adjacente pour le sale</u>*
collect used equipment	*entreposer le matériel souillé*
keep for collection	*conserver en vue du ramassage*
a tiled room	*une pièce carrelée*
facilities for cleaning and sterilising	*installations pour le nettoyage et la stérilisation*
a urinal / a bed bottle	*un urinal / un pistolet*
a bed-pan	*un plat-bassin*
a disposable sputum mug	*un crachoir jetable*
soiled bed linen	*literie souillée*
a bench	*une paillasse*
a sink	*un évier*
<u>test urine</u>	*<u>faire les analyses d'urine</u>*
routine urine testing	*faire les analyses d'urine habituelles*
urinalysis	*analyse d'urine*
<u>kitchen</u>	*<u>cuisine</u>*
facilities for making hot drinks and preparing light meals	*installations pour préparer des boissons chaudes et des repas légers*
washing up	*faire la vaisselle*
storage areas	*espaces de rangement*
<u>linen storage</u>	*<u>lingerie</u>*
store blankets	*stocker les couvertures*
sheets	*draps*
pillow-case	*taie d'oreiller*
<u>storage for bulky equipment</u>	*<u>local pour le matériel encombrant</u>*
bed cradle	*arceau*
portable backrest	*dossier amovible de lit*
cot sides	*barrières de lit*
stretchers	*brancard*
wheelchair	*fauteuil roulant*
<u>cleaners' room</u>	*<u>local d'entretien</u>*
near the ward entrance	*près de l'entrée*
broom	*balai*
bucket	*seau*
vacuum cleaner / hoover	*aspirateur*
cleaning materials	*produits nettoyants*
<u>staff cloak room</u>	*<u>vestiaire du personnel</u>*
wash-basin	*lavabo*
lavatories	*toilettes*
personal locker	*armoire personnelle*
facilities for hanging clothes	*de quoi suspendre ses vêtements*
<u>medical equipment</u>	*<u>équipement médical</u>*
The system is designed to improve the layout of...	*Le système est conçu en vue d'améliorer l'organisation de...*
risk of hazard to both patients and staff	*dangers potentiels pour les malades et le personnel*
customised to meet the demands of	*adaptés aux exigences de*
flexible to the demands of	*adaptable aux besoins de*
a gas outlet	*une prise de gaz*
an electrical socket	*une prise de courant*
a nurse call system	*un système d'appel*
a compact stand	*une unité compacte*
trolley-mounted monitoring equipment	*matériel de surveillance monté sur roulettes*
shelf units accommodate accessories	*des étagères reçoivent les accessoires*
leave the floor area free of cables	*libérer le sol du câblage*

on either side of the bed	*de part et d'autre du lit*	provide room illumination	*éclairer la pièce*
a wet side for i.v. syringe pumps and fluids	*une zone humide pour les pompes intraveineuses à débit constant*	a ceiling light	*un plafonnier*
a dry side for items such as monitor and ventilator	*un côté sec pour le matériel comme moniteur et respirateur*	a fluorescent light	*une lampe fluorescente*
low voltage equipment	*équipement en basse tension*	a dimmer unit	*un variateur d'intensité*
a switch	*un interrupteur*	a mobile X-ray unit	*un appareil de radiographie mobile*
a fuse box	*une boite à fusibles*	access to the patient is enhanced by a C-arm	*l'accès au malade est facilité par un bras en forme de C*
a telephone socket	*une prise téléphonique*	an X-ray socket outlet	*une prise pour appareil de radiographie mobile*

6. Other services — *Autres services*

hospital chaplain	*aumônier*	forensic medicine	*médecine légiste*
medical social worker	*assistante sociale hospitalière*	morgue	*morgue*
occupational medicine	*médecine du travail*		

7. Medical gridlock — *Embouteillage hospitalier*

delay	*délai / attente / retard*	send an ambulance on bypass	*dérouter une ambulance sur un autre hôpital*
a long wait	*une longue attente*	divert a patient	*diriger un malade*
overload	*saturation*	turn away a patient	*refuser un malade*
be overburdened	*être surchargé*	shut down a hospital	*fermer définitivement un hôpital*
staffing shortage	*manque de personnel*		
nurse shortage	*manque d'infirmières*		
burn oneself out	*s'user à la tâche*		

8. Abbreviations — *Sigles*

ER:	emergency room	-	*urgences*
ENT specialist:	ear, nose, throat specialist	*ORL :*	*oto-rhino-laryngologiste*
	GI specialist: gastro intestinal specialist	-	*hépato-gastro-entérologue*
i.v.:	intravenous	*i.v. :*	*intraveineux*
RC:	Roman Catholic	-	*catholique*
-	non-teaching hospital / general hospital	*CHR :*	*centre hospitalier régional*
-	teaching hospital / university hospital	*CHU :*	*centre hospitalier universitaire*

V. Hospital admission — *Les admissions hospitalières*

1. General background — *Généralités*

fall ill	*tomber malade*	be admitted to hospital	*être amis à l'hôpital*
be taken ill	*tomber malade*	admit to hospital	*admettre à l'hôpital*
be treated at home	*être soigné chez soi*	a ward patient / an inpatient	*un malade hospitalisé*
treat at home	*traiter chez soi*		
a family doctor	*un médecin de famille*		

an ICU patient (intensive care unit)	*un malade en service de soins intensifs / de réanimation*
patients differ in the incidence of	*les patients diffèrent quant à l'incidence de*
Length of hospitalization averages....	*La durée moyenne d'hospitalisation atteint...*
diagnose and monitor patients	*effectuer le diagnostic et la surveillance électronique des malades*
be examined at the clinic	*être examiné en consultation externe*
carry out medical investigations	*mener à bien les investigations / l'enquête médicale*
recommend admission	*recommander une admission*
put on a waiting list	*mettre en liste d'attente*
a vacant bed	*un lit disponible / libre*
go into hospital	*entrer à l'hôpital*
report to hospital for admission	*se présenter à l'hôpital pour une admission / y être admis*
a letter enclosing...	*une lettre qui contient...*

2. Arranged admission — *Admission programmée*

date of admission	*date d'entrée*
make an appointment with	*prendre un rendez-vous avec*
a medical outpatient's clinic	*un service de consultations pour soins externes*
attend an outpatient's clinic	*se présenter aux soins externes / en médecine ambulatoire*
make a note of / take the patient's history	*enregistrer / prendre en note les antécédents du malade*
Would you come in and sit down, please?	*Voulez-vous entrer et vous asseoir, s'il vous plaît ?*
give one's particulars	*donner des renseignements détaillés sur soi-même*
previous medical history	*antécédents médicaux*
Do you have other past medical or surgical history which should be mentioned?	*Avez-vous d'autres antécédents médicaux ou chirurgicaux à signaler ?*
Do you have your blood-group card on you?	*Avez-vous votre carte de groupe sanguin ?*
We have to fill in an admission card.	*Nous allons remplir un formulaire d'entrée.*
What is your surname?	*Quel est votre nom patronymique / nom de famille / patronyme ?*
Would you mind spelling it, please?	*Voulez-vous l'épeler, s'il vous plaît ?*
What is your Christian name / forename?	*Quel est votre prénom ?*
Where do you live?	*Où habitez-vous ?*
Are you on the phone?	*Avez-vous le téléphone ?*
Where were you born?	*Où êtes-vous né ?*
date of birth	*date de naissance*
Are you married?	*Etes-vous marié ?*
What's your occupation?	*Que faites-vous / Quelle est votre activité ?*
It says here, "Name and address of next of kin".	*Je lis ici : « Nom et adresse d'un proche »*
Who is your nearest relation?	*Quelle est la personne la plus proche ?*
address if different from above	*adresse si différente de ci-dessus*
Do you live at the same address?	*Vous habitez à la même adresse ?*
Who is your family doctor?	*Qui est votre médecin de famille ?*
Which doctor is in charge of your case?	*Quel est le médecin qui vous suit ?*
<u>personal effects</u>	*<u>effets personnels</u>*
spectacles / glasses	*lunettes*
hearing aid	*prothèse auditive*
dental appliance	*apareil dentaire*
other appliances	*autres appareils*
cash	*argent liquide*
valuables	*objets de valeur*
<u>religion</u>	*<u>religion</u>*
Are you church or chapel?	*Vous êtes catholique ou protestant ?*
be Church on England	*être anglican*
a Protestant	*un protestant*
a Roman Catholic (RC)	*un catholique*
a Moslem / Muslim	*un musulman*
a Jew	*un juif*
be an agnostic	*être agnostique*
a free-thinker	*libre-penseur*
an atheist	*athée*
Would you like to see...	*Voudriez-vous voir...*
an Anglican priest?	*un pasteur anglican ?*
a vicar?	*un pasteur ?*
a Roman Catholic priest?	*un prêtre catholique ?*
a nun?	*une religieuse ?*
an imam?	*un imam ?*
a rabbi?	*un rabbin ?*
A priest comes round every...	*Un prêtre passe tout les...*
Would you like to...	*Voudriez-vous...*
go to a service?	*assister à un service religieux ?*
go to mass on sundays?	*aller à la messe le dimanche ?*
receive communion?	*recevoir la communion ?*
Mass is held once a week.	*Il y a une messe une fois par semaine.*

3. Emergency admission — *Admission d'urgence*

a sudden illness	*une maladie soudaine*
be seriously ill	*être gravement malade*
need immediate care	*requérir des soins immédiats*
be taken to the casualty department	*être transporté au service des urgences*
take to the casualty department	*emmener au service des urgences*
the casualty and emergency department	*le service des urgences*
casualty (GB) / emergency room (US)	*le service des urgences*
relatives / family members	*les proches / la famille*
supply personal particulars	*fournir des détails sur le malade / renseignements personnels*
carry out emergency treatment	*procéder au / faire un traitement d'urgence*
notify appropriate ward	*prévenir le service concerné*
send up a patient	*adresser un malade*
A patient is being sent up.	*Un malade vous est adressé*
make necessary preparations	*faire les préparatifs nécessaires*

VI. The hospital nurse — *L'infirmière hospitalière*

1. Hospital staff — *Personnel hospitalier*

health care staff	*personnel soignant*
care givers	*les soignants*
nursing staff	*personnel infirmier*
a nurse	*une infirmière*
a male nurse	*un infirmier*
a State Registered Nurse (SRN)	*une infirmière diplômée d'État (IDE)*
a nursing auxiliary (GB) / nurse's aide (US)	*une aide-soignante*
a staff nurse	*une infirmière hospitalière*
a duty nurse	*une infirmière de garde*
a ward sister	*une surveillante / un cadre infirmier*
a sister / matron	*une surveillante*
a student nurse	*une élève-infirmière*
learn how to nurse a patient	*apprendre comment soigner un malade*
pass one's State Finals	*être admise à l'examen de fin d'études*
be qualified	*être qualifiée*
a district nurse (GB) / a visiting nurse (US)	*une infirmière à domicile*
medical staff	*personnel médical*
The consultant is Dr / Professor...	*Le chef de service est le docteur... / le professeur...*
Call for a consulting doctor in cardiology.	*Appeler un consultant en cardiologie.*
an intern / junior doctor / houseman / house officer (GB)	*un interne*
an intern / resident / fellow (US)	*un interne*

2. Work place — *Lieu de travail*

A. General background — *Généralités*

a teaching hospital / a university hospital	*un centre hospitalier universitaire*
a local hospital	*un hôpital périphérique*
work at St. Anne's	*travailler à (l'hôpital) Saint Anne*
be at work	*être au travail*
work in a ward	*travailler dans une unité d'hospitalisation*
be on the ward / floor / unit (GB) / in the service (US)	*être dans le service*
on the ground floor (GB)	*au rez-de-chaussée*
on the first floor (US)	*au rez-de-chaussée*
on the first floor (GB)	*au premier étage*
on the second floor (US)	*au premier étage*
fifth	*cinquième*
ninth	*neuvième*
in the north wing	*dans l'aile nord*
south; east; west	*sud ; est ; ouest*
a nurse from block 1	*une infirmière du pavillon 1*
block 1a	*pavillon 1 bis*

<u>working hours</u>	<u>*horaires de travail*</u>
be on duty	*être de garde*
be on call	*être d'astreinte*
go on duty at	*prendre son service à*
come off duty at	*arrêter son service à*
a shift	*un tour de garde*
work on night shift	*travailler de nuit*
take up shifts	*prendre des gardes*
be on early shift	*être de service le matin*
late shifts start at	*le service d'après midi commence à*
work on certain days	*travailler certains jours précis*
work every two days	*travailler un jour sur deux*
work at weekends	*travailler le week-end*
work on a week day	*travailler un jour de semaine*
work on Mondays at 7	*travailler le lundi à 7 heures*
work in the morning	*travailler le matin*
work nights	*travailler de nuit*

B. The sister's office (GB) / head nurse's office (US)
Le bureau de la surveillante

situated near the ward entrance	*situé près de l'entrée*
meet other members of staff	*rencontrer d'autres membres du personnel*
hospital chaplain	*prêtre de l'hôpital / aumônier*
social worker	*assistante sociale*
interview relatives	*interroger la famille*
have privacy to discuss	*parler en privé de*
progress and treatment of patient	*évolution du malade et traitement*
visiting hours	*heures de visite*
from... to...	*de... à...*
What can I do for you?	*Que puis-je pour vous ?*
If you will...	*Si vous voulez bien...*
I'll be with you in a minute.	*Je m'occupe de vous dans un instant.*
Sorry sir / madam, but I'm in a bit of a hurry.	*Désolé monsieur / madame, mais je manque un peu de temps.*
be overworked	*être débordé de travail*
be busy	*être occupé*
be overburdened	*être surchargé*
overload	*saturation*
staffing shortage	*manque de personnel*
nurse shortage	*manque d'infirmières*
burn oneself out	*s'user à la tâche*
wait for a while	*attendre un moment*
delay	*délai / attente / retard*
a long wait	*une longue attente*
If you would just sit here for a few minutes, I'll get a nurse to come and take care of you.	*Si vous voulez bien vous asseoir quelques minutes, je vais demander qu'une infirmière s'occupe de vous.*
<u>see to an incoming patient</u>	<u>*s'occuper d'un entrant*</u>
In French hospitals, you can have...	*Dans les hôpitaux français, vous pouvez avoir...*
a single room.	*une chambre individuelle.*
a twin room.	*une chambre double.*
You will have to pay... extra.	*Le supplément sera de...*
There is no extra cost in this ward.	*Il n'y pas de frais supplémentaire dans notre service.*
In English hospitals, you only have wards.	*Dans les hôpitaux anglais, vous n'avez que des chambres communes.*
I know that you would rather have a single.	*Je sais que vous préféreriez avoir une chambre individuelle.*
We only have rooms with ten beds available.	*Nous ne disposons que de chambres à dix lits.*
I'm afraid you can't...	*Je ne crois pas qu'il soit possible de...*
right now	*tout de suite / pour l'instant*
be allowed	*être autorisé*
I'll have to ask you to...	*Je vais devoir vous demander de...*
I'm afraid you'll have to...	*Je crains qu'il faille...*
Perhaps, you could...	*Vous pourriez peut-être...*
To do so, you should call the sister.	*Auquel cas, vous appelez la surveillante.*
Here is the guide to the hospital.	*Voici le livret d'accueil.*
a leaflet about hospital stays	*un feuillet qui explique comment se déroule un séjour à l'hôpital*
outline ward routine	*exposer le fonctionnement du service*
I'll show you around.	*Je vais vous montrer les lieux.*
I'll show you to your room.	*Je vais vous conduire à votre chambre.*
This is Mrs Row who you'll be sharing the room with.	*Je vous présente votre voisine de chambre, Mme Row.*
Here is Nurse Brown.	*Je vous présente madame Brown, l'infirmière.*
Your family can make an appointment with the doctor.	*Votre famille peut prendre rendez-vous avec le médecin.*
The doctor does his round every morning, at 10.	*Le médecin fait sa visite le matin à.10 heures.*
in the afternoon	*l'après-midi*

3. A new patient — *Un nouveau patient*

A. Make yourself at home
Mettez-vous à votre aise

put on pyjamas	*mettre un pyjama*
night-dress	*robe de chambre*
Can you get dressed on your own?	*Pouvez-vous vous habiller tout seul ?*
Are you able to dress on your own?	*Arrivez-vous à vous habiller tout seul ?*
I'll help you to undress.	*Je vais vous aider.*
undress	*se déshabiller*
put clothes on	*enfiler / mettre des vêtements*
take off	*retirer*
lace up	*lacer*
button up	*boutonner*
I'll do up the buttons for you.	*Je vais vous aider à vous boutonner.*
do... up	*attacher / fermer*
undo	*défaire*
need a hand	*avoir besoin d'aide*
pants	*slip*
vest	*maillot de corps*
bra	*soutien-gorge*
blouse	*chemisier*
clean underwear	*sous-vêtements de rechange*

B. The room
La chambre

a wardrobe for the patient's clothes	*une armoire pour le malade / pour les effets du malade*
a bedside table	*une table de nuit*
hospital bed	*lit d'hôpital*
pillow	*oreiller*
a clean sheet	*un drap propre*
a waterproof undersheet	*une alèse*
wet the bed	*mouiller le lit / faire pipi au lit*
blanket	*couverture*
the edge of the bed	*le bord du lit*
sit on the edge of the bed	*s'asseoir au bord du lit*
lie on the bed	*s'allonger sur le lit*
have a rest	*se reposer*
sit up	*se mettre en position assise dans le lit*
move the bedrest up	*relever la tête du lit*
down	*l'abaisser*
change position	*changer de position*
turn over	*changer de côté*
I'll turn you onto your left side.	*Je vous mets sur le côté gauche.*
prop the feet up	*surélever les pieds*
make the blood flow better	*faciliter la circulation*
prevent bedsores	*prévenir les escarres*
ring for the nurse	*appeler l'infirmière*
light switch	*interrupteur*
switch on	*allumer*
switch off	*éteindre*
ceiling light	*plafonnier*
night-light	*veilleuse*
watch TV	*regarder la télé*
You'll have to pay if you want to watch the TV.	*Il faut payer si vous désirez regarder la télé.*
It's £2 a day.	*Le prix est de 20F par jour.*
the remote control	*la télécommande*

C. Meals
Les repas

have meals	*prendre ses repas*
Mealtimes are as follows...	*Les repas sont servis...*
breakfast at...	*à... pour le petit déjeuner,*
lunch at...	*à... pour le repas de midi,*
dinner at...	*à... pour le repas du soir.*
What's for lunch?	*Qu'y-a-t-il au menu de midi ?*
be on a salt-free diet	*être au régime sans sel*
sugar-free	*sans sucre*
fat-free	*sans graisse*
a low fat diet	*un régime hypo-lipidique*
a high-iron diet	*un régime riche en fer*
a bland diet	*un régime mixé*
I'm on a diet for my liver.	*Je suis au régime à cause de mon foie.*
for diabetes	*à cause du diabète.*
not eat pork	*ne pas manger de porc*
eat kosher	*manger kascher*
The food doesn't agree with me.	*La nourriture ne me convient pas.*

D. Telephone
Le téléphone

The phone number is...	*Le numéro de téléphone est...*
dial the number	*faire le numéro*
go through the switchboard	*passer par le standard*
a telephone directory	*un annuaire téléphonique*
People / Your family and friends can call you...	*On peut vous appeler de l'extérieur...*
by dialling the following number...	*en faisant le numéro suivant:...*
by calling the switchboard.	*en appelant le standard.*
Ask for extension...	*Demandez le poste...*
Could you put me on to...?	*Pourriez-vous me passer... ?*

The number will put them through to you directly.	*Vous serez en communication directement.*
call abroad	*appeler l'étranger*

E. The day room / *La salle de jour*

enjoy recreations	*se divertir*
have somewhere to relax	*lieu de repos / de détente*
a no-smoking area	*une zone sans tabac*
meet relatives	*recevoir sa famille*
a payphone	*un téléphone payant / à pièces*
a coin	*une pièce*
change	*de la monnaie*
a phonecard	*une carte de téléphone*
telephone bill	*note de téléphone*
a vending machine	*un distributeur*
a drinks machine	*un distributeur de boissons*
in the entrance hall	*dans le hall d'entrée*
near the lifts	*près des ascenseurs*
in the corridor	*dans le couloir*
in the cafeteria	*à la cafétéria*
a newspaper rack	*un porte-revues*
a news outlet / a news-stand	*un kiosque à journaux*

4. Carrying out nursing duties / *Les tâches de l'infirmière*

A. Observing the patient's behaviour / *Observer le comportement du malade*

get into the habit of observing the patient while carrying out normal nursing duties	*prendre l'habitude de surveiller le malade en faisant son travail ordinaire / habituel*
what is on the record card / the patient's chart	*ce qui se trouve sur la feuille / le dossier du malade*
keep an eye on the patient all the time	*surveiller le malade constamment*
keep on the look out for changes in the patient's condition	*avoir l'œil sur les changements dans l'état du malade*
changes in tpr.	*variations de température*
changes in colour	*changements / variations du teint*
mental state	*état psychologique du patient*
become second nature	*devenir une seconde nature*
things to look for	*ce à quoi il faut veiller*
get used to it	*s'y habituer*
be rushed off your feet	*ne pas avoir une seule minute*
be busy	*être occupé*
find time	*trouver le temps*
talk to people	*parler / échanger*
come into contact with	*établir un / le contact avec*
chat to patients	*discuter / échanger quelques mots avec le malade*
get on friendly terms with	*se lier avec*
make the patient more relaxed	*détendre le malade*
Don't keep yourself to yourself.	*Ne restez pas à l'écart, communiquez.*
Don't be reluctant to confide.	*N'hésitez pas à vous confier.*
be able to speak the language	*pouvoir parler la langue*
be frightened	*être apeuré / avoir peur*
frighten	*faire peur*
be depressed	*être déprimé*
depress	*déprimer*

B. Time for a wash / *L'heure de la toilette*

the nursing auxiliary	*l'aide soignante*
the patient's hygiene	*l'hygiène du malade*
have a shower	*prendre une douche*
have a bath	*prendre un bain*
Can you manage on your own?	*Vous y arrivez tout seul ?*
feel up to it	*en avoir la courage / la force*
I'm going to give you a bed-bath.	*Je vais vous laver.*
I'm going to fetch you a bowl of water.	*Je vais aller vous chercher une cuvette d'eau.*
How do you like it?	*A quelle température la voulez-vous ?*
cold	*froid*
lukewarm	*tiède*
warm	*agréablement chaud*
hot	*très chaud / brûlant*
Is the water all right for you?	*La température de l'eau vous convient-elle ?*
I'm going to help you wash.	*Je vais vous aider à faire votre toilette.*
Can you get washed on your own?	*Vous pouvez vous laver tout seul ?*
I'll help you to the wash basin.	*Je vais vous aider à aller au lavabo.*
Can you walk easily?	*Pouvez-vous marcher sans difficulté ?*
keep one's balance	*garder son équilibre*
feel dizzy	*avoir des vertiges / avoir la tête qui tourne*

not feel steady on one's legs	*ne pas se sentir solide sur ses jambes*
from the waist up	*à partir de la taille*
the top half	*le haut du corps*
the bottom half	*le bas du corps*
Have you got your toiletries with you?	*Avez-vous vos affaires de toilette ?*
deodorant	*déodorant*
eau de Cologne	*eau de Cologne*
soap	*savon*
flannel	*gant de toilette*
shampoo	*shampooing*
Would you like me to shampoo your hair?	*Voulez-vous que je vous fasse un shampooing ?*
Lean your head back as far as you can.	*Vous vous penchez bien en arrière.*
wet the hair	*mouiller les cheveux*
wet hair	*cheveux humides / mouillés*
hairdryer	*sèche-cheveux*
tooth paste	*dentifrice*
toothbrush	*brosse à dent*
comb	*peigne*
do one's hair	*se coiffer*
electric shaver	*rasoir électrique*
razor	*rasoir mécanique*
disposable razor	*rasoir jetable*
shave	*se raser*
hand mirror	*miroir à main*
hair brush	*brosse à cheveux*
towel	*serviette*
wipe oneself dry	*se sécher / s'essuyer*
dry oneself	*se sécher*
Can you clean your dentures by yourself?	*Pouvez-vous nettoyer votre dentier vous-même ?*
Can you wash your private parts on your own?	*Pouvez-vous faire votre toilette intime seul ?*

C. Treatment
Traitement

1. Catheterization
La pose de cathéters

catheter	*cathéter / sonde*
catheterise a patient	*poser un cathéter / une sonde à un malade*
insert a catheter	*poser un cathéter / une sonde*
remove gradually	*retirer petit à petit*
gently	*doucement*
be catheterised	*avoir un cathéter en place*

2. Injection
Piqûre / injection

give an injection / jab (GB) / shot (US)	*faire une injection*
subcutaneous	*sous-cutané*
intramuscular	*intramusculaire*
intravenous	*intraveineux*
I'm going to give you an injection in...	*Je vais vous faire une piqûre dans...*
your arm.	*le bras.*
your shoulder.	*l'épaule.*
your belly / stomach / tummy.	*le ventre.*
your thigh.	*la cuisse.*
your left buttock.	*la fesse gauche.*
a painkilling injection	*piqûre d'analgésique*
take some time to work	*faire de l'effet au bout d'un certain temps*
Could you...	*Pourriez-vous...*
lie flat on your stomach?	*vous allonger sur le ventre ?*
lie flat on your back?	*vous allonger sur le dos ?*
turn over onto your side?	*vous tourner sur le côté ?*
Which side would you rather have the injection?	*Quel côté préférez-vous pour la piqûre ?*
It will feel a bit cold.	*Vous aurez une impression de froid.*
Relax.	*Détendez-vous.*

3. Intravenous therapy
Traitement par voie veineuse

an intravenous injection	*une injection intra-veineuse*
take a medicine intravenously	*prendre un médicament par voie intraveineuse*
put a patient on a drip	*mettre un malade sous perfusion*
a drip stand	*un porte-perfusion*
insert a needle into a vein	*ponctionner une veine*
trickle in	*s'écouler goutte à goutte*
blood products	*produits sanguins*
fluids	*solutés*
medicines	*médicaments*
i.v. nutrients	*alimentation parentérale*
consumable items	*matériel à usage unique*
syringes	*seringues*
needles	*aiguilles*
i.v. sets	*matériel de perfusion*
in-line filters	*filtres inclus*
setting up the catheter	*mise en place du cathéter*
adverse event	*incident*
clotted line	*cathéter bouché*
flush occluded canula	*déboucher le cathéter*
remove occluded canula	*enlever le cathéter bouché*
restart line	*redémarrer la perfusion*
infiltration around the catheter	*infiltration autour du cathéter*
syringe refilling	*de quoi remplir à nouveau la seringue*
<u>infusion pump</u>	<u>*pousse seringue*</u>
driving mechanism	*mécanisme de commande*

rapid purge facility — *système de purge rapide*
choose set flow rate — *régler le débit*
empty bottle detection — *détecteur de seringue vide*
imminent discontinuation of infusion — *interruption imminente de la perfusion*
end-of-infusion alarm — *alarme de fin de perfusion*
clutch disengagement — *commande de débrayage*
mechanical bubble trap — *piège à bulles*
multichannel system — *système à canaux multiples*
primary flow — *perfusion de base*
additional secondary flow — *perfusion secondaire*
bolus delivery system — *système permettant l'injection de bolus*
display of total volume infused — *indication du volume total perfusé*
power supply — *alimentation électrique*
battery back-up — *batterie auxiliaire*
sloughing — *formation d'une escarre*
risk of eschars — *risque d'escarres*
require debridement or skin grafting — *nécessiter un parage avec excision ou une greffe de peau*

4. Oral medication
Médicaments par voie orale

Do you have your doctor's prescription? — *Avez-vous l'ordonnance de votre médecin ?*
Make sure that you take... — *Veiller à prendre...*
a tablet — *un comprimé*
a pill — *une pilule*
a capsule — *une gélule*
once a day — *une fois par jour*
twice — *deux fois*
three times — *trois fois*
before meals — *avant les repas*
after — *après*
half way through the meal — *a mi-repas*
away from — *loin de*
in between meals — *entre les repas*
before going to bed — *avant de vous / se coucher*
when you wake up — *au réveil*
swallow — *avaler*
take / pop up a pill — *prendre une pilule*

D. Taking care of the patient
Surveillance du malade

1. Temperature
Température

body temperature — *température du corps*
normal body temperature is 98.6°F — *la température normale du corps est 37°C*
body heat — *chaleur corporelle*
as low as 97°F — *descendre à 36 °C*
as high as 100°F — *monter jusqu'à 38°C*
daily variation — *variation dans la journée*
lowest in the early hours of the morning — *au plus bas tôt le matin*
highest in the evening — *au plus haut le soir*
evaporation of sweat from — *évaporation de la sueur de*
a mercury thermometer — *un thermomètre à mercure*
a chemical thermometer — *un thermomètre chimique*
a rectal thermometer — *un thermomètre rectal*
a clinical thermometer — *un thermomètre à usage clinique*
a tympanic thermometer — *un thermomètre auriculaire*
How long have you had a temperature? — *Depuis quand avez-vous de la température ?*
Could you take your temperature, please? — *Pouvez-vous prendre votre température, s'il vous plaît ?*
Put the thermometer under your arm — *Vous mettez le thermomètre sous le bras.*
in your mouth — *dans la bouche*
in your back passage — *dans l'anus*
Keep it there for five minutes. — *Vous le conservez pendant cinq minutes.*
Could you give me back the thermometer? — *Pouvez-vous me redonner le thermomètre ?*
a temperature (tpr) chart — *une feuille de température*
fill in / fill out / complete a chart — *remplir une feuille / un relevé*

2. Pulse
Le pouls

I'll show you how to best check for pulse. — *Je vais vous indiquer la meilleure façon de prendre le pouls.*
The pulse gives you the propulsive power of the heart. — *Le pouls vous donne la force d'éjection du cœur.*
a convenient point — *un endroit approprié*
on the anterior surface of the wrist — *sur la face antérieure du poignet*
radial artery — *artère radiale*
frequency of the heart beat — *fréquence cardiaque / des battements du cœur*
as slow as 50 b.p.m. — *descendre jusqu'à 50 b.m.*
as fast as 90 b.p.m. — *monter jusqu'à 90 b.m.*
average b.p.m. is 72 — *le pouls moyen est de 72 b.m.*
as rapid as 140 in infants — *pas moins de 140 chez les tout-petits*
pulse volume — *amplitude du pouls*
amount of blood in circulation — *quantité de sang qui circule*
pulse rhythm — *rythme / fréquence du pouls*
even in time and force — *régulier dans le temps et en puissance*
regular / even — *régulier*
irregular / uneven — *irrégulier*

In case of irregularities...	*En cas de variation...*
It is preferable to count heart apex beats.	*Il est préférable de compter le nombre de battements à l'apex*
located in the fifth intercostal space	*situé à hauteur du cinquième espace intercostal*
to the left of the sternum	*à la gauche du sternum*

3. Blood pressure
Tension artérielle

Hold out your arm.	*Tendez le bras.*
I'm going to check your blood pressure.	*Je vais prendre / vérifier votre tension artérielle.*
Stand up.	*Mettez-vous debout.*
check again	*vérifier à nouveau*
What is your normal blood pressure?	*Quelle est votre tension habituellement ?*
I have 120 over 80. (120 / 80)	*J'ai 12/8.*
a little high	*un peu élevé*
too low	*trop bas*

4. Cough and sputum
Toux et expectorations

Nurse please, could you ask the doctor to give me something to ease my cough?	*Mademoiselle / madame, pourriez-vous demander au médecin qu'il me donne quelque chose pour soulager cette toux ?*
the cough	*la toux*
chest trouble	*problème pulmonaire*
respiratory tract (RT)	*voies respiratoires*
reflex action	*action réflexe*
occur when respiratory passages are irritated	*se produire quand les voies respiratoires sont irritées*
throw out	*rejeter*
a dry cough	*toux sèche*
a nasty cough	*une mauvaise toux*
Do you bring up things when you cough?	*Est-ce que vous crachez quand vous toussez ?*
Is it a productive cough?	*Est-ce une toux productive / grasse ?*
Each time you want to spit, please use this mug.	*Quand vous crachez, utilisez ce gobelet, s'il vous plaît.*
It will be checked every day.	*Le contenu en sera vérifié chaque jour.*
excess sputum	*expectorations surabondantes*
foreign body	*corps étranger*
bring up phlegm	*produire / avoir des glaires*
sticky	*collant / qui adhère*
reddish-brown	*brun-rouge / rouge-brun*
spread all through the phlegm	*répandu dans / qui infiltre les glaires*
be in clots	*former des caillots*
mucoid sputum	*expectoration muqueuse*
clear, tenacious mucus produced in the early stages of respiratory tract infection	*mucus clair, adhérent produit au début d'une infection des voies respiratoires*
mucopurulent sputum	*expectoration muco-purulente*
a mixture of mucus and pus	*mélange de mucus et de pus*
purulent sputum	*mucus purulent*
consists mainly of pus	*fait de pus essentiellement*
rust-coloured sputum	*crachats rouillés*
tenacious	*adhérent*

5. Breathing
La respiration

Dr. Cureall speaking, what's up, nurse?	*Dr. Panacée au téléphone, que se passe-t-il mademoiselle ?*
what's the matter?	*qu'y-a-t-il ?*
what's wrong?	*qu'est-ce qui ne va pas ?*
what's the problem	*quel est le problème ?*
I'm calling because he has difficulty breathing.	*Je vous appelle parce qu'il a du mal à respirer...*
respiratory disturbances	*troubles respiratoires*
changes in the rate and type of respiration	*changements dans le rythme et le type de respiration*
symptom of disorder of the respiratory system	*symptôme de dysfonctionnement du système respiratoire*
depth of respiration	*ampleur / profondeur de la respiration*
ease of breathing	*facilité pour respirer*
difficult breathing	*respiration difficile*
noisy breathing	*respiration bruyante*
stertorous breathing	*respiration stertoreuse*
snoring breathing	*respiration avec ronflement*
orthopnoea	*orthopnée*
comfortable breathing only in sitting position or standing position / standing erect	*respiration facile en position assise ou debout uniquement*
quiet breathing	*respiration calme*

6. Vomiting
Vomissements

Nurse please, I feel terribly sick.	*Mademoiselle / madame, s'il vous plaît, j'ai la nausée, c'est horrible.*
be sick	*vomir*
come on suddenly	*se produire brutalement*
feel a bit queasy	*se sentir vaguement nauséeux*
sick as a dog	*malade comme un chien*
last long	*durer longtemps*
nausea	*la sensation nauséeuse*

eject the contents of the stomach through the mouth	*rejeter le contenu de l'estomac par la bouche*
partially-digested food	*nourriture partiellement digérée*
a foul-smelling fluid	*un liquide nauséabond*
relieve by vomiting	*soulager par le vomissement*
occur in connection with the taking of food	*se produire en relation avec l'absorption de nourriture*

7. Faeces / stools
Les excréments

be constipated	*être constipé*
I've not had any bowel movement for days.	*Je ne suis pas allé à la selle depuis des jours.*
Can I have a laxative?	*Puis-je avoir un laxatif ?*
take a laxative	*prendre un laxatif*
How long ago did you have a bowel movement?	*Quand êtes-vous allé à la selle ?*
How long is it since you last had a bowel movement?	*Quand êtes-vous allé à la selle la dernière fois ?*
Are you passing gas?	*Avez-vous des gaz ?*
defecation	*défécation*
infrequent	*rare*
Are you constipated at the moment?	*Etes-vous constipé actuellement ?*
the passing of stools	*la fait d'aller à la selle*
tarry stools	*selle noire*
putty stools	*selle blanche / couleur mastic*
large amounts of	*grande quantité de*
undigested	*non digéré*
altered bile pigments	*éléments biliaires transformés*
Do you have diarrhoea?	*Avez-vous la diarrhée ?*
How long have you had it?	*Depuis combien de temps ?*
have difficulty controlling bowel movement	*avoir du mal à se retenir*
Have you eaten / drunk anything today?	*Avez-vous mangé / bu aujourd'hui ?*
How often do you have bowel movements in general?	*Avec quelle fréquence allez-vous à la selle en général ?*
at the moment	*en ce moment*
once a day	*une fois par jour*
twice a day	*deux fois par jour*
every other day	*un jour sur deux*
My stools have an offensive smell.	*Mes selles ont une odeur repoussante.*
They didn't smell.	*Elles ne sentaient rien.*
be mucous	*avoir un aspect / être glaireux*
I have a mucous stool.	*J'ai des selles glaireuses.*
bleeding	*saignement*
bloody	*avec du sang*
altered blood	*sang transformé*
Was the blood...	*Le sang était-il...*
mixed in with the stools?	*mélangé aux matières fécales ?*
on the surface of the stools?	*superficiel ?*
still visible after flushing the toilet?	*toujours visible après l'évacuation de la cuvette ?*
toilet paper	*papier toilette / hygiénique*

8. Urine
L'urine

an amber fluid	*un liquide orangé*
be made up of / consist of	*être composé de*
water	*eau*
urea	*urée*
salts	*sels*
pass urine / water	*uriner*
incontinence	*incontinence*
absence of control over the passing of urine	*absence de / non-contrôle de l'émission d'urine*
haematuria	*hématurie*
the presence of blood in the urine	*présence de sang dans les urines*
proteinuria / albuminuria	*protéinurie / albuminurie*
the presence of protein in the urine	*présence d'albumine dans les urines*
Do you have difficulty passing water?	*Avez-vous des difficultés pour uriner ?*
Do you ever pass water accidentally?	*Vous arrive-t-il de perdre vos urines ?*
Does this happen only at night, or in the day time too?	*Cela n'arrive-t-il que la nuit ou dans la journée également ?*
It can happen when I cough.	*Cela peut arriver quand je tousse.*
laugh	*rire*
exert oneself	*faire un effort*
at any time	*n'importe quand*
wear a pad	*porter une protection*
Can you pass water when you are lying down?	*Pouvez-vous uriner quand vous êtes allongé ?*
need to go to the toilet	*avoir besoin d'aller aux toilettes*
need to use the bedpan	*avoir besoin du plat-bassin*

5. One day in the life of a surgical nurse — *Une journée de la vie d'une infirmière de chirurgie*

the dressing nurse	*la panseuse*
intensive care unit (ICU)	*service de réanimation*
highly qualified nursing staff	*personnel infirmier hautement qualifié*
a nurse caring for three patients	*un infirmière s'occupant de trois patients*
bedside medical devices	*matériels médicaux au lit du malade*
devices with compatible outputs	*matériel avec des sorties compatibles*
monitor the patient's condition	*surveiller l'état du patient*
nurse's workload	*charge de travail de l'infirmière*
the so-called low level tasks	*les tâches dites secondaires*
secretarial functions	*fonctions de secrétariat*
reduce the amount of paper work	*réduire la quantité de documents*
devote more time to actual patient care	*consacrer plus de temps aux soins réels du patient*
post-operative patient	*malade en soins postopératoires*
The patient is unconscious.	*Le malade est sans connaissance.*
put artificial airway into position	*intuber le malade*
ensure that airway is kept clear	*veiller à ce que les voies aériennes restent dégagées*
place the patient on his back	*mettre le malade sur le dos*
turn his head to one side	*lui tourner la tête de côté*
raise the foot of the bed	*soulever le bas / le pied du lit*
give the patient a pillow for his head	*donner un oreiller au malade*
sleep soundly	*dormir profondément*
take pulse and blood pressure half-hourly	*relever / prendre le pouls et la tension toutes le demi-heures*
wake up	*se réveiller*
come round	*reprendre connaissance*
regain consciousness	*reprendre conscience*
complain of pain in	*se plaindre de douleurs à*
give an intramuscular injection of	*faire une injection intramusculaire de*
blood pressure within normal limits	*pression artérielle dans les limites normales*
put a bed-cradle in the bed	*mettre un arceau dans le lit*
take the weight of the bed-clothes off	*retirer le poids des couvertures*
a written medication schedule	*un tableau écrit des heures de prise des médicaments*
to be posted in a visible place	*à afficher ostensiblement*
Nurse, please, I feel concerned about this patient.	*Mademoiselle, je suis inquiet au sujet de ce malade.*
Could you please check for shock and haemorrhage signs?	*Pourriez-vous vérifier s'il présente des signes de choc et d'hémorragie ?*
Make sure you check for his vital signs too: body fluids, excreta...	*Veillez à vérifier les signes vitaux également : les sécrétions, les excréments...*
keep a quarter-hourly record of blood pressure	*faire le relevé de la pression artérielle toutes les quinze minutes*
skin	*la peau*
colour of the skin	*couleur de la peau*
His skin feels cold and clammy.	*Je lui trouve la peau froide et moite.*
It looks pallid.	*Elle est pâle d'aspect.*
a state of shock	*un état de choc*
shock and haemorrhage	*état de choc et hémorragie*
check pulse rate and volume	*vérifier pouls et intensité du pouls*
depth of patient's respiration	*ampleur de la respiration*
offer a bottle	*proposer le pistolet*
manage to pass water	*arriver à uriner*
change from theatre gown into pyjamas	*retirer la blouse de l'opéré et enfiler un pyjama*
be visited by a houseman	*recevoir la visite de l'interne*
complain of further pain	*se plaindre de souffrir encore*
order the use of a drug	*ordonner une drogue / un calmant*
be allowed frequent sips of water	*se voir autorisé à boire par petites quantités souvent*
not complain of nausea	*ne pas se plaindre de nausées*
not feel sick	*ne pas vomir*
Has he had a bowel movement today?	*Est-il allé à la selle aujourd'hui ?*
I haven't had any bowel movement for...	*Je ne suis pas allé à la selle depuis...*
the fluid balance chart / intake-output	*le bilan des entrées et des sorties*
fluid intake	*quantité de liquide reçue*
Explaining to the nurse in training how to fill in the flow sheet.	*On explique à l'élève infirmière comment établir les relevés.*
The daily intake of fluids, expressed in ml per 24 hrs, is made up of the liquids that have passed into the system...	*La quantité de liquide absorbée, en ml par 24 h., se compose de tous les liquides reçus par l'organisme...*
by an oral route	*par voie orale*
by an i.v. route	*par intra-veineuse*

by any other route	*par toute autre voie autre voie*
The 24 hour output in ml can be assessed by thoroughly checking the amount of...	*La quantité éliminée en 24 heures, exprimée en ml, s'évalue en notant soigneusement le volume de...*
vomit or aspiration	*vomissement ou produit des aspirations*
urine	*urine*
drainage	*drain / produit de drainage*

6. On discharge from hospital — *Sortie de l'hôpital*

be discharged	*être autorisé à quitter l'hôpital*
today	*aujourd'hui*
tomorrow	*demain*
in two days' time	*dans 48 heures*
complete the necessary forms	*accomplir les formalités nécessaires*
appointment card	*(document portant) la date de rendez-vous*
X-rays	*radios*
hospital report	*compte-rendu d'hospitalisation*
surgery report	*compte-rendu d'opération*
bill for medical care	*facture de soins*
be registered with a GP	*avoir un médecin traitant / référent*

7. Patient's compliance — *L'adhérence au traitement*

Ensuring patient's compliance is the most difficult aspect of treatment.	*L'aspect le plus délicat du traitement, c'est l'assurance que le malade suivra son traitement.*
(non) adherence to medication	*(ne pas) suivre son traitement*
(non) compliance	*(ne pas) suivre*
assessment of medication compliance	*dans quelle mesure l'ordonnance est suivie / prise en compte*
help patients follow drug regimens	*aider les malades à suivre leur prescription*
They often misinterpret indications / directions for use.	*Ils ont souvent du mal à comprendre la posologie.*
simplify the regimen	*simplifier la prescription*
prior to discharge	*avant d'être autorisé à repartir*
review medications	*passer en revue les médicaments prescrits*
Make sure the patient knows who and where to call...	*Assurez-vous que le malade sait qui et où appeler...*
pill counts at follow-up appointments	*le décompte des pastilles à chaque rendez-vous*
follow-up patient contact by telephone	*suivi du malade par contact téléphonique*

VII. Emergency — *Urgences*

I. First aid and emergencies — *Les premiers secours*

A. At the scene of the emergency — *Sur le lieu d'intervention*

heavy traffic	*trafic dense*
car crash	*accident automobile*
a crash	*un accident*
a frontal crash	*un choc de face*
a car wreck	*un accident de voiture*
crash into	*percuter*
bump into	*percuter*
knock down / over	*renverser*
run into a pedestrian	*renverser un piéton*
a head-on collision	*une collision frontale*
a side-impact collision	*une collision latérale / sur le côté*
a rear-impact collision	*une collision par l'arrière*
a pile-up	*un carambolage*
turn a roll over	*faire un tonneau*
a hit-and-run driver	*un chauffard*
visibility down to 100 yards	*visibilité réduite à 100 mètres*

skid off an icy patch	*déraper sur une plaque de verglas*
a drunk / drunken driver	*un conducteur ivre*
an air safety bag	*un coussin gonflable*
fasten one's seat belt	*attacher sa ceinture de sûreté*
an inexperienced driver	*un conducteur sans expérience*
a wreckage	*une épave*
heavy fire	*incendie majeur*
bystander	*passant*
call for help	***appeler à l'aide***
seek help	*chercher de l'aide*
send for help	*demander de l'aide / faire venir de l'aide*
summon help	*exiger de l'aide*
available help	*aide disponible*
summon an ambulance	*faire venir une ambulance*
call 999 for an ambulance	*appeler l'ambulance du SAMU par le 15*
dial 999 at one's earliest possible opportunity	*composer le 15 dès que possible*
control officer	*personne de garde*
Help may be some time in arriving.	*L'aide peut demander du temps pour arriver.*
await the arrival of	*attendre l'arrivée de*
wait for help to arrive	*attendre de l'aide*
wait for specialist help	*attendre l'aide appropriée*
emergency services	*les urgences / le SAMU*
an emergency	*une urgence*
require emergency help	*exiger / nécessiter une aide d'urgence*
be equipped with	*être équipé de*
first aid kit	*trousse de premiers soins / matériel d'urgence*
first aid	***premiers secours***
the rescuing party	*les sauveteurs*
life-saver / rescuer	*sauveteur*
deal with a patient	*s'occuper d'un malade*
a casualty	*une victime*
sufferer	*victime*
an injured person	*un blessé*
attend a casualty	*s'occuper d'un blessé*
take prompt action to	*agir rapidement pour*
cope with the problem	*faire face au problème*
examine for	*examiner pour savoir si*
ensure that	*s'assurer que*
be in need of	*avoir besoin / nécessiter*
a wound	***une plaie***
a wound in	*une plaie à*
an open wound	*une plaie ouverte*
an injury	*une blessure*
be injured	*être blessé*
a site of injury	*l'emplacement d'une blessure*
an injury to	*une blessure à*
risks for the rescuer	***les dangers pour le sauveteur***
look for danger	*veiller au danger / localiser le danger*
be in imminent danger	*être en danger immédiat*
remove any danger	*évacuer tout danger*
get a casualty to shelter	*mettre une victime à l'abri*
a situation of potential danger	*une situation potentiellement dangereuse*
be aware of the implications	*avoir conscience des implications*
safety implications	*risques impliqués*
not put oneself at risk	*ne pas s'exposer / prendre de risques*
not endanger one's safety	*ne pas prendre de risques*
injure oneself	*se blesser*
course of action	***façon de procéder***
decide on what action to take	*décider de ce qu'il faut faire*
assess the casualty	*évaluer l'état de la victime*
essential step	*étape essentielle*
not aggravate the casualty's condition	*ne pas aggraver la situation du malade*
not make the situation worse	*ne pas aggraver la situation*
move a casualty	*déplacer un blessé*
remove from the fast lane	*sortir de la voie rapide*
arrange for early removal to	*organiser le transport rapide à / au*
fast removal to hospital for treatment	*transport rapide à l'hôpital pour des soins*
swift	*rapide / express*
make way for professionals	*céder la place aux professionels*
paramedics take over	*le personnel paramédical intervient*
identifying the problem: diagnosis	***situer le problème : le diagnostic***
make a diagnosis at a time of emergency	*faire un diagnostic dans une situation d'urgence*
obtain a reliable story from	*recueillir un compte-rendu vraisemblable de la part de*
How much time has elapsed since...?	*Combien de temps s'est écoulé depuis... ?*
history-taking	*les antécédents*
events leading up to	*évènements qui ont conduits à / résultant en*
seek information from	*s'informer auprès de / chercher à obtenir des informations auprès de*
ascertain the patient's name	*s'assurer du nom de la victime / du malade*
not be confident that	*ne pas être assuré que / ne pas tenir pour sûr que*
have a significant medical problem	*avoir un problème médical qui mérite l'attention*
take to the accident and emergency unit	*amener au service des urgences*
remain in the same position while travelling	*ne pas changer de position pendant le transport*
avoid moving	*éviter de bouger*

have the support of facilities	*s'appuyer sur une organisation matérielle / avoir un soutien logistique*
reassure the casualty	*rassurer la victime*
have the patient examined	*faire examiner le malade*
remove one's clothing	*retirer ses vêtements*
loosen tight clothing	*desserrer les vêtements*
keep a close watch on	*maintenir sous surveillance étroite*
be ready to	*se tenir prêt à*
protect from	*protéger contre*
not expose to	*ne pas exposer à*
a threat to life	*une menace vitale / qui met la vie en jeu*
cause discomfort	*causer une gêne*
complain of	*se plaindre de*
swelling on	*gonflement / grosseur à / sur*
display symptoms	*manifester des symtômes*
display symptoms of shock	*manifester des signes de choc*
be shocked	*être en état de choc*
severely	*gravement / grave*
feel unwell	*se sentir mal*
feel strange	*ne pas se sentir dans un état normal*
an attack	*une attaque*
a fit of	*une crise de / un accès de*
<u>check for consciousness</u>	*<u>vérifier s'il y a coma</u>*
lapse into unconsciousness	*plonger dans le coma*
regain consciousness	*reprendre connaissance*
Can you hear me?	*Vous m'entendez ?*
Open your eyes!	*Ouvrez les yeux !*
shake the shoulders	*secouer les épaules*
rousable	*susceptible d'être réveillé / ramené à la conscience*
in response to	*en réponse à*
stimulus	*stimulus*
handle a limb	*toucher à / manipuler un membre*
on both sides	*des deux côtés*
on either side of	*de chaque côté de*
on the inner side of	*sur la face interne de*
on the outer side of	*sur la face externe de*
Are you currently taking medication?	*Suivez-vous actuellement un traitement ?*
a specific condition	*une affection particulière*
a warning card	*une carte de soins d'urgence*

B. The ambulance
L'ambulance médicalisée

the ambulance man	*l'ambulancier*
life-threatening situation	*situation entraînant le pronostic vital*
emergency medicine physician	*urgentiste*
leading the crew of an emergency car	*responsable d'ambulance médicalisée*
specialised paramedics	*personnel spécialisé*
experienced in setting up i.v. lines and ECG recognition	*formé à poser des voies veineuses et à reconnaître des anomalies sur l'ECG*
equipment for resuscitation	*équipement de réanimation*
fluid replacement	*soluté de remplacement*
mobile intensive care unit	*unité de réanimation mobile*
restricted to priority rescue	*à n'utiliser que pour les urgences majeures*
hand-powered suction system	*appareil d'aspiration manuel*
clear a patient's airways	*dégager les voies aériennes*
<u>handling and transport</u>	*<u>comment déplacer la victime</u>*
manual lifts and carries	*soulever et transporter à la main*
casualty	*victime*
able to walk	*capable de marcher*
light-weight casualty	*victime de faible poids*
unable to walk on one's own	*incapable de marcher seul*
<u>human crutch method</u>	*<u>marcher avec l'aide de quelqu'un</u>*
stand on the injured side	*se mettre du côté blessé*
pass one's arm around	*passer son bras autour de*
grasp	*serrer / accrocher / s'accrocher à*
move off on the inside foot	*démarrer sur le pied intérieur*
take small steps	*faire des petits pas*
pace	*pas / rythme*
<u>drag the casualty</u>	*<u>tirer le blessé inconscient</u>*
crouch behind	*s'accroupir derrière*
grasp the armpits	*saisir les aisselles*
squat beside	*s'accroupir / s'agenouiller à côté de*
hug the casualty's body toward you	*ramener le corps vers soi en serrant*
give the casualty a pick-a-back	*transporter le blessé à dos d'homme*
keep one's back straight	*ne pas arrondir le dos*
<u>carry chairs</u>	*<u>déplacement / transport assis</u>*
move a casualty along a passage	*déplacer un blessé dans un couloir*
up a stair	*pour monter un escalier*
down a stair	*pour descendre un escalier*
strap	*sangle / courroie*
wheel	*roue*
wheelchair	*fauteuil roulant*
brake	*frein*
handle	*poignée*
leg-rest	*repose-pieds*
unfold the chair	*deplier la chaise*

tilt the chair back onto its wheels	*renverser la chaise en arrière en prenant appui sur les roues*
lift at the handhold	*soulever en utilisant la poignée*
carry the chair with the casualty facing downstairs	*déplacer le blessé face à la descente*

C. The stretcher-bearer
Le brancardier

stretcher	*brancard*
lift a casualty onto	*hisser un blessé sur*
rescue stretcher	*civière de secours / de sauvetage*
load a stretcher	*mettre un blessé sur une civière*
strap in an unconscious casualty	*fixer / attacher un blessé inconscient*
collapse widthways	*se replier par le travers / transversalement*
carrying pole	*membrure / raidisseur*
hinged traverse	*traverse pliable*
foot	*support*
split / fold lengthways into halves	*replier / se replier par moitié dans le sens de la longueur*
canvas-and-poles stretcher	*civière en toile*
transfer a casualty from... onto	*faire passer un blessé de... à / sur*
side sleeve	*manchon*
spreader bar	*barre d'écartement / de fixation / de maintien*
head rest	*appui-tête*
slide a pole up the sleeve	*glisser une membrure / un raidisseur dans le manchon*
not move unduly	*ne pas déplacer sans raison*
carry a casualty some distance	*transporter un blessé sur une certaine distance*
improvised stretcher	*civière de fortune*
lift a casualty from an awkward place	*hisser / récupérer un blessé dans un endroit peu accessible*
cot	*civière / lit de camp*
ambulance trolley cot	*brancard amovible d'ambulance*
fully-adjustable stretcher bed on wheels	*brancard mobile ajustable*
height and tilt can be altered to suit the casualty's condition	*on peut adapter la hauteur et l'inclinaison selon les besoins du blessé*
lifting handle	*poignée pour soulever*
pull bar	*barreau pour tracter*
guard rail	*protection latérale*
straps for safety	*attaches de sécurité*
wheel with brake	*roue avec frein*
preparing a stretcher	*la préparation du brancard*
blanket a stretcher	*munir une civière d'une couverture*
protect against bumps	*protéger des chocs*
jolt	*secousse*
place beneath the casualty	*placer sous la victime*
place the open blanket diagonally over	*placer la couverture ouverte en diagonale sur*
tuck securely underneath the casualty	*glisser fermement sous le blessé*
place a blanket widthways across	*placer une couverture dans le sens de la largeur*
A blanket should be folded lengthways into three.	*Une couverture doit être repliée en trois dans le sens de la longueur.*
It should be laid along the stretcher's edge.	*Elle doit être placée de chaque côté du blessé.*
loading a stretcher	*la mise en place du blessé*
blanket lift	*soulever avec une couverture*
head strap	*attache pour la tête*
body strap	*attache pour le corps*
carrying a stretcher	*le transport du brancard*
carry down an incline	*descendre une pente*
not overlift	*ne pas soulever à l'excès*
not throw off balance	*ne pas faire perdre l'équilibre*

2. Surgical emergencies — *Urgences chirurgicales*

A. Haemorrhage / Bleeding
Hémorragie

loss of blood	*perte de sang*
escape of blood into the tissues	*diffusion de sang dans les tissus*
external bleeding	*hémorragie externe*
internal bleeding	*hémorragie interne*
a large amount of blood	*une grande quantité de sang*
a small amount	*une petite quantité*
an average amount	*une quantité moyenne*
assess accurately the volume of	*évaluer avec exactitude le volume de*
bleeding is dependent on the type of wound	*la perte de sang dépend du type de plaie*
a threat to life	*une menace vitale*
clot	*coaguler*
clot	*caillot*
clotting is a sophisticated process	*la coagulation est un processus complexe*
suffer bleeding	*subir une perte de sang*
an open wound	*une plaie ouverte*

a closed wound	*une plaie fermée*
emergency action for bleeding	*que faire immédiatement en cas d'hémorragie ?*
the casualty wound	*la plaie de la victime*
locate the wound	*repérer la plaie*
examine for a foreign body	*rechercher un corps étranger*
protrude from	*dépasser de*
pull out from	*extraire de*
the foreign body can act as a plug	*le corps étranger peut faire office de bouchon*
leave the protruding object exposed	*laisser l'objet saillant exposé / à l'air libre*
an embedded object	*un objet implanté*
loose	*mal fixé / lâche*
apply pressure directly onto either side of the wound	*exercer une pression directe de chaque côté de la plaie*
press firmly on the edge	*appuyer avec fermeté sur le bord*
keep close	*maintenir refermé*
a clean pad of material	*un tampon propre en tissu*
become saturated with blood	*saturé de sang*
sterile dressing	*du pansement stérile*
not waste time searching for the origin of the bleeding	*ne pas perdre de temps à rechercher l'origine de l'hémorragie*
handle a limb	*toucher à un membre*
elevate a limb	*surélever un membre*
above the level of the head	*plus haut que la tête*
lay down the casualty	*allonger le blessé*
lay flat on the floor	*allonger à plat sur le sol*
wrap a bandage round	*enrouler un pansement autour de*
wrap tightly	*enrouler en serrant*
wrap loosely not to obstruct the circulation	*enrouler sans serrer pour ne pas entraver la circulation*
loosen	*dégager / desserrer*
an article of clothing	*un vêtement*
a sterile gauze pad	*une compresse de gaze stérile*
control bleeding	*contrôler l'hémorragie*
tying up / ligature of a blood vessel	*ligature d'un vaisseau*
pressure point of an artery	*point de compression d'une artère*
emergency tourniquet on the thigh	*garrot posé en urgence sur la cuisse*
compression bandage	*pansement compressif*
prevent infection	*prévenir l'infection*
internal bleeding	*hémorragie interne*
absence of visible blood	*absence de saignement extériorisé*
result from injury	*être la conséquence d'une blessure*
bone fracture	*fracture*
severe bruising	*gros hématome*
blood present at body orifices	*sang présent aux orifices naturels*
secure medical help	*s'assurer d'une assistance médicale*
keep a check on the vital signs	*maintenir les signes vitaux sous surveillance*

B. Burns *Brûlures*

How did it come about?	*les circonstances*
fire	*feu / incendie*
arson	*incendie criminel*
flames	*flammes*
boiling water	*eau bouillante*
methylated spirit	*alcool à brûler*
corrosive chemical	*un produit chimique corrosif*
petrol	*essence*
burning petrol	*essence enflammée*
household dangers	*accidents domestiques*
acid	*acide*
soda / caustic soda	*soude caustique*
knock over a bottle	*renverser une bouteille*
a pan	*un récipient*
He spilt boiling water over himself.	*Il s'est renversé de l'eau brûlante sur lui.*
He sustained a scald.	*Il s'est ébouillanté.*
dip one's fingers in hot oil	*tremper les doigts dans de l'huile bouillante*
first aid	*premiers gestes*
a smoke-filled room	*une pièce enfumée*
clothing on fire	*vêtements en feu*
put out the fire	*éteindre le feu*
starve the flames of air	*étouffer les flammes*
lay the casualty down burning side uppermost	*coucher la victime côté brûlé en dessus*
pour cold water over the burn	*mettre de l'eau froide sur la brûlure*
douse with water	*arroser d'eau*
strip clothes off	*retirer tous les vêtements*
wrap tightly in a blanket	*enrouler étroitement dans une couverture*
remove constricting items such as rings and watch	*retirer tout ce qui enserre, bagues et montre*
first assessment	*premier bilan*
a burn	*une brûlure*
major	*importante*
minor	*petite*
extended	*étendue*
restricted	*limitée*
a burnt area	*une zone de brûlure*
a superficial burn	*une brûlure superficielle*
a bad burn	*une sérieuse brûlure*
a first- degree burn	*une brûlure du premier degré*
a second-degree burn	*du second degré*

a third-degree burn	*du troisième degré*
affected tissues	*les tissus / la zone concernés*
minimise	*minimiser*
tissue damage	*lésions tissulaires*
swelling	*gonflement / œdème*
treatment	*traitement*
I'm in agony.	*Je souffre, c'est horrible.*
give a painkiller	*donner un analgésique*
refer to the burns unit for	*adresser au service des grands brûlés pour*
relieve the pain	*soulager la douleur*
bring pain relief	*apporter un soulagement*
cover the wound	*couvrir la plaie*
a non-stick sterile dressing	*un pansement stérile non adhésif*
be vulnerable to infection	*être sensible aux infections / s'infecter facilement*
not leave exposed for too long	*ne pas laisser exposé trop longtemps*
not apply	*ne pas appliquer*
cream	*crème*
ointment	*baume*
spray	*nébulisation / spray*
do not prick or burst blisters	*ne pas percer ou faire éclater les cloques*
they are a defence against infection	*elles représentent une défense contre l'infection*
burns to the mouth and throat	*brûlures à la bouche et la gorge*
if you suspect burns of the airways	*si vous suspectez des brûlures des voies aériennes*
be prepared to resuscitate	*soyez prêt à réanimer*
electrical burns	*brûlures par électrocution*
occupational hazards	*accidents du travail*
pass into the body	*se communiquer au / traverser le corps*
a track of internal damage	*le tracé des blessures internes*
a point of entry	*un point d'entrée*
of exit	*de sortie*
disregard minor burns	*ne pas s'intéresser aux petites brûlures*
the risk is cardiac arrest	*il y a des risques d'arrêt cardiaque*
plug	*prise de courant*
electric current	*courant électrique*
power	*courant électrique de haute intensité / la force*
isolate the casualty from the high voltage power supply	*écarter la victime de la source d'énergie à haute tension*
disconnect	*couper*
pull the casualty free from	*libérer la victime de*
not come into contact with the victim's skin	*ne pas entrer en contact avec la peau de la victime*
chemical burns	*brûlures d'origine chimique*
chemical burns to the eyes	*brûlures de l'œil d'origine chimique*
a paint stripper	*un produit décapant pour la peinture*
flood with water	*rincer à grande eau*
pour water into	*déverser de l'eau dans*
if the eyes are tightly shut prise them open	*si les paupières sont serrées forcer les yeux à s'ouvrir*
rinse with water	*rincer à l'eau*
seek treatment without delay	*être soigné sans délai*
lasting damage	*dégâts durables*
blindness	*cécité*

C. Fractures
Les fractures

how to help a fracture victim	*comment aider la personne qui a une fracture*
not move unduly	*ne pas bouger sans raison*
steady a broken limb	*fixer un membre avec fracture*
not alter the position of	*ne pas changer la position de*
hold gently above	*tenir délicatement au-dessus*
firmly below	*fermement en-dessous*
not straighten	*ne pas redresser*
support between cushions	*caler entre des coussins*
folded clothing	*vêtements repliés*
immobilise against the body	*immobiliser sur le corps*
secure to a sound limb	*fixer à un membre valide*
a clean pad of material	*un tampon de tissu propre*
place padding around	*placer du rembourrage autour*
You must build padding high enough to prevent pressure.	*Le rembourrage doit être suffisamment épais pour éviter toute pression.*
not bandage too tightly	*ne pas serrer le pansement trop fort*
facial fractures	*fractures de la face*
nose	*nez*
cheekbone	*pommette*
jaw	*mâchoire*
skull	*boite cranienne*
brain	*cerveau / encéphale*
neck	*cou*
a dislodged tooth	*un dent déplacée*
a facial injury victim	*une personne blessée au visage*
slip a pad of soft material	*glisser un coussin / un tampon de tissu mou*
prevent the weight of the head resting on	*empêcher que la tête pèse de tout son poids sur*
suspect spinal injury	*craindre une blessure à la moelle épinière*
a fracture of the lower jaw can block the airways	*une fracture de la mâchoire inférieure peut obturer les voies aériennes*

sustain a heavy fall	*faire une lourde chute*
excruciating pain	*douleur atroce*
avoid movement of	*éviter un faire un mouvement avec*
sit upright	*rester assis bien droit*
tilt the head forward to drain secretions from the mouth	*incliner la tête vers l'avant pour faciliter le drainage des sécrétions buccales*
keep the jaw supported	*soutenir la mâchoire*
tie a bandage around the head	*fixer un bandage autour de la tête*
<u>fracture of the collar-bone / clavicle</u>	*<u>fracture de la clavicule</u>*
breastbone / sternum	*sternum*
shoulder-blade / scapula	*omoplate*
relieve pain by	*soulager la douleur en*
tilt the head to one side	*pencher la tête sur le côté*
the arm on the affected side	*le bras invalide / du côté concerné*
place the arm across the chest	*placer le bras en travers de la poitrine*
fingertips rest on the opposite shoulder	*la pointe des doigts est posée sur l'épaule du côté opposé*
an elevation sling across the shoulder	*le bras en écharpe*
a broadfold bandage around the chest	*un large bandage de poitrine*
<u>dislocation of the shoulder</u>	*<u>luxation de l'épaule</u>*
a ball-type shoulder-joint	*une articulation de type sphérique à l'épaule*
wrench out of its socket	*arracher de sa cavité*
not relocate the joint	*ne pas remettre l'articulation en place*
position across the chest	*replier sur la poitrine*
<u>fracture of the upper limb</u>	*<u>fracture du membre supérieur</u>*
arm	*bras*
forearm	*avant-bras*
armpit	*aisselle*
<u>fracture around the elbow</u>	*<u>fracture au niveau du coude</u>*
pain worsened by surrounding nerves	*aggravation de la douleur à cause des nerfs de voisinage*
secure the arm against the trunk	*fixer le bras au tronc*
check the wrist pulse	*vérifier le pouls radial*
if absent, reposition	*s'il est absent, trouver une autre position*
<u>fractures of the hip and leg</u>	*<u>fractures du bassin et de la jambe</u>*
groin	*aine*
ankle	*cheville*
foot	*pied*
shortening of a limb	*raccourcissement d'un membre*
outward rotation of the leg	*rotation externe de la jambe*

use a straight board if available	*utiliser une planche droite si vous en avez une*
lay gently the injured limb along the sound limb	*déposer délicatement le membre blessé le long du membre sain*
strip of material	*bande de tissu*
tie around	*nouer autour*
tie into a knot	*faire un nœud*
<u>fractures of the spine / backbone</u>	*<u>fractures de la colonne vertébrale</u>*
a vertebra (pl vertebrae)	*une vertèbre*
the spinal cord	*la moelle épinière*
enclose within	*enclore dans*
damage to nerve tissue result in paralysis	*des dégats aux tissus nerveux aboutissent à la paralysie*
complain of the back	*se plaindre du dos*
in the back	*au dos*
lack of	*manque de / défaut de*
loss of control over movements in the lower limbs	*perte de contrôle des mouvements des membres inférieurs*
steady the head	*immobiliser la tête*
place clothing on the patient	*placer des vêtements sur le patient*
roll up in a blanket	*enrouler dans une couverture*
put torso in alignment	*aligner le torse*
use a stretcher	*utiliser une civière*

D. Epistaxis / nosebleed
Epistaxis / saignement de nez

<u>causes</u>	*<u>causes</u>*
a blow to the nose	*un coup porté au nez*
the common cold	*le refroidissement banal / le rhume*
pick one's nose	*se mettre le doigt dans le nez*
blow one's nose	*se moucher*
high blood pressure	*tension artérielle élevée*
skull fracture	*fracture du crâne*
thin and watery blood	*sang fluide rouge pâle*
leakage of fluid from around the brain	*perte / épanchement de liquide céphalo-rachidien*
<u>treat a nosebleed</u>	*<u>soigner une épistaxis</u>*
seat comfortably	*assseoir confortablement*
keep head forward	*maintenir le tête penchée en avant*
not tip the head back	*ne pas renverser la tête en arrière*
not swallow the blood	*ne pas avaler le sang*
trickle down the back of the throat	*couler goutte à goutte / s'égoutter dans l'arrière-gorge*
cause vomiting	*provoquer un vomissement*
pinch the nose beneath the bridge	*pincer le nez sous la racine*
breathe through the mouth	*respirer par la bouche*

not sniff	*ne pas renifler*
it may hinder clot forming	*cela peut empêcher le sang de coaguler*
clean gently around with a swab soaked in warm water	*nettoyer délicatement autour avec un morceau de coton trempé dans de l'eau tiède*
avoid dislodging the clot	*éviter d'expulser le caillot*

E. Head injuries and loss of consciousness
Blessures à la tête et pertes de connaissance

the brain is encased in a hard bony skull	*le cerveau est situé à l'intérieur d'un crâne en os durs*
be cushioned by	*être protégé par*
fracture of the skull	*fracture du crâne*
fragments of bony skull can cause compression	*des débris d'os crânien peuvent provoquer une compression*
a depressed fracture / an indentation of the skull	*un enfoncement du crâne*
it can be missed because of a swelling in the scalp	*elle peut ne pas être repérée à cause du gonflement du cuir chevelu*
treat with the utmost caution	*traiter avec la plus grande prudence*
a patient with persistent headache and yawning	*un patient avec mal de tête persistant et bâillements*
partial loss of consciousness	*perte partielle de conscience*
brief loss of consciousness	*perte brève de conscience*
pupils of unequal sizes	*pupilles de taille inégale*
enlarged pupils	*pupilles élargies*
do not constrict in response to light	*ne diminuent pas en réponse à la lumière*
it is indicative of one-sided paralysis	*c'est indicatif de paralysie uni-latérale*
noisy breathing increasingly slower	*respiration bruyante à fréquence de plus en plus basse*
slow pulse	*pouls lent*
flushed face	*visage congestionné*
leakage of watery blood from the nose	*écoulement de sang clair et liquide par le nez*
from the ear	*de l'oreille*
straw-coloured fluid	*liquide couleur jaune*
injury above the chest level	*blessure au-dessus de la poitrine*
injury at the chest level	*blessure au niveau de la poitrine*

F. The chest trauma exam
Examen d'un trauma thoracique

before proceeding, solve ATOMCF	*avant de poursuivre, résoudre L'ATOMCF*
A for airway obstruction	*obstruction des voies aériennes*
T for tension pneumothorax	*pneumothorax sous pression*
O for open pneumothorax	*pneumothorax ouvert*
M for massive hemothorax	*hémothorax important*
C for circulation	*circulation*
heart sound	*bruit du cœur*
if distant, think of tamponade	*s'ils sont lointains, évoquer une tamponade*
F for flail chest	*volet thoracique*

3. Medical emergencies — *Urgences médicales*

A. Cardio-pulmonary resuscitation (CPR)
Réanimation cardio-pulmonaire

fear a cardiac arrest	*redouter un arrêt cardiaque*
dial 999	*Appeler le SAMU / faire le 15*
resuscitate	*réanimer*
check for a pulse	*vérifier le pouls*
feel for the Adam's apple with	*rechercher la pomme d'Adam avec*
the gap between	*le creux entre*
trachea / windpipe	*trachée*
the muscle that runs alongside	*le muscle latéral*
beat	*battre*
<u>check the circulation</u>	<u>*surveiller la circulation*</u>
beat adequately	*battre convenablement*
feel a pulse in the neck	*détecter le pouls au cou*
pass the hand on either side of the throat	*passer la main de part et d'autre de la gorge*
feel for the carotid pulse	*essayer de percevoir le pouls carotidien*
<u>heart attack</u>	<u>*accident cardiaque*</u>
block / clog up a coronary artery	*obstruer une artère coronaire*
chest pain	*douleur dans la poitrine*
gripping pain	*douleur constrictive*
crushing pain	*douleur à type d'écrasement*
not unlike that of angina pectoris	*qui n'est pas sans rappeller l'angine de poitrine*
build-up of fatty materials on the vessel walls	*accumulation de dépôts de graisse sur les parois des vaisseaux*

restrict blood flow to the myocardium — *diminuer le flux sanguin qui arrive au myocarde*
relieve by rest — *soulager par le repos*
signs and symptoms of a heart attack — *signes et symtômes de la crise cardiaque*
radiate down one arm — *irradier / se diffuser dans un bras*
radiate up into the jaw — *irradier / se diffuser jusque dans la mâchoire*
ashen appearance of the face — *teint cireux du visage*
bluish colouring of the lips — *coloration bleutée des lèvres*
clammy skin — *peau froide et moite*
breathlessness — *souffle court*
dizziness — *étourdissement / vertiges*
weakness — *faiblesse*
vomiting — *vomissement*
tachycardia — *tachycardie*
fast pulse — *pouls rapide*
slow pulse — *pouls lent*
treatment of heart attack — *traitement de la crise cardiaque*
loosen tight clothing — *desserrer les vêtements*
support in a half-sitting position — *soutenir / donner un soutien en position semi-assise*
be prepared to resuscitate — *s'apprêter à réanimer*
ordinary aspirin available — *aspirine simple disponible*
inhibit further clotting — *empêcher des caillots ultérieurs*
positioning of an unconscious person and artificial respiration — *positions lors d'un coma et respiration artificielle*
the paramedics take over — *le personnel paramédical intervient*
unconscious person — *une perte de connaissance / un coma*
coma position — *position latérale de sécurité*
be presented with an unconscious casualty — *être devant une personne blessée inconsciente*
assess his condition quickly — *rapidement évaluer son état*
attempt resuscitation — *tenter la réanimation / de le réanimer*
emergency action — *action d'urgence / comportement d'urgence*
sustained interruption of oxygen supply to the brain — *arrêt prolongé de l'apport d'oxygène au cerveau*
restore supply — *rétablir l'apport / l'approvisionnement*
oxygen-rich air — *air enrichi en oxygène*
enter the lungs — *pénétrer dans les poumons*
adequate breathing — *respiration suffisante*
enter the bloodstream — *pénétrer dans le sang*
pump blood around the body — *faire circuler le sang dans l'organisme*
provide circulation to the brain — *irriguer le cerveau / maintenir l'irrigation du cerveau*
to the body tissues — *des tissus corporels*
equipment — *matériel*
portable ECG machine for emergency use — *electrocardiogramme portable pour urgences*
resuscitator / artificial breathing apparatus — *respirateur*
oxygen supply to — *fourniture / arrivée d'oxygène à*
open the airways — *dégager les voies aériennes*
remove obstruction from — *enlever les obstacles de*
The tongue is blocking the airways. — *La langue obstrue les voies aériennes.*
raise the jaw — *soulever la mâchoire*
tilt the head well back — *bien renverser la tête en arrière*
apply pressure to the forehead — *exercer une pression sur le front*
lift the tongue clear — *libérer la langue*
check for breathing — *y a-t-il respiration ?*
place one's face close to the patient's mouth — *approcher le visage de la bouche du patient*
feel for breathing — *essayer de percevoir un souffle*
look along the chest for movements — *surveiller la poitrine à la recherche de mouvements*
mouth to mouth artificial ventilation — *respiration artificielle par le bouche-à-bouche*
still have a pulse — *avoir encore un pouls perceptible*
breathe exhaled air from the rescuer into the patient — *insuffler l'air expiré par le sauveteur.au patient*
keep ventilated — *maintenir la circulation d'air*
lift the chin — *soulever le menton*
remove loose dentures — *enlever le dentier amovible*
pinch the nostrils — *pincer les narines*
take a deep breath — *prendre une profonde inspiration*
form a seal around the casualty's mouth with one's lips — *appliquer étroitement ses lèvres sur la bouche de la victime*
blow steadily into the mouth until the chest rises — *souffler régulièrement dans la bouche jusquà ce que la poitrine se soulève*
a full inflation — *une insufflation complète*
allow the chest to exhale — *donner le temps nécessaire à l'expiration*
repeat by subsequent breaths — *faire des insufflations successives*
chest compression / cardiac massage — *massage cardiaque*
lie flat — *être couché à plat*
carotid pulse — *pouls carotidien*
palpable — *palpable / perceptible*
feel for the point at which the bottom ribs meet the breastbone — *rechercher l'endroit où les côtes inférieures rejoignent le sternum*
apply the heel of the left hand — *appliquer le talon de la main gauche*

bring the other hand down over it	*amener l'autre main sur le dos de celle-ci*
keep the arms straight	*maintenir les bras tendus*
lean over the patient	*se pencher sur le patient*
press down with a smooth rhythm and release	*appuyer régulièrement sans heurt et relacher*
count aloud	*compter à voix haute*
the aim is to expel blood	*le but est d'expulser le sang*
to suck blood into the heart	*d'aspirer le sang à l'intérieur du cœur*
<u>the sequence of CPR</u>	<u>*comment procéder pour le massage cardiaque*</u>
perform at a rate of 15 chest compressions	*pratiquer au rythme de 15 compressions thoraciques*
followed by 2 breaths of artificial respiration	*suivi de 2 insufflations d'air*
expect a groan	*guetter un gémissement*
improve in colour	*reprendre des couleurs*
check for the carotid pulse	*vérifier le pouls carotidien*
if the pulse has not returned, restart full CPR	*si le pouls ne revient pas, recommencer la totalité de la séquence*
<u>CPR for children</u>	<u>*massage cardiaque de l'enfant*</u>
The rate should be twice that for an adult.	*Le rythme doit être le double de celui utilisé pour un adulte.*
make the chest rise	*provoquer le gonflement de la poitrine*
require tiny puffs	*nécessiter de petites insufflations*
<u>the recovery position</u>	<u>*la position de sécurité*</u>
prevent the tongue blocking the airways	*empêcher que la langue obstrue les voies respiratoires*
allow fluids to drain from the mouth	*permettre aux liquides de s'écouler hors de la bouche*
kneel beside the patient	*s'agenouiller près du patient*

B. Shock
Le choc

failure of the circulatory system / circulatory failure	*défaillance du système circulatoire*
pump blood around the body	*faire circuler le sang dans le corps*
reduced volume	*volume moindre*
loss of blood	*perte de sang*
loss of body fluids	*perte de liquides*
withdraw of the blood from the surface to the centre	*déplacement du sang de la périphérie vers le centre*
divert blood supplies to vital organs	*diriger l'apport de sang vers les organes vitaux*
heart rate / pulse	*fréquence cardiaque / pouls*
rapid pulse / tachycardia	*pouls rapide / tachycardie*
the heart works harder to circulate blood	*le cœur bat plus fort pour faire circuler le sang*
giddy	*état d'ébriété*
dizziness	*vertige*
shallow breathing	*respiration superficielle*
gasp for breath	*lutter pour chercher sa respiration*
air hunger	*soif d'air*
try to make up a shortfall in air	*essayer de compenser un manque d'air*
experience thirst	*éprouvrer une soif*
restless	*agité*
unpalpable pulse	*pouls absent / non repérable*
clammy skin	*peau moite et froide*

C. Choking
Etouffement

choke	*s'étouffer*
a choking victim	*une personne qui s'étouffe*
food	*nourriture*
food becomes stuck while swallowing	*la nourriture se bloque en avalant*
a foreign body	*un corps étranger*
be unable to breathe	*être incapable de respirer*
a flap of cartilage prevents food from being taken into the windpipe	*un clapet de cartilage empêche la nourriture de s'engager dans la trachée*
vomit	*vomir*
cough up	*expulser*
dislodge	*déloger*
brain damage caused by starvation of oxygen	*dégats au cerveau causés par manque d'oxygène*
it's a cause of accidental death	*c'est une cause de mort accidentelle*
<u>how to recognise a choking attack</u>	<u>*signes d'un accès d'étouffement*</u>
clutch at one's throat	*agripper sa gorge*
unable to speak	*incapable de parler*
inability to breathe	*incapacité à respirer*
distressed	*état de souffrance*
panicky	*en état de panique*
loss of consciousness	*perte de conscience*
<u>emergency action for a choking attack in an adult</u>	<u>*soins d'urgence à l'adulte qui s'étouffe*</u>
the patient leans forward	*le patient se penche en avant*
give 5 hard slaps on the back between the shoulder blades	*asséner 5 grosses claques dans le dos entre les omoplates*
abdominal thrust	*compression abdominale*
stand behind the patient	*se mettre derrière le patient*
pass one's hands around the patient from behind	*enlacer le malade en se tenant derrière*
interlock one's hands above the navel	*nouer les mains au-dessus de l'ombilic*

pull sharply	*exercer des tractions vigoureuses*
inwards	*vers soi*
upwards	*vers le haut*
if unconscious, kneel astride the patient	*s'il est inconscient, s'agenouiller au dessus de la victime*
the rib-cage	*la cage thoracique*
try to expel the blockage	*essayer d'expulser ce qui fait obstacle*
button	*bouton*
coin	*pièce de monnaie*
pin	*épingle*
safety pin	*épingle de sûreté*
emergency action for a choking attack in a child	***soins d'urgence à l'enfant qui s'étouffe***
lay down the child across one's lap	*coucher l'enfant en travers des genoux*
head down	*tête en position basse*
face downwards	*sur le ventre*
emergency action for a choking attack in a baby	***soins d'urgence au bébé qui s'étouffe***
straddle the infant along one's arm	*placer le nourrisson à califourchon sur le bras*
not poke one's finger down a victim's throat	*ne pas engager le doigt dans la gorge*
not feel blindly down the throat	*ne pas palper l'intérieur de la gorge au hasard*
not push further	*ne pas repousser plus loin*
strike sharp but gentle blows at the back	*frapper le dos de coups secs mais raisonnables*

D. Drowning
La noyade

rescue of a drowning person	*secours apporté au noyé*
the swimmer holds his breath for as long as possible	*le nageur retient son souffle tant qu'il peut*
takes a breath	*prend une respiration*
the water enters the airways	*l'eau entre dans ses voies aériennes*
go into spasms	*se spasmer*
restrict further breathing	*amoindrir la respiration ultérieure*
lapse into unconsciousness	*plonger dans le coma*
rescue and treatment of a drowning victim	*aide et soins au noyé*
keep the head tilted for the water to drain naturally	*maintenir la tête inclinée pour que l'eau se vide naturellement*
lay the victim down on a slope	*allonger la victime sur le sol sur un plan incliné*
with the head down-most	*la tête déclive*
clear the airways of any obstructing object	*dégager les voies respiratoires de tout corps étranger*
the victim might inhale his stomach contents	*la victime pourrait inhaler le contenu de son estomac*
check the carotid pulse	*vérifier le pouls carotidien*
apply mouth-to-mouth ventilation	*utiliser le bouche à bouche*
in case of failure, give full cardio-pulmonary resuscitation	*en cas d'échec, pratiquer une réanimation cardiopulmonaire intégrale*
the victim might suffer from hypothermia	*la victime peut souffrir d'hypothermie*

E. Coma
Le coma

unconsciousness	*état d'inconscience*
comatose	*comateux*
conscious / awake	*conscient / éveillé*
common causes of unconsciousness	***causes habituelles de perte de connaissance***
Impairment of blood supply to the brain	*défaillance de l'apport sanguin au cerveau*
choking	*étouffement*
suffocation	*étouffement / arrêt respiratoire*
carbon monoxide poisoning	*intoxication à l'oxyde de carbone*
stroke	*attaque cérébrale*
chemical imbalance	*deséquilibre chimique*
low blood sugar / hypoglycaemia	*hypoglycémie*
epilepsy	*épilepsie*
seizures	*convulsions*
first-aid for the unconscious	***perte de connaissance : premiers soins***
be roused	*reprendre ses esprits / retrouver ses sens*
in response to a stimulus (pl. stimuli)	*en réponse à un stimulus (pl. stimuli)*
bear in mind that the tongue mustn't fall backward	*conserver à l'esprit le fait que la langue ne doit pas chuter en arrière*
regain full consciousness within minutes	*revenir tout à fait à soi en l'espace de quelques minutes*
do not give anything by mouth	*ne rien faire absorber*
do not make him sit up	*ne pas le faire asseoir*
levels of consciousness	*niveaux de conscience*
verbal stimulation	*stimulation verbale*
respond to	*répondre à*
chest wall stability	*stabilité de la paroi thoracique*
diabetic coma	***coma diabétique***
diabetes mellitus	*diabète sucré*
a medic-alert bracelet	*un bracelet de diabétique*
a warning card	*une carte de diabétique*
warning signs of diabetic coma	*signes d'alerte du coma diabétique*
display symptoms	*manifester des symtômes*
tiredness	*fatigue*
loss of weight	*perte de poids*

severe thirst — *soif intense*
be thirsty — *avoir soif*
pass large quantities of urine — *uriner abondamment*
hyperglycaemia — *hyperglycémie*
imbalance of dietary intake of carbohydrates — *deséquilibre de la consommation de glucides*
develop gradually over a period of days — *se développer peu à peu sur plusieurs jours*
faint smell of acetone on the breath — *discrète odeur acétonique de l'haleine*
hypoglycaemia — *hypoglycémie*
sugar levels fall below normal — *le taux de sucre tombe en dessous de la normale*
the patient must take steps to prevent the sudden drop of sugar levels — *le patient doit prendre des mesures pour empêcher la chute soudaine du taux de sucre*
ingestion of glucose tablet — *ingestion de comprimé de glucose*
how to recognise an attack of hypoglycaemia — *les signes de la crise d'hypoglycémie*
rapid in onset — *développement rapide*
hunger — *faim*
feel faint — *se sentir faible*
experience palpitations — *avoir des palpitations*
muscle tremors — *tremblements musculaires*
become confused and aggressive — *devenir confus et agressif*
sweaty skin — *sueurs*
treatment of hypoglycaemia — *traitement de l'hypoglycémie*
raise the levels of blood sugar with sugary food — *remonter le taux de sucre du sang à l'aide d'aliments sucrés*
improvement within minutes — *amélioration en l'espace de quelques minutes*

F. Fainting
Evanouissement

weak — *faible*
weakness — *faiblesse*
faint — *s'évanouir*
a reduced blood supply to the brain — *diminution du volume de sang qui irrigue le cerveau*
an emotional shock — *un choc affectif*
inadequate food intake over a long spell — *absorption insuffisante de nourriture pendant une longue période*
poor ventilation / stale air — *absence de ventilation / air confiné*
blood pooling in the lower part of the body — *le sang s'accumule dans la partie inférieure du corps*
treatment of fainting — *comment traiter l'évanouissement*
raise the legs above — *relever les jambes au-dessus de*
lift the chin — *soulever le menton*
tilt the head back — *basculer la tête en arrière*
sit with one's head down between one's knees — *s'asseoir la tête basse entre les genoux*

G. Hyperventilation
Hyperventilation

experience fright — *éprouver une grande peur*
be frightened — *être effrayé*
be under stress — *être en état de tension*
be upset — *être bouleversé*
rapid shallow breathing pattern — *respiration rapide et superficielle*
remove carbon dioxide from the body — *rejeter le dioxyde de carbone de l'organisme*
a feeling of dizziness — *une sensation d'étourdissement*
a tingling sensation — *des picotements*
panic — *paniquer / se paniquer*
to restore adequate levels of CO_2, breathe into a paper bag — *ramener le CO_2 à un niveau suffisant en respirant dans un sac en papier*
hold it over the nose and mouth — *le maintenir sur le nez et la bouche*

H. Thermic problems
Problèmes thermiques

heat exhaustion — *épuisement dû à la chaleur*
occur gradually during vigorous exercise — *survenir peu à peu durant un exercice vigoureux*
unaccustomed to heat — *non accoutumé à la chaleur*
excessive loss of salt — *perte excessive de sel*
perspiration / sweating — *sudation / transpiration*
muscle cramp — *crampe musculaire*
be hyperventilating — *être en hyperventilation*
treatment of heat exhaustion — *traitement de l'épuisement dû à la chaleur*
Lie down and support the legs in a raised position. — *Allongez-vous et élevez les jambes.*
a teaspoon of weak salty water — *une petite cuillère d'eau faiblement salée*
heat-stroke — *coup de chaleur*
occur rapidly after a short warning period — *survenir rapidement après quelques signes avant-coureurs*
feel unwell — *se sentir mal*
feel strange — *ne pas se sentir dans un état normal*
prolonged exposure to high temperature at the work place — *exposition prolongée à une température élevée de l'environnement professionnel*
high fever — *forte fièvre*
dizziness — *sensation ébrieuse*
headache — *mal de tête*
discomfort — *malaise*

confusion	*confusion mentale*
The skin feels hot and dry.	*La peau est chaude et sèche au toucher.*
flushed face	*visage rouge / congestionné*
The pulse beats fast and strong.	*Le pouls bat vite et fort.*
treatment of heat stroke	*traitement du coup de chaleur*
move to a cool place	*déplacer dans un endroit frais*
remove outer clothing	*déshabiller en gardant les sous-vêtements*
wrap in a wet blanket	*envelopper dans une couverture humide*
keep wet	*maintenir humide*
the temperature must return to a safe level	*la température doit retrouver un niveau normal*
sunstroke	*insolation*
a sunburn	*un coup de soleil*
be out in the sun	*être au soleil*
be out in the heat	*sortir à la chaleur*
How long did he stay in the sun?	*Combien de temps est-il resté au soleil ?*
stay out in the sun for hours	*rester exposé au soleil pendant des heures*
lie motionless on the beach	*être allongé immobile sur la plage*
not put on suntan cream / lotion	*ne pas mettre de crème solaire / lotion*
while taking exercise	*en faisant du sport*
spend a long time by the water	*rester longtemps au bord de l'eau*
work out in the open	*travailler dehors*
not keep in the shade	*ne pas rester à l'ombre*
I came over bright red.	*Je suis devenu tout rouge.*
be dehydrated	*être déshydraté*
heat rash	*érythème solaire*
treatment of a bad sunburn	*traitement d'un sérieux coup de soleil*
apply a cream	*appliquer une crème*
refer the patient to hospital	*adresser le malade à l'hopital*
soothe the pain	*soulager la douleur*
bring pain relief	*apporter un soulagement*
get the patient's temperature down	*faire tomber la température*
rehydrate the patient	*réhydrater le malade*
calm down the patient	*calmer le malade*
prescribe cream	*prescrire de la crème*
avoid going out in the sun	*éviter de se mettre au soleil*
frostbite	*gelures*
chilblain	*engelure*
develop chilblains	*attraper des engelures*
stay out in the cold for hours	*rester au froid pendant des heures*
work out of doors	*travailler dehors*
It hurts when I move my fingers.	*J'ai mal quand je bouge les doigts.*
I lost all sense of feeling in my fingers and toes.	*Je ne sentais plus ni mes doigts ni mes orteils.*
treatment of frostbite	*traitement des gelures*
warm up by rubbing	*réchauffer en frottant*
hypothermia	*hypothermie*
fall below 35° C	*tomber en-dessous de 35° C*
shivering	*frissons / tremblements*
no longer feel the cold	*ne plus ressentir le froid*
lethargic	*léthargique*
lethargy	*léthargie*
apathetic	*apathique*
apathy	*apathie*
rigid muscles	*muscles rigides*
risk of cardiac arrest	*risque d'arrêt cardiaque*
treatment of hypothermia	*traitement de l'hypothermie*
bring the patient indoors	*ramener le malade à l'intérieur*
remove wet clothing	*ôter les vêtements humides*
warm up gradually	*réchauffer petit à petit*
cover	*couvrir*
well-covered	*bien couvert*
do not use an electric blanket or a hot water bottle	*ne pas utiliser de couverture électrique ou de bouillotte*
drink a nice and sweet hot drink	*boire bien sucré et chaud*
avoid alcohol which makes it worse	*éviter l'alcool qui aggrave la situation*

I. Shock and allergic reactions
Effets de choc et d'allergie

abnormal response	*réponse anormale*
exposure to	*exposition à*
allergen	*allergène*
house dust	*poussière domestique*
pollen	*pollen*
animal fur	*poil d'animal*
mild symptoms	*symptômes légers*
sneezing	*éternuement*
itchiness	*démangeaisons*
a rash	*une éruption de boutons / un rash*
a blotch	*une rougeur / un bouton*
hives	*urticaire*
hay fever	*rhume des foins*
food allergens	*allergènes alimentaires*
shellfish	*coquilllages*
nuts	*noisettes*
eggs	*œufs*
anaphylactic shock	*choc anaphylactique*
life-threatening reaction	*réaction qui met la vie en danger*
stings	*piqûres*

be stung	*se faire piquer / être piqué*
wasp sting	*piqûre de guêpe*
bee sting	*piqûre d'abeille*
hornet	*frelon*
horsefly / gadfly	*taon*
swelling on	*gonflement*
the face	*du visage*
the lips	*des lèvres*
the tongue	*de la langue*
swelling in the upper airways	*œedème des voix aériennes supérieures*
tightness in the chest	*constriction dans la poitrine*
greyish or bluish skin colour	*couleur de la peau grise ou cyanosée*
acute respiratory disability	*insuffisance respiratoire aiguë*
weak and rapid pulse	*pouls rapide et filant*
rapid	*rapide*
pull the sting out	*retirer le dard*
administration of adrenalin	*administration d'adrénaline*
issue a pre-packed injection of adrenalin	*délivrer une seringue d'adrénaline prête à l'emploi*
keep in a comfortable upright position to assist breathing	*maintenir confortablement en position redressée pour faciliter la respiration*

J. Bites and scratches
Morsures et griffures

be bitten	*être mordu*
be scratched	*être griffé*
stray cat / dog	*chat / chien errant*
snake bite	*morsure de serpent*
swell	*gonfler*
be swollen	*être gonflé*
rabies	*la rage*
pass on rabies	*transmettre la rage*
rabies has set in	*la rage s'est déclarée*
<u>treatment</u>	*<u>traitement</u>*
clean the bite	*nettoyer la morsure*
the wound	*la plaie*
a rabies vaccination	*une vaccination anti-rabique*
anti-tetanus vaccination	*vaccin contre le tétanos*

K. Intoxication and poisoning
Intoxications et empoisonnements

swallow an antidepressant on purpose	*absorber volontairement un antidépresseur*
How much time has elapsed since...?	*Combien de temps s'est écoulé depuis... ?*
drug overdose	*surdosage médicamenteux*
deliberate	*volontaire*
attempt suicide	*tenter de se suicider*
ingested through an oversight	*ingéré par inadvertance*
accidental	*accidentel*
harmful	*nocif / dangereux*
cleaning product	*produit d'entretien*
bleach	*eau de javel*
detergent	*produit détergent*
dye	*produit colorant*
methylated spirit	*alcool à brûler*
petrol	*essence*
washing-up liquid	*produit de lavage*
a mixture of unknown substances	*un mélange de substances inconnues*
food	*nourriture*
wild berries	*baies sauvages*
wild mushrooms	*champignons cueillis dans les bois*
<u>poisoning</u>	*<u>l'empoisonnement</u>*
exert harmful effects	*avoir un effet nocif*
a route of entry	*une vois d'entrée / d'accès*
not attempt to make the casualty vomit	*na pas essayer de faire vomir la victime*
a headache	*mal de tête*
a stomach-ache	*mal à l'estomac*
have diarrhoea (GB) / diarrhea (US)	*avoir la diarrhée*
vomiting	*vomissement*
inhale the vomit	*inhaler les vomissures*
<u>treatment</u>	*<u>traitement</u>*
put the patient on a drip	*mettre le malade sous perfusion*
I've had my stomach pumped.	*On m'a fait un lavage d'estomac.*
gastric emptying	*vidange gastrique*
activated charcoal	*charbon activé*
hyperbaric oxygen therapy	*traitement par oxygène hyperbare*
adverse effect	*effet indésirable*

Specialities (GB) / Specialties (US)
Spécialités

I. Cardiology — *Cardiologie*

I. Anatomy — *Anatomie*

A. The heart
Le cœur

the mediastinum	*le médiastin*
the pericardium	*le péricarde*
the (outer) fibrous pericardium	*le péricarde fibreux (externe)*
a tough membrane	*une membrane résistante*
the (inner) serous pericardium	*le péricarde séreux (interne)*
a thin membrane	*une membrane fine*
a double layer	*un double feuillet*
the parietal layer	*le feuillet pariétal*
the visceral layer	*le feuillet viscéral / l'épicarde*
the pericardial fluid	*le liquide péricardique*
the wall	*la paroi*
the epicardium	*l'épicarde*
the myocardium	*le myocarde*
the endocardium	*l'endocarde*
bundle of fibres	*un faisceau de fibres*
the ventricle	*le ventricule*
the atrium (pl. atria)	*l'oreillette*
atrial	*auriculaire*
the auricle	*l'auricule*
the interatrial septum	*le septum interauriculaire*
the interventricular septum	*le septum interventriculaire*
a partition	*une cloison*
the valves	*les valvules*
the tricuspid valve	*la valvule tricuspide*
the three cusps / flaps	*les trois valves*
the bicuspid / mitral valve	*la valvule bicuspide / mitrale*
the semilunar valves	*les valvules semilunaires / valvules sigmoïdes*
chordae tendonae	*cordage tendineux*

B. The blood vessels
Les vaisseaux sanguins

a network	*un réseau*
large arteries	*de grosses artères*
medium-sized arteries	*des artères moyennes*
the superior vena cava (SVC)	*la veine cave supérieure*
the inferior vena cava (IVC)	*la veine cave inférieure*
the pulmonary trunk	*le tronc pulmonaire*
the right / left pulmonary artery	*l'artère pulmonaire droite / gauche*
the ascending aorta	*l'aorte ascendante*
the coronary arteries	*les artères coronaires*
the left pulmonary artery	*l'artère pulmonaire gauche*
the right pulmonary artery	*l'artère pulmonaire droite*
the arch of the aorta	*la crosse de l'aorte*
the thoracic aorta	*l'aorte thoracique*
the abdominal aorta	*l'aorte abdominale*
the ductus arteriosus	*le canal artériel*
the ligamentum arteriosum	*le ligament artériel*
coronary circulation	*la circulation coronaire*
the anterior interventricular branch	*l'artère interventriculaire antérieure*
the circumflex branch	*l'artère circonflexe*
the posterior interventricular branch	*l'artère interventriculaire postérieure*
the marginal branch	*l'artère marginale*
the coronary sinus	*le sinus coronaire*
the great cardiac vein	*la grande veine coronaire*
the middle cardiac vein	*la veine interventriculaire inférieure*
the conduction system	*le système de conduction*
the electrical impulse	*l'influx électrique*
sinoatrial node/ sinuatrial node	*nœud sinusal / nœud de Keith et Flack*

atrioventricular (AV) node	*nœud d'Aschoff-Tawara / nœud auriculo-ventriculaire*
atrioventricular bundle / bundle of His	*faisceau de His*
conduction myofibres / Purkinje fibres	*réseau de Purkinje*

2. Physiology — *Physiologie*

heart	*cœur*
wall thickness	*épaisseur pariétale*
a muscular organ	*un organe musculaire*
a hollow organ	*un organe creux*
cardiac cycle	*cycle cardiaque*
diastole	*diastole*
systole	*systole*
rhythm	*régularité*
pressure	*tension*
diastolic blood pressure	*pression artérielle diastolique*
systolic blood pressure	*pression artérielle systolique*
left / right ventricular pressure	*pression ventriculaire gauche / droite*
blood stream	*circulation sanguine*
blood volume	*volume sanguin total*
blood flow	*flux sanguin*
flow	*couler*
the outflow	*le débit*
the backflow	*le reflux*
backflow	*refluer*
cardiac output	*débit cardiaque*
stroke volume	*volume d'éjection*
heart beat	*battements cardiaques*
heart rate (HR)	*fréquence cardiaque (FC)*
beat	*battre*
left / right ventricular function	*fonction ventriculaire gauche / droite*
left / right ventricular filling	*remplissage ventriculaire gauche / droit*
ejection fraction	*fraction d'éjection*
relax	*(se) relâcher*
relaxed	*relâché*
relaxation / quiescent period	*phase de relaxation / période de repos*
throb	*palpiter, battre fort*
pump	*pomper*
contract vigorously	*se contracter vigoureusement*
a contraction	*une contraction*
contracted	*contracté*
a complete cycle	*un cycle complet*
cardiac valves	*valvules cardiaques*
mitral area	*foyer mitral*
pulmonary area	*foyer pulmonaire*
tricuspid area	*foyer tricuspidien*
aortic area	*foyer aortique*
blood supply	*l'apport sanguin*
supply with oxygen	*fournir en oxygène*
carbon dioxide	*le dioxyde de carbone*
waste	*les déchets*
deoxygenated blood	*sang désoxygéné*
empty	*se déverser*

3. Clinical examination — *Examen clinique*

A. Past and present symptoms — *Antécédents et symptômes actuels*

have heart trouble	*être cardiaque*
family history of premature coronary heart disease	*antécédents familiaux de maladie coronarienne précoce*
transient ischaemic attack (TIA)	*accident ischémique transitoire (AIT)*
stroke / cerebrovascular accident	*accident vasculaire cérébral (AVC)*
poor circulation	*mauvaise circulation sanguine*
heart attack	*crise cardiaque*
risk factors	*facteurs de risque*
smoking	*tabagisme*
cigarette smoking	*fumer la cigarette*
20 pack-years	*vingt paquets-années*
diabetes mellitus	*le diabète sucré*
hypertension / high blood pressure	*hypertension*
hypercholesterolaemia	*hypercholestérolémie*
high blood cholesterol level	*taux élevé de cholestérol / hypercholestérolémie*
the total amount of cholesterol	*la quantité totale de cholestérol*
hypertriglyceridaemia	*hypertriglycéridémie*
lipoproteins	*les lipoprotéines*
low density lipoproteins (LDLs)	*les lipoprotéines de faible densité (LDL)*
high density lipoproteins (HDLs)	*les lipoprotéines de haute densité (HDL)*
plaque formation	*la formation de plaques*
fat deposits	*des dépôts graisseux*

atherosclerosis — *l'athérosclérose*
fibrinogen level — *le taux de fibrinogène*
an embolus — *un embole*
a blood clot — *un caillot sanguin*
enhance blood clot formation — *augmenter la formation de caillots*
genetic predisposition — *prédisposition liée à l'hérédité*
gender (male) — *le sexe (mâle)*

<u>diet</u> — <u>*habitudes alimentaires*</u>

obesity — *l'obésité*
overweight people — *les personnes obèses*
ingested fats — *des graisses ingérées*
lack of regular exercise — *sédentarité*
Have you recently put on a lot of weight? — *Avez-vous récemment pris beaucoup de poids ?*
Do you have a fatty diet? — *Avez-vous une alimentation riche en graisses ?*
Do you have a high carbohydrate diet? — *Avez-vous une alimentation riche en sucres ?*
Have you recently lost a lot of weight? — *Avez-vous récemment perdu beaucoup de poids ?*
Have you lost your appetite? — *Avez-vous perdu l'appétit ?*

<u>tachycardia</u> — <u>*tachycardie*</u>

Have you experienced an accelerating heart beat? — *Avez-vous l'impression que votre cœur s'emballe ?*
Do you have the impression that your heart skips a beat? — *Avez-vous l'impression d'un faux pas du cœur / d'un raté du cœur ?*

<u>palpitations</u> — <u>*palpitations*</u>

Do you ever feel palpitations? — *Avez-vous des palpitations ?*
Is the onset of the palpitations sudden? — *Ces palpitations débutent-elles brutalement ?*
What brings on the palpitations usually? — *Qu'est-ce qui les déclenche habituellement ?*
- emotions? — *des émotions ?*
- exercise? — *un effort ?*
- an excess amount of coffee? — *un abus de café ?*
- an excess amount of smoking? — *un abus de tabac ?*

Is the end of the attack gradual / sudden? — *L'accès se termine-t-il progressivement / brutalement ?*
Does the attack decrease if you rest? — *Est-ce que l'épisode diminue au repos ?*
How long does the attack last? — *Combien de temps dure cet accès ?*
How long have you been complaining of palpitations? — *Depuis combien de temps vous plaignez-vous de palpitations ?*
How often do you get them? — *Quelle est leur fréquence ?*

<u>syncope</u> — <u>*syncope*</u>

Did you ever become unconscious? — *Avez-vous déjà perdu connaissance ?*
Did you ever faint? — *Vous êtes-vous déjà évanoui ?*
Were you fully unconscious? — *Etait-ce une perte de connaissance complète ?*
Could you hear what was happening around you? — *Pouviez-vous entendre ce qui se passait autour de vous ?*
Did you get any warning? — *Y avait-il des signes prémonitoires ?*
- sweating? — *des sueurs ?*
- pallor? — *une pâleur ?*
- buzzing in the ears? — *des bourdonnements d'oreilles ?*
- blurred vision? — *une vision floue ?*
- nausea? — *des nausées ?*
- weakness? — *une sensation de faiblesse ?*

When did you get this blackout? — *Quand avez-vous eu cette perte de connaissance ?*
- while resting? — *au repos ?*
- while doing exercise? — *à l'effort ?*
- when you were tired? — *lorsque vous étiez fatigué ?*
- during bouts of coughing? — *au cours d'une quinte de toux ?*

Did you pass urine after the faint? — *Avez-vous uriné après la syncope ?*
Did you bite your tongue? — *Vous êtes-vous mordu la langue ?*

<u>lipothymia / vertigo / dizziness</u> — <u>*lipothymie / vertiges / malaise*</u>

to feel faint — *avoir un malaise / tomber dans les pommes*
Do you suffer from light-headedness? — *Avez-vous des étourdissements ?*
Do you suffer from dizziness? — *Avez-vous des vertiges ?*
Do you feel dizzy after a sudden change of posture? — *Est-ce que vous avez des vertiges après un changement brusque de position ?*
- when you suddenly move from lying down to standing? — *lors d'un passage brusque de la position allongée à la position debout ?*
- when you stand still without moving for a long time? — *quand vous restez en position debout prolongée ?*
- when you rotate your head? — *lors d'un mouvement de rotation de la tête ?*

<u>dyspnoea</u> — <u>*dyspnée*</u>

Do you get short of breath / breathless / out of breath? — *Etes-vous essoufflé ?*
- after exertion? — *après un effort ?*
- while walking? — *en marchant ?*
- while climbing upstairs? — *en montant les escaliers ?*
- at rest? — *au repos ?*
- lying down flat? — *allongé ?*

Do you fatigue easily? — *Vous fatiguez-vous facilement ?*

<u>chest pain</u> — <u>*douleurs thoraciques*</u>

Have you ever had angina?	*Avez-vous déjà eu de l'angine de poitrine ?*
Is the pain localised under the left breast?	*La douleur est-elle localisée sous le sein gauche ?*
Does the pain force you to stop?	*La douleur vous oblige-t-elle à vous arrêter ?*
Does it force you to go to bed?	*Vous oblige-t-elle à vous coucher ?*
Did you have to call your doctor?	*Vous a-t-elle obligé à appeler votre médecin ?*
Did you have to take pain killers?	*Avez-vous dû prendre des calmants ?*
Does the pain wake you up at night?	*La douleur vous réveille-t-elle la nuit ?*
Does it prevent you from sleeping?	*Vous empêche-t-elle de dormir ?*
Does it force you to lie still?	*Vous oblige-t-elle à rester allongé sans bouger ?*
Is it just a mild discomfort?	*Est-ce une douleur légère ?*
Is it burning?	*Est-ce que ça vous brûle ?*
Is it a stabbing pain?	*Est-ce une douleur en coup de poignard ?*
Is it throbbing?	*Est-ce une douleur pulsatile ?*
Is the pain squeezing / constricting?	*Avez-vous l'impression d'un étau qui vous serre la poitrine ?*
Is it stinging?	*Avez-vous l'impression d'une décharge électrique ?*
Is it a pain that comes and goes?	*Est-ce une douleur intermittente ?*
Is it gripping?	*Est-ce une crampe ?*
Does anything ease the pain?	*Est-ce que quelque chose calme cette douleur ?*
rest?	*le repos ?*
sitting?	*la position assise ?*
bending forward?	*penché en avant ?*
medicine?	*des médicaments ?*
What makes it worse?	*Qu'est-ce qui l'aggrave ?*
exercise?	*l'effort ?*
walking?	*la marche ?*
sexual intercourse ?	*les rapports sexuels ?*
stress?	*une émotion ?*
cold weather?	*le froid ?*
wind?	*le vent ?*
digestion?	*la digestion ?*
changes in posture?	*des changements de position ?*
inspiration?	*l'inspiration ?*
Does the pain spread?	*La douleur irradie-t-elle ?*
to the back?	*dans le dos ?*
to the shoulder?	*dans l'épaule ?*
to the jaws?	*dans les mâchoires ?*
to the arms?	*dans les bras ?*
upwards?	*vers le haut ?*
to the left wrist?	*au poignet gauche ?*
Do you get sick?	*Avez-vous des nausées ?*
Do you vomit?	*Vomissez-vous ?*
Do you sweat?	*Transpirez-vous ?*
Do you have a temperature?	*Avez-vous de la fièvre ?*
intermittent claudication	*claudication intermittente*
Do you get cramp in the leg muscles?	*Avez-vous des crampes dans les jambes ?*
What is the exact site of the pain?	*Quel est le siège exact de la douleur ?*
foot?	*le pied ?*
calf?	*le mollet ?*
thigh?	*la cuisse ?*
buttock?	*la fesse ?*
How long does the pain take to wear off?	*Au bout de combien de temps la douleur disparaît-elle ?*
Do you get this pain when climbing stairs?	*Avez-vous des douleurs en montant les escaliers ?*
Is the pain more frequent in cold weather?	*Les douleurs sont-elles plus fréquentes par temps froid ?*
Is there any pain in the limb at rest?	*Avez-vous des crampes dans les membres au repos ?*
What positions relieve the pain?	*Quelles positions calment la douleur ?*
legs hanging down?	*les jambes pendantes ?*
walking?	*la marche ?*
Do you get any tingling / pins and needles?	*Avez-vous des fourmis / fourmillements / picotements ?*
ankle swelling / oedema	*œdème des chevilles*
Do your ankles swell?	*Avez-vous les chevilles enflées ?*
in the evening?	*le soir ?*
in the morning?	*le matin ?*
Does the swelling decrease?	*Est-ce que les œdèmes diminuent ?*
if you lie down?	*si vous vous allongez ?*
with elevation of your legs?	*si vous surélevez vos jambes ?*

B. Physical examination
Examen physique

cardiologist	*cardiologue*
I'll carry out a cardiac auscultation.	*Je vais examiner votre cœur.*
I'll listen to your heart sounds.	*Je vais écouter votre cœur.*
cardiac auscultation	*auscultation cardiaque*
I'm going to listen to your heart with this stethoscope.	*Je vais ausculter votre cœur à l'aide de ce stéthoscope.*
heart rate	*fréquence cardiaque*
beats per minute	*battements par minute*
tachycardia	*tachycardie*
bradycardia	*bradicardie*
heart sounds	*les bruits du cœur*
lubb, dupp	*les deux bruits du cœur*

The lubb sound is a long, booming sound.	*Le premier bruit du cœur est un bruit long et retentissant.*
The dupp sound is a short, sharp sound.	*Le deuxième est un bruit bref et aigu.*
an abnormal sound	*un bruit anormal*
The gallop rhythm is a triple rhythm.	*Le bruit de galop est un rythme à trois temps.*
splitting	*dédoublement*
the opening	*l'ouverture*
the closure	*la fermeture*
opening and closing snap	*claquement d'ouverture et de fermeture*
snap	*claquement*
rub	*frottement*
click	*clic*
apex beat	*choc de pointe*
strength of the cardiac impulse	*intensité du choc de pointe*
thrill	*frémissement*
<u>murmur</u>	<u>*souffle*</u>
systolic murmur	*souffle systolique*
pansystolic murmur	*souffle pansystolique*
diastolic murmur	*souffle diastolique*
ejection murmur	*souffle éjectionnel*
rough murmur	*souffle rugueux*
soft murmur	*souffle doux*
blowing murmur	*souffle humé*
point of maximum intensity	*siège d'intensité maximale*
direction of selective propagation	*irradiation sélective*
behaviour during respiration	*modification avec la respiration*
<u>peripheral pulse</u>	<u>*pouls périphérique*</u>
I'm going to take your pulse.	*Je vais prendre votre pouls.*
thready	*filant*
strong	*fort*
radial pulse	*pouls radial*
carotid artery pulse	*pouls carotidien*
femoral pulse	*pouls fémoral*
popliteal pulse	*pouls poplité*
dorsalis pedis pulse	*pouls pédieux*
posterior tibial pulse	*pouls tibial postérieur*
<u>blood pressure</u>	<u>*tension artérielle*</u>
I'll take your blood pressure.	*Je vais prendre votre tension artérielle.*
blood pressure gauge	*tensiomètre*
I've got to inflate this arm cuff in order to take your blood pressure.	*Je dois gonfler ce brassard afin de prendre votre tension.*
Do you have high blood pressure?	*Avez-vous de la tension ?*
What is it usually?	*Combien avez-vous normalement ?*
Your blood pressure is 110 over 80.	*Votre tension est 11-8.*
drop in blood pressure	*chute de la tension artérielle*
rise in blood pressure	*augmentation de la tension artérielle*

4. Complementary exams — *Examens complémentaires*

<u>electrocardiogram (ECG / EKG)</u>	<u>*l'électrocardiogramme*</u>
an ambulatory ECG	*un électrocardiogramme portatif*
a resting ECG	*un ECG de repos*
a stress ECG	*un ECG d'effort*
a Holter monitor	*un système de Holter/ enregistrement Holter*
a lightweight portable recorder	*un appareil portable léger*
the battery	*la pile*
record the electrocardiogram	*enregistrer l'électrocardiogramme*
an electrocardiograph	*l'électrocardiographe*
the electrodes	*les électrodes / les capteurs*
a wire	*un fil métallique*
the leads	*les câbles*
a recording pen	*une plume enregistreuse*
deflexion waves	*ondes de déflexion*
up and down waves	*ondes ascendantes et descendantes*
an upward wave	*une onde ascendante*
QRS complex	*complexe QRS*
T-wave	*onde T*
P-wave	*onde P*
normal sinus rhythm	*rythme sinusal*
rhythm disorders	*troubles du rythme*
arrhythmia / irregular rhythm	*arythmie / trouble du rythme*
atrial flutter	*flutter auriculaire*
right / left bundle-branch block	*bloc de branche droite / gauche*
<u>imaging</u>	<u>*imagerie*</u>
transesophageal echocardiography	*échocardiographie transœsophagienne*
doppler cardiography	*doppler cardiaque*
coronary arteriography	*coronarographie*
control of coronary artery bypass graft patency	*contrôle de la perméabilité du pontage coronaire*
chest X-ray	*radiographie thoracique*
cardiac CT	*tomodensitométrie du cœur*
cardiac magnetic resonance imaging (MRI)	*imagerie par résonance magnétique (IRM) du cœur*

dilated ascending aorta	*dilatation de l'aorte ascendante*
dilated descending aorta	*dilatation de l'aorte descendante*
myocardial wall akinesia	*akinésie de la paroi myocardique*
myocardial wall hypokinesia	*hypokinésie de la paroi myocardique*
akinetic myocardium	*myocarde akinétique*
hypokinetic myocardium	*myocarde hypokinétique*
the infarcted tissue	*le tissu infarci*
the scar tissue	*le tissu cicatriciel*
the necrotic tissue / the necrosis	*le tissu nécrosé / la nécrose*
radionucleide studies	*scintigraphie*
exercise test	*épreuve d'effort*
pharmacological stress	*stress pharmacologique*
phonocardiography	*phonocardiogramme*
peak oxygen consumption	*consommation d'oxygène maximale* (VO_2)
blood chemistry tests	*examen biologique sanguin*
collect a blood sample	*faire un prélèvement sanguin*
blood group	*groupe sanguin*
blood typing	*détermination des groupes sanguins*
analysis of blood gases	*analyse des gaz du sang*
falling hematocrit	*chute de l'hématocrite*
low red blood cell count	*nombre réduit de globules rouges*
high white blood cell count	*nombre élevé de leucocytes*

5. Diseases — *Maladies*

cardiopathy	*cardiopathie*
heart disease	*maladie du cœur*
myocardial infarction	*infarctus du myocarde*
acute myocardial infarction	*infarctus aigu du myocarde*
ischaemic heart disease	*cardiopathie ischémique*
coronary thrombosis	*infarctus du myocarde*
myocardial ischaemia	*ischémie du myocarde*
cardiac arrest	*arrêt cardiaque*
coronary artery disease	*maladie coronarienne*
to receive an inadequate amount of blood	*ne pas recevoir suffisamment de sang*
blood supply	*l'apport sanguin*
coronary artery spasm	*spasme coronarien*
sustained regular exercise	*la pratique régulière d'exercices physiques*
myocardial diseases	*maladies myocardiques*
acute pulmonary edema	*œdème aigu pulmonaire (OAP)*
congestive heart failure (CHF)	*insuffisance cardiaque (IC)*
congestive heart failure patient	*insuffisant cardiaque*
acute / chronic heart failure	*insuffisance cardiaque aiguë / chronique*
cardiac hypertrophy	*hypertrophie cardiaque*
idiopathic congestive cardiomyopathy	*cardiomyopathie dilatée idiopathique*
compensatory hypertrophy	*hypertrophie compensatrice*
congenital diseases	*cardiopathies congénitales*
atrial septal defect	*communication interauriculaire*
patent foramen ovale	*foramen oval persistant*
ventricular septal defect	*communication interventriculaire*
Fallot's tetralogy	*tétralogie de Fallot*
too narrow	*trop étroit*
coarctation of the aorta	*coarctation de l'aorte*
patent ductus arteriosus	*persistance du canal artériel*
valvular diseases	*pathologies valvulaires*
valvular heart disease	*valvulopathie*
valvular stenosis	*rétrécissement valvulaire*
mitral incompetence / insufficiency	*insuffisance mitrale*
mitral stenosis	*rétrécissement mitral*
aortic incompetence / insufficiency	*insuffisance aortique*
aortic stenosis	*rétrécissement / sténose aortique*
mitral valve regurgitation	*régurgitation de la valve mitrale*
pericardial diseases	*affections du péricarde*
pericardial friction rub	*frottement péricardique*
constrictive pericarditis	*péricardite constrictive*
acute pericarditis	*péricardite aiguë*
pulmonary hypertension	*hypertension pulmonaire*
pulmonary heart disease	*cœur pulmonaire*
pulmonary embolism	*embolie pulmonaire*
thrombosis	*thrombose*
thrombus	*thrombus*
diseases of the aorta	*maladies de l'aorte*
arterial stenosis	*sténose artérielle*
dissection of the aorta	*dissection de l'aorte*
aneurysm	*anévrisme/ anévrysme*
bulge outward	*faire saillie vers l'extérieur*
diseases of the vessels	*maladies des vaisseaux*
atherosclerotic disease	*athérosclérose*
narrowing of the artery	*rétrécissement artériel*
arterial sclerosis	*sclérose artérielle*
varicose veins	*veines variqueuses / varices*
stretched walls	*parois détendues*
flabby walls	*parois flasques*
spider burst veins	*capillarectasies diffuses*

deep venous thrombosis (DVT)	*thrombose veineuse profonde*
superficial venous thrombosis	*thrombose veineuse superficielle*
blood clot	*caillot sanguin*

6. Treatment — *Traitement*

pacemaker	*stimulateur cardiaque*
receive pacemaker placement	*recevoir un pacemaker*
a device	*un appareil*
a pulse generator	*un générateur d'impulsions*
a lead	*un fil conducteur*
an electrode	*une électrode*
percutaneous transluminal coronary angioplasty (PTCA)	*angioplastie coronaire*
inflate	*gonfler*
deflate	*dégonfler*
laser angioplasty	*angioplastie par rayon laser*
stent	*stent*
heart surgery	*chirurgie cardiaque*
a surgical procedure	*un acte chirurgical*
open heart surgery	*chirurgie cardiaque à cœur ouvert*
undergo heart valve replacement	*bénéficier d'un remplacement valvulaire*
heart massage	*massage cardiaque*
cardiac resuscitation	*réanimation cardiaque*
heart transplant	*greffe du cœur*
heart transplant patient	*greffé cardiaque*
transplanted heart	*greffon cardiaque*
graft rejection	*rejet du greffon*
bypass	*pontage*
coronary artery bypass grafts (CABG)	*pontage coronaire*
cardiac valvular prosthesis	*prothèse valvulaire cardiaque*
coronary artery atherectomy	*désobstruction coronaire*
a synthetic graft	*un greffon artificiel*
clinical pharmacology of cardiovascular drugs	*pharmacologie clinique des médicaments cardiovasculaires*
diuretics	*diurétiques*
anti-anginal agents	*anti angoreux*
β adrenergic antagonists	*antagonistes β adrénergiques*
anti-hypertensives	*anti-hypertenseurs*
anti-coagulants	*anticoagulants*
vasodilator drugs	*vasodilatateurs*
inotropic drugs	*médicaments inotropes*
nitro-glycerine	*nitroglycérine*

7. Abbreviations — *Sigles*

Abbr.	English	Sigle	Français
ABE	Acute bacterial endocarditis	*EI*	*Endocardite bactérienne aiguë / infectieuse*
AF	Atrial fibrillation	*FA*	*Fibrillation auriculaire*
AI	Aortic incompetence / insufficiency	*IA*	*Insuffisance aortique*
AS	Aortic stenosis (A sten)	*RA*	*Rétrécissement aortique (RAo)*
ASD	Atrial septal defect	*CIA*	*Communication inter-auriculaire*
ATC	Atrial premature contraction	*ESA*	*Extrasystole auriculaire*
AV	Aortic valve	-	*Valve aortique*
AVN	Atrioventricular node	*NAV*	*Nœud atrio-ventriculaire*
BBB	Bundle-branch block	*B d B*	*Bloc de branche*
BP	Blood pressure	*TA*	*Tension artérielle*
CA	Cardiac arrest	-	*Arrêt cardiaque*
CCF	Congestive cardiac failure	*ICC*	*Insuffisance cardiaque congestive*
CCU	Coronary care unit	-	*Service de réanimation cardiaque*
CF	Cardiac failure	*IC*	*Insuffisance cardiaque*
CHB	Complete heart block	*BAV III*	*Bloc auriculo-ventriculaire stade III*
CHF	Congestive heart failure	*IC*	*Insuffisance cardiaque*
CI	Cardiac index	*IC*	*Index cardiaque*
CPK	Creatine phosphokinase	*CPK*	*Créatine-phosphokinase*
CTR	Cardiothoracic ratio	*RCT*	*Rapport cardio-thoracique*
CV	Cardiovascular	*CV*	*Cardiovasculaire*
DM	Diastolic murmur	*SD*	*Souffle diastolique*

DOE	Dyspnoea on exertion	*DE*	*Dyspnée d'effort*
DVT	Deep venous thrombosis	*TVP*	*Thrombose veineuse profonde*
ECG	Electrocardiogram	*ECG*	*Electrocardiogramme*
HBP	High blood pressure	*HTA*	*Hypertension artérielle*
HDL	High density lipoprotein	-	*Lipoprotéine de haute densité*
HJR	Hepatojugular reflux	*RHJ*	*Reflux hépato-jugulaire*
HR	Heart rate	*FC*	*Fréquence cardiaque*
HS	Heart sounds	*B d C*	*Bruits du cœur*
IC	Intracardiac	-	*Intracardiaque*
ICS	Intercostal space (or IS)	*EIC*	*Espace intercostal*
IV	Interventricular	*IV*	*Interventriculaire*
IVC	Inferior vena cava	*VCI*	*Veine cave inférieure*
JV	Jugular vein	-	*Veine jugulaire*
LAH	Left atrial hypertrophy	*HAG*	*Hypertrophie auriculaire gauche*
LAH	Left anterior hemiblock	*HBAG*	*Hémibloc antérieur gauche*
LBBB	Left bundle branch block	*BBG*	*Bloc de branche gauche*
LBP	Low blood pressure	*Hypo TA*	*Hypotension artérielle*
LDH	Lactate dehydrogenase	*LDH*	*Lactico-déshydrogénase*
LDL	Low density lipoprotein	*LDL*	*Lipoprotéine de faible densité*
LV	Left ventricle	*VG*	*Ventricule gauche*
LVF	Left ventricular failure	*IVG*	*Insuffisance ventriculaire gauche*
LVH	Left ventricular hypertrophy	*HVG*	*Hypertrophie ventriculaire gauche*
MI	Myocardial infarction	*IDM*	*Infarctus du myocarde*
MI	Mitral incompetence / insufficiency	*IM*	*Insuffisance mitrale*
MS	Mitral stenosis	*RM*	*Rétrécissement mitral*
MVP	Mitral valve prolapse	-	*Prolapsus de la valve mitrale*
PA	Pulmonary artery	*AP*	*Artère pulmonaire*
PAT	Paroxysmal atrial tachycardia	*TAP*	*Tachycardie auriculaire paroxystique*
PDA	Patent ductus arteriosus	*PCA*	*Persistance du canal artériel*
PE	Pulmonary embolism	*EP*	*Embolie pulmonaire*
PI	Pulmonary incompetence	*IP*	*Insuffisance pulmonaire*
PND	Paroxysmal nocturnal dyspnoea	*DPN*	*Dyspnée paroxystique nocturne*
PR	Pulse rate	-	*Pouls (rythme du pouls)*
PS	Pulmonary stenosis	*RP*	*Rétrécissement pulmonaire*
PVT	Paroxysmal ventricular tachycardia	*RP*	*Tachycardie ventriculaire paroxystique*
RHF	Right heart failure	*IVD*	*Insuffisance ventriculaire droite*
RV	Right ventricle	*VD*	*Ventricule droit*
RVH	Right ventricular hypertrophy	*HVD*	*Hypertrophie ventriculaire droite*
S1, S2, S3, S4	First, second, third, and fourth heart sounds	*B1, B2, B3, B4*	*Premier, deuxième, troisième, quatrième bruit du cœur*
SM	Systolic murmur	*SS*	*Souffle systolique*
SOB	Shortness of breath	-	*Dyspnée*
SVC	Superior vena cava	*VCS*	*Veine cave supérieure*
SVT	Supraventricular tachycardia	*TSV*	*Tachycardie supra-ventriculaire*
TI	Tricuspid insufficiency / incompetence	*IT*	*Insuffisance tricuspidienne*
TIA	Transient ischaemic attack	*AIT*	*Accident ischémique transitoire*
TR	Tricuspid regurgitation	*IT*	*Insuffisance tricuspidienne*
TS	Tricuspid stenosis	*RT*	*Rétrécissement tricuspidien*
VEB	Ventricular ectopic beats	*ESU*	*Extrasystole ventriculaire*
VPC	Ventricular premature contraction	*ESV*	*Extrasystole ventriculaire*
VF	Ventricular fibrillation	*FV*	*Fibrillation ventriculaire*
VP	Venous pressure	*PV*	*Pression veineuse*
VSD	Ventricular septal defect	*CIV*	*Communication interventriculaire*
VT	Ventricular tachycardia	*TV*	*Tachycardie ventriculaire*
WPW	Wolff-Parkinson-White syndrome	*WPW*	*Syndrome de Wolff-Parkinson-White*

II. Pneumology — *Pneumologie*

1. Anatomy — *Anatomie*

A. The upper airways — *Les voies aériennes supérieures*

the nose	*le nez*
the root	*la racine*
the apex, the tip	*la pointe, le bout*
the bridge	*l'arête*
pliable cartilage	*cartilage flexible*
nostril, naris (pl. nares)	*la narine*
the wing	*l'aile*
the lips	*les lèvres*
the nasal cavity	*les fosses nasales*
the nasal septum	*la cloison nasale*
the pharynx	*le pharynx*
the throat	*la gorge*
the wall	*la paroi*
the tonsils	*les amygdales*
the soft palate	*le voile du palais, le palais mou*
the oral cavity	*la cavité buccale*
the oesophagus, the gullet	*l'œsophage*
be lined with	*être revêtu de*
the larynx	*le larynx*
the thyroid cartilage, Adam's apple	*le cartilage thyroïde, la pomme d'Adam*
the epiglottis	*l'épiglotte*
the glottis	*la glotte*
the vocal cords	*les cordes vocales*

B. The lower airways — *Les voies aériennes inférieures*

the trachea	*la trachée*
the carina	*l'éperon trachéal*
a widening of the carina	*un élargissement de l'éperon trachéal*
the rings of cartilage	*les anneaux de cartilage*
bronchus (pl. bronchi)	*les bronches*
the bronchial tree	*l'arbre bronchique*
the main bronchi	*les bronches principales / souches*
the secondary / lobar bronchi	*les bronches lobaires*
the tertiary / segmental bronchi	*les bronches segmentaires*
the bronchioles	*les bronchioles*

C. The thorax — *Le thorax*

the thoracic cavity	*la cage thoracique*
the ribs	*les côtes*
the rib cage	*la cage thoracique*
the floating ribs	*les côtes flottantes*
the mediastinum	*le médiastin*
the pleura	*la plèvre*
the outer layer is the parietal pleura	*le feuillet externe est la plèvre pariétale*
the inner layer is the visceral pleura	*le feuillet interne est la plèvre viscérale*
the lungs	*les poumons*
cone-shaped organ	*organe en forme de cône*
the apex	*l'apex, le sommet*
the costal surface	*la surface costale*
the mediastinal / medial surface	*la surface médiastinale*
the hilus	*le hile*
the root of the lung	*le pédicule pulmonaire*
the lobes	*les lobes*
the fissures	*les scissures*
the lobules	*les lobules*
alveolar ducts	*les canaux alvéolaires*
an alveolus (pl. alveoli)	*un alvéole*
by way of the pulmonary veins	*au moyen des veines pulmonaires*
drain into the left atrium	*se déverser dans l'oreillette gauche*

2. Clinical examination — *Examen clinique*

A. General background — *Généralités*

breathing	*la respiration*
breathe	*respirer*
breathe in	*inspirer*
breathe out	*expirer*
take a deep breath	*prendre une profonde inspiration*
in!	*inspirez !*
out!	*expirez !*
Hold your breath!	*Retenez votre souffle !*
breathless / out of breath	*essoufflé / hors d'haleine*
breathlessness	*essoufflement*

breathhold	*l'apnée (volontaire)*
apnoea	*l'apnée / la pause respiratoire*
blow	*souffler*
modified respiratory movements	*mouvements respiratoires modifiés*
cough	*tousser*
sneeze	*éternuer*
a sneeze	*un éternuement*
he blows his nose	*il se mouche*
sigh	*soupirer*
a sigh	*un soupir*
yawn	*bâiller*
a yawn	*un bâillement*
sob	*sangloter*
a sob	*un sanglot*
weep	*pleurer*
laugh	*rire*
have hiccups / hiccup	*avoir le hoquet*

B. Past and present symptoms
Antécédents et symptômes actuels

dyspnoea	*la dyspnée*
wheezing	*des sifflements*
a whistling sound	*un sifflement*
the air enters and exits the lungs	*l'air pénètre dans et sort des poumons*
shortness of breath (SOB)	*essoufflement*
the air stream, flow	*le flux, courant aérien*
cough	*la toux*
acute in onset	*à début brutal*
a non-productive cough	*une toux non productive*
a dry cough	*une toux sèche*
chest pain	*douleur thoracique*
pleuritic pain related to movements of the thorax	*douleur pleurale augmentée par des mouvements du thorax*
protect and cleanse the airways	*protéger et nettoyer les voies aériennes*
dislodge offending particles from the airways	*déloger des corps étrangers des voies aériennes*
the forceful compression of the intrathoracic airways	*la compression énergique des voies aériennes intrathoraciques*
expectoration / phlegm / sputum	*expectoration*
pus	*pus*
a 24-hour collection of sputum	*l'expectoration des 24 heures*
a cough productive of sputum	*une toux productive*
triggered / brought about by anxiety	*déclenché par le stress*
an irritative process	*une irritation*
post-nasal drip	*rhinorrhée postérieure*
the quantity of expectorated material	*le volume de l'expectoration*
examination of the sputum	*examen de l'expectoration*
a purulent sputum with an offensive odour	*une expectoration purulente avec une odeur putride*
pink and frothy mucus	*crachats rose mousseux*
watery sputum	*expectoration muqueuse*
red streaks	*stries de sang*
sputum streaked with blood	*crachats striés de sang*
faint streaking	*légères traces*
red blood clots	*caillots de sang rouge*
translucent, viscid, white or grey asthmatic sputum	*expectoration translucide, visqueuse, blanche ou grise de l'asthme*
gelatinous plugs of exudate	*bouchons bronchiques gélatineux*
mucous casts	*moules bronchiques*
flecks of yellow or green pus	*expectoration purulente jaune ou verte en amas*
personal history	*antécédents personnels*
elicit the history	*recueillir les antécédents*
occupational history	*antécédents professionnels*
make notes of previous places of residence	*préciser les lieux de résidence antérieure*
construct a work history	*reconstituer l'histoire professionnelle*
illness in fellow workers	*maladie chez les collègues de travail*
occupational hazards	*risques professionnels*
on a job-by-job basis	*curriculum professionnel*
exposure to hazards	*exposition à risques*
asbestos	*amiante*
coal	*charbon*
silica	*silice*
mouldy hay	*foin moisi*
air conditioners	*air conditionné*
air humidifier	*humidificateur*
history of smoking / tobacco consumption	*antécédents de tabagisme*
a cigarette smoker	*un fumeur de cigarettes*
be quantified in pack-years	*être comptabilisé en paquets-année*
visits to areas where fungal disease is endemic	*séjours dans des zones d'infection fongique endémique*
environmental lung diseases	*maladies pulmonaires liées à l'environnement*
drug-induced lung diseases	*pathologies pulmonaires médicamenteuses*
history of intravenous drug abuse	*passé de toxicomanie intraveineuse*
history of drug exposure	*passé de toxicomane*

C. Physical examination
Examen physique

<u>dyspnea</u>	<u>*dyspnée*</u>
Do you get breathless?	*Etes-vous essoufflé ?*
Do you get short of breath after rest?	*Avez-vous le souffle court au repos ?*
Only at night. I need several pillows to get to sleep.	*Seulement la nuit. Il me faut plusieurs oreillers pour dormir.*
Does it occur after exertion?	*Est-ce après un effort ?*
When I climb stairs or walk too fast.	*Quand je monte un escalier ou marche trop rapidement.*
Do you find it more difficult breathing in or out?	*Ressentez-vous davantage de gêne pour inspirer ou pour expirer ?*
Have you got a wheezy chest?	*Avez-vous des sifflements dans la poitrine ?*
Is your breathing noisy?	*Votre respiration est-elle bruyante ?*
Does it occur during inspiration?	*Est-ce quand vous inspirez ?*
during expiration?	*quand vous expirez ?*
during both phases?	*pendant les deux ?*
Do you feel you can't breathe deeply?	*Avez-vous l'impression de ne pas pouvoir inspirer à fond ?*
you can't empty out your lungs?	*de ne pas réussir à vider vos poumons ?*
<u>cough</u>	<u>*toux*</u>
Do you cough a lot?	*Toussez-vous beaucoup ?*
How often?	*Avec quelle fréquence ?*
Is it a dry cough?	*Est-ce une toux sèche ?*
wet cough?	*une toux grasse ?*
Does the coughing come in bouts? / Do you have fits of coughing?	*Toussez-vous par quintes ?*
Does it feel better when you cough?	*Cela vous soulage-t-il de tousser ?*
No, it tires me out.	*Non, cela m'épuise.*
Does anything precipitate / provoke the coughing?	*Y-a-t-il des facteurs déclenchant la toux ?*
Does anything provoke it / trigger it?	*Qu'est-ce qui les déclenche ?*
dust?	*de la poussière ?*
certain medicines?	*des médicaments*
some stressful situation?	*des situations angoissantes ?*
Is it eased by...?	*Sont-ils calmés par... ?*
Does anything relieve the coughing?	*Y-a-t-il des facteurs calmant la toux ?*
<u>sputum</u>	<u>*expectoration*</u>
Do you bring up any sputum? / do you spit?	*Crachez-vous ?*
Have you ever coughed up blood?	*Avez-vous déjà craché du sang ?*
What colour was it?	*Quel en était l'aspect ?*
Is your phlegm thick?	*Vos crachats sont-ils épais ?*
green?	*verdâtres ?*
yellow?	*jaunâtres ?*
foul-smelling?	*nauséabonds ?*
bloodstained?	*tachés de sang ?*
<u>Will you please strip down to the waist?</u>	<u>*Déshabillez-vous jusqu'à la ceinture, je vous prie.*</u>
The excursion is normal.	*L'ampliation thoracique est normale.*
Say ninety nine.	*Dites trente trois.*
the percussion note	*la sonorité*
The chest is clear to auscultation.	*A l'auscultation, le thorax est normal.*
vesicular breathing	*murmure vésiculaire*
bronchial breathing	*bruits bronchiques (normaux ou modifiés)*
high-pitched ronchi	*sibilances*
low-pitched ronchi	*rhonchus*
crepitations / crackles	*crépitants*
fine crackles	*crépitants fins*
coarse crackles	*gros crépitants*
bubbling noises / gurgles	*râles bulleux*
pleural rub	*frottement pleural*
observe the patient climbing two flights of stairs	*observer le malade monter deux étages*
enlarged lymph nodes	*ganglions augmentés de volume*
in the cervical and supraclavicular regions	*dans les régions cervicales et susclaviculaires*
disturbances of mentation	*troubles de conscience*
finger clubbing / osteoarthropathy	*hippocratisme digital / ostéoarthropathie*

3. Complementary exams — *Examens complémentaires*

<u>chest radiography</u>	<u>*radiologie pulmonaire*</u>
past chest X-rays	*clichés thoraciques antérieurs*
normal routine roentgenogram	*cliché standard*
plain chest X-ray	*cliché thoracique standard*
wedge-shaped pleural-based density	*opacité triangulaire à base pleurale*
pulmonary masses	*volumineuses opacités pulmonaires*
parenchymal consolidation	*opacité dense pulmonaire*
computed tomography	*tomodensitométrie*
<u>bronchoscopy</u>	<u>*bronchoscopie*</u>
on entering the lungs	*en pénétrant dans les poumons*
bronchial washings	*lavage bronchique*

bronchoalveolar lavage (BAL)	*lavage bronchoalvéolaire (LBA)*
bronchial brushings	*brossage bronchique*
bronchoscopic biopsy	*biopsie bronchique*
<u>additional procedures</u>	<u>*autres examens*</u>
pleural fluid aspiration	*évacuation de liquide pleural*
lung function tests	*épreuves fonctionnelles respiratoires*
peak-flow meter	*débitmètre de pointe*
forced expiratory volume at one second (FEVI)	*volume expiratoire maximum-seconde (VEMS)*
pulmonary angiography	*angiographie pulmonaire*
lung ventilation scan	*scintigraphie de ventilation*
lung perfusion scan	*scintigraphie de perfusion*
skin test for TB / tuberculin test	*test cutané / intradermo-réaction à la tuberculine*
scratch or intradermal tests to detect atopic reactions	*tests par scarification ou intradermiques pour la recherche de réactions allergiques*
skin sensitivity tests	*tests d'allergie cutanés*
Gram stain	*coloration de Gram*
culture and sensitivity	*mise en culture et antibiogramme*

4. Diseases — *Maladies*

A. Asthma
Asthme

increased responsiveness	*hyperréactivité bronchique*
widespread narrowing of the airways	*rétrécissement diffus des voies aériennes*
paroxysm of dyspnea	*paroxysme dyspnéique*
acute exacerbation	*exacerbation*
interspersed with symptom-free periods	*entrecoupé de périodes sans symptômes*
a short-lived attack	*une crise brève*
allergic asthma	*asthme allergique*
an acute episode	*une crise*
the lack of reliable figures	*l'absence de statistiques fiables*
population-based figures	*les données de la population générale*
a 2:1 male / female preponderance	*une prépondérance masculine de 2:1*
non-specific hyperreactivity	*hyperréactivité bronchique non spécifique*
the onset of an attack	*le début d'une crise*
take appropriate medication	*prendre les médicaments appropriés*
an inhaler	*un inhalateur*
response within minutes to medication	*réponse au médicament en quelques minutes*
symptoms of a severe attack	*les symptômes d'une crise grave*
anxiety	*anxiété*
difficulty in speaking	*difficultés pour parler*
bluish appearance of the face	*cyanose / bleuissement du visage*
go blue around the lips	*devenir bleu autour des lèvres*
awaken with breathlessness	*réveil pour gêne respiratoire*
the airway reactivity rises	*la réactivité bronchiquc augmente*
<u>from an etiologic stand-point</u>	<u>*d'un point de vue étiologique*</u>
following viral infections	*après les infections virales*
an ongoing respiratory tract infection	*une infection respiratoire actuelle*
oxidant air pollutants	*polluants oxydants*
a family history of allergic diseases	*un passé familial allergique*
positive wheel and flared reactions	*test cutané positif avec papule et érythème*
extracts of airborne antigens	*extraits allergéniques d'origine aérienne*
airborne allergies	*allergies respiratoires*
provocation tests	*tests de provocation*
dependent upon an IgE response	*dépendant d'une réponse à IgE*
exhibit exquisite responsivity	*exprimer une réponse immédiate*
minute amounts of allergic agents	*quantité minime d'agents allergiques*
allergy to feathers	*allergie aux plumes*
animal danders	*squames d'animaux*
mould	*moisissure*
colouring agents	*colorants*
sulfiting agents	*sulfites*
aspirin-sensitive syndrome	*syndrome d'intolérance à l'aspirine*
nasal polyps	*polypes nasaux*
cross reactivity	*réactivité croisée*
non-steroidal anti-inflammatory compounds (NSAI)	*composés anti-inflammatoires non stéroïdiens (AINS)*
tartrazine and other potentially troublesome dyes	*tartrazine et autres colorants potentiellement dangereux*
sanitising and preservative agents	*conservateurs*
<u>occupational factors</u>	<u>*risques professionnels*</u>
industrial chemicals	*produits industriels*
sensitising chemicals used in paints and solvents	*produits chimiques utilisés dans les peintures et solvants*
exposure during leisure	*exposition pendant les heures de loisirs*
non-work-related activities	*activités de loisir*

bring about a remission	*amener une rémission*
similar symptoms in fellow employees	*symptômes identiques chez les collègues de travail*
the trigger mechanism	*le mécanisme déclenchant*
exercise-induced asthma	*asthme d'effort*
how to treat an attack of asthma	*comment soigner une crise d'asthme*
sit the patient at a table	*faire asseoir la personne à une table*
lean forward	*se pencher en avant*
rest the arms on the table	*reposer les bras sur la table*
the correct use of a metered dose inhaler (MDI)	*la bonne utilisation d'un spray doseur*
remove the cover from the mouthpiece	*enlevez le bouchon de la pièce buccale*
shake the inhaler vigorously	*secouez vigoureusement le flacon*
breathe out gently first	*d'abord expirez doucement*
place the mouthpiece in the mouth	*placez l'embout dans la bouche*
close the lips around it	*serrez les lèvres autour de l'embout*
breathe in slowly until the lungs are full	*inspirez doucement jusqu'à ce que les poumons soient pleins*
hold the breath for 10 seconds	*retenez votre souffle pendant 10 secondes*
repeat it if more than one puff is required	*recommencez si plus d'une bouffée est nécessaire*

B. Chronic obstructive pulmonary disease (COPD) *Broncho-pneumopathie obstructive chronique (BPCO)*

The pink puffer and blue bloater syndromes are historic descriptions of 2 subsets of patients.	*Le patient « rose poussif » et le patient « bleu bouffi » sont des descriptions historiques de 2 sous groupes.*
The pink puffer has laboured respiration with pursed lips.	*Le patient « rose poussif » a une respiration laborieuse à lèvres pincées.*
The blue bloater refers to patients who present cyanosis, leg swelling and right-sided congestive heart disease.	*Le patient « bleu bouffi » fait référence à un patient cyanosé, aux jambes enflées, porteur d'une insuffisance cardiaque droite.*
Long standing arterial hypoxemia stemming from ventilation perfusion abnormalities.	*Une hypoxémie artérielle ancienne, conséquence d'anomalie du rapport ventilation-perfusion.*
This classification is useful in defining the predominant underlying process.	*Cette classification est utile pour préciser le type de lésions prédominantes.*
There is a significant degree of overlap.	*Il y a un recouvrement important.*
Few patients fall exclusively into either subset.	*Il y a peu de patients qui appartiennent exclusivement à un de ces sous-groupes.*
Auscultation of the chest reveals distant breath sounds, expiratory wheeze, and a prolonged expiratory phase.	*L'auscultation thoracique retrouve des bruits expiratoires lointains, un sifflement expiratoire et une expiration prolongée.*
hypersonant lung fields	*des champs pulmonaires hypersonores*
The onset of cor pulmonale portends a particularly poor prognosis.	*L'apparition d'un cœur pulmonaire laisse augurer une évolution sévère.*
Respiratory failure is the most common cause of death.	*L'insuffisance respiratoire est la cause la plus habituelle de décès.*
Are you always gasping this way or just on exertion?	*Avez-vous toujours autant de mal à respirer ou bien est-ce juste à l'effort ?*
The sternum is prominent.	*Il existe un bombement sternal.*
The sternal ends of the ribs are enlarged.	*L'extrémité sternale des côtes est élargie.*
His shoulders appear elevated.	*Ses épaules sont surélevées.*
During expansion the intercostal spaces and the abdominal wall seem to be sucked in.	*Les espaces intercostaux et la paroi abdominale semblent être aspirés lors de l'inspiration.*
The inspiration is a short gasp.	*L'inspiration est très courte.*
The expiration is a drawn out wheeze.	*L'expiration est longue et sifflante.*
His respiration is weak.	*Sa respiration est faible.*
Bubbling and snoring sounds are heard with each inspiration.	*Des râles bulbeux et ronflants sont entendus à chaque inspiration.*
the natural history	*l'évolution spontanée*
It is favourably altered by oxygen administration.	*Elle est favorablement influencée par l'administration d'oxygène.*
Effective cigarette smoking prevention and cessation programs can reduce the progression of the disease.	*Une prévention efficace du tabagisme et des programmes d'arrêt peuvent ralentir la progression de la maladie.*
Early detection and case finding among high-risk people may provide an opportunity to intervene.	*Une détection précoce et le dépistage parmi des groupes à haut risque permettent d'intervenir.*
long presymptomatic phase	*longue phase silencieuse*

For symptomatic patients, appropriate use of medication, various respiratory care modalities, can help control and prevent complications.	*Chez les patients présentant des symptômes, l'utilisation judicieuse de médicaments, différentes modalités de traitement respiratoire peuvent aider à contrôler et prévenir les complications*
exercise training, psychosocial support	*entraînement à l'effort, support psychologique*
Continuous low-flow oxygenotherapy / long term oxygenotherapy (LTOT) or severely hypoxemic patients.	*Oxygénothérapie de longue durée (OLD) pour les patients très hypoxémiques*
Temporary supplemental oxygen is needed during travel on air flights.	*Un supplément en oxygène temporaire est nécessaire au cours de voyages en avion.*

C. Carcinoma of the lung
Cancer du poumon

the leading cause of cancer death in males	*la première cause de mort par cancer chez l'homme*
Deaths have increased sharply in women.	*La mortalité à fortement augmenté chez la femme.*
the result of increased cigarette use over the past four decades	*le résultat d'une plus grande consommation de cigarettes durant les quatre dernières décennies*
It has surpassed breast cancer mortality in US women.	*Il a dépassé la mortalité par cancer du sein chez la femme aux EU.*
earlier age of smoking initiation	*début plus précoce du tabagisme*
depth of inhalation	*inhalation plus profonde*
a dull pain	*une douleur sourde*
Peripheral tumours are less likely to be symptomatic apart from involvement of the pleura.	*Les tumeurs périphériques ont moins de chance d'être symptomatiques, sauf en cas d'atteinte pleurale.*
Intrathoracic spread to the mediastinum produces an array of findings.	*L'envahissement médiastinal est responsable de toute une série de signes à rechercher.*
onset of hoarseness	*apparition d'un enrouement*
elevated hemidiaphragm	*surélévation d'une coupole diaphragmatique*
distended neck veins	*distension des veines du cou*
facial and arm swelling	*œdème de la face et des bras*
Did you bring up any phlegm?	*Votre toux était-elle productive ?*
Was the blood spread all through the phlegm?	*Tout le crachat était-il sanglant ?*
Is the blood in clots?	*Y-a-t-il des caillots de sang ?*
Have you been hoarse?	*Avez-vous la voix enrouée ?*
Have you lost any weight?	*Avez-vous perdu du poids ?*
When did you have your last chest X-ray?	*De quand date votre dernière radio pulmonaire ?*
What was the result of the chest X-ray?	*Qu'a-t-on trouvé à la radio pulmonaire ?*
Apical carcinomas present as an atypical cap.	*Les cancers de l'apex se présentent sous forme d'une opacité atypique coiffant l'apex.*
easily overlooked or misinterpreted as residual changes of prior tuberculous infection	*peut être aisément ignorée ou interprétée comme les séquelles d'une tuberculose pulmonaire*
shoulder pain radiating down the arm corresponding to the distribution of ulnar nerve	*une douleur de l'épaule qui irradie le long du bras, correspondant au trajet du nerf cubital*
Dullness is heard over the apex of the lung involved.	*Il existe une matité de l'apex du poumon atteint.*
a diverse array of paraneoplastic syndromes	*une grande variété de syndromes paranéoplasiques*
The most frequent abnormality is clubbing of the digits / finger clubbing.	*L'anomalie la plus fréquente est l'hippocratisme digital.*
Bulky mediastinal adenopathy is more consistent with small cell lung cancer (SCLK).	*Des adénopathies médiastinales volumineuses font d'avantage penser à un cancer à petites cellules (CPC).*
A pattern of air space consolidation, mimicking pneumonia, is suggestive of bronchoalveolar cell carcinoma.	*Un aspect d'opacité alvéolaire simulant une pneumonie suggère un carcinome bronchiolo-alvéolaire.*
Surgery is the mainstay of therapy for patients with stage I or II disease who have adequate pulmonary reserve.	*La chirurgie est le traitement de choix des patients au stade 1 ou 2 qui ont des réserves pulmonaires suffisantes.*
Radiotherapy is used with curative intent in some patients with inoperable disease.	*On utilise la radiothérapie dans un but curatif chez quelques patients dont le cancer est inopérable.*
They have had disappointingly small effects on mortality.	*Ils ont eu malheureusement peu d'effet sur la mortalité.*
Therefore, prevention by reduction of exposure to recognised risk factors is critical.	*Aussi des mesures de prévention par réduction de l'exposition aux facteurs de risque connus sont-elles capitales.*

D. Common cold and influenza
Rhume et grippe

Viral upper respiratory illness is the common cold.	*L'atteinte virale des voies aériennes supérieures correspond au rhume.*
One of the most important causes of lost productive time, both for children and adults.	*L'une des causes principales d'absentéisme chez l'enfant comme chez l'adulte.*
Winter influenza epidemics lead to increased rates of hospitalisation, particularly of the elderly and those with impaired health.	*Les grippes hivernales épidémiques entraînent une augmentation des hospitalisations, en particulier des sujets âgés et des patients atteints d'une maladie chronique.*
It causes a number of excess deaths each year.	*Elles sont cause de surmortalité chaque année.*
Day care centres attendance is a frequent source of common viral respiratory infections.	*Les centres de soins de jour sont une source fréquente de transmission de viroses respiratoires.*
Auscultation does not reveal evidence of consolidation.	*L'auscultation ne montre aucun signe de condensation.*
The chest film demonstrates diffuse involvement of the lungs with interstitial or patchy infiltrates.	*Sur le cliché toracique, on retrouve une atteinte interstitielle diffuse ou des opacités mal limitées.*
She's got a hacking cough.	*Elle a une toux sèche.*
She's got an unrelenting cough.	*Elle a une toux incessante.*
She's coughing a lot but with very scanty sputum production.	*Elle tousse beaucoup, mais sa toux est très peu productive*
Percussion is difficult due to large breasts.	*La percussion est difficile en raison du volume des seins.*
Fine rales are heard throughout the chest.	*On entend des râles fins dans les deux poumons.*
Only few of the candidates for immunisation are vaccinated.	*Peu des sujets à risque sont vaccinés.*
in spite of its efficacy, low cost, and minimal side effects	*en dépit de son efficacité, de son faible coût et de ses effets secondaires mineurs*
For those who have been exposed but not immunised, antiviral agents can be effective in preventing illness from influenza A.	*Pour ceux qui ont été exposés mais ne sont pas vaccinés, les antiviraux peuvent être efficaces pour prévenir la maladie mais seulement contre les virus de type A.*

E. Pneumonia
Pneumonie

Pneumonia is designated as community acquired if it develops outside the hospital.	*On appelle pneumonies communautaires, celles qui sont observées hors de l'hôpital.*
Pneumonia may develop because of an overwhelming of the host defences.	*La pneumonie peut se développer quand les défenses immunitaires de l'hôte sont dépassées.*
By either a large inoculum of pathogenic organisms or because of impaired defence mechanisms.	*Soit par un volumineux inoculum de germes pathogènes, ou par une atteinte des mécanismes de défenses.*
immunosuppressed patients by virtue of medication, malignancy or infection by the HIV	*les patients immuno-déprimés par un traitement, par une maladie cancéreuse ou par une infection par le VIH*
In an otherwise healthy patient, pneumonia due to pyogenic organisms such as S. pneumoniae typically presents with the acute onset of fever, chest pain and shortness of breath.	*Chez un patient par ailleurs bien portant, une pneumonie liée à un pyogène tel que S. pneumoniae est marquée typiquement par le début brutal d'une fièvre, d'une douleur thoracique et d'une gène respiratoire.*
The patient usually manifests respiratory distress.	*Il existe habituellement des signes de détresse respiratoire.*
Examination of the affected lung discloses evidence of consolidation.	*A l'examen du poumon atteint on retrouve des signes de condensation.*
The most common type of pneumonia is pneumococcal pneumonia.	*Le type le plus fréquent de pneumonie est la pneumonie à pneumocoque.*
It deserves special attention.	*Elle justifie une attention particulière.*
Currently its overall fatality rate is about 5%.	*Actuellement le taux de mortalité global est d'environ 5 %.*
Underlying medical conditions notably past history of splenectomy, COPD and malignancies increase the risk of death.	*Les affections chroniques, en particulier des antécédents de splénectomie, BPCO et tumeurs malignes augmentent le risque de décès.*
Local complications of pneumococcal pneumonia are pleural effusion and abscess.	*Les complications locales de la pneumonie à pneumocoque sont la pleurésie et l'abcédation.*
If the effusion is large, and clinical recovery delayed, the effusion should be aspirated.	*Si l'épanchement est important et si la guérison tarde, l'épanchement doit être ponctionné.*

rule out an empyema / pyothorax — *éliminer une pleurésie purulente*

An empyema is a collection of pus in a cavity. — *Un empyème est une collection purulente dans une cavité.*

The most worrisome site of extrapulmonary involvement is the meninges. — *L'atteinte extrapulmonaire la plus préoccupante est celle des méninges.*

Radiographically, in community-acquired pneumonia, resolution of the infiltrate lags behind clinical recovery. — *Sur le plan radiologique, la disparition de l'opacité d'une pneumonie communautaire perdure bien après la guérison.*

The well-being of the patient should always be considered while viewing follow-up radiographs. — *On privilégiera toujours le bon état clinique du patient quand on passera en revue les clichés successifs.*

Doctor, I have been coughing for three days. — *Docteur, je tousse depuis trois jours.*

Do you bring up anything when you cough? — *Crachez-vous lorsque vous toussez ?*

I think I have caught a cold. — *Je pense que j'ai pris froid.*

I bring up some yellow, sticky, and thick stuff. — *Je crache jaune, collant et épais.*

Next time you bring something up, save it for me in this cup. — *La prochaine fois que vous cracherez, gardez les crachats dans cette boite.*

Have you been shaking with cold? — *Avez-vous tremblé de froid ?*

Have you had any chills with fever? — *Avez-vous eu des frissons avec la fièvre ?*

The patient has marked tachypnoea. — *Le malade a une polypnée importante.*

He has to use his accessory muscles of respiration. — *Il doit utiliser ses muscles respiratoires accessoires.*

Did you notice flaring of the nares? — *Avez-vous remarqué un battement des ailes du nez ?*

He has splinting of the right side of chest. — *Il a une diminution de l'ampliation thoracique du côté droit.*

The excursion is decreased on the right side of the chest. — *L'ampliation thoracique est diminuée du côté droit.*

Please, check his blood pressure (BP), respiration, pulse and temperature. — *Prenez sa tension, sa fréquence respiratoire, son pouls et sa température.*

There is an increased vocal fremitus. — *On perçoit une augmentation des vibrations vocales.*

Dullness is heard over the right base. — *Il existe une matité de la base droite.*

Inspiratory rales are heard over the right base. — *On entend des râles inspiratoires à la base droite.*

The rest of the chest is clear to auscultation. — *A l'auscultation, le reste du thorax est normal.*

The patient appears to be in respiratory distress. — *Le malade présente une détresse respiratoire.*

Did you culture and Gram stain the sputum? — *Avez-vous mis en culture l'expectoration et fait une coloration de Gram ?*

What is his white count? — *Quel est son nombre de globules blancs ?*

It's 25,000 with predominantly polys present. — *25 000 avec une majorité de polynucléaires.*

Have you drawn a blood culture after a chill? — *Avez-vous fait une hémoculture après un frisson ?*

How are the chest films? — *Que montrent les radios pulmonaires ?*

I see a patchy infiltrate in the right lower lobe. — *Il y a un infiltrat irrégulier du lobe inférieur droit.*

Can you start an i.v. with 5% glucose and water and 100,000 units of aqueous penicillin every 3 hours? — *Pouvez-vous commencer une perfusion de glucose à 5 % et 100 000 unités de pénicilline toutes les 3 heures ?*

You must be on the lookout for empyema and abscess and also meningitis and endocarditis. — *Vous devez veiller à la survenue d'une pleurésie, d'un abcès pulmonaire ainsi que d'une méningite ou d'une endocardite.*

Is the patient responding well to therapy? — *Le malade réagit-il bien au traitement ?*

His right base appears to be clearing. — *La base pulmonaire droite semble se nettoyer.*

preventive measures — *mesures préventives*

Pneumococcal vaccine in all individuals aged over 65 and all those of any age in specific high-risk categories. — *Vaccin anti-pneumococcique de la population âgée de plus de 65 ans et de tous ceux, quel que soit leur âge, qui appartiennent à un groupe à risque.*

Hemophilus influenzae vaccine for children only. — *Vaccin contre l'Hemophilus influenzae chez les enfants seulement.*

preventive dental hygiene — *hygiène dentaire*

F. Tuberculosis (TB)
Tuberculose

Tuberculosis is a major world health problem, with an estimated 10 million new cases and 3 million deaths each year. — *La tuberculose représente un problème de santé mondial majeur, responsable de 10 millions de nouveaux cas et 3 millions de décès chaque année.*

High incidence of tuberculosis is observed in recent immigrants from a country with high prevalence of TB. — *Un taux élevé de nouveaux cas de tuberculose est observée chez les nouveaux immigrants de pays à forte prévalence de tuberculose.*

alcoholics, drug-dependent individuals, the homeless, prison inmates, persons in residential care facilities, or other closed institutions, HIV infected individuals	*les alcooliques, les drogués, les sans-abri, les prisonniers, les personnes habitant en établissements de soins et autres institutions fermées, les sujets infectés par le VIH*
Another problem is the alarming outbreaks of multidrug-resistant TB (MDR).	*Un autre problème est l'apparition alarmante de tuberculose multi-résistante.*
Infection occurs primarily by inhalation of respiratory secretions aerosolised by coughing, sneezing or talking.	*L'infection survient initialement après inhalation de sécrétions d'origine respiratoire, transformées en aérosol par la toux, l'éternuement ou la parole.*
They are sufficiently small to dry while airborne, to remain suspended for long periods.	*Elles sont assez petites pour se dessécher durant leur trajet aérien et rester en suspension pendant longtemps.*
They reach the alveoli where infection begins.	*Elles atteignent les alvéoles où débute l'infection.*
Large drops are of no real concern because they drop to the floor.	*Les grosses particules ne représentent pas de danger parce qu'elles tombent à terre.*
Prolonged response to an infectious environment is usually required for infection to occur.	*Il faut habituellement une exposition prolongée dans un milieu infectant pour que l'infection se produise.*
Brief contact is of little risk.	*Un contact bref ne représente qu'un risque mineur.*
Patients with laryngeal tuberculosis and extensive cavitary lesions are usually highly contagious.	*Les patients atteints d'une tuberculose laryngée et de cavernes extensives sont habituellement hautement contagieux.*
Most patients become non infectious within 2 weeks after the institution of appropriate chemotherapy because of a decrease in cough and in the number of viable bacilli.	*La plupart des patients deviennent non contagieux deux semaines après l'institution d'une chimiothérapie adaptée, du fait d'une diminution de la toux et du nombre de bacilles viables.*
Clothes are not an important cause of transmission.	*Les vêtements ne représentent pas une source réelle de transmission.*
A subacute-to-chronic presentation is the most common pattern.	*Une allure subaiguë ou chronique est la présentation la plus habituelle.*
Rapidly progressive disease can occur in the immunocompromised patients.	*On peut observer une évolution rapidement progressive chez les immunodéprimés.*
Constitutional signs including weight loss and night sweats are often prominent.	*Les signes généraux incluant amaigrissement et sueurs nocturnes sont souvent en premier plan.*
Fevers are low grade in most patients.	*Chez la plupart des patients la fièvre est peu élevée.*
Cough and sputum production are common.	*Toux et expectoration sont habituelles.*
Dullness with decreased vocal fremitus may indicate pleural fluid.	*Une matité avec diminution des vibrations vocales peut révéler un épanchement pleural.*
Typical radiographic features include unilateral or bilateral infiltrates in the apex with cavitations.	*L'aspect radiologique typique comporte des lésions infiltratives uni ou bilatérales de l'apex comportant des cavernes.*
Collections of sputum or other body fluids for acid fast bacillus (AFB) stain is essential.	*Il est essentiel de recueillir des expectorations ou d'autres liquides corporels pour faire une coloration à la recherche de Bacilles alcoolo-acido résistants (BAAR).*
An early morning sputum collection is optimal.	*L'expectoration émise au réveil est la meilleure.*
Multiple specimens maximise the yield.	*Les meilleurs résultats sont obtenus par des échantillons multiples.*
Sputum swallowed during the night may be obtained by aspirating gastric contents immediately after the patient awakens in the morning.	*L'expectoration avalée pendant la nuit peut être recueillie par l'aspiration du liquide gastrique immédiatement au réveil matinal.*
Fibreoptic bronchoscopy has become the procedure of choice for collections of respiratory specimens when sputum is unavailable or unrevealing.	*La fibroscopie est devenue la procédure de choix pour recueillir des produits d'origine respiratoire en cas d'expectorations inexistantes ou non concluantes.*
Negative smears alone do not exclude the diagnosis.	*A eux seuls des examens directs négatifs ne permettent pas d'éliminer le diagnostic.*
The yield from culture of sputum or bronchial washings is significantly higher than that of AFB stain.	*Les résultats de culture d'expectoration ou de lavages bronchiques sont bien supérieurs à ceux de la coloration à la recherche de BAAR.*
It is important to bear in mind that it may take up to 6 weeks to grow and identify the bacilli in culture.	*Il est important de garder à l'esprit que 6 semaines peuvent être nécessaires pour obtenir une culture positive et pouvoir identifier le Bacille.*
<u>management</u>	<u>*prise en charge*</u>
The chemotherapy of active TB is based on five basic principles:	*La chimiothérapie d'une tuberculose évolutive repose sur cinq principes de base :*

1) Multiples drugs should be used to prevent the emergence of drug-resistant organisms.	*1) On doit toujours utiliser une polychimiothérapie pour prévenir l'apparition de germes multirésistants.*
2) In the event of treatment failure, drugs should be changed in combination, rather than singly. Testing for drug sensitivity is mandatory.	*2) En cas d'échec du traitement, l'ensemble des médicaments doit être modifié et non un seul. Il est obligatoire de tester la sensibilité.*
3) Single daily dosages of drugs are preferred.	*3) Il faut préférer une prise quotidienne unique des médicaments.*
4) Prolonged therapy is necessary.	*4) Un traitement prolongé est nécessaire.*
5) Following patients closely is important to monitor drug effectiveness and toxicity to ensure compliance.	*5) Le suivi rapproché est important pour contrôler l'efficacité et l'absence de toxicité des médicaments pour assurer l'adhérence au traitement.*
For some hospitalised dropouts, direct observed therapy (DOT) is the cornerstone of the success.	*Pour certains marginaux hospitalisés, la prise contrôlée du traitement est la clé du succès.*
Most patients with TB should be kept in isolation for the initial phase of therapy.	*Bien des tuberculeux devraient être isolés durant la phase initiale du traitement.*
Patients with extrapulmonary tuberculosis, much less infectious, can be managed entirely as out patients.	*Un patient porteur d'une tuberculose extrapulmonaire, bien moins contagieuse, peut être traité en ambulatoire.*

G. Pulmonary thromboembolism (PTE)
Maladie thromboembolique veineuse

pulmonary embolism (PE)	*embolie pulmonaire (EP)*
the leading cause of mortality	*la cause principale de mortalité*
serious underlying illnesses	*maladies sous-jacentes graves*
an embolus	*un embole*
prior to embolism	*avant l'embolie*
many emboli resolve without trace	*beaucoup d'embolies guérissent sans séquelle*
routine post mortem examination / autopsy	*examen systématique post mortem / autopsie*
deep venous thrombosis (DVT)	*thrombose veineuse profonde (TVP)*
three factors promote DVT	*trois facteurs facilitent la TVP*
clinical risk factors	*facteurs de risque cliniques*
left and right ventricular failure	*insuffisance ventriculaire gauche et droite*
injuries of the lower extremities	*traumatisme des membres inférieurs*
prolonged bed rest	*alitement prolongé*
continued platelet accretion	*agrégation plaquettaire*
a remaining thrombus	*un thrombus restant*
venous outflow obstruction	*interruption du flux sanguin veineux*
acute above-knee thrombosis	*thrombose aiguë au dessus du genou*
below-knee thrombi	*caillots au dessous du genou*
calf and lower thigh veins	*veines de la partie inférieure de la cuisse et du mollet*
failure to resolve	*absence de résolution*
an otherwise healthy individual	*un sujet sain par ailleurs*
<u>diagnostic features</u>	*<u>manifestations cliniques</u>*
sudden onset of dyspnea	*dyspnée brutale*
pleuritic chest pain	*douleur pleurale*
lead to infarction	*mener à l'infarctus*
some patients present with syncope	*certains patients présentent une syncope*
an ominous sign	*signe de mauvais pronostic*
repetitive bouts of tachyarrythmias	*accès répétés de tachyarythmie*
findings may be deceptively normal	*les résultats peuvent être normaux, ce qui est trompeur*
examination may disclose a few rales	*l'examen peut permettre de retrouver quelques râles*
a pleural friction rub	*un frottement pleural*
a palpable left over the right ventricle	*un soulèvement palpable du ventricule droit*
a scratchy systolic ejection-type murmur	*un souffle systolique éjectionnel râpeux*
a loud pulmonary closure sound	*un éclat du 2ème bruit au foyer pulmonaire*
wide splitting of the second heart sound	*dédoublement espacé du 2ème bruit*
no clue to the diagnosis	*sans indication claire pour le diagnostic*
on clinical grounds alone	*sur les seules données cliniques*
routine laboratory studies	*examens de laboratoire courants*
lab tests	*examens de laboratoire*
<u>electrocardiogram (ECG)</u>	*<u>électrocardiogramme (ECG)</u>*
It contributes little to the diagnosis.	*Il contribue peu au diagnostic.*
aside / apart from tachychardia	*mis à part la tachycardie*
rightward shift of the QRS axis	*déplacement de l'axe du QRS vers la droite*
a tall peaked T wave	*une onde T pointue*
be indicative of a right ventricular strain	*être évocateur d'une surcharge ventriculaire droite*
<u>chest X-ray</u>	*<u>radio thoracique</u>*
the radiographic findings	*les anomalies radiologiques*

the infiltrates abut against the pleura	*les infiltrats sont au contact de la plèvre*
yield haemorrhagic fluid	*mener à un épanchement hémorragique*
<u>angiography</u>	<u>*angiographie*</u>
the abrupt cut-off of a vessel	*l'arrêt brutal d'un vaisseau*
filling defects	*défauts de remplissage*
<u>ventilation perfusion scanning (VP scan)</u>	<u>*scintigraphie de ventilation et de perfusion*</u>
lack specificity	*manquer de spécificité*
It doesn't lead to a definite diagnosis.	*Il ne mène pas à un diagnostic précis.*
enhance the specificity	*augmenter la spécificité*
a definitive diagnosis	*un diagnostique de certitude*
the radioactive gas enters: wash in	*la pénétration du gaz*
the radioactive gas is cleared: wash out	*la dispersion du gaz*
spiral CT angiography	*scanner spiralé*
<u>doppler ultrasound</u>	<u>*écho-doppler*</u>
serial Doppler tests	*des Dopplers successifs*
ascending contrast venography	*phlébographie de contraste*
<u>anticoagulant therapy</u>	<u>*traitement anticoagulant*</u>
advocate a high dose	*être en faveur d'une dose forte*
monitoring	*surveillance*
clotting time (CT)	*temps de coagulation (TC)*
cephalin and activator time (CAT)	*temps de céphaline + activateur (TCA)*
partial thromboplastine time (PTT)	*temps de thromboplastine partiel (TTP)*
a CT test done improperly	*un TC fait incorrectement*
A poorly timed PTT is worthless.	*Un TTP pratiqué à un mauvais moment est sans valeur.*
It can be misleading.	*Il peut être source d'erreur.*
keep the CT at or above the baseline CT	*maintenir le TC au niveau ou au dessus de la normale*
measure it prior to the next intermittent dose	*le mesurer avant la prochaine dose*
duration of therapy	*durée du traitement*
indicate bedrest	*être une indication au repos au lit*
symptoms subside / decrease	*les symptômes diminuent / s'amendent*
the leg pain subsides	*la douleur au membre inférieur disparaît*
elastic support hose	*contention élastique*
ambulate the patient	*faire marcher le malade*
discontinue heparin	*arrêter l'héparine*
initiate a prothrombinopenic agent	*débuter un anti-vitamine K*
oral anticoagulant therapy (OAT)	*traitement anticoagulant*
It entails high risk of haemorrhagic complication.	*Il entraîne un risque élevé de complication hémorragique.*
Occurrence of haemorrhages cannot be disregarded.	*Le risque hémorragique ne peut être négligé.*
It may justify a low target international normalised ratio (INR).	*Cela peut justifier un INR moins élevé.*
the decision for long-term protection	*la décision d'un traitement prolongé*
be suitable for	*convenir à*
the onset of action is too slow	*l'efficacité est trop longue à obtenir*
anticoagulant protection should be maintained	*le traitement anticoagulant devrait être poursuivi*
beyond hospital discharge	*après la sortie*
continuation depends upon	*la poursuite dépend de*
the balance among risk factors and the risks of therapy	*l'équilibre entre les facteurs de risque et les dangers du traitement*
warrant lifetime maintenance upon anticoagulant drugs	*justifier le traitement anticoagulant à vie*
surgical therapy	*traitement chirurgical*
be deemed inadequate	*être réputé non adapté*
impractical	*impraticable*
<u>clipping procedure</u>	<u>*pose d'un clip*</u>
place a filter in the inferior vena cava	*pose d'un filtre dans la veine cave inférieure*
<u>general prognosis</u>	<u>*pronostic général*</u>
For patients who reach medical attention and receive heparin, the outlook is quite good.	*Pour les patients qui pourront gagner un centre de soins compétent et être mis à temps sous héparine, le pronostic est bon.*

5. Abbreviations *Sigles*

A&P	Auscultation and percussion	-	*Auscultation et percussion*
AFB	Acid-fast bacillus	*BAAR*	*Bacille alcoolo-acido résistant*
ARDS	Acute respiratory distress syndrome	*SDRAA*	*Syndrome de détresse respiratoire aiguë de l'adulte*
BA	Bronchial asthma	-	*Asthme bronchique*
BAL	bronchoalveolar lavage	*LBA*	*lavage bronchoalvéolaire*
BCG	Bacille Calmette-Guérin	*BCG*	*Bacille de Calmette et Guérin*

BE	Base excess	*BE*	*Base excès*
BP	blood pressure	*TA*	*tension artérielle*
CAT	cephalin and activator time	*TCA*	*temps de céphaline + activateur*
CB	Chronic bronchitis	*BC*	*Bronchite chronique*
CF	Cystic fibrosis	-	*Mucoviscidose*
CO	Carbon monoxide	*CO*	*Oxyde de carbone*
COPD	Chronic obstructive pulmonary disease	*BPCO*	*Broncho-pneumopathie chronique obstructive*
CT	clotting time	*TC*	*temps de coagulation*
CTR	Cardiothoracic ratio	*RCT*	*Rapport cardio-thoracique*
CX	Chest X-ray	-	*Radio pulmonaire*
DOE	Dyspnoea on exertion	-	*Dyspnée d'effort*
DOT	direct observed therapy	-	*prise contrôlée du traitement*
DVT	deep venous thrombosis	*TPV*	*thrombose veineuse profonde*
ECG	electrocardiogram	*ECG*	*électrocardiogramme*
ERV	Expiratory reserve volume	*VRE*	*Volume de réserve expiratoire*
FEVI	Forced expiratory volume in one second	*VEMS*	*Volume expiratoire maximum seconde*
FIO2	Fractional inspiratory oxygen	*FIO2*	*Concentration de l'oxygène dans l'air inspiré*
FRC	Functional residual capacity	*CRF*	*Capacité résiduelle fonctionnelle*
FVC	Forced vital capacity	*CVM*	*Capacité vitale maximum*
IC	Inspiratory capacity	*CI*	*Capacité inspiratoire*
ICS	Intercostal space	*EIC*	*Espace intercostal*
IRV	Inspiratory reserve volume	*VRI*	*Volume de réserve inspiratoire*
LLL	Left lower lobe (of lung)	-	*Lobe inférieur gauche (du poumon)*
LRTI	Lower respiratory tract infection	-	*Infection de l'arbre respiratoire inférieur*
LUL	Left upper lobe (of lung)	-	*Lobe supérieur gauche (du poumon)*
MDI	a metered dose inhaler	-	*un spray doseur*
MDR	multidrug-resistant	-	*multi-résistant*
NSAID	non-steroidal anti-inflammatory drugs	*AINS*	*composés anti inflammatoires non stéroïdiens*
OAT	oral anticoagulant therapy	-	*traitement anticoagulant*
PE	Pulmonary embolism	*EP*	*Embolie pulmonaire*
PEF	Peak expiratory flow	*DEP*	*Débit expiratoire de pointe*
PFT	Pulmonary function test	*EFR*	*Explorations fonctionnelles respiratoires*
PND	Paroxysmal nocturnal dyspnoea	-	*Dyspnée paroxystique nocturne*
Pnx	Pneumothorax	*Pno*	*Pneumothorax*
PTT	partial thromboplastine time	*TTP*	*temps de thromboplastine partiel*
RDS	Respiratory distress syndrome	-	*Syndrome de détresse respiratoire*
RF	Respiratory failure	-	*Insuffisance respiratoire*
RLL	Right lower lobe (of lung)	-	*Lobe inférieur droit*
RML	Right middle lobe	-	*Lobe moyen*
RR	Respiratory rate	-	*Fréquence respiratoire*
RTI	Respiratory tract infection	-	*Infection respiratoire*
RV	Residual volume	*VR*	*Volume résiduel*
SB / SOB	Shortness of breath	-	*Dyspnée*
SCLC	small cell lung cancer	*CPC*	*cancer à petites cellules*
TB	Tuberculosis	-	*Tuberculose*
TB	Tubercle bacillus	-	*Bacille de Koch*
TLC	Total lung capacity	-	*Capacité pulmonaire totale (VR + CV)*
UR	Upper respiratory	-	*Respiratoire supérieur*
URTI	Upper respiratory tract infection	-	*Infection des voies aériennes supérieures*
VC	Vital capacity	*CV*	*Capacité vitale*
VF	Vocal fremitus	-	*Vibrations vocales*
VP scan	ventilation perfusion scanning	-	*scintigraphie de ventilation et de perfusion*
VS	Vesicular sound	-	*Murmure vésiculaire*

III. Endocrinology — *Endocrinologie*

I. Anatomy — *Anatomie*

the endocrine glands	*les glandes endocrines*
the pituitary gland	***l'hypophyse / la glande pituitaire***
the "master gland"	*le « chef d'orchestre »*
the anterior pituitary gland	*l'antéhypophyse*
regulating hormones / factors	*des hormones de régulation*
stimulating hormones	*les stimulines*
somatotroph cells	*les cellules somatotropes*
human growth hormone (HGH)	*les hormone de croissance*
lactotroph cells	*les cellules lactotropes*
prolactin (PRL)	*la prolactine (PRL)*
corticotroph cells	*les cellules corticotropes*
adrenocorticotropic hormone (ACTH)	*la corticotrophine (ACTH)*
melanocyte-stimulating hormone (MSH)	*l'hormone mélanotrope*
thyrotroph cells	*les cellules thyréotropes*
thyroid-stimulating hormone (TSH)	*la thyréostimuline*
thyrotropin-releasing hormone (TRH)	*la thyrolibérine*
corticotropin-releasing hormone (CRH)	*la CRH*
somatostatin	*la somatostatine*
gonadotropic hormones	*les gonadotrophines hypophysaires*
gonadotroph cells	*les cellules gonadotropes*
follicles-stimulating hormone (FSH)	*l'hormone folliculostimulante*
luteinizing hormone (LH)	*l'hormone lutéinisante*
milk secretion	*la sécrétion du lait*
mammary glands	*les glandes mammaires*
the neurohypophysis / posterior pituitary gland	***la neurohypophyse / post-hypophyse***
store hormones	*stocker des hormones*
release hormones	*libérer des hormones*
neurosecretory cells	*les cellules neurosécrétrices*
the hypothalamic-hypophyseal tract	*l'axe hypothalamo-hypophysaire*
oxytocin (OT)	*l'ocytocine (OT)*
antidiuretic hormone (ADH)	*l'hormone antidiurétique (ADH)*

the thyroid gland	***la glande thyroïde***
below the larynx	*sous le larynx*
the lateral lobes	*les lobes latéraux*
the isthmus	*l'isthme*
the pyramidal lobe	*la pyramide de Lalouette*
the thyroid follicles	*les vésicules thyroïdiennes*
the parathyroid glands	***les glandes parathyroïdes***
two small round masses	*deux petite masses arrondies*
embedded	*niché*
principal / chief cells	*les cellules principales*
parathyroid hormone (PTH)	*la parathormone (PTH)*
oxyphil cell	*cellule acidophile*
the adrenal / suprarenal glands	***les glandes surrénales***
above the kidneys	*au dessus des reins*
the adrenal cortex	*la corticosurrénale*
the adrenal medulla	*la médullosurrénale*
the zona glomerulosa	*la zone glomérulée*
the zona fasciculata	*la zone fasciculée*
the zona reticularis	*la zone réticulée*
the adrenal medulla	***la médullosurrénale***
chromaffin cells	*les cellules chromaffines*
the epinephrine	*l'adrénaline*
the norepinephrine	*la noradrénaline (NA)*
the pancreas	***le pancréas***
pancreatic Islets / islets of Langerhans	*îlots de Langerhans*
the ovaries	***les ovaires***
oestrogens	*les œstrogènes*
progesterone	*la progestérone*
relaxin	*la relaxine*
dilate the uterine cervix	*dilater le col de l'utérus*
the testes (sg. testis)	***les testicules***
testosterone	*la testostérone*
inhibin	*l'inhibine*
control sperm production	*régulariser la production des spermatozoïdes*
the epiphysis cerebri / pineal gland	***l'épiphyse / la glande pinéale***
neuroglial cells	*les cellules gliales*
melatonin	*la mélatonine*

2. Clinical examination — *Examen clinique*

A. Hyperthyroidism
Hyperthyroïdisme

1. Past and present symptoms
Antécédents et symptômes actuels

Has your weight remained constant?	*Votre poids est-il stable ?*
Have you lost weight?	*Avez-vous maigri ?*
Do your clothes feel looser?	*Vos habits vous serrent-ils moins qu'avant ?*
Are you on a slimming diet?	*Suivez-vous un régime amaigrissant ?*
Have you a good appetite?	*Avez-vous bon appétit ?*
Has your appetite increased?	*Votre appétit a-t-il augmenté ?*
decreased?	*diminué ?*
Has it remained unchanged?	*Est-il resté stable ?*
Do you have diarrhoea?	*Avez-vous de la diarrhée ?*
How often do you have bowel movement per day?	*Combien de fois allez-vous à la selle par jour ?*
Have you had any change in your menstrual cycle?	*Avez-vous eu des troubles des règles ?*
Do you sleep well?	*Dormez-vous bien ?*
not enough?	*pas assez ?*
Do you suffer from insomnia?	*Etes-vous insomniaque ?*
Do you have muscle weakness?	*Avez-vous des faiblesses musculaires ?*
numbness?	*des engourdissements ?*
cramps?	*des crampes ?*
Do you feel irritable?	*Etes-vous irritable ?*
Do you get a tremor of the hands?	*Tremblez-vous au niveau des mains ?*
Do you complain of intolerance to hot weather?	*Présentez-vous une intolérance au temps chaud ?*
Have you been sweating more than you usually do?	*Transpirez-vous plus que d'habitude ?*
I sweat a lot.	*Je transpire beaucoup.*
Is your skin usually moist?	*Avez-vous habituellement la peau moite ?*
Are you often thirsty?	*Avez-vous souvent soif ?*
Does your heart beat fast / do you ever feel palpitations?	*Avez-vous des palpitations ?*
Do you feel your heart beat fast and strong?	*Sentez-vous que votre cœur bat vite et fort ?*
Does the attack decrease if you rest?	*Est-ce que l'épisode diminue au repos ?*
It doesn't even stop at rest.	*Cela ne diminue même pas au repos.*
Did you ever feel your pulse during an attack?	*Avez-vous déjà pris votre pouls lors d'un de ces épisodes ?*
Are your eyes tearful?	*Avez-vous un larmoiement oculaire ?*
Do your eyes hurt?	*Avez-vous mal aux yeux ?*
Do you feel exhausted?	*Vous sentez-vous épuisé ?*
Are you out of breath?	*Etes-vous essoufflé ?*
Have you recently been through an unusual emotional stress?	*Avez-vous eu récemment un choc affectif ?*

2. Physical examination
Examen physique

Have you ever noticed a swelling in your neck?	*Avez-vous déjà remarqué une grosseur au niveau de votre cou ?*
Will you please sit down?	*Voulez-vous bien vous asseoir ?*
I'll stand behind you.	*Je vais me placer derrière vous.*
I'll palpate your neck.	*Je vais vous palper le cou.*
Could you please swallow when I tell you?	*Pourriez-vous avaler quand je vais vous le dire ?*
The thyroid gland is enlarged.	*Le corps thyroïde est augmenté de volume.*
Could you please stand up?	*Pourriez-vous vous lever, s'il vous plaît ?*
Stretch your arms in front of you.	*Etendez les bras devant vous.*
Hold your hand out.	*Etendez la main.*
Extend your fingers.	*Ecartez les doigts.*
I am now going to place this sheet of paper on your hand.	*Je vais maintenant vous mettre cette feuille de papier sur la main.*
There is a slight tremor.	*Il y a un léger tremblement.*
Hold my hand.	*Serrez-moi la main.*
Your hands are moist.	*Vous avez les mains moites.*
You have got a goitre.	*Vous avez un goitre.*
Follow my fingers with your eyes without moving your head.	*Suivez mon doigt avec les yeux sans bouger la tête.*
The upper eyelid is retracted.	*Il y a une rétraction de la paupière supérieure.*
Her eyes are protruding.	*Elle a une protrusion des globes oculaires*
You have an exophthalmic goitre / Grave's disease.	*Vous avez la maladie de Basedow.*
He presents symptoms of a thyroid storm.	*Il présente les signes d'une crise aiguë basedowienne.*

B. Hypothyroidism
Hypothyroïdisme

1. Past and present symptoms
Antécédents et symptômes actuels

Do you feel depressed?	*Etes-vous dépressif ?*
Do you sleep well? too much?	*Dormez-vous bien ? trop ?*
Do you complain of intolerance to cold weather?	*Etes-vous frileux ?*
I cannot stand cold weather at all.	*Je ne supporte pas du tout le temps froid.*
Do your fingernails break easily?	*Vos ongles se cassent-ils facilement ?*
There is thinning of the outer halves of the eyebrows.	*Il y a un amincissement de la queue du sourcil.*
Do you have cramps?	*Avez-vous des crampes ?*
I am more and more constipated.	*Je suis de plus en plus constipé.*
You have a cold, dry, puffy skin.	*Vous avez une peau froide, sèche et infiltrée.*
Are you tired?	*Etes-vous fatigué ?*
Does your hair fall out?	*Perdez-vous vos cheveux ?*
Do you have ear buzzing?	*Avez-vous des bourdonnements d'oreille ?*
Do you have difficulty in hearing?	*Etes-vous dur d'oreille ?*
She is deaf.	*Elle est sourde.*

2. Physical examination
Examen physique

I saw this patient's daughter yesterday.	*J'ai vu la fille de cette patiente hier.*
She says her mother sleeps all the time.	*Elle dit que sa mère dort tout le temps.*
Let's examine her.	*Examinons la.*
Her hair is thin and coarse.	*Elle a le cheveu fin et sec.*
Her nails are thin and brittle.	*Elle a les ongles fins et cassants.*
Her tongue is thickened.	*Elle présente un épaississement de la langue.*
Have you noticed any change in her voice?	*Avez-vous remarqué des changements dans la tonalité de sa voix ?*
Has it become deeper? higher?	*Est-elle plus grave ? plus aiguë ?*
The mucous membranes are pale.	*Les muqueuses sont pâles.*
Her facial tissues swell.	*Elle a le visage gonflé.*
She has got a puffy face.	*Elle a un visage bouffi.*

C. Diabetes
Le diabète

1. Past and present symptoms
Antécédents et symptômes actuels

I am a diabetic.	*Je suis diabétique.*
Have you got sugar in your pocket?	*Avez-vous du sucre dans la poche ?*
Are you on a special diet?	*Suivez-vous un régime particulier ?*
Do you follow a diabetic diet with low refined sugar?	*Suivez-vous un régime pauvre en sucre ?*
Are you able to control it with a diet?	*Le régime suffit-il à équilibrer votre diabète ?*
Do you take insulin?	*Prenez-vous de l'insuline ?*
Do you give yourself the shots?	*Vous faites-vous les injections vous-même ?*
Have you ever experienced episodes of hypoglycaemia?	*Avez-vous déjà été en hypoglycémie ?*
Do you test your own water for sugar and acetone (S&A)?	*Contrôlez-vous le sucre et l'acétone (SA) dans vos urines vous-même ?*
Have you got a blood-glucose meter?	*Avez-vous un lecteur de glycémie ?*
Do you test your capillary glycemia?	*Contrôlez-vous votre glycémie capillaire ?*
How many tests do you have per day?	*Combien de tests faites-vous par jour ?*
Have you got a pen for insulin?	*Avez-vous un stylo à insuline ?*
Do you feel thirsty all the time?	*Avez-vous toujours soif ?*
Do you drink large volumes of water?	*Buvez-vous beaucoup d'eau ?*
How much urine do you pass each time you go to the toilet?	*Quelle quantité urinez-vous à chaque miction ?*
Has your appetite increased?	*Votre appétit a-t-il augmenté ?*
Have you lost weight?	*Avez-vous maigri ?*

2. Physical examination
Examen physique

I am going to listen to your heart.	*Je vais écouter votre cœur.*
I'll look for a murmur at the level of the carotids.	*Je vais écouter s'il y a un souffle sur les carotides.*
I'll palpate the femoral arteries.	*Je vais palper les fémorales.*
the pedial arteries.	*les pédieuses.*
One pedial pulse is missing.	*Il manque un pouls pédieux.*
The big toe is ischemic.	*Le gros orteil est ischémique.*

Does it hurt?	*Est-ce qu'il vous fait mal ?*
I can't feel anything.	*Je ne sens rien.*
I'll check your blood pressure.	*Je vais prendre votre tension.*
I'll ask for a fundi.	*Je vais demander un fond d'œil.*

3. Complementary exams — *Examens complémentaires*

plasma levels	*dosages plasmatiques*
blood urea nitrogen (BUN)	*azote uréique du sang*
a fasting morning blood sugar	*une glycémie à jeun*
thyroid gland scintigraphy	*scintigraphie thyroïdienne*
hemoglycated haemoglobin	*hémoglobine glycosylée*

4. Diseases — *Maladies*

pituitary dwarfism	*le nanisme hypophysaire*
childhood	*enfance*
growth years	*les années de croissance*
slow bone growth	*croissance osseuse ralentie*
epiphyseal plates close	*les cartilages de conjugaison se referment*
gigantism	*le gigantisme*
abnormal increase of long bones	*accroissement statural anormal*
acromegaly	*l'acromégalie*
bones thicken	*les os s'épaississent*
the nose enlarges	*le nez s'hypertrophie*
the tongue swells	*la langue gonfle*
the forehead enlarges	*le front s'hypertrophie*
diabetes insipidus	*le diabète insipide*
dysfunction of the neurohypophysis	*dysfonction de la neurohypophyse*
elimination of large amounts of urine	*élimination de volumes importants d'urine*
dehydration	*déshydratation*
be thirsty	*avoir soif*
hypercalcemia	*hypercalcémie*
hyperparathyroidism	*l'hyperparathyroïdie*
parathyroid hormone (PTH)	*la parathormone (PTH)*
diabetes mellitus	*le diabète sucré*
polyuria	*polyurie*
polydipsia	*polydipsie*
excessive thirst	*soif excessive*
polyphagia	*polyphagie*
excessive eating	*appétit excessif*
type I diabetes / juvenile-onset diabetes	*diabète de type I / diabète juvénile*
insulin-dependent diabetes (IDD)	*diabète insulinodépendant (DID)*
type II diabetes / maturity-onset diabetes	*diabète de type II / diabète de l'adulte*
non-insulin-dependent diabetes (NIDD)	*diabète non insulinodépendant (DNID)*
require insulin from age 12 onward	*avoir besoin d'insuline depuis l'âge de 12 ans*
cretinism	*le crétinisme*
mental retardation	*l'arriération mentale*
yellowish skin colour	*coloration jaunâtre de la peau*
round face	*visage arrondi*
thick nose	*nez large*
protruding tongue	*langue qui dépasse*
protruding abdomen	*abdomen protubérant*
tetany	*la tétanie*
muscle twitches	*des secousses musculaires*
spasms	*des spasmes*
convulsions	*des convulsions*
Addison's disease / primary adrenocorticol insufficiency	*la maladie d'Addison / insuffisance surrénale lente*
mental lethargy	*idéation lente*
muscular weakness	*faiblesse musculaire*
Cushing's syndrome	*le syndrome de Cushing*
spindly arms and legs	*bras et jambes fusiformes*
a rounded face	*un faciès lunaire*
stretch marks / striae	*des vergetures*
bruise easily	*se faire facilement des contusions*
poor wound healing	*difficulté à cicatriser*
mood swings	*sauts d'humeur*
the adrenogenital syndrome	*le syndrome d'Apert et Gallais*
virilism	*le virilisme / l'hirsutisme*
growth of a beard	*barbe qui pousse*
deeper voice	*voix plus grave*
baldness	*calvitie*
virilizing adenomas	*tumeurs androgénosécrétantes*
gynecomastia	*la gynécomastie*
feminizing adenoma	*tumeur féminisante*
pheochromocytoma	*phéochromocytome*
rapid heart rate	*fréquence cardiaque rapide*
elevated basal metabolic rate (BMR)	*élévation de la vitesse du métabolisme basal*
flushing of the face	*coloration rougeâtre du visage*

decreased gastrointestinal motility	*réduction de la motilité du tube digestif*
vertigo	*vertiges*
scurvy	*le scorbut*
gout	*la goutte*

5. Abbreviations — *Sigles*

ACTH	adrenocorticotropic cells	-	*la corticotrophine (ACTH)*
ADH	antidiuretic hormone	*ADH*	*hormone antidiurétique*
BS	blood sugar	-	*glycémie*
BUN	blood urea nitrogen	-	*urée sanguine*
CRH	corticotropin-releasing hormone	*CRH*	
DI	diabetes insipidus	*DI*	*diabète insipide*
DM	diabetes mellitus	-	*diabète sucré*
FBS	fasting blood sugar	-	*glycémie à jeun*
FSH	follicle-stimulating hormone	-	*l'hormone folliculostimulante*
FTI	free thyroxin index	*ITL*	*index de thyroxine libre*
FTT	failure to thrive	*RSP*	*retard staturo-pondéral*
GH	growth hormone	*GH*	*hormone de croissance*
GTT	glucose tolerance test	*TTG*	*test de tolérance au glucose*
HDL	high density lipoprotein	*HDL*	*lipoprotéine de forte densité*
hGH	human growth hormone	-	*hormone de croissance / somatotrophine*
IDDM	insulin-dependent diabetes mellitus	*DID*	*diabète insulino-dépendant*
LDL	low density lipoprotein	*LDL*	*lipoprotéine de faible densité*
LH	luteinizing hormone	*LH*	*hormone lutéinisante*
MSH	melanocyte-stimulating hormone	-	*l'hormone mélanotrope*
NDI	nephrogenic diabetes insipidus	-	*diabète insipide néphrogénique*
NIDDM	non insulin-dependent diabetes mellitus	*DNDI*	*diabète non insulino-dépendant*
OGTT	oral glucose tolerance test	*HPGO*	*hyperglycémie provoquée orale*
OT	oxytocin	*OT*	*l'ocytocine*
PRL	prolactin	*PRL*	*la prolactine*
PTH	parathyroid hormone	*PTH*	*la parathormone*
S&A	sugar and acetone	*SA*	*sucre, acétone*
TRH	thyrotropin-releasing hormone	-	*la thyrolibérine*
TSH	thyroid-stimulating hormone	-	*la thyréostimuline*
VLDL	very low-density lipoprotein	*VLDL*	*lipoprotéine à très faible densité*

IV. Hepato gastroenterology — *Hépato-gastroentérologie*

I. Anatomy — *Anatomie*

A. The gastrointestinal (GI) tract
Le tube digestif

1. The mouth
La bouche

the cheeks	*les joues*
the lips	*les lèvres*
fleshy folds	*des replis charnus*
the gums / gingivae	*les gencives*
a tooth (sg)	*une dent*
teeth (pl)	*les dents*
the labial frenulum	*le frein de la lèvre*
the oral cavity	*la cavité orale*
the vestibule	*le vestibule*
the throat	*la gorge*
the hard palate	*la voûte palatine / le palais dur*
a bony partition	*une cloison osseuse*
the soft palate	*le voile du palais / le palais mou*
an arch-shaped partition	*une cloison en forme d'arc*

the uvula	*la luette*
the palatoglossal arch	*le pilier antérieur du voile du palais*
the palatopharyngeal arch	*le pilier postérieur du voile du palais*
the tonsils	*les amygdales*
the tongue	*la langue*
the lingual frenulum	*le frein de la langue*
filiform papillae	*les papilles filiformes*
fungiform papillae	*les papilles fongiformes*
circumvallate papillae	*les papilles caliciformes*
buccal glands	*les glandes buccales*
salivary glands	*les glandes salivaires*
saliva	*la salive*

2. The pharynx *Le pharynx*

a funnel-shaped tube	*un tube en forme d'entonnoir*
the oropharynx	*l'oropharynx*
the laryngopharynx	*le laryngopharynx*

3. The oesophagus (GB) / esophagus (US) *L'oesophage*

a muscular collapsible tube	*un conduit musculaire souple*
the upper oesophageal sphincter	*le sphincter œsophagien supérieur*
the oesophageal hiatus	*l'orifice / le hiatus œsophagien*
the mucosa	*la muqueuse*
the submucosa	*la sous-muqueuse*
the muscularis	*la musculeuse*
the adventitia	*l'adventice*
the lower oesophageal / gastrooesophageal sphincter	*le sphincter œsophagien inférieur*

4. The stomach *L'estomac*

a J-shaped enlargement of the GI tract	*une dilatation en forme de J du tube digestif*
a continuation of the oesophagus	*un prolongement de l'œsophage*
the cardia	*le cardia*
the fundus	*le fundus*
the body	*le corps*
the pylorus	*le pylore*
the lesser curvature	*le petite courbure*
the greater curvature	*la grande courbure*
the pyloric sphincter / valve	*le sphncter pylorique*
empty into the duodenum	*se vider dans le duodénum*
the rugae	*les plissements gastriques*
the gastric pits / glands	*les glandes gastriques*
the chief cells	*les cellules principales*
the parietal cells	*les cellules bordantes / pariétales*
the mucous cells	*les cellules muqueuses*
the gastric juice	*le suc gastrique*
the enteroendocrine cells	*les cellules G*

5. The pancreas *Le pancréas*

an oblong tubuloacinar gland	*une glande tubulo-acineuse oblongue*
the head	*la tête*
the body	*le corps*
the tail	*la queue*
the pancreatic duct / duct of Wirsung	*le canal pancréatique / le canal de Wirsung*
the hepatopancreatic ampulla / ampulla of Vater	*l'ampoule de Vater*
the major duodenal papilla	*la grande caroncule*
the accessory duct / duct of Santorini	*le canal pancréatique accessoire / le canal de Santorini*
the pancreatic islets / islets of Langerhans	*les îlots pancréatiques / îlots de Langerhans*
small clusters of glandular epithelial cells	*petits groupes de cellules épithéliales glandulaires*
pancreatic juice	*le suc pancréatique*

6. The liver *Le foie*

the right lobe	*le lobe droit*
the quadrate lobe	*le lobe carré*
the caudate lobe	*le lobe caudé / de Spigel*
the left lobe	*le lobe gauche*
the falciform ligament	*le ligament falciforme*
the ligamentum teres / round ligament	*le ligament rond*
a fibrous cord	*un cordon fibreux*
the lobules	*les lobules*

7. The biliary tract *Les voies biliaires*

the gallbladder (GB)	*la vésicule biliaire*
a pear-shaped sac	*une poche en forme de poire*
the cystic duct	*le canal cystique*
the common bile duct	*la voie biliaire principale*
the sphincter of Oddi	*le sphincter d'Oddi*
the ampulla	*l'ampoule de Vater*

8. The small intestine *L'intestin grêle*

the duodenum	*le duodénum*
the jejunum	*le jéjunum*

the ileum	*l'iléon*
coil through the abdominal cavity	*s'enrouler dans la cavité abdominale*
the ileocecal sphincter / valve	*la valvule iléo-caecale*
the intestinal glands / crypts of Lieberkühn	*les glandes intestinales / les cryptes de Lieberkühn*
pits lined with glandular epithelium	*des dépressions tapissées d'un épithélium glandulaire*
duodenal / Brunner's glands	*les glandes duodénales / de Brunner*
goblet cells	*cellules caliciformes*
microvilli	*microvillosités*
fingerlike projections	*saillies digitiformes*
villus (sg.) / villi (pl.)	*villosités*
velvety appearance	*aspect duveteux*
a lacteal	*un chylifère*
circular folds / plicae circulares	*valvules conniventes*
permanent ridges	*des replis permanents*
solitary lymphatic nodules	*des follicules lymphoïdes isolés*
aggregated lymphatic follicles / Peyer's patches	*les follicules agminés de l'iléon / plaques de Peyer*
intestinal juice	*le suc intestinal*

9. The large intestine
Le côlon

the caecum (GB), the cecum (US)	*le caecum*
a blind pouch	*une poche borgne*
the appendix	*l'appendice*
a twisted coiled tube	*un tube tordu et enroulé*
the meso-appendix	*le méso-appendice*
the colon	*le côlon*
the ascending colon	*le côlon ascendant*
the right colic / hepatic flexure	*l'angle droit / hépatique du côlon*
the transverse colon	*le côlon transverse*
the left colic / splenic flexure	*l'angle gauche / splénique du côlon*
the descending colon	*le côlon descendant*
the sigmoid colon	*le côlon sigmoïde*
the rectum	*le rectum*
the anal canal	*le canal anal*
the anus	*l'anus*
the anal columns	*les colonnes anales*
the mesocolon	*le mésocôlon*
taeniae coli	*bandelettes longitudinales*
haustra	*haustrations*
a series of pouches	*une série de poches*
puckered appearance	*aspect bosselé*
epiploic appendages	*franges épiploïques*
faeces (GB.) / feces (US.) / stools	*les fèces / les selles*
waste matter	*les déchets*

10. The intestinal wall
La paroi intestinale

a running tube	*un tube continu*
run through	*parcourir*
the four layers / tunics	*les quatre couches / tuniques*
the mucosa	*la muqueuse*
the inner lining	*la paroi interne*
the epithelial layer	*la couche épithéliale*
the lining layer of epithelium	*l'épithélium de revêtement*
the lamina propria	*le chorion*
the muscularis mucosa	*la musculaire muqueuse*
small folds	*petits plis*
the submucosa	*la sous-muqueuse*
the submucosal plexus / plexus of Meissmer	*le plexus sous-muqueux / plexus de Meissmer*
the muscularis	*la musculeuse*
an inner sheet	*une couche interne*
an outer sheet	*une couche externe*
skeletal muscle	*muscle squelettique*
smooth muscle	*muscle lisse*
the mesenteric plexus	*le plexus mésentérique*
the serosa / visceral peritoneum	*la séreuse / le péritoine viscéral*
a serous membrane	*une membrane séreuse*
connective tissue	*le tissu conjonctif*
the peritoneum	*le péritoine*
the peritoneal cavity	*la cavité péritonéale*
the mesentery	*le mésentère*
the falciform ligament	*le ligament falciforme*
the lesser omentum	*le petit épiploon*
the greater omentum / fatty apron	*le grand épiploon / tablier graisseux*

2. Physiology — *Physiologie*

<u>the voluntary stage</u>	<u>*l'étape volontaire*</u>
digest	*digérer*
digestion	*la digestion*
the physical breakdown of food	*la transformation physique des aliments*
mastication / chewing	*la mastication*
chew	*mâcher*
grind food	*broyer la nourriture*
shape the food into a rounded mass	*modeler les aliments en une masse arrondie*
mix food with saliva	*mélanger la nourriture à la salive*

the bolus	*le bol alimentaire*
the pharyngeal stage	*l'étape pharyngienne*
deglutition / swallowing	*la déglutition*
swallow	*avaler*
the oesophageal stage	*l'étape œsophagienne*
propel food into the oesophagus	*propulser la nourriture dans l'œsophage*
secrete mucus	*sécréter du mucus*
transport food	*transporter les aliments*
squeeze the bolus downward	*forcer la progression du bol vers l'estomac*
the contractions are repeated in a wave	*les contractions se répètent et forment une onde*
normal oesophageal contractile activity	*activité contractile normale de l'œsophage*
peristalsis	*le péristaltisme*
peristaltic wave	*onde péristaltique*
relaxation of upper / lower oesophageal sphincter	*relâchement du sphincter œsophagien inférieur / supérieur*
lower oesophageal sphincter pressure	*pression du sphincter œsophagien inférieur*
gastric motility	*motricité / motilité / transit gastrique*
gastric storage	*contenu gastrique*
gastric trituration	*trituration gastrique*
delayed gastric emptying	*évacuation gastrique retardée*
rapid gastric emptying / dumping syndrome	*évacuation gastrique rapide*
churn food	*brasser les aliments*
churning	*le brassage*
chyme	*chyme*
slosh the chyme back and forth	*mélanger le chyme par des mouvements de va-et-vient*
propel the chyme onward	*propulser le chyme vers l'avant*
forward and backward movement	*mouvement de va-et-vient*
produce secretions	*produire des sécrétions*
store secretions	*emmagasiner des sécrétions*
chemical breakdown	*la transformation chimique*
release secretions	*libérer les sécrétions*
pepsin	*pepsine*
renin	*rénine*
curd	*lait caillé*
gastroileal reflex	*le réflexe gastroiléal*
gallbladder	*vésicule biliaire*
bile	*la bile*
ductular bile formation	*formation de bile dans les canaux biliaires*
emulsification	*l'émulsion*
the breakdown of fat globules	*la dégradation des globules de graisse*
a suspension of fat droplets	*des gouttelettes de graisse en suspension*
bilirubin	*la bilirubine*
a bile pigment	*un pigment biliaire*
segmentation	*la segmentation*
absorption	*l'absorption*
defecation	*la défécation*
the emptying of the rectum	*l'évacuation du rectum*
diarrhoea (GB) / diarrhea (US)	*la diarrhée*
increased motility of the intestines / bowel motility	*augmentation de la motilité intestinale / du transit intestinal*

3. Clinical examination — *Examen clinique*

A. Past and present symptoms — *Antécédents et symptômes actuels*

eating habits	*habitudes alimentaires*
What type of food do you eat?	*Que mangez-vous habituellement ?*
meat?	*de la viande ?*
fish?	*du poisson ?*
dairy products?	*des produits laitiers ?*
cereals?	*des céréales ?*
sweets?	*des sucreries ?*
everything?	*de tout ?*
Have you got a good appetite?	*Avez-vous bon appétit ?*
Has your appetite increased?	*Votre appétit a-t-il augmenté ?*
Has your appetite remained unchanged?	*Votre appétit est-il resté stable ?*
Has your appetite decreased?	*Votre appétit a-t-il diminué ?*
Have you lost the desire to eat?	*Avez-vous un dégoût des aliments ?*
Is it due to any particular food dislikes?	*Est-ce dû à un dégoût pour certains aliments ?*
How much do you weigh?	*Combien pesez-vous ?*
Are you on a diet?	*Suivez-vous un régime ?*
gastroesophageal reflux disease (GERD)	*reflux gastrœsophagien (RGO)*
regurgitation	*régurgitations*
Do you regurgitate?	*Avez-vous des régurgitations ?*
Is it acid?	*Est-ce acide ?*
Does it come up?	*Est-ce que ça remonte ?*
Do you get odd tastes in the mouth?	*Avez-vous un drôle de goût dans la bouche ?*
Do you get acid brash? (US)	*Avez-vous des régurgitations acides ?*

regurgitation of undigested food	*régurgitation d'aliments non digérés*
Are the regurgitations exacerbated by smoking?	*Est-ce que les régurgitations sont aggravées par le tabac ?*
Do you suffer from a burning pain just after the meal?	*Avez-vous des sensations de brûlure juste après le repas ?*
a long time after the meal?	*longtemps après un repas ?*
during the night?	*pendant la nuit ?*
when you get up in the morning?	*lorsque vous vous levez le matin ?*
when you lie down?	*lorsque vous vous allongez ?*
when you stand up?	*lorsque vous vous levez ?*
Does the standing position ease the pain?	*Etes-vous amélioré par la position debout ?*
dysphagia	*dysphagie*
intermittent dysphagia	*dysphagie intermittente*
severe dysphagia for liquids and solids	*dysphagie sévère pour les liquides et les solides*
Is swallowing painful?	*Avez-vous mal en avalant ?*
Do you have difficulty in swallowing?	*Avez-vous des difficultés pour avaler ?*
What type of food causes difficulty?	*Quels types d'aliments ne passent pas ?*
solids?	*les solides ?*
liquids?	*les liquides ?*
gastric trouble	*troubles gastriques*
Does she suffer from anorexia?	*Souffre-t-elle d'anorexie ?*
Is she anorexic?	*Est-elle anorexique ?*
indigestion	*indigestion*
Do you complain of heartburn? (GB)	*Avez-vous des aigreurs d'estomac / brûlures rétrosternales ?*
Is the heartburn exacerbated by hot food?	*Les aigreurs d'estomac sont-elles exacerbées par des aliments chauds ?*
by cold food?	*par des aliments froids ?*
by carbonated / fizzy drinks?	*par des boissons gazeuses ?*
Do you suffer from nocturnal heartburn?	*Avez-vous des aigreurs d'estomac la nuit ?*
belching	*éructation*
belch / burp	*roter*
Do you belch frequently?	*Avez-vous des renvois fréquents ?*
Do you often hiccup?	*Avez-vous souvent le hoquet ?*
hiccups	*hoquets*
Do you feel sick?	*Avez-vous mal au cœur ?*
Do you have nausea?	*Avez-vous des nausées ?*
Do you often experience nausea?	*Avez-vous souvent des nausées ?*
Does he suffer from postprandial nausea?	*A-t-il des nausées postprandiales ?*

Do you have an upset stomach?	*Avez-vous des crises de foie / des digestions pénibles ?*
Do you get discomfort after eating?	*Digérez-vous mal ?*
to be full up	*être rassasié*
What brings the pain on?	*Qu'est-ce qui entraîne la douleur ?*
What makes it worse?	*Qu'est-ce qui l'aggrave ?*
spicy food?	*des aliments épicés ?*
coffee, tea?	*le café, le thé ?*
stress?	*des contrariétés ?*
Has he ever suffered from a peptic ulcer?	*A-t-il déjà eu un ulcère gastro-duodénal ?*
a gastric ulcer?	*un ulcère gastrique ?*
a duodenal ulcer?	*un ulcère duodénal ?*
the heavy drinker	*le gros buveur*
Do you drink alcohol?	*Est-ce que vous buvez ?*
Have you recently abstained from drinking alcohol?	*Avez-vous récemment arrêté de boire de l'alcool ?*
A moderate / heavy alcohol consumption	*Une consommation d'alcool modérée / excessive*
hepatic trouble	*troubles hépatiques*
Have you ever turned yellow?	*Avez-vous déjà eu la jaunisse ?*
cholestatic jaundice	*ictère cholostatique*
Has he ever suffered from a bout of jaundice?	*A-t-il déjà eu une poussée ictérique ?*
Is your urine dark?	*Est-ce que vos urines sont colorées ?*
Does your skin itch?	*Avez-vous des démangeaisons ?*
Are you febrile?	*Etes-vous fébrile ?*
vomiting	*vomissements*
Do you often vomit / throw up / bring up?	*Vomissez-vous souvent ?*
Do you vomit soon after a meal?	*Est-ce que vous vomissez peu de temps après le repas ?*
a long time after a meal?	*longtemps après le repas ?*
Do you vomit forcibly?	*Est-ce que vous vomissez délibérément ?*
Do you retch? / Do you have spells of unproductive vomiting?	*Faites-vous des efforts pour vomir ?*
emesis of undigested food	*vomissement d'aliments non digérés*
What is the nature of the vomiting?	*Que vomissez-vous ?*
recognisable food?	*des aliments reconnaissables ?*
digested food?	*des aliments digérés ?*
bile stained fluid?	*un liquide avec de la bile ?*
clear acidic fluid?	*un liquide acide clair ?*
Do you have large amounts of vomit?	*Vomissez-vous en grande quantité ?*

Is the vomiting preceded by headache?	*Vos vomissements sont-ils précédés de maux de tête ?*
Does it relieve the pain?	*Est-ce que ça calme la douleur ?*
Is the vomiting linked to dizziness?	*Vos vomissements sont-ils liés à des vertiges ?*
haematemesis	*hématémèse*
Do you ever vomit blood?	*Avez-vous déjà vomi du sang ?*
red blood?	*du sang rouge ?*
coffee grounds?	*du sang noir / marc de café ?*
abdominal pain	*douleurs abdominales*
stomach / tummy ache	*mal au ventre*
Do you complain of stomach ache?	*Avez-vous mal au ventre ?*
Where does it hurt?	*Où avez-vous mal ?*
Does the pain come straight after the meal?	*La douleur survient-elle juste après le repas ?*
Does it force you to go to bed?	*Vous oblige-t-elle à vous coucher ?*
Do you have to take painkillers?	*Devez-vous prendre des calmants ?*
Do you take non-steroidal inflammatory drugs (NSAIDs)?	*Prenez-vous des anti-inflammatoires non stéroïdiens (AINS) ?*
Do you experience any side effects when taking the drugs?	*Avez-vous ressenti des effets secondaires pendant la prise de ces médicaments ?*
Does the pain oblige you to lie still?	*La douleur vous oblige-t-elle à rester allongé sans bouger ?*
Does it force you to double up?	*Vous oblige-t-elle à vous recroqueviller ?*
Is it just a mild discomfort?	*Est-ce une douleur modérée ?*
Is it a nagging pain?	*Est-ce une douleur continue ?*
Is it a burning sensation?	*Avez-vous une impression de brûlure ?*
Is it a stabbing pain?	*Avez-vous l'impression d'un coup de poignard ?*
Is it a gnawing pain?	*Est-ce une douleur qui ronge ?*
Is it a throbbing pain?	*Est-ce une douleur battante / pulsatile ?*
Is it a pain that comes and goes?	*Est-ce une douleur intermittente ?*
Is it a gripping pain?	*Avez-vous l'impression de crampes ?*
Does anything ease / relieve the pain?	*Est-ce que quelque chose calme la douleur ?*
lying still?	*être couché ?*
lying doubled up?	*être plié en deux ?*
lying in the foetal position?	*être en chien de fusil ?*
lying crouched?	*être accroupi ?*
going to the toilet?	*aller à la selle ?*
Does the pain spread?	*La douleur irradie-t-elle ?*
to the back?	*dans le dos ?*
to the shoulder?	*dans l'épaule ?*
upwards?	*vers le haut ?*
downwards / lower down?	*vers le bas ?*
What is the pain like?	*Décrivez-moi la douleur.*
abdominal tenderness?	*sensibilité abdominale ?*
episodic pain?	*douleur épisodique ?*
mild pain?	*douleur discrète ?*
excruciating pain?	*douleur atroce ?*
insidious onset of pain	*douleur à début insidieux*
The abdominal pain is post-prandial and colicky.	*La douleur abdominale postprandiale est de type colique.*
The pain is relieved by eating.	*La douleur est soulagée en mangeant.*
by drinking.	*en buvant.*
by passage of flatus.	*après émission de gaz.*
by passage of stools.	*après défécation.*
by fasting.	*par le jeûne.*
by leaning forward.	*en se penchant vers l'avant.*
by assuming a knee-chest position.	*en position genu-pectorale.*
by stooping.	*en se courbant.*
by lying down.	*en s'allongeant.*
Are the symptoms aggravated by bending over?	*Est-ce que les symptômes sont aggravés en se penchant ?*
by straining?	*en faisant un effort ?*
by lying in a supine position?	*en s'allongeant sur le dos ?*
Does the pain disturb your sleep?	*Est-ce que votre sommeil est troublé par la douleur ?*
bowel habit	*transit intestinal*
Have you experienced any abdominal bloating?	*Vous arrive-t-il d'être ballonné ?*
gas	*gaz intestinaux*
flatulence	*flatulence / ballonnement*
Does it affect breathing?	*Est-ce que cela entraîne une gêne respiratoire ?*
Is it relieved by belching / burping?	*Etes-vous soulagé quand vous rotez ?*
Do you have a sensation of fullness?	*Avez-vous une sensation de plénitude / réplétion ?*
Are you rapidly satisfied?	*Etes-vous vite rassasié ?*
Do you have altered bowel habits?	*Allez-vous à la selle régulièrement ?*
How often a day does he have bowel movements?	*Combien de fois va-t-il à la selle par jour ?*
When did you have your last bowel movement?	*Quand êtes-vous allé à la selle pour la dernière fois ?*
alternating bouts of diarrhoea and constipation	*alternances de diarrhée et de constipation*
Do you have diarrhoea?	*Avez-vous de la diarrhée ?*
Is the diarrhoea painful?	*Est-ce que la diarrhée est douloureuse ?*

Are you often constipated? — *Etes-vous souvent constipé ?*
Are the stools abundant? — *Les selles sont-elles abondantes ?*
Are they bulky / heavy? — *Sont-elles abondantes ?*
Are your stools lightly coloured? — *Vos selles sont-elles légèrement colorées ?*
What do your stools look like? — *Quel est l'aspect de vos selles ?*
brown? — *marron ?*
black? — *noires ?*
tar black? — *noir goudron ?*
pale? — *claires ?*
white? — *décolorées ?*
silver? — *argentées ?*
Is their smell offensive? — *Leur odeur est-elle désagréable ?*
What is their consistency? — *Quelle est leur consistance ?*
hard? — *dure ?*
soft? — *molle ?*
dry? — *sèche ?*
watery? — *liquide ?*
frothy? — *mousseuse ?*
Are the stools accompanied by large amounts of mucous? — *Est-ce que les selles sont accompagnées de grandes quantités de glaires ?*
mucous stools — *selles glaireuses*
Have you ever passed mucus or pus? — *Avez-vous déjà fait des glaires ou du pus ?*
Do you experience continuous rectal bleeding? — *Avez-vous toujours du sang dans les selles ?*
Have you ever passed any blood in your stools? — *Avez-vous déjà eu du sang dans vos selles ?*
mixed with the faeces? — *mélangé aux selles ?*
on the surface? — *à la surface ?*
after passing the stools? — *après les selles ?*

B. Physical examination / *Examen physique*

<u>abdominal examination</u> — <u>*examen abdominal*</u>
I am going to examine your abdomen. — *Je vais examiner votre ventre.*
Lie down on your back with your knees flexed / bent. — *Allongez-vous sur le dos et fléchissez les genoux.*
Relax. — *Détendez-vous.*
Breathe in and out slowly with your mouth open. — *Inspirez et expirez calmement en gardant la bouche ouverte.*
movements of the abdominal wall — *mobilité respiratoire de l'abdomen*
a scar — *une cicatrice*
striae / stretch marks — *des vergetures*
distended veins — *circulation collatérale*
<u>palpation</u> — <u>*palpation*</u>
light palpation — *palpation superficielle*
deep palpation — *palpation profonde*
succussion splash — *signe du glaçon*
palpation for the hernial orifices — *palpation des orifices herniaires*
the right lower quadrant (RLQ) — *le quadrant inférieur droit (QID)*
Does it hurt when I press here? — *Avez-vous mal quand j'appuie ici ?*
Is the pain worse when I let it go suddenly? — *La douleur est-elle plus vive quand je relâche brusquement ?*
tenderness — *sensibilité*
rigidity — *contracture*
rebound tenderness — *douleur à la décompression*
tender to palpation — *sensible à la palpation*
guarding — *défense*
abdominal rigidity / board-like rigidity — *ventre de bois*
signs of general peritonitis — *signes d'une péritonite généralisée*
<u>palpation for the abdominal viscera</u> — <u>*palpation des organes abdominaux*</u>
site — *siège*
size — *volume / taille*
shape — *forme*
consistency — *consistance*
outline — *contour*
surface — *surface*
edge — *bord*
straight lower edge — *bord inférieur régulier*
irregular — *irrégulier*
sharp — *tranchant*
thick — *épais*
mobility — *mobilité*
fixity — *fixité*
a normal-sized liver — *un foie de taille normale*
hepatomegaly / enlargement of the liver — *hépatomégalie*
an enlarged liver — *un foie augmenté de volume*
palpation for masses — *palpation à la recherche de masses anormales*
a cystic mass — *un kyste*
distended gallbladder on palpation — *distension de la vésicule biliaire à la palpation*
splenomegaly — *splénomégalie*
<u>bowel sounds</u> — <u>*sons intestinaux*</u>
borborygmus / gurgling — *borborygmes / gargouillis*
rumbling noise — *gargouillement*
percussion — *percussion*
dullness — *matité*
tympanitic — *sonore*
tympanism — *sonorité / tympanisme*
shifting dullness — *matité déclive*
<u>proctology</u> — <u>*proctologie*</u>
I am going to examine your back passage. — *Je vais vous faire un toucher rectal.*

a rectal examination (RE)	*un toucher rectal (TR)*
Is defecation painful?	*Avez-vous des douleurs à la défécation ?*
Is the pain always related to defecation?	*La douleur est-elle toujours liée à la défécation ?*
fistula in ano	*fistule anale*
anal fissure	*fissure anale*
prolapsus	*prolapsus*
examination of the faeces	*examen des selles*

4. Complementary exams — *Examens complémentaires*

screening	*le dépistage*
screen	*dépister*
endoscopy	*l'endoscopie*
an endoscope / a lighted tube	*un endoscope*
a rigid endoscope	*un endoscope rigide, un tube rigide*
a flexible endoscope	*un fibroscope*
fibre / fiber-optic endoscopy	*fibroscopie*
endoscopist	*endoscopiste*
gastroscopy	*la gastroscopie / fibroscopie gastrique*
proctoscopy	*rectoscopie*
sigmoidoscopy	*sigmoïdoscopie*
colonoscopy	*côlonoscopie*
radiology	*examen radiologique*
plain abdominal X-ray / plain film of the abdomen (PFA)	*radiographie de l'abdomen sans préparation (ASP)*
CT scan	*scanner*
erect	*debout*
supine / lying on the back	*décubitus dorsal / couché sur le dos*
prone / lying on the face / lying on the stomach / lying on the front / lying face down	*décubitus ventral / couché sur le ventre*
barium meal	*bouillie barytée*
barium enema	*lavement baryté*
double contrast barium radiography	*lavement baryté en double contraste*
absence of the gastric bubble	*absence de la poche à air gastrique*
symmetrical narrowing at the oesophagogastric junction	*rétrécissement symétrique de la jonction œsogastrique*
oral cholecystography	*cholécystographie orale*
intravenous cholangiography	*cholangiographie intra-veineuse*
percutaneous transhepatic cholangiography (PTC)	*cholangiographie percutanée transhépatique*
endoscopic retrograde cholangiopancreato-graphy (ERCP)	*cholangiopancréatographie rétrograde endoscopique (CPRE)*
a biliary stent	*une prothèse biliaire*
angiography	*angiographie*
a well-displayed / well-defined gallbladder	*une vésicule biliaire bien visible / bien définie*
an ill-defined / badly-defined gallbladder	*un vésicule biliaire mal définie / mal vue*
fibrosis of biliary tract	*fibrose des canaux biliaires*
stricture of biliary tract	*rétrécissement des canaux biliaires*
primary / secondary / recurrent stones in bile duct	*calculs primaires / secondaires / récurrents du cholédoque*
hepatic angiography	*angiographie hépatique*
magnetic resonance imaging (MRI)	*imagerie par résonance magnétique (IRM)*
bili-MRI	*bili-IRM*
isotope scan	*scintigraphie*
ultrasound scan	*échographie*
needle biopsy of the liver	*ponction biopsie hépatique (PBH)*
liver function tests	*exploration fonctionnelle hépatique*
total bilirubin	*bilirubine totale*
direct bilirubin	*bilirubine conjuguée / directe*
alkaline phosphatase	*phosphatase alcaline*
gamma GT	*gamma GT*
serum protein	*protéines sériques*
albumin	*albumine*
globulin	*globuline*
serum aminotransferase	*transaminases*
serum cholesterol	*cholestérol*
prothrombin time	*taux de prothrombine*
serum iron	*fer sérique*
alpha foetoprotein	*alpha fœtoprotéine*
hepatitis B surface antigen	*antigène HBs*
serum amylase	*amylasémie*
serum lipase	*lipasémie*
glucose tolerance test	*hyperglycémie provoquée par voie orale*

5. Diseases — *Maladies*

peritonitis	*péritonite*
appendicitis	*appendicite*
diverticulis	*diverticulite*
diverticulosis	*diverticulose*
<u>diseases of the oesophagus</u>	*<u>maladies de l'œsophage</u>*
pharyngeal motility disorders	*troubles de la motilité pharyngée*
upper oesophageal sphincter motility disorders	*troubles de la motilité du sphincter œsophagien supérieur*
achalasia	*achalasie*
cardiospasm	*cardiospasme*
diffuse oesophagus spasm	*spasme œsophagien diffus*
gastroesophageal reflux disease (GERD)	*reflux gastro-œsophagien*
oesophagitis	*œsophagite*
oesophageal diverticulum (diverticula)	*diverticule (diverticules) de l'œsophage*
pyrosis / heartburn	*pyrosis / aigreurs d'estomac*
<u>stomach</u>	*<u>estomac</u>*
pylorospasm	*pylorospasme*
pyloric stenosis	*sténose hypertrophique du pylore*
narrowing of the pyloric sphincter	*rétrécissement du sphincter pylorique*
peptic ulcer	*ulcère gastro-duodénal*
duodenitis	*duodénite*
gastritis	*gastrite*
dyspepsia	*dyspepsie*
<u>disorders of the bowel</u>	*<u>troubles du côlon</u>*
disorders of the gut	*troubles de l'intestin*
ulcerative colitis	*colite ulcéreuse / rectocolite hémorragique*
colorectal cancer	*carcinome du côlon et du rectum*
enteritis	*entérite*
flatus	*flatulence*
flatulence	*des flatulences*
inflammatory bowel disease	*affections intestinales inflammatoires non spécifiques*
Crohn's disease	*maladie de Crohn / iléite régionale / entérite régionale*
irritable bowel syndrome (IBS) / irritable colon / spastic colitis	*syndrome d'irritation gastro-intestinale / syndrome du côlon irritable (SCI)*
cramping	*des crampes*
traveller's diarrhoea / Montezuma's revenge / turista / Tut's tummy	*la tourista / la diarrhée du voyageur*
constipation intractable to laxative treatment	*constipation rebelle au traitement laxatif*
ileus / intestinal obstruction	*occlusion intestinale*
adynamic ileus	*iléus paralytique*
diaphragmatic / hiatal hernia	*hernie diaphragmatique / hiatale*
umbilical hernia	*hernie ombilicale*
inguinal hernia	*hernie inguinale*
<u>disorders of the pancreas</u>	*<u>maladies du pancréas</u>*
pancreatitis	*pancréatite*
chronic pancreatitis	*pancréatite chronique*
<u>disorders of liver and biliary tracts</u>	*<u>maladies du foie et des voies biliaires</u>*
distorted liver	*foie déformé*
fatty liver / steatosis	*stéatose du foie*
asymptomatic hepatomegaly	*hépatomégalie asymptomatique*
acute alcoholic hepatitis	*hépatite alcoolique aiguë*
cirrhosis	*cirrhose*
viral hepatitis	*hépatite virale*
hepatitis A / infectious hepatitis	*hépatite virale A*
faecal contamination of food and water	*contamination fécale des aliments et de l'eau*
hepatitis B	*hépatite virale B*
hepatitis C	*hépatite C*
fulminant hepatitis	*hépatite fulminante*
auto-immune hepatitis	*hépatite auto-immune*
chronic active hepatitis	*hépatite chronique active*
drug-induced liver injury	*hépatite médicamenteuse*
hepatocellular carcinoma	*carcinome hépatocellulaire*
jaundice	*ictère*
obstructive jaundice	*ictère obstructif*
biliary colic	*colique hépatique*
reduced biliary excretion	*excrétion biliaire diminuée*
pruritus	*prurit*
malignant obstruction of the common biliary duct	*obstruction maligne du cholédoque*
gallstones / biliary calculi	*calculs biliaires*
cholecystitis	*cholécystite*
cholelithiasis	*lithiase biliaire*
cholestasis	*cholestase*
drug-induced intrahepatic cholestasis	*cholestase intrahépatique médicamenteuse*
bland cholestasis	*stase biliaire modérée*
inflammatory cholestasis	*stase biliaire inflammatoire*
primary biliary cirrhosis (PBC)	*cirrhose biliaire primitive (CBP)*
primary sclerosing cholangitis (PSC)	*cholangite sclérosante primitive*
<u>anus</u>	*<u>anus</u>*
haemorrhoids (GB.) / hemorrhoids (US.) / piles	*hémorroïdes*
<u>eating habits</u>	*<u>hygiène alimentaire</u>*
anorexia nervosa	*anorexie mentale*
weight loss	*perte de poids*
loss of appetite	*perte d'appétit*
bulimia	*boulimie*

overeating	*ingestion excessive d'aliments*	lack of dietary fibre	*manque de fibres cellulosiques*
obesity	*l'obésité*	roughage	*ballast intestinal*

6. Treatment — *Traitement*

<u>against heartburn</u>	*<u>contre les aigreurs d'estomac</u>*
antacid therapy	*traitement antiacide*
antacids	*les antiacides*
neutralise the hydrochloric acid	*neutraliser l'acide chlorhydrique*
lessen the burning sensation	*diminuer la sensation de brûlure*
avoid alcohol	*éviter l'alcool*
avoid coffee	*éviter le café*
<u>anti-flatulence therapy</u>	*<u>traitement anti-ballonnement</u>*
Eat slowly.	*Mangez lentement.*
No chewing gum.	*Pas de gomme à macher.*
No fizzy drinks.	*Pas de boisson gazeuse.*
No foods from the cabbage family.	*Pas d'aliments de la famille des choux.*
<u>against constipation / diarrhoea</u>	*<u>contre la constipation / la diarrhée</u>*
avoid chocolate	*éviter le chocolat*
mild cathartic	*laxatif doux*
stool bulking agent	*diluant des selles / mucilage*
high-fibre diet	*alimentation riche en fibres*
bran meal	*farine de son*
<u>management of piles</u>	*<u>traitement des hémorroïdes</u>*
rubber band litigation	*ligature*
piles dry up and fall off	*les hémorroïdes sèchent et se détachent*
infrared photocoagulation	*la photocoagulation à infrarouge*
coagulate	*coaguler*
<u>surgery</u>	*<u>chirurgie</u>*
colostomy	*colostomie*
a surgical stoma	*un anus artificiel*
gastrectomy	*gastrectomie*
truncal vagotomy	*vagotomie tronculaire*

7. Abbreviations — *Sigles*

AA	alcoholics anonymous	*AA*	*alcooliques anonymes*
Abd	abdomen	-	*abdomen*
aFP	alphafetoprotein	*aFP*	*alpha fœto-protein*
ALAT	alanine aminotransferase / SGPTserum glutamic-pyruvic transaminase	*SGPT*	*serum glutamic-pyruvic transaminase*
ALP	alkaline phosphatase	*PA*	*phosphatases alcalines*
ASAT	aspartate aminotransferase / SGOTserum glutamic-oxalo-acetic transaminase	*SGOT*	*serum glutamic-oxalo-acetic transaminase*
BaE:	barium enema	*LB*	*lavement baryté*
BaM	barium meal	*TOGD*	*transit œso-gastro- duodénal*
Bili	bilirubin	*Bili*	*bilirubine*
BNO	bowels not opened	-	*n'est pas allé à la selle*
CEA	carcinoembryonic antigen	*ACE*	*antigène carcino-embryonnaire*
CT scan	computed tomography scan	-	*scanner*
D&V	diarrhoea and vomiting	-	*diarrhée et vomissement*
DU	duodenal ulcer	-	*ulcère duodénal*
ERCP	endoscopic retrograde cholangio-pancreatography	*CPRE*	*cholangiopancréatographie rétrograde endoscopique*
FOB	faecal occult blood	-	*sang fécal*
GERD	gastroesophageal reflux disease	*RGO*	*reflux gastrœsophagien*
GI	gastrointestinal	-	*gastro-intestinal*
GIT	gastrointestinal tract	*TD*	*tube digestif*
GB	gallbladder	*VB*	*vésicule biliaire*
GU	gastric ulcer	-	*ulcère gastrique*
IBS	irritable bowel syndrome / irritable colon colitis / spastic colitis	*SCI*	*syndrome du côlon irritable / syndrome d'irritation gastro-intestinale*

LFT	liver function test	*BH*	*bilan hépatique*
LHC	left hypochondrium	-	*hypochondre gauche*
LIF	left iliac fossa	*FIG*	*fosse iliaque gauche*
LLQ	left lower quadrant	*QIG*	*quadrant inférieur gauche*
LUQ	left upper quadrant	*QSG*	*quadrant supérieur gauche*
MRI	magnetic resonance imaging	*IRM*	*imagerie par résonance magnétique*
NSAID	non-steroidal inflammatory drug	*AINS*	*anti-inflammatoire non stéroïdien*
N&V	nausea and vomiting	-	*nausée et vomissement*
OLT	orthotopic liver transplantation	*TH*	*transplantation hépatique*
PBC	primary biliary cirrhosis	*CBP*	*cirrhose biliaire primitive*
PFA	plain film of the abdomen	*ASP*	*abdomen sans préparation*
PSC	primary sclerosing cholangitis	-	*angiocholite sclérosante primitive*
PTC	percutaneous transhepatic cholangiography	-	*cholangiographie percutanée transhépatique*
PU	peptic ulcer	-	*ulcère gastro-duodénal*
RE	rectal examination	*TR*	*toucher rectal*
RHC	right hypochondrium	*HCD*	*hypocondre droit*
RIF	right iliac fossa	*FID*	*fosse iliaque droite*
RIH	right inguinal hernia	-	*hernie inguinale droite*
RLQ	right lower quadrant	*QID*	*quadrant inférieur droit*
RUQ	right upper quadrant	*QSD*	*quadrant supérieur droit*
UC	ulcerative colitis	*RCUH*	*recto-colite ulcéro-hémorragique*
VH	viral hepatitis	*HV*	*hépatite virale*
VIP	vasoactive intestinal polypeptide	*VIP*	*vasoactive intestinal polypeptide*
ZE	Zollinger-Ellison syndrome	*ZE*	*syndrome de Zollinger-Ellison*

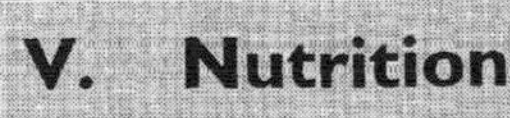

V. Nutrition — *Nutrition*

I. Underweight — *L'insuffisance pondérale*

eating disorders (ED)	*troubles de l'alimentation*
an ED sufferer	*une personne atteinte de troubles de l'alimentation*
thinness	*la minceur*
a trim figure	*une silhouette mince*
thin down	*maigrir*
stay / keep thin	*rester mince*
slim	*maigrir*
slim	*mince / svelte*
slim down	*perdre du poids*
lean	*maigre*
leanness	*maigreur*
a spare figure	*sec d'aspect*
slender	*mince / svelte*
slenderness	*minceur / sveltesse*
lithe	*souple*
lean body tissue	*tissus maigres*
a small body frame	*un petit gabarit*
skinny / skeleton thin	*osseux/ squelettique*
be a light eater	*avoir un petit appétit*
a light meal	*un repas léger*
a spare meal	*un repas frugal*
increase the appetite	*augmenter l'appétit*
hunger strike	*grève de la faim*
go on a hunger strike	*faire la grève de la faim*
starve oneself	*s'interdire de manger*
anorexia nervosa	*l'anorexie mentale*
psychiatric illness	*maladie psychiatrique*
young adulthood / teenage	*l'adolescence*
upper / middle economic background	*milieu social d'origine élevé / moyen*
nibble	*grignoter*
pick and choose	*manger du bout des lèvres*
binge eating	*se bourrer de nourriture*
an eating binge	*une orgie de nourriture*
binge-purge behaviour	*alternance de boulimie et vomissements*
self-induced vomiting	*vomissement spontané / provoqué*
gorging followed by vomiting	*vomissement suite à suralimentation*
overachieving behaviour	*vouloir faire mieux que les autres / comportement de réussite générale*
emotional deprivation	*sevrage affectif*

exposure to acid in vomits	*contact acide lors du vomissement*
absent menstruation	*règles absentes*
developing countries	*pays en voie de développement*
underdeveloped countries	*pays sous-développés*
be / feel hungry	*avoir faim*
go hungry	*ne pas manger à sa faim*
hunger	*la faim*
starvation	*famine*
worm disease	*parasitose*
have taeniasis / tape worm	*avoir le ténia*
have worms	*avoir des vers*
diarrhoea (GB) / diarrhea (US)	*diarrhée*
increased susceptibility to infection	*susceptibilité accrue aux infections*
cold intolerance	*intolérance au froid*
dry hair	*cheveu sec*
hair loss	*chute des cheveux*
tooth decay	*caries dentaires*
gum infections	*affections gingivales*
eroded / pitted enamel	*émail entamé / moucheté*
underlying undiagnosed diseases	*maladies sous-jacentes / latentes non diagnostiquées*
result of inadequate nutrition	*conséquences d'une alimentation inadaptée*

2. Overweight — *Le surpoids*

fat	*gras / les graisses*
be fat	*être gras / gros*
fat cell	*cellule graisseuse*
fat distribution	*répartition des graisses*
fat reserve	*réserves de graisse*
fat storage	*accumulation de graisses*
unsightly fat	*l'embonpoint disgracieux*
unneeded fat	*excès de graisse*
unwanted fat	*graisse superflue*
fatty areas	*tissus adipeux*
cellulite	*la cellulite*
process fat	*transformer la graisse*
build up / accumulate fat	*accumuler de la graisse*
settle / deposit	*se déposer*
at / around the waist	*à la taille*
down the back / the thighs	*dans le dos / sur les cuisses*
adipose tissue	*tissus adipeux*
deposits associated with	*dépôts associés à*
deposition of fatty materials	*le dépôt de matières grasses / lipidiques / graisseuses*
fatness	*embonpoint*
well-fed	*bien nourri*
be stout	*être corpulent*
a portly gentleman	*un monsieur corpulent*
portliness	*corpulence / forte taille*
a podgy young lady	*une jeune fille grassouillette*
podgy fingers	*doigts boudinés*
a chubby baby	*un enfant potelé*
a plump lady	*une dame rondelette / bien en chair*
plumpness	*formes amples / rondeurs*
fleshy	*bien en chair*
develop a paunch	*prendre de la brioche*
a pot	*un gros ventre / une bedaine*
be pot-bellied	*ventru / bedonnant*
have a spare tyre	*avoir un gros bourrelet à la taille*
blob of fat	*amas de graisse*
saddlebag thighs	*culotte de cheval*
a beer belly	*panse (de buveur de bière)*
heavy buttocks	*gros derrière*
become flabby / be flabby	*devenir flasque / s'avachir*
a fatty	*un gros lard*
the dangers of obesity	*les dangers de l'obésité*
the balance of hormones	*l'équilibre hormonal*
triglycerides	*triglycerides*
fatty acid	*acides gras*
cholesterol	*le cholestérol*
the level of cholesterol	*le taux de cholestérol*
raise the odds of	*augmenter les risques de*
raise the risk by a factor of 3	*multiplier le risque par 3*
reduce / lower the risks ten fold	*diminuer le risque par dix*
attending / associated with	*qui accompagne / associé à*
ill effects	*effets néfastes*
heart disease	*maladie cardiaque*
high blood pressure	*tension artérielle élevée*
have diabetes	*être diabétique*
gallstones	*calculs rénaux*
respiratory disorders	*troubles respiratoires*
degenerative changes in the joints	*lésions articulaires dégénératives*
weight: physical exam	*le poids : examen physique*
the bathroom scales	*pèse-personne / pèse-bébé*
Pop up on the scales please.	*Montez sur la balance s'il vous plaît.*
a weighing machine	*une bascule*
Step onto the weighing machine.	*Montez sur la bascule.*
How heavy are you?	*Quel est votre poids ?*
What is your weight?	*Quel poids faites-vous ?*
My weight is 220 pounds.	*Je fais 100 kilos.*

What's your heaviest weight?	*Quel est votre poids maximum ?*
What's your lightest weight?	*Quel est votre poids minimum ?*
imperial system (GB) / avoirdupois system (US)	*système avoirdupois*
one ounce (1 oz)	*28,34 gr / 1 once*
one pound (1 lb)	*0.45 kg / 1 livre*
two point two pounds (2.2 lb)	*1 kg*
one stone (1 st) = 14 lb	*6.36 kg*
weight gain	*prise de poids*
gain weight / in weight	*prendre du poids / grossir*
put on weight	*prendre du poids*
put back on weight	*reprendre le poids perdu*
I've gained 10 pounds in weight.	*J'ai pris / grossi de 5 kilos.*
be above the ideal weight	*être au-dessus du poids idéal*
be 20 pounds above the ideal weight	*avoir 10 kilos de trop par rapport au poids idéal*
below the ideal weight	*en dessous du poids idéal*
be very heavy in weight	*avoir un poids considérable*
excess weight	*poids excessif*
obese	*obèse*
be medically overweight	*être en surcharge pondérale*
grossly overweight	*obésité sévère / morbide*
body weight	*poids du corps*
body mass index (BMI)	*indice de masse corporelle (IMC)*
the weight to squared height ratio	*le rapport poids / taille au carré*
the height / weight table	*la table du rapport taille / poids*
You weigh an appropriate amount for your height.	*Vous avez un poids en rapport avec la taille.*
waist to hip ratio	*rapport taille sur hanche*

3. Overweight management — *Comment traiter le surpoids ?*

an altered body image	*une image du corps altérée*
a distorted body image	*une image du corps déformée*
feel ill at ease	*se sentir gêné / mal à l'aise*
neglected	*négligé*
ostracised	*rejeté*
ridiculous	*ridicule*
I've moved up a dress size.	*J'ai grossi d'une / j'ai pris une taille.*
let out the belt one notch	*desserrer sa ceinture d'un cran*
I can't fit in a seat any more.	*Je n'arrive plus à m'asseoir.*
a "togs for hogs" shop	*magasin de vêtements pour les grandes tailles*
right size clothes	*vêtements à la bonne taille*
meeting the specialist	*la consultation du spécialiste*
a dietician	*un diététicien*
a diet doctor / specialist	*un spécialiste en diététique*
a registered dietician	*un diététicien patenté / reconnu*
consult a dietician for specific food recommendations	*consulter un diététicien pour des conseils alimentaires précis*
an endocrinologist	*un endocrinologue*
a weight-loss clinic	*une clinique pour maigrir*
a medical obesity centre	*une clinique pour obèses*
Why are you overweight?	*Pourquoi êtes-vous en surpoids ?*
stop smoking	*arrêter de fumer*
hereditary factors	*facteurs héréditaires*
heredity	*hérédité*
ancestry	*ascendance*
next of kin	*parents proches*
be passed down / transmitted to future generations	*se transmettre / être légué aux générations suivantes*
be on the stout / fat side	*être du genre corpulent / plutôt gras*
history of overweight	*histoire de l'obésité*
Were you overweight as a child?	*Etiez-vous très gros quand vous étiez enfant ?*
I used to be greedy as a child.	*Enfant, j'étais gourmand.*
Could you tell me more about your family background?	*Pouvez-vous m'en dire plus sur votre milieu d'origine ?*
Are your parents overweight?	*Vos parents sont-ils très gros ?*
What about your wife?	*Qu'en est-il de votre femme ?*
husband	*mari*
partner	*compagnon*
What was your weight when you joined the Army?	*Combien pesiez-vous en arrivant au service militaire ?*
What was your weight when you got pregnant for the first time?	*Combien pesiez-vous lors de votre première grossesse ?*
What was your weight before your first pregnancy?	*Combien pesiez-vous avant votre première grossesse ?*
after your first pregnancy?	*après votre première grossesse ?*
Do you remember when you began to put on weight?	*Vous rappelez-vous quand vous avez commencé à grossir ?*
Was it when you reached the age of menopause?	*Etait-ce à l'âge de la ménopause ?*

when you started taking the pill?	*quand vous avez commencé a prendre la pilule ?*
as a teenager / in your teens?	*à l'adolescence ?*
cultural emphasis on food	*valorisation culturelle de la nourriture*
family emphasis on food	*valorisation familiale de la nourriture*
a low activity level	*un faible niveau d'activité*
a lack of exercise	*un manque d'exercice*
lack exercise	*manquer d'exercice*
an endocrine disease	*une maladie endocrinienne*
inquiring about eating patterns	*renseignements sur les habitudes alimentaires*
have an appetite	*avoir de l'appétit*
eat with an appetite	*manger avec appétit*
be a hearty eater	*avoir un solide appétit*
help oneself to	*se servir en / de*
help oneself to some more	*en reprendre*
I can't help it.	*Je ne peux pas m'en empêcher.*
I must have a second helping.	*Il faut que je reprenne une autre portion / que je me resserve.*
take a helping of	*se servir en / de*
I've had three helpings.	*J'en ai pris trois fois.*
addicted to food	*ne pas pouvoir se passer de nourriture*
crave for food	*avoir un besoin maladif de manger*
be ravenously hungry	*avoir une faim de loup*
bolt a meal	*expédier un repas*
have a stodgy meal	*manger un repas bourratif*
a substantial meal	*un repas copieux*
fattening food	*nourriture qui fait grossir*
gorge oneself with food	*se gaver de / se bourrer de nourriture*
hog food	*s'empiffrer*
pig out on food	*se goinfrer*
a greedy hog	*un vrai goinfre*
wolf down	*engloutir*
overeat	*manger avec excès*
overeating	*suralimentation*
be overfed	*être suralimenté*
eat oneself sick	*manger à se rendre malade*
Don't gulp your food.	*Mâchez avant d'avaler.*
gulp down	*engloutir*
bulimia	*boulimie*
be a compulsive eater	*ne pas pouvoir s'empêcher de manger*
fear to run out of	*peur de (venir à) manquer de*
She went through an episode of over-eating before her breakdown.	*Elle a eu un passage / une période de suralimentation avant sa dépression.*
have a snack	*prendre un en-cas*
Do you have snacks in between meals?	*Prenez-vous quelque chose entre les repas ?*
breakfast	*petit déjeuner*
lunch	*repas de midi*
dinner	*repas consistant tôt le soir*
supper	*repas léger tard le soir*
eat at all times of the day	*manger à toute heure*
eat in the work place	*manger sur le lieu de travail*
nibble	*grignoter*
be a foodie	*aimer la bonne bouffe*
be a food-fancier	*être amateur de bonne chère*
a wine-fancier	*bien s'y connaître en vin*
enjoy good food	*aimer bien manger*
What do you do for a living?	*Que faites-vous dans la vie ?*
I am a cook / a chef.	*Je suis cuisinier / chef de cuisine.*
a sales representative	*un VRP*
eat out a lot	*manger souvent à l'extérieur*
have no fixed time for meals	*ne pas manger à heures fixes*
Do you have to skip meals?	*Devez-vous sauter des repas ?*
How many aperitifs a day do you have?	*Vous prenez combien d'apéritifs par jour ?*
Which is your favourite dish?	*Quel est votre plat préféré ?*
Do you prefer salty or sugary foods?	*Préférez-vous des aliments salés ou sucrés ?*
Are you keen on sweets?	*Aimez-vous beaucoup les sucreries ?*
Do you have a sweet tooth?	*Aimez-vous ce qui est délicat ?*
Do you like hot-tasting dishes?	*Aimez-vous les plats épicés ?*
Do you have cheese at every meal?	*Prenez-vous du fromage à chaque repas ?*
Do you like your food to be nice and sweet?	*Aimez-vous que ce que vous mangez soit bien sucré ?*
Who cooks meals at home?	*Qui prépare les repas chez vous ?*
attractively prepared and tasty meals	*repas appétissants qui ont du goût*
Do you cook your own meals?	*Préparez-vous vos repas vous-même ?*
involved with the food preparation	*impliqué dans la préparation de la nourriture*
Do you buy pre-cooked food?	*Achetez-vous des plats préparés ?*
Do you eat out alone or do you have family meals?	*Prenez-vous vos repas seul ou en famille ?*
cooking habits	*habitudes culinaires*
How long do your meals last?	*Combien de temps passez-vous à table ?*
What kind of oil do you use to cook your meals?	*Quel type d'huile utilisez-vous ?*

Do you cook with oil or vegetaline ?	*Cuisinez-vous à l'huile ou à la végétaline ?*
Do you use butter or margarine?	*Utilisez-vous du beurre ou de la margarine ?*
Do you fry food with butter or margarine?	*Pour la friture, vous utilisez du beurre ou de la margarine ?*
What do you use to fry your food?	*Quel corps gras utilisez-vous habituellement ?*
eat fried food	*manger des fritures*
an amount of fat	*une quantité de graisse / de la graisse*
take in large amounts of fat	*absorber de grandes quantités de graisse*
fatty food	*nourriture grasse*
fat-laden food	*nourriture riche / chargée en graisses*
high in fat	*riche en graisse*
high-fat diet	*régime alimentaire riche en graisse*
saturated fats	*graisses saturées*
polyinsaturated	*polyinsaturées*
monoinsaturated	*monoinsaturées*
raw food	*aliment cru*
<u>behavioural factors</u>	*<u>facteurs comportementaux</u>*
ease a problem by food	*manger pour se soulager*
find solace in food	*se consoler en mangeant*
have an emotional problem	*avoir un problème affectif*
maladaptive behaviour / maladjustment	*inadaptation*
emotional food-related issues	*questions délicates touchant à l'alimentation*
sexual conflict / sex problem	*problème sexuel*
not get on well sexually with	*ne pas s'entendre sexuellement avec*
loneliness	*solitude*
feel lonely	*se sentir seul*
anxiety	*anxiété / angoisse*
I have got to have something to eat every time I've got the blues.	*A chaque fois que j'ai un coup de cafard, il faut absolument que je mange.*
get depressed	*déprimer*
have the blues	*avoir le cafard*
When I feel depressed, I have to have something to eat.	*En cas de déprime, il faut absolument que je mange.*
I am on an antidepressant.	*Je prends un antidépresseur.*
be on a sedative / a tranquilliser	*être sous sédatif*
I've been through a divorce.	*Je viens de divorcer.*
My partner has walked out on me.	*Mon compagnon m'a quitté.*
I eat when I get bored.	*Je mange quand je m'ennuie.*
transfer drug addiction to food addiction	*passer de la toxico-dépendance à la dépendance à la nourriture*
offset weight gain with / by	*compenser la prise de poids par / en*
<u>desirable body weight</u>	*<u>poids idéal</u>*
What's your idea of your ideal body-weight?	*Quel est, pour vous, le poids idéal ?*
desirable body weight calculations	*calcul du poids idéal*
programme to be followed	*programme*
getting motivated	*se motiver*
be aware that one's eating pattern is abnormal	*avoir conscience que sa façon de manger est anormale*
experience fear and guilt associated with	*éprouver de la peur et de la culpabilité associées à*
a secretive behaviour	*un comportement secret / se cacher*
clues to the disorder	*indices du trouble*
peculiar eating habits	*habitudes alimentaires singulières*
I keep weighing myself.	*Je me pèse sans arrêt.*
I can't take my mind off food.	*Je n'arrête pas de penser à la nourriture.*
be obsessed with	*être obsédé par*
getting ready	*être prêt*
losing weight	*mincir*
loss of weight	*perte de poids*
a healthful weight loss	*une perte de poids salutaire / bénéfique*
the figure	*la ligne*
keep one's figure	*garder la ligne*
the waist	*la taille*
the bodyline / waistline	*la silhouette*
shrink	*fondre*
unwanted pounds	*kilos superflus*
trim off pounds	*éliminer des kilos*
shed excess fat	*perdre son embonpoint*
get rid of excess calories	*se débarrasser des calories superflues*
eliminate calories	*éliminer les calories*
beneficial for health	*bénéfique pour la santé*
a health benefit	*un bienfait pour la santé*
fend off illness	*écarter la maladie*
stave off a heart attack	*éviter une crise cardiaque*
seek advice from a registered dietician	*consulter un diététicien qualifié*
<u>dieting</u>	*<u>la mise au régime</u>*
diet / regimen	*régime alimentaire*
dietetics	*la diététique*
dietetic food	*aliment diététique*
diet foodstuffs	*aliments de régime*
a diet therapy	*une cure d'amaigrissement*
diet oneself	*se soumettre à un régime*
go on a diet	*se mettre au régime*
go on a slimming diet	*se mettre au régime amaigrissant*
be on a diet	*être au régime*
a diet	*une personne au régime*

a lean diet	*un régime maigre / sans graisse*
crash diet	*un régime intensif*
fitness cuisine	*cuisine minceur*
eat light	*manger léger*
a low calorie diet / regimen	*régime basses calories*
a low calorie menu	*menu hypocalorique*
a low fat diet	*régime hypo-lipidique*
healthy eating	*alimentation saine*
eat healthy	*manger sainement*
eat right	*manger comme il le faut*
eat sparingly	*manger avec mesure*
less fattening	*moins riche en graisse*
fast	*jeûner*
a fast	*un jeûne*
go / be on a fast	*se mettre à jeûner*
a medically supervised fast	*un jeûne sous contrôle médical*
a nutritionally balanced low-calorie diet	*un régime basse calorie équilibré*
change one's eating habits	*changer ses habitudes alimentaires*
modify habits for weight maintenance	*modifier ses habitudes pour contrôler son poids*
behavioural therapy	*thérapie comportementale*
bring about a behaviour modification / a change in behaviour	*amener un changement de comportement*
bring about a permanent lifestyle change	*apporter un changement définitif de mode de vie*
explaining a well-balanced diet	*Qu'est-ce qu'un régime bien équilibré ?*
achieve a well-balanced diet	*parvenir à un régime alimentaire équilibré*
a balanced diet	*un régime équilibré*
balance a diet	*équilibrer un régime*
not provide any nutrient in excess	*ne pas apporter trop de nutriments*
get the daily requirements of essential vitamins	*prendre sa ration nécessaire de vitamines essentielles / de base*
meet the known nutrient needs	*satisfaire les besoins en nutriments*
get an adequate intake of	*absorber une quantité suffisante de*
intake of appropriate types and amounts of foods and drinks	*absorption d'une quantité suffisante et variée d'aliments et de boissons*
calorie intake	*quantité de calories absorbée / ration calorique*
dietary fat intake	*quantité de graisse absorbée*
contribute significant amounts of vitamins	*apporter des vitamines en quantité largement suffisante*
be plentiful in the food supply	*se trouver en abondance dans la quantité de nourriture*
provide sound nutrition	*apporter une nourriture saine*
weight loss tips	*suggestions pour perdre du poids*
recommendations	*conseils*
assist with weight loss	*aider à la perte de poids*
I'm not going to make unrealistic promises.	*Je ne vais pas vous faire des promesses peu réalistes.*
an adjunct to	*un complément à / une aide pour*
the food guide pyramid	*la pyramide de la bonne alimentation*
recommended daily allowance (RDA)	*apport quotidien recommandé*
the US. Dietary Guidelines (RDA Guidelines)	*conseils pour une bonne hygiène alimentaire*
eat at least 3 meals each day	*faire au moins 3 repas par jour*
eat foods from each of the main Four Food Groups at every meal	*manger un élément de chacun des 4 grands groupes à chaque repas*
Cut down but don't cut off.	*Diminuer : oui, supprimer : non.*
decrease the food intake	*réduire la quantité de nourriture absorbée*
show how a food fits into the overall daily diet	*montrer comment un aliment s'insère dans le régime quotidien*
Start slowly.	*Démarrez lentement.*
Go gently about it.	*Allez-y doucement.*
Mind you don't skip meals.	*Veillez à ne pas sauter de repas.*
keep regular mealtimes	*manger à heures fixes*
restore normal body weight	*ramener le corps à son poids normal / redonner au corps son poids normal*
He must avoid all fats.	*Il faut qu'il évite tout type de graisse.*
combine physical activity and reduced intake on a daily basis	*tous les jours, associer activité physique et quantité réduite*
a combination of consuming fewer calories and behaviour modification	*associer une consommation moindre de calories et un changement dans le comportement*
calories for weight maintenance	*ration calorique pour poids stable*
a consumer brochure	*un livret du consommateur*
programmes advertised to help lose weight	*rubriques de presse pour aider à la perte de poids*
weight to be monitored regularly	*poids à vérifier régulièrement*
settling point / set point	*point d'équilibre pondéral*
fad dieting	*régime non réfléchi / à la dernière mode*
rebound weight gain	*reprise de poids ultérieure*
intentional weight loss	*l'amaigrissement volontaire*

Doctor, are you in favour of becoming vegetarian?	*Docteur, êtes-vous d'accord pour le régime végétarien ?*
Doctor, what do you think of...?	*Docteur, que pensez-vous de... ?*
a diet plan	*un programme pour maigrir*
a suggested meal plan	*un programme de repas suggéré*
I don't think much of becoming...	*Je n'ai pas un très bonne opinion du régime...*
vegan or total vegetarian	*végétalien*
lacto-vegetarian	*végétarien lacté*
lacto-ovo vegetarian.	*végétarien.*
to be recommended before / over red or processed meats	*à recommander de préférence à la viande rouge ou la viande reconstituée*
exercising	*l'exercice physique*
Don't be sedentary.	*Ne soyez pas sédentaire.*
exertion	*l'activité / l'effort physique*
sweat off calories	*perdre des calories par l'exercice intense*
work off calories	*s'activer pour éliminer les calories*
consume calories	*consommer des calories*
use up fuel	*brûler des calories*
speed up the use of fat for fuel	*accélérer la consommation des graisses comme source d'énergie*
enhance a person's self-image	*améliorer l'image de soi-même*
provide a psychological boost	*donner un coup de fouet au moral*
have physical activity	*avoir une activité physique*
to enjoy oneself / for the fun of it	*pour se faire plaisir / pour le plaisir*
out of necessity	*par nécessité*
fight back one's craving for eating	*lutter contre l'envie folle de manger*
enrol for sporting activities	*s'inscrire à une activité sportive*
physical conditioning	*la (re)mise en forme*
shape up	*se mettre en forme*
fitness	*bonne condition physique*
a fitness programme	*un programme de remise en forme*
keep fit	*garder la forme*
moderate exercise	*s'entraîner avec modération*
take regular exercise	*faire du sport régulièrement*
take routine exercise	*faire du sport régulièrement / avoir l'habitude du sport*
an exercise buff	*un adepte de la forme / un fana de sport*
be active	*avoir une activité physique / être actif*
have moderate activity	*avoir une activité modérée*
strenuous activity	*activité intense*
aerobic physical activity	*aérobic/ oxygénation*

cut injuries / cut down on injuries	*réduire le nombre de blessures*
the "no pain no gain" ethics	*adopter la devise « pas de profit sans effort »*
go on a hike	*faire une randonnée*
a hiker	*un randonneur*
hiking	*la randonnée pédestre*
rambling	*la randonnée*
walking	*la marche*
go for a jog	*faire un peu de course à pied / un jogging / footing*
a morning run	*un footing matinal / une petite course le matin*
miscellaneous	*divers*
get / have one's cholesterol checked	*faire vérifier son cholestérol*
lipid status	*bilan lipidique*
a cholesterol-free food product	*un aliment sans cholestérol*
lower cholesterol	*faire baisser le cholestérol*
a cholesterol-lowering drug	*un médicament hypocholestérolémiant*
dampen the appetite	*couper l'appétit*
diet drug	*médicament de régime*
diet pill	*coupe-faim*
an appetite depressant	*un coupe-faim*
gastroplasty / gastric restriction	*gastroplastie / rétrécissement gastrique*
staple the stomach	*rétrécir l'estomac*
limit the amount the stomach can hold	*réduire la quantité absorbable / le volume de l'estomac*
plastic surgery	*chirurgie plastique*
liposuction	*liposuccion*
chemical strategy	*traitement pharmaceutique / approche médicalisée*
block the absorption of	*freiner l'absorption de*
a substitute for	*un succédané de*
speed up the metabolic rate of	*accélérer le métabolisme de*
digestion	*la digestion*
digest / ingest	*digérer / ingérer*
follow-up	*suivi*
a hot line	*une ligne spéciale*
set up a hot line	*installer une ligne spéciale*
a toll-free number	*un numéro vert*
ongoing nutritional follow-up	*suivi nutritionnel permanent*
monitored at follow-up visits	*mis en œuvre lors des visites de suivi*
review supplementation	*faire l'examen des apports complémentaires*
supportive care	*soutien médical*
control weight	*maîtriser son poids*
maintain a low weight	*se maintenir à un poids peu élevé*
join a support group	*devenir membre d'un groupe de soutien*

a weight watcher	*personne qui surveille son poids par un régime*
a self-help group	*un groupe d'entraide*
Overeaters Anonymous	*association d'entraide des boulimiques*
provide a supportive environment for	*créer des conditions favorables autour de*

4. Food — *Les aliments*

general background	*généralités*
food stuffs	*denrées alimentaires*
organic food	*aliments biologiques*
low sugar cereals	*céréales faiblement sucrées*
low sodium	*hypo-sodique*
dietary fibre	*fibre alimentaire*
carbohydrate	*hydrate de carbone*
flavour intensifier	*stimulant du goût*
a food group	*un groupe alimentaire*
dairy products	*laitages*
milk	*lait*
whole milk	*entier*
evaporated milk	*condensé*
powdered milk	*en poudre*
skim milk	*écrémé*
chocolate milk	*lait chocolaté*
low fat milk	*lait allégé*
yoghurt	*yaourt*
cream cheese	*fromage crémeux*
cottage cheese	*fromage maison / domestique*
meat or meat substitute	*viande ou substitut*
meat	*viande*
broiled meat	*grillée*
baked meat	*au four*
fried meat	*frite*
fatty meat	*grasse*
roasted meat	*rôtie*
stewed meat	*bouillie*
organ meat	*abats*
liver	*foie*
frankfurter	*saucisse de Francfort*
sausage	*saucisse*
beef / ox	*viande de bœuf / le bœuf*
pork / pig	*viande de porc / le porc*
veal / calf	*viande de veau / le veau*
lamb	*(viande d') agneau*
mutton / sheep	*viande de mouton / le mouton*
smoked ham	*jambon fumé*
bacon	*bacon*
highly-seasoned meats	*viandes fortement assaisonnées*
corned beef	*bœuf en boite*
poultry	*volaille*
sea food	*produits de la mer*
fish	*poisson*
water packed canned fish	*poisson en boîte au naturel*
oysters	*huîtres*
clams	*palourdes*
lobster	*homard*
shrimp	*crevette*
mussels	*moules*
cockles	*coques*
canned tuna	*thon en boîte*
poultry	*volaille*
egg or egg substitute	*œuf ou substitut*
fried egg	*œuf frit*
whole egg	*œuf (complet)*
egg yolk	*jaune d'œuf*
white of egg	*blanc d'œuf*
potato or potato substitute	*pomme de terre ou substitut*
starchy foods	*féculents*
fried potato / chip	*pomme de terre frite*
mashed potato	*purée de pomme de terre*
crisips	*chips*
creamed / baked white	*à la crème*
rice	*riz*
spaghetti	*spaghetti*
pasta	*pâtes*
noodles	*nouilles*
macaroni	*macaronis*
vegetables	*légumes*
fresh vegetable	*frais*
canned vegetable	*en boite*
frozen vegetable	*surgelé*
green leafy vegetables	*légumes verts à feuilles*
artichoke	*artichaut*
asparagus	*asperge*
eggplant / aubergine	*aubergine*
cooked beets	*betteraves cuites*
carrots	*carottes*
celery	*céleri*
mushrooms	*champignons*
cabbage	*choux*
Brussels sprouts	*choux de Bruxelles*
cauliflower	*chou-fleur*
pumpkin	*citrouille*
cucumber	*concombre*
endive	*endive*
spinach	*épinards*
green beans / French beans	*haricots verts*
dried beans	*haricots secs*
lettuce	*laitue*

lentils	*lentilles*
peas	*petits pois*
radish	*radis*
horseradish	*radis noir*
salad	*salade*
tomato	*tomate*
soup	*soupe*
cream soup	*potage*
fruits and fruit substitutes	*fruits et substituts*
apricot	*abricot*
pineapple	*ananas*
avocado pear	*avocat*
banana	*banane*
cherries	*cerises*
lemon	*citron*
strawberry	*fraise*
orange	*orange*
grapefruit	*pamplemousse*
peach	*pêche*
pear	*poire*
apple	*pomme*
plum	*prune*
grapes	*raisin*
raisin	*raisin sec*
nuts	*fruits secs oléagineux*
peanut	*cacahuètes*
walnut	*noix*
almond	*amande*
hazelnut	*noisette*
smooth peanut butter	*beurre de cacahuètes*
chunky peanut butter	*beurre de cacahuètes avec morceaux*
bread and cereals	*pain et céréales*
white bread	*blanc*
rye bread	*de seigle*
refined whole wheat bread	*complet au blé*
whole wheat toast	*biscotte de farine de blé complète*
whole grain bread	*pain complet*
bread with nuts	*pain aux noix*
bread with raisins	*pain aux raisins*
enriched bread	*pain vitaminé*
saltines (GB) / crackers (US)	*petits biscuits salés*
plain rolls	*pains ronds*
pancakes	*crêpes*
waffles	*gaufres*
biscuits	*gâteaux secs*
fats	*graisses*
margarine	*margarine*
non-dairy creamer	*crème sans lait*
butter	*beurre*
cooking fats and oil	*beurres et huiles de cuisine*
mayonnaise	*mayonnaise*
reduced-fat mayo	*mayonnaise pauvre en graisse*
unsaturated vegetable oil	*huile végétale non saturée*
peanut oil	*huile de cacahuète*
corn oil	*huile de mais*
olive oil	*huile d'olive*
palm oil	*huile de palme*
sunflower oil	*huile de tournesol*
sesame oil	*huile de sésame*
soya-bean oil	*huile de soja*
desserts	*desserts*
jelly	*gelée colorée*
sherbet	*sorbet*
cream	*crème*
fruit ice	*fruit givré*
honey	*miel*
syrup	*sirop*
maple syrup	*sirop d'érable*
marshmallow	*guimauve*
low-fat baked dessert	*dessert cuisiné pauvre en graisse*
ice-cream	*crème glacée*
cake	*gâteau*
cookies	*biscuits américains*
pie	*tourte sucrée*
apple pie	*tourte / tarte au pommes*
pudding	*dessert*
custard	*crème anglaise*
sweets / candies	*bonbons*
beverages	*boissons*
still water	*eau plate*
fizzy water	*eau gazeuse*
tap water (GB) / faucet water (US)	*eau du robinet*
wine	*vin*
beer	*bière*
aperitif	*apéritif*
liqueur	*liqueur*
brandy	*digestif*
tea	*thé*
coffee	*café*
black coffee	*café noir*
white coffee	*café au lait*
carbonated beverage	*boisson gazeuse*
fruit drink / juice	*boisson fruitée*
fruit juice	*jus de fruit*
canned applesauce	*jus de pomme en boîte*
eggnog	*grog*
diet soda	*boisson hypocalorique*
miscellaneous	*divers*
salt	*sel*
pepper	*poivre*
seasoning	*assaisonnement*
spices	*épices*
mustard	*moutarde*
pickles	*condiments*
horseradish	*raifort*
barbecue sauce	*sauce pour barbecue*
chilli / steak sauce	*chili*

gravy	*sauce à viande*
salad dressing	*assaisonnement pour salade*
sugar	***sucre / du sucre***
a lump of sugar	*un morceau de sucre*
caster sugar	*du sucre en poudre*
sweeten	*sucrer*
unsweetened	*non sucré*
table sugar	*sucre ordinaire*
sucrose	*saccharose*
artificial sweetener	*un édulcorant artificiel*
aspartame (NutraSweet)	*aspartame (Canderel)*
artificial colours and flavours	*couleurs et parfums artificiels*
sugar intake	*quantité de sucre absorbée*
the major culprit in tooth decay	*le principal responsable de le carie*
replace nutritious food	*remplacer une nourriture riche / vitaminique*
caffeine in the diet	***le café et l'alimentation***
replace nutrient dense foods	*remplacer une alimentation consistante*
act as an appetite suppressant	*faire l'effet d'un coupe-faim*
an additive in certain food products	*un additif à certains produits alimentaires*
a stimulant	*un excitant*
relieve fatigue or drowsiness	*soulager la fatigue ou l'envie de dormir*
added to an over-the-counter medication	*ajouté à un médicament en vente libre*
Medication inter-reacts with caffeine.	*interaction médica-menteuse avec la caféine*
check medications for possible interactions with caffeine	*vérifier les interactions éventuelles entre le médicament et la caféine*
a diuretic	*un diurétique*
widely consumed	*consommé partout*
decaffeination	*supprimer la caféine*
a caffeinated beverage	*une boisson caféinée*
decaffeinated coffee / decaf	*café décaféiné / déca*
absorbed from the gastrointestinal tract	*absorbé au cours du transit gastro-intestinal*
an average amount of caffeine	*une quantité moyenne de caféine*
monitor consumption closely	*surveiller étroitement la consommation*
tremors	*tremblements*
have difficulty sleeping	*avoir des troubles du sommeil*
other lifestyle habits (diet, alcohol consumption)	*autres habitudes (alimentation, consommation d'alcool)*
withdrawal of caffeine	*sevrage du café*
reduce caffeine intake gradually	*réduire progressivement la quantité de caféine absorbée*
not "sober up" an intoxicated person	*ne pas sevrer de café brutalement*

food labelling	***étiquetage des aliments***
Read the food labels carefully.	*Lisez attentivement les notices alimentaires.*
nutrition facts	*information (sur les aliments)*
a health claim	*une déclaration / une affirmation de*
an FDA approved and regulated Health claim phrase	*une déclaration supervisée et agréé par le ministère de la Santé*
backed by extensive scientific evidence	*amplement démontré scientifiquement*
packaged food	*nourriture sous emballage*
make healthy food choices	*choisir des produits sains*
a serving size	*(la quantité pour) une portion*
an average portion size	*une portion moyenne*
the first four nutrients	*les quatre premiers nutriments*
total fat	*quantité totale de lipides*
Percent Daily Value for vitamin C	*ration journalière de vitamines C en pourcentage*
how much of a vitamin a serving contributes to the total daily diet	*l'apport vitaminique d'une portion par rapport à la quantité mangée chaque jour*
add up to 100%	*se monter à 100 %*
meet the recommendations for	*correspondre aux recommandations concernant*
see how the amount of a nutrient in a serving fits into a 2,000 calorie diet	*voir/ examiner comment une nutriment s'intègre dans un régime alimentaire de 2000 calories*
a nutrient contents claim	*apport vitaminique*
nutritional value of the food	*valeur nutritive de l'aliment*
calorie terms	*quantité calorique / nombre de calories*
eating light	***produits allégés***
be low calorie	*avoir peu de calories / être peu calorique*
reduced calorie	*à quantité réduite en calories*
light / lite (US)	*allégé*
sugar terms	*quantité de sucre*
be sugar free	*être sans / ne pas avoir de sucre*
reduced sugar	*quantité réduite en sucre*
sweet sugary foods	*aliments sucrés avec du sucre naturel*
with / without candy	*avec / sans sucre*
fat terms	*quantité de lipides / de graisses*
salt free	*sans sel*
reduced salt	*hyposodé*
a coffee whitener	*crème pour le café*
restaurant foods	*alimentation de restaurant*
airline foods	*alimentation en vol*

food service vendor	*restaurateur pour collectivités*
a food component	*un composant alimentaire*
Eating a low diet in fat and high in fibre may lower the risk of this disease.	*Un régime hypo-lipidique peut minorer le risque de la maladie.*
caseinate as a milk derivative in foods that claim to be nondairy	*la caséine, produit dérivé du lait, présente dans les aliments censés ne pas en contenir*
people with food sensitivities	*les porteurs d'une allergie alimentaire*
allergies to specific dyes	*allergies à des colorants particuliers*
food preservatives	*conservateurs alimentaires*
preserves	*conserves alimentaires*

5. Abbreviations — *Sigles*

BMI	body mass index	*IMC*	*indice de masse corporelle*
ED	eating disorders	-	*troubles de l'alimentation*
FDA	food and drug administration		*agence française de sécurité sanitaire des produits de santé*
lb	pound	-	*livre (0,45 kg)*
oz	ounce	-	*once (28,34 g)*
RDA	recommended daily allowance	-	*apport quotidien recommandé*
st	stone (= 14 lb)	-	*stone (6,36 kg)*

VI. Nephrology and urology — *Néphrologie et urologie*

I. Anatomy — *Anatomie*

A. The kidney — *Le rein*

the hilus	*le hile*
a notch	*une échancrure*
the renal sinus	*le sinus rénal*
the renal capsule	*la capsule rénale*
the innermost layer	*la couche interne*
a smooth transparent fibrous membrane	*une membrane fibreuse lisse et transparente*
the adipose capsule	*la capsule adipeuse*
a mass of fatty tissue	*une masse de tissu adipeux*
the renal fascia	*le fascia rénal*
the outermost layer	*la couche externe*
a thin layer	*une couche mince*
the cortex	*le cortex*
an outer reddish area	*une région externe de couleur rougeâtre*
a smooth-textured area	*une région d'aspect lisse*
the medulla	*la medulla*
an inner reddish-brown region	*une région brun rougeâtre interne*
the renal (medullary) pyramids	*les pyramides de Malpighi*
a striated / striped appearance	*un aspect strié*
the renal papillae	*les papilles rénales*
the renal columns	*les colonnes de Bertin*
the parenchyma of the kidney	*le parenchyme rénal*
the renal pelvis	*le bassinet*
the major calyces	*les grands calices*
the minor calyces	*les petits calices*
cuplike extensions	*des prolongements calciformes*
the nephron	*le néphron*
the functional unit of the kidney	*l'unité fonctionnelle du rein*
a renal tubule	*un tubule rénal*
the glomerular / Bowman's capsule	*la capsule glomérulaire / de Bowman*
the parietal layer	*le feuillet pariétal*
the capsular space	*l'espace urinaire / de Bowman*
the visceral layer	*le feuillet viscéral*
the glomerulus	*le glomérule*
a renal corpuscle	*un corpuscule rénal*
the endothelial-capsular membrane	*la membrane glomérulaire*
the endothelium of the glomerulus	*l'endothélium glomérulaire*
the basement membrane of the glomerulus	*la membrane basale glomérulaire*

the podocytes	*les podocytes*
the pedicels	*les pédicelles*
filtration slits / slit pores	*les fentes de filtration / fissures poreuses*
the proximal convoluted tubule	*le tube contourné proximal*
coiled	*tordu*
a cortical nephron	*un néphron sous-cortical*
a juxtamedullary nephron	*un néphron juxtamédullaire*
the descending (thin) limb of the loop of Henlé	*la branche descendante de l'anse de Henlé*
straighten	*se redresser*
become thinner	*s'amincir*
dip into the medulla	*s'enfoncer dans la medulla*
squamous epithelium	*épithélium pavitamenteux*
the loop of the nephron / loop of Henlé	*l'anse de Henlé*
bend	*se courber*
a U-shaped structure	*une structure en forme de U*
the ascending (thick) limb of the loop of Henlé	*la branche ascendante de l'anse de Henlé*
the distal convoluted tubule	*le tube contourné distal*
cuboidal cells	*cellules cubiques*
a collecting tubule	*un tube collecteur*
the papillary ducts	*les tubes collecteurs de Bellini*
the renal arteries	*les artères rénales*
the interlobar arteries	*les artères interlobaires*
the arcuate arteries	*les artères sus-pyramidales*
the interlobular arteries	*les artères interlobulaires*
the afferent arterioles	*les artérioles afférentes*
the efferent arteriole	*l'artériole efférente*
the peritubular capillaries	*les capillaires péritubulaires*
the renal plexus	*le plexus rénal*
the juxtaglomerular apparatus (JGA)	*l'appareil juxtaglomérulaire*
the adrenal glands	*les surrénales*
the lumbar area	*la région lombaire*

B. The ureters
Les uretères

ureters have thick walls	*les uretères ont une paroi épaisse*
less than 5 mm in inner diameter	*moins de 5 mm de diamètre interne*
enter the urinary bladder	*pénétrer dans la vessie*
three coats of tissue	*trois couches de tissu*
the inner coat / mucosa	*la couche interne / muqueuse*
the middle coat / muscularis	*la couche moyenne / musculeuse*
the external coat / fibrosa	*la couche externe / fibreuse*

C. The urinary bladder
La vessie

a hollow muscular organ	*un organe musculaire creux*
the pelvic cavity	*la cavité pelvienne*
an extraperitoneal organ	*un organe rétropéritonéal*
the bladder neck	*le col vésical*
the trigone	*le trigone*
the internal urethral sphincter	*le sphincter interne*
the external urethral sphincter	*le sphincter externe*
the peritoneal reflection	*le repli péritonéal*

D. The urethra
L'urètre

the prostatic urethra	*l'urètre prostatique*
the membranous urethra	*l'urètre membraneux*
the spongy / cavernous urethra	*l'urètre spongieux*
the external urethral orifice / meatus	*le méat urétral*
spongy tissue	*du tissu spongieux*
the penile urethra	*l'urètre pénien*
the passageway	*la voie de passage*
discharge urine	*excréter l'urine*
ejaculate	*éjaculer*
semen	*le sperme*

E. The genital organs
Les organes génitaux

the scrotum	*le scrotum*
a cutaneous outpouching	*une enveloppe cutanée*
loose skin	*peau lâche*
the raphe	*le raphé*
a median ridge	*une crête médiane*
the dartos	*le dartos*
a bundle of smooth muscle fibres	*un groupe de fibres musculaires lisses*
the testis (pl. testes) / testicle	*le testicule*
the tunica albuginea	*l'albuginée*
the seminiferous tubules	*les tubes séminifères*
a sperm cell / spermatozoon (pl. spermatozoa)	*un spermatozoïde*
the vesicorectal pouch	*la vésicule séminale*
the pubic symphysis	*la symphyse pubienne*
the ducts of the testis	*les canaux du testicule*
the convoluted seminiferous tubules	*les tubes séminifères contournés*
the straight tubules	*les tubes droits*
the epididymis	*l'épididyme*
the ductus (vas) deferens / seminal duct	*le canal déférent*

the ampulla	*l'ampoule*	semen / seminal fluid	*le sperme*
the spermatic cord	*le cordon spermatique*	the penis	*le pénis*
the inguinal canal	*le canal inguinal*	the corpora cavernosa penis	*les corps caverneux*
the superficial inguinal ring	*l'anneau inguinal superficiel*	the corpus spongiosum penis	*le corps spongieux*
the ejaculatory ducts	*les canaux éjaculateurs*	the root	*la racine*
the accessory sex glands	*les glandes sexuelles annexes*	the bulb of the penis	*le bulbe spongieux*
the seminal vesicles	*les vésicules séminales*	the crura of the penis (sg. crus)	*les piliers du pénis*
the prostate gland	*la prostate*	the glans penis	*le gland*
the bulbo-urethral / Cowper's glands	*les glandes de Cowper*	the corona	*la couronne*
		the prepuce / foreskin	*le prépuce*

2. Physiology — *Physiologie*

filter blood	*filtrer le sang*	be discharged / expelled from the body through the urethra	*être évacué du corps par l'urètre*
storage areas	*des zones de réserve*	urination / voiding / micturition	*écoulement d'urine / miction*
control blood concentration and volume	*régler la concentration et le volume sanguins*	stretch receptors	*récepteurs à l'étirement*
help regulate blood pH	*contribuer à régler le pH du sang*	an impulse	*un influx*
remove wastes from the blood	*éliminer les déchets du sang*	a conscious desire	*un besoin conscient*
urine	*l'urine*	micturition reflex	*le réflexe de miction*
glomerular filtration	*la filtration glomérulaire*	a subconscious reflex	*un réflexe subconscient*
the filtrate	*le filtrat*	the sphincter relaxes	*le sphincter se relâche*
tubular reabsorption	*la réabsorption tubulaire*	the emptying of the urinary bladder	*l'évacuation de la vessie*
tubular secretion	*la sécrétion tubulaire*	the residual urine	*le résidu vésical*
drain into the ureters	*passer dans les uretères*	acute urinary retention	*rétention aiguë d'urine*
transport urine	*transporter l'urine*	erection	*érection*
carry urine through the ureters	*conduire l'urine par les uretères*	ejaculation	*éjaculation*
peristaltic contractions	*contractions péristaltiques*	impotence	*impuissance*
peristalsis	*péristaltisme*	infertility	*stérilité*
peristaltic waves	*les ondes péristaltiques*		

3. Clinical examination — *Examen clinique*

A. Past and present symptoms
Antécédents et symptômes actuels

pain	*la douleur*	Is it a pain that comes and goes?	*Est-ce une douleur intermittente ?*
Is it painless?	*Est-ce indolore ?*	It is a colicky pain.	*C'est une douleur de type colique.*
Have you had any pain in the loin?	*Avez-vous eu des douleurs dans la région lombaire ?*	Have you ever suffered from renal colic?	*Avez-vous déjà eu des coliques néphrétiques ?*
in the groin?	*au niveau de l'aine ?*	Have you ever noticed in the urine any stones?	*Avez-vous déjà éliminé un calcul ?*
in the suprapubic area?	*au niveau de la vessie / dans la région sus-pubienne ?*	any sand?	*du sable ?*
on the left side?	*à gauche ?*	Did you feel the stone pass?	*Avez-vous senti le calcul passer ?*
on the right side?	*à droite ?*	Does the pain spread	*Est-ce que la douleur irradie*
on both sides?	*des deux côtés ?*	downwards?	*vers le bas ?*
during intercourse?	*pendant un rapport sexuel ?*	forwards?	*en avant ?*
		right flank pain	*douleur du côté droit*
		Is the pain associated with nausea?	*La douleur est-elle associée à des nausées ?*

vomiting?	*des vomissements ?*
fever?	*de la fièvre ?*
oedema	*œdème*
Do you feel any swelling	*Avez-vous l'impression d'avoir enflé*
around the ankles?	*au niveau des chevilles ?*
around your face?	*au niveau du visage ?*
under the eyes?	*au dessous des yeux ?*
all round your body?	*au niveau de tout le corps ?*
Have you gained any weight since your illness?	*Avez-vous pris du poids depuis que vous êtes malade ?*
dysuria	*dysurie*
polyuria	*polyurie*
Are you often thirsty?	*Avez-vous souvent soif ?*
Do you drink large volumes of water?	*Buvez-vous beaucoup d'eau ?*
Have you any trouble passing water?	*Avez-vous des difficultés pour uriner ?*
loss of normal diurnal urine habits	*perte du rythme diurne normal*
sensation of pain or burning on urination	*sensation de douleur ou de brûlure à la miction*
How often do you urinate	*Combien de fois urinez-vous*
per day?	*par jour ?*
per night?	*par nuit ?*
nocturia	*nocturie*
Do you wake up at night because you have to pass urine?	*Etes-vous réveillé la nuit par l'envie d'uriner ?*
large volume of urine	*grandes quantités d'urine*
How much urine do you pass each time you go to the toilet?	*Quelle quantité urinez-vous à chaque miction ?*
normal quantity?	*une quantité normale ?*
large amount?	*une quantité abondante ?*
a few drops?	*quelques gouttes ?*
frequency	*fréquence des mictions*
urgency	*miction impérieuse*
alguria	*douleur mictionnelle*
Do you get any pain passing water?	*Avez-vous des douleurs pour uriner ?*
before micturition?	*avant la miction ?*
during micturition?	*pendant la miction ?*
after micturition?	*après la miction ?*
Is it made worse by micturition?	*Sont-elles aggravées par la miction ?*
burning pain	*brûlure*
What is the nature of the pain?	*Quelle est la nature de ces douleurs ?*
dull sensation?	*douleur sourde ?*
burning sensation?	*brûlures ?*
Does the pain radiate along the course of the ureter?	*La douleur irradie-t-elle sur le trajet urétéral ?*
Do you have to strain to pass water?	*Avez-vous besoin de pousser pour uriner ?*
Is the force of the stream strong?	*La puissance du jet est-elle bonne ?*
weak?	*diminuée ?*
Can you stop your urine stream at will?	*Pouvez-vous interrompre volontairement votre miction ?*
Is there any dribbling at the end of micturition?	*Perdez-vous des gouttes d'urine en fin de miction ?*
enuresis / incontinence	*énurésie / incontinence d'urine*
pee	*faire pipi*
bed-wetting at night / nocturnal enuresis	*énurésie nocturne*
night and day wetting / diurnal enuresis	*énurésie diurne*
family history of enuresis	*antécédents familiaux d'énurésie*
Do you ever wet yourself?	*Perdez-vous vos urines ?*
Do you have leakage of urine?	*Avez-vous des pertes d'urine ?*
Do you suffer from urine incontinence?	*Souffrez-vous d'incontinence urinaire ?*
Can you hold your urine while straining?	*Pouvez-vous retenir vos urines quand vous poussez ?*
while sneezing?	*quand vous éternuez ?*
while coughing?	*quand vous toussez ?*
while laughing?	*quand vous riez ?*
while lifting heavy weights?	*quand vous soulevez quelque chose de lourd ?*
Were you unable to pass water in spite of a desperate desire to do so?	*Avez-vous déjà souffert d'une impossibilité d'uriner malgré un besoin impérieux ?*
Do you have a bursting feeling?	*Avez-vous l'impression d'exploser ?*
Do you have a distension?	*Avez-vous une impression de distension ?*
visual inspection of urine	*examen visuel des urines*
What is the colour of your urine?	*Quelle est la couleur de vos urines ?*
clear?	*claire ?*
yellow / normal?	*jaune clair / normal ?*
tea-coloured?	*couleur thé ?*
orange?	*orangée ?*
cloudy?	*trouble ?*
red?	*rouge ?*
bloody	*sanglante ?*
dark?	*foncée ?*
brown?	*marron foncé ?*
black?	*noire ?*
What is the smell of your urine?	*Quelle est l'odeur de vos urines ?*
normal?	*normale ?*
offensive?	*nauséabonde ?*
hematuria	*hématurie*
family history of hematuria	*antécédents familiaux d'hématurie*

gross hematuria	*hématurie abondante*
clots in urine	*hématurie avec caillots*
Have you passed blood in your urine?	*Avez-vous uriné du sang ?*
when?	*quand ?*
how long?	*combien de temps ?*
how many times?	*combien de fois ?*
Does the blood appear at the beginning?	*Le sang apparaît-il au début ?*
in the middle?	*au milieu ?*
at the end of micturition?	*à la fin de la miction ?*
during all the micturition?	*pendant toute la miction ?*
Did your urine look like pure blood?	*Vos urines avaient-elles l'aspect de sang pur ?*
Does this red colour appear after taking some medicine?	*Cet aspect rouge apparaît-il après la prise de médicaments ?*
name them please.	*lesquels, s'il vous plaît ?*
after excess beetroot eating?	*après avoir mangé des betteraves ?*
during your menstrual period?	*au moment de vos règles ?*
after intercourse?	*après un rapport sexuel ?*
Do you have any discharge from your urethra?	*Avez-vous un écoulement urétral ?*
recent muscle injury	*un traumatisme musculaire récent*
vigorous sporting activities	*des activités sportives intenses*
menstrual blood	*le sang des règles*
Show me your urine sample, please.	*Montrez-moi votre échantillon d'urine, s'il vous plaît.*
<u>diet</u>	*<u>habitudes alimentaires</u>*
Do you have a high salt diet?	*Mangez-vous très salé ?*
Do you have a low salt diet?	*Avez-vous un régime hyposodé ?*
Do you have a salt-free diet?	*Avez-vous un régime sans sel ?*
Do you eat a lot of cheese?	*Mangez-vous beaucoup de fromages ?*
Do you consume a lot of dairy products?	*Consommez-vous beaucoup de laitages ?*
Do you take drugs containing calcium?	*Prenez-vous des médicaments contenant du calcium ?*
Do you take drugs containing vitamin D?	*Prenez-vous des médicaments contenant de la vitamine D ?*
reduce the stone-forming factors in the urine	*réduire les facteurs de formation des calculs dans l'urine*
reduce excess dietary sodium	*réduire l'excès de sodium dans l'alimentation*

B. Physical examination *Examen physique*

urologist	*urologue*
nephrologist	*néphrologue*
Would you slip off your clothes, please?	*Voulez-vous bien vous déshabiller, s'il vous plaît ?*
Would you like to lie down here on the couch?	*Voulez-vous bien vous étendre là sur le lit ?*
on your back.	*sur le dos.*
on your face.	*sur le ventre.*
abdominal swelling	*gonflement abdominal*
palpable flank mass	*masse lombaire palpable*
Spread your legs apart	*Ecartez les jambes.*
Point to the spot where you have the pain.	*Montrez l'endroit où vous avez mal.*
Turn over.	*Retournez-vous.*
Does it hurt when I press here?	*Avez-vous mal quand j'appuie ici ?*
Is the pain worse when I let go suddenly?	*La douleur augmente-t-elle quand je relâche brusquement ?*
I am going to put a finger in your rectum to examine you.	*Je vais vous faire un toucher rectal pour vous examiner.*
back passage examination / rectal examination (RE)	*toucher rectal (TR)*
Get dressed.	*Habillez vous.*

4. Complementary exams *Examens complémentaires*

<u>urine test</u>	*<u>examen d'urine</u>*
dipstick test	*bandelette urinaire*
dipstick determination of pH	*détermination du pH par bandelette urinaire*
dipstick determination of glucose	*recherche de sucre par bandelette urinaire*
dipstick determination of blood	*recherche de sang par bandelette urinaire*
dipstick determination of protein	*recherche d'albuminurie par bandelette urinaire*
chemical examination	*examen chimique*
proteinuria	*protéinurie*
glycosuria	*glycosurie*
ketonuria	*cétonurie*
microscopical examination	*examen du sédiment urinaire*
immunofluorescence microscopy	*microscopie immunofluorescence*
immunofluorescence microscope	*microscope à immunofluorescence*
deposits of immunoglobulin	*dépôts d'immunoglobuline*
light microscopy	*microscopie optique*
light microscope findings	*résultats de la microscopie optique*

urinalysis	analyse d'urine
mid-stream urine	urine en milieu de jet
urine culture	culture urinaire
abnormal urinalysis	analyse d'urine anormale
ultracentrifugation	ultracentrifugation
conical centrifugation tube	tube conique à centrifugation
spin at high speed	tourner à grande vitesse
the supernatant is decanted	le supernageant est décanté
the pellet can be resuspended	le résidu peut être remis en suspension
measurement of urine sodium concentration	mesure de la concentration du sodium dans les urines
measurement of urine sodium osmolality	mesure de l'osmolalité du sodium dans les urines
colony count	numération de germes
examination of urinary sediment	examen du sédiment urinaire
measure of specific gravity of urine	mesure de la densité urinaire
casts	cylindres
crystals	cristaux
epithelial cells	cellules épithéliales
erythrocytes	hématies
leucocytes / leukocytes	leucocytes
pus cells / pyuria	pyurie
bacterial count / bacteriuria	compte de germes / bactériurie
blood test	examen sanguin
blood urea	urée sanguine
creatinine	créatinine sanguine
electrolytes	ionogramme sanguin
creatinine clearance	clairance de la créatinine
hypoalbuminemia	hypoalbuminémie
hyperlipidemia	hyperlipidémie
red blood cell casts in urinary sediment	cylindres de globules rouges dans le sédiment urinaire
presence of red blood cells in urine	présence de globules rouges dans les urines
presence of white blood cells in urine	présence de leucocytes dans les urines
increased number of white blood cells in urine	nombre élevé de leucocytes dans les urines

rising serum creatinine level	taux de créatinine sérique croissant
elevated plasma creatinine concentration	concentration de créatinine plasmatique élevée
heavy proteinuria	protéinurie importante
lipiduria	lipidurie
strains of streptococci	souches de streptocoques
radiology	examen radiologique
plain film of the abdomen	abdomen sans préparation (ASP)
kidney, ureter and bladder (KUB)	radio de l'abdomen pour examen néphro-urologique
intravenous pyelogram (IVP)	urographie intraveineuse (UIV)
retrograde pyelogram	pyelographie rétrograde
urodynamic study	bilan urodynamique
retrograde urethrography	urétrographie rétrograde
nephrogram	néphrogramme
urinary tract obstruction	obstruction des voies urinaires
unilateral obstruction	obstruction unilatérale
partial bilateral obstruction	obstruction bilatérale partielle
obstructive uropathy	uropathie obstructive
renal stone	calcul rénal
horseshoe kidney	rein en fer à cheval
micturating cystography	cystographie mictionnelle
other complementary exams	autres examens complémentaires
cystoscopy	cystoscopie
prostatic ultrasonography	échographie de la prostate
abdominal computed tomography scan	scanner abdominal
renal biopsy	ponction-biopsie rénale
glomerular filtration rate (GFR)	taux de filtration glomérulaire
percutaneous renal biopsy	biopsie rénale par voie percutanée
digital angiography	angiographie numérique
^{99m}Tc-DTPA scintigraphy	scintigraphie au DTPA marqué au technétium (99mTc)
^{131}I-hippuran scintigraphy	scintigraphie à l'hippuran marqué à l'iode 131
gallium 67 citrate scintigraphy	scintigraphie au gallium

5. Diseases — *Maladies*

urology	l'urologie
nephroptosis / floating kidney	ptose rénale / rein mobile / rein flottant
slip from its normal position	glisser hors de sa position normale
kinking of the ureter	coudure de l'uretère
twisted ureter	uretère tordu
become susceptible to blows	être sujet à des traumatismes
incontinence	incontinence
lack of voluntary control over micturition	manque de contrôle volontaire de la miction
loss of control	perte de contrôle
emotional stress	stress émotionnel

irritation of the urinary bladder	*irritation de la vessie*
enuresis	*énurésie*
bed-wetting / night-time wetting	*pipi au lit*
retention	*rétention*
failure to void urine	*incapacité d'évacuer l'urine*
lack of sensation to urinate	*perte de la sensation de miction*
obstruction in the urethra	*obstruction de l'urètre*
nervous contraction of the urethra	*contraction nerveuse de l'urètre*
urinary tract infections (UTIs)	*infection urinaire*
significant bacteriuria	*bactériurie significative*
asymptomatic bacteriuria	*bactériurie asymptomatique*
urethritis	*urétrite*
cystitis / inflammation of the urinary bladder	*cystite / inflammation de la vessie*
bacterial infection	*infection d'origine bactérienne*
chemicals	*des substances chimiques*
mechanical injury	*blessure mécanique*
burning on urination	*brûlure à la miction*
gross haematuria	*hématurie macroscopique*
back pain	*douleur dorsale*
pubic pain	*douleur pubienne*
passage of cloudy urine	*production d'urine trouble*
blood-tinged urine	*urine teintée de sang*
urethral discharge	*écoulement urétral*
benign prostatic hypertrophy (BPH)	*hypertrophie bénigne de la prostate (HBP)*
urgency	*miction impérieuse*
urgency and frequency	*besoin pressant et fréquent d'uriner*
urethral stricture	*sténose urétrale*
bladder outlet obstruction	*obstacle à la vidange vésicale*
renal calculi / kidney stones	*calculs rénaux*
renal lithiasis / calculus / stone	*lithiase rénale / calcul*
testicular cancer	*le cancer du testicule*
prostatitis	*la prostatite*
prostate cancer	*cancer de la prostate*
impotence	*l'impuissance*
infertility / sterility	*stérilité*
cryptorchidism	*cryptorchidie*
an inguinal hernia	*une hernie inguinale*
nephrology	*la néphrologie*
pyelitis and pyelonephritis	*pyélite et pyélonéphrite*
inflammation of the renal pelvis and its calyces	*inflammation du bassinet et de ses calices*
complication of the lower urinary tract infections	*aggravation des infections des voies urinaires inférieures*
scar tissue	*tissu cicatriciel*
polycystic renal disease	*maladie polykystique rénale*
a defect in the renal tubular system	*une anomalie du système tubulaire rénal*
cystlike dilations	*dilatations kystiques*
renal cyst	*kyste rénal*
be riddled with cysts	*être couvert de kystes*
fluid-filled bubbles	*bulles remplies de liquide*
renal failure	*insuffisance rénale*
increased levels of urea / uraemia	*augmentation du taux d'urée / urémie*
acute renal failure (ARF)	*insuffisance rénale aiguë*
chronic renal failure (CRF)	*insuffisance rénale chronique*
oliguria	*oligurie*
anuria	*anurie*
daily urine output	*débit urinaire par jour*
decrease of urine flow	*diminution du débit urinaire*
glomerular filtration rate (GFR)	*taux de filtration glomérulaire*
oedema	*œdème*
acidosis	*acidose*
anaemia	*anémie*
osteomalacia	*ostéomalacie*
loss of renal function	*perte de la fonction rénale*
glomerulonephritis	*glomérulonéphrite*
glomerulopathy	*glomérulopathie / néphropathie glomérulaire*
glomerulonephritis / Bright's disease	*glomérulonéphrite*
lipoid nephrosis	*néphrose lipoïdique*
inflammation of the glomeruli	*inflammation des glomérules*
inflamed glomeruli	*glomérules enflammés*
swollen glomeruli	*gonflement glomérulaire*
glomeruli engorged with blood	*glomérules gorgés de sang*
nephrotic syndrome	*syndrome néphrotique*
loss of large amounts of protein in urine	*protéinurie massive*
nephritic syndrome	*syndrome néphritique*
renal artery stenosis	*sténose de l'artère rénale*
systemic vasculitis involving the kidney	*vasculite systémique concernant le rein*
lupus nephritis	*rein lupique*
Immune-mediated glomerulopathy	*glomérulopathie auto-immune*

6. Treatment — *Traitement*

catheterization	*sondage*
indwelling catheter	*sonde à demeure*
balloon catheter	*sonde à ballonnet (Foley)*
hemodialysis therapy	*traitement par hémodialyse*
kidneys impaired by disease	*reins lésés par une maladie*
an artificial device	*un appareil artificiel*
the artificial kidney	*le rein artificiel*
the dialysing membrane	*la membrane dialysante*
cellulose acetate	*acétate de cellulose*
diffuse back and forth across the membrane	*diffuser dans un sens et dans l'autre à travers la membrane*
electrolyte balance is maintained	*l'équilibre électrolytique est maintenu*
last four to six hours	*durer de quatre à six heures*
continuous ambulatory peritoneal dialysis (CAPD)	*dialyse péritonéale continue ambulatoire (DPCA)*
an advantage	*un avantage*
more convenient	*plus pratique*
less time-consuming	*plus rapide*
a drawback	*un inconvénient*
danger of infection	*risque d'infection*
renal calculi / kidney stones	*calculs rénaux*
surgical removal	*ablation chirurgicale*
extracorporeal shock wave lithotripsy (ESWL)	*lithrotritie extracorporelle (LEC)*
ultrasound waves	*ultrasons*
a lithotriptor	*lithotriteur*
shatter the stones	*désintégrer les calculs*
a laser fibre	*fibre laser*
percutaneous nephro lithotripsy (PNL)	*néphrolithotritie percutanée (NPC)*
remove by suction	*enlever par aspiration*
kidney transplantation	*greffe de rein*
spermatogenesis	*la spermatogenèse*
vasectomy	*la vasectomie*
local anaesthesia	*anesthésie locale*
circumcision	*la circoncision*
prostatectomy	*la prostatectomie*

7. Abbreviations — *Sigles*

ADH	antidiuretic hormone	-	*hormone antidiurétique*
AGN	glomerulonephritis	*GNA*	*glomérulonéphrite aiguë*
Alb	albumin	*Alb*	*albumine*
ARF	acute renal failure	*IRA*	*insuffisance rénale aiguë*
ATN	acute tubular necrosis	*NTA*	*nécrose tubulaire aiguë*
BPH	benign prostatic hypertrophy	*HBP*	*hypertrophie bénigne de la prostate*
BUN	blood urea nitrogen	-	*urée sanguine*
CAPD	continuous ambulatory peritoneal dialysis	*DPCA*	*dialyse péritonéale continue ambulatoire*
CGN	chronic glomerulonephritis	*GNC*	*glomérulonéphrite chronique*
CRF	chronic renal failure	*IRC*	*insuffisance rénale chronique*
ESRF	end stage renal failure	-	*insuffisance rénale terminale*
ESWL	extracorporeal shock wave lithotripsy	*LEC*	*lithrotritie extracorporelle*
GFR	glomerular filtration rate	*TFG*	*taux de filtration glomérulaire*
GN	glomerular nephritis	*GN*	*glomérulo-néphrite*
IVP	intravenous pyelogram	*UIV*	*urographie intraveineuse*
JGA	the juxtaglomerular apparatus	*AJG*	*l'appareil juxtaglomérulaire*
KUB	kidney, ureter and bladder	-	*radio de l'abdomen pour examen néphro-urologique*
MPGN	membranous proliferative glomerulonephritis	*GNMP*	*glomérulo-néphrite membrano-proliférative*
MSU	mid-stream urinalysis	*ECBU*	*examen cyto-bactériologique urinaire*
NGU	non-gonococcal urethritis	*UNG*	*urétrite non gonococcique*
PSA	prostate specific antigen	*ASP*	*antigène spécifique de la prostate*
PNL	percutaneous nephrolithotripsy	*NPC*	*nephrolithrotritie percutanée*
RE	rectal examination	*TR*	*toucher rectal*

RF	renal failure	*IR*	*insuffisance rénale*
RTA	renal tubule acidosis	*ART*	*acidose rénale tubulaire*
STD	sexually-transmitted disease	*MST*	*maladie sexuellement transmissible*
TURBT	transurethral resection of bladder tumour	*RETV*	*résection endoscopique de tumeur vésicale*
TURP	transurethral resection of the prostate	*REP*	*résection endoscopique de la prostate*
UC	urinary catheter	-	*sonde urinaire*
UO	urinary output	-	*diurèse*
UPJ	ureteropelvic junction	-	*jonction pyelo-urétérale*
UR	urology	-	*urologie*
UT	urinary tract	*AU*	*arbre urinaire*
UTI	urinary tract infection	-	*infection urinaire*
VUR	vesico-ureteral reflux	-	*reflux vésico-urétéral*

VII. Dermatology — *Dermatologie*

I. Anatomy and function — *Anatomie et fonction*

A. The skin — *La peau*

the integumentary system	*l'appareil tégumentaire*
the integument	*le tégument*
surface area	*surface*
22 square feet	*2 mètres carrés*
a thin covering	*un mince revêtement*
the epidermis	*l'épiderme*
the outer, thinner portion	*la couche externe plus mince*
keratocytes	*kératocytes*
the dermis	*le derme*
the inner, thicker portion	*la couche interne plus épaisse*
collagen fibres	*fibres collagènes*
elastin fibres	*fibres élastiques*
sebaceous glands	*les glandes sébacées*
sebum	*le sébum*
dry	*sec*
brittle	*cassant*
soft	*doux*
pliable	*souple*
capillaries	*capillaires*
sudoriferous glands / sweat glands	*les glandes sudoripares*
the hypodermis / superficial fascia / subcutaneous layer	*l'hypoderme / tissu sous-cutané*
melanin	*la mélanine*
melanocytes	*mélanocytes*
albinism	*l'albinisme*
an albino	*un albinos*
epidermal ridges	*papilles de l'épiderme*
fingerprints	*empreintes digitales*
footprints	*empreintes plantaires*
epidermal grooves	*les sillons interpapillaires*

B. The hairs — *Le système pileux*

the shaft	*la tige*
the root	*la racine*
the hair follicle	*le follicule pileux*
the bulb	*le bulbe*
the papilla of the hair	*la papille pileuse*
the matrix	*la matrice*
the hair	*les cheveux / la chevelure*
the hairs	*les poils*
the scalp	*le cuir chevelu*
thinning hair	*crâne dégarni / le cheveu rare*
bald	*chauve*
baldness	*calvitie*
the beard	*la barbe*
the moustache	*la moustache*
the whiskers	*les favoris*
the eyebrows	*les sourcils*
the eyelashes	*les cils*
the eyelids	*les paupières*
a hairy chest	*un torse poilu / velu*

C. The nails
Les ongles

the nail bed	*le lit de l'ongle*
the nail body	*la tablette unguéale*
the free edge	*le bord libre*
the nail groove	*la gouttière unguéale*
pink	*rose*
the macula	*la macule*
the lunula / nail fold	*la lunule*
whitish	*leuconychie*
the eponychium / cuticle	*l'éponychium / cuticule*
the nail matrix	*la matrice*
the fingers	*les doigts*
the thumb	*le pouce*
the forefinger / index (GB) / first finger (US)	*l'index*
the middle finger / big finger (GB) / second finger (US)	*le majeur*
the ring finger (GB) / third finger (US)	*l'annulaire*
the ear finger / little finger (GB) / fourth finger (US)	*l'auriculaire*
the pinkie	*le quinquin / petit doigt*
the toes	*les orteils*
the big toe	*le gros orteil*
the little toe	*le petit doigt de pied*

D. The integumentary system
Le système tégumentaire

the head	*la tête*
the forehead	*le front*
the nose	*le nez*
the nostril	*la narine*
the mouth	*la bouche*
the lips	*les lèvres*
the cheeks	*les joues*
the ears	*les oreilles*
the chin	*le menton*
the neck	*le cou*
the nape of the neck	*la nuque*
the trunk	*le tronc*
the chest / thorax	*la poitrine / le thorax*
the breast	*le sein*
the nipple	*le mamelon*
the abdomen	*l'abdomen*
the belly	*le ventre*
the navel / belly button	*le nombril*
the waist	*la taille*
the pelvis	*le bassin*
the genitalia / genitals	*les organes génitaux*
the glans clitoris	*le clitoris*
the labia minora	*les petites lèvres*
the labia majora	*les grandes lèvres*
the glans penis	*le pénis*
the scrotum	*les bourses*
the testes (sg. testis)	*les testicules*
the back	*le dos*
the loin	*la région lombaire*
the buttocks	*les fesses*
the upper limb	*le membre supérieur*
the shoulder	*l'épaule*
the armpit	*l'aisselle*
the arm	*le bras*
the elbow	*le coude*
the forearm	*l'avant-bras*
the wrist	*le poignet*
the hand	*la main*
the palm	*la paume*
finger	*le doigt*
the knuckles	*les articulations des doigts*
the lower limb	*le membre inférieur*
the hip	*la hanche*
the groin	*l'aine*
the thigh	*la cuisse*
the knee	*le genou*
the leg	*la jambe*
the calf	*le mollet*
the ankle	*la cheville*
the foot (pl. feet)	*le pied*
the toe	*l'orteil*
the sole	*la plante*
the heel	*le talon*

2. Physiology — *Physiologie*

rash	*éruption*
frown	*froncer les sourcils*
blush	*rougir*
flushing	*bouffées*
blemish	*blêmir*
perspire	*perspirer*
sweat	*transpirer*
perspiration	*perspiration*
sweat	*sueur / transpiration*
regulation of body temperature	*maintien de la température corporelle*
adjust	*adapter*

lower body temperature back to normal	*ramener la température corporelle à la normale*
provide a physiological barrier	*constituer une barrière physiologique*
itch	*démanger*
scratch	*(se) gratter*
hair growth	*la croissance des poils*

3. Clinical examination — *Examen clinique*

A. Past and present symptoms — *Antécédents et symptômes actuels*

a dermatologist	*un dermatologue*
When did you first notice this present skin condition?	*Quand avez-vous remarqué pour la première fois cette lésion cutanée ?*
What have you been using to help clear it up?	*Qu'avez-vous utilisé pour vous soigner ?*
Are you taking some medicine of any kind?	*Prenez-vous un médicament quelconque ?*
Do you usually use any underarm deodorant?	*Utilisez-vous habituellement un désodorisant ?*
any talc?	*du talc ?*
any lotion?	*de la lotion ?*
any oil?	*de l'huile ?*
any powder?	*de la poudre ?*
any cream?	*de la crème ?*
any bath salts?	*des sels de bain ?*
an eyebrow pencil?	*un crayon à sourcil ?*
an eyeliner?	*un crayon gras ?*
an eye makeup remover?	*un démaquillant pour les yeux ?*
any lipstick?	*du rouge à lèvres ?*
any perfume?	*du parfum ?*
any hair dyes?	*de la teinture pour cheveux ?*
any aftershave lotion?	*une lotion après-rasage ?*
a depilatory?	*une crème dépilatoire ?*
Have you had a generalised infection recently?	*Avez-vous eu récemment une infection généralisée ?*
Have you ever had radiotherapy?	*Avez-vous déjà subi une radiothérapie ?*
Do you have asthma?	*Etes-vous asthmatique ?*
hay fever?	*Avez-vous le rhume des foins ?*
eczema?	*de l'eczéma ?*
Are you allergic to anything?	*Etes-vous allergique à quelque chose ?*
food?	*aliment ?*
dust?	*poussière ?*
wool?	*laine ?*
pollen?	*pollen ?*
spring grass?	*graminées ?*
Did you ever have a rash?	*Avez-vous déjà eu des éruptions ?*
Have you ever had reactions like that before?	*Avez-vous déjà eu des réactions de ce type auparavant ?*
Do you think that you were bitten by an insect?	*Pensez-vous avoir été piqué par un insecte ?*
Was it a mosquito?	*Etait-ce un moustique ?*
a bee?	*une abeille ?*
a wasp?	*une guêpe ?*
Did you see the sting?	*Avez-vous vu le dard ?*
Does it itch?	*Cela vous démange-t-il ?*
Does it burn?	*Cela vous brûle-t-il ?*
Do you scratch a lot?	*Vous grattez-vous beaucoup ?*
Do you use make-up?	*Vous maquillez-vous ?*
Does the sun seem to bother your skin?	*Votre peau craint-elle le soleil ?*
Does this area seem swollen to you?	*Cette région vous semble-t-elle gonflée ?*
Does your skin feel tender?	*Avez-vous la peau sensible ?*
tight?	*tendue ?*
Does your skin ever crack?	*Avez-vous déjà eu des gerçures ?*

B. Physical examination — *Examen physique*

I am going to examine you.	*Je vais vous examiner.*
Please get undressed.	*Déshabillez-vous, je vous prie.*
Lie down on your back.	*Allongez-vous sur le dos.*
You have blisters.	*Vous avez des ampoules.*
Your blisters are filled with pus.	*Vos ampoules suppurent.*
The skin is oedematous.	*La peau est œdématiée.*
infiltrated.	*infiltrée.*
A third degree burn involves all skin layers.	*Une brûlure du troisième degré atteint toutes les couches de la peau.*
The wound is covered with a thick scab.	*La plaie est recouverte d'une croûte épaisse.*
The cyst is filled with a clear fluid.	*Le kyste contient un liquide clair.*

Herpes is a collection of small vesicles.	*L'herpès est une collection de petites vésicules.*
I fell down and had a hematoma in my left thigh.	*Je suis tombé et je me suis fait un hématome à la cuisse gauche.*
In acne, you can have pustules over your face, neck and back.	*En cas d'acné, vous pouvez avoir des pustules sur le visage, le cou et le dos.*
When did you first notice this rash?	*Quand avez-vous remarqué pour la première fois cette éruption ?*
Psoriasis is a scaly lesion.	*Le psoriasis est une lésion squameuse.*
You scratch yourself with your nails.	*Vous vous grattez avec les ongles.*
You have a varicose ulcer.	*Vous avez un ulcère variqueux.*
You have a patch of small vesicles around your mouth.	*Vous avez une zone de petites vésicules autour de la bouche.*
The area is surrounded by a zone of swelling.	*La région est entourée d'une zone d'œdème.*
Three abrasions are seen in the skin of your left arm.	*On note trois érosions cutanées sur votre bras gauche.*
On pressure, the redness disappears.	*La rougeur disparaît à la pression.*
A red scar is seen on the right flank.	*On note une cicatrice rouge sur le flanc droit.*

4. Diseases — *Maladies*

colour changes	*changements de couleur*
paleness	*pâleur*
redness	*rougeur*
yellow coloration	*coloration jaune*
bluish coloration	*coloration bleuâtre*
freckles	*taches de rousseur*
vitiligo	*vitiligo*
eruption	*éruption*
transitory rash	*rash transitoire*
keloid	*chéloïde*
lipoma	*lipome*
a cyst	*un kyste*
nevus	*naevus*
beauty spot / mole	*grain de beauté*
pigmented mole	*naevus pigmentaire*
birthmark	*tache de naissance*
a polyp	*un polype*
irregular borders	*contours irréguliers*
uneven surface	*surface inégale*
hemangioma	*hémangiome*
port-wine stain	*tache de vin*
flat, pink, red or purple lesion	*lésion plate rose, rouge ou violette*
wart / verruca	*verrue*
pinhead size	*de la taille d'une tête d'aiguille*
plantar wart	*verrue plantaire*
boils	*furoncles*
an abscess	*un abcès*
a pustule	*une pustule*
a nodule	*un nodule*
a papule	*une papule*
fleshy	*ferme*
swelling / edema	*gonflement*
swollen gums	*gencives gonflées*
swollen glands	*ganglions enflés*
flat patches	*taches plates*
light brown	*marron clair*
dark brown	*marron foncé*
black	*noir*
clusters of melanocytes	*des mélanocytes groupés*
a cutaneous corn	*une corne cutanée*
a callus	*un durillon / cor*
friction	*frottement*
pressure	*pression*
poor-fitting shoes	*chaussures mal adaptées*
well-fitting shoes	*chaussures bien adaptées*
corn pads	*tampons*
felt	*du feutre*
abrasion	*érosion*
scratch	*éraflure*
scrape away	*écorcher*
athlete's foot	*pied d'athlète*
frostbite	*gerçures*
chapped	*gercé*
tingling / pins and needles	*picotements / fourmillements*
beaded hair	*cheveux perlés*
brittle hair	*cheveux cassants*
burning	*brûlure*
numbness	*engourdissement*
pruritis	*prurit*
itching	*démangeaison*
skin disorder	*problème cutané*
systemic disorder	*trouble systémique*
psychogenic factor	*facteur psychogène*
hives / urticaria	*l'urticaire*
scar	*cicatrice*
laceration	*lacération*

stretch marks	*vergetures*
chickenpox / varicella	*la varicelle*
pus	*du pus*
erysipela	*érysipèle*
herpes zoster / shingles	*le zona*
cold sore	*dartre*
fever blister	*bouton de fièvre / herpès*
type 1 herpes simplex virus (HSV)	*virus herpès de type 1*
German measles / rubella	*la rubéole*
rash of small red spots	*éruption de petits boutons rouges*
measles / rubeola	*la rougeole*
a papular rash	*rash papuleux*
vesicular eruption	*éruption vésiculeuse*
impetigo	*l'impétigo*
cleft lip	*fissure labiale*
hair loss / shedding	*la perte des cheveux*
eczema / chronic dermatitis	*eczéma*
oozing	*suintement*
crusting	*formation de croûtes*
scaling	*desquamation*
erythema	*érythème*
acne	*l'acné*
plugging of the skin pores	*microkystes*
comedones	*comédons*
blackheads	*points noirs*
white heads	*points blancs*
pimples / zits	*boutons*
bulge	*dépasser / faire saillie*
systemic lupus erythematosus (SLE)	*le lupus érythémateux disséminé (LED)*
an autoimmune disease	*une maladie auto-immune*
inflammatory	*inflammatoire*
butterfly rash	*érythème en aile de papillon*
rash across the bridge of the nose and cheeks	*éruption sur l'arrête du nez et les joues / loup*
psoriasis	*le psoriasis*
a relapsing disease	*une maladie récurrente*
small round skin elevations	*petites élévations arrondies de la peau*
scales	*squames*
sunburn	*coup de soleil*
overexposure	*exposition excessive*
leathery skin texture	*peau ayant la texture du cuir*
skin folds	*replis cutanés*
sagging skin	*une peau affaissée*
keratosis	*la kératose*
age spots / adrinic damage	*vieillissement solaire*
lentigo	*lentigines*
skin cancer	*cancer de la peau*
excessive sun exposure	*exposition excessive au soleil*
sun-exposed skin	*peau exposée au soleil*
basal cell carcinoma (BCC)	*cancer baso-cellulaire*
chronic sun exposure	*exposition chronique au soleil*
squamous cell carcinoma (SCC)	*cancer spino-cellulaire*
pre-existing lesions	*lésions préexistantes*
malignant melanoma	*mélanome malin*
overexposure to UV rays	*exposition excessive aux rayons ultraviolets*
suntanning salon	*un solarium*
a tanning booth	*une cabine d'UV*
ageing / aging	*le vieillissement*
collagen fibres decrease	*les fibres collagènes diminuent*
stiffen	*se rigidifient*
break apart	*se décomposent*
fray	*s'effilochent*
a shapeless matted tangle	*un enchevêtrement informe*
elastic fibres thicken into clumps	*les fibres élastiques s'épaississent en faisceaux*
wrinkles	*les rides*
creases in the skin	*replis de peau*
age spot / liver spots	*taches de vieillesse*
greying of the hair	*cheveux grisonnants*
hair loss	*perte de cheveux*
brittleness of the nails	*ongles cassants*
senile pruritis / itching	*le prurit sénile*
decubitus ulcers / bedsores / pressure sores	*les escarres de décubitus*
cast	*plâtre*
splint	*attelle*
dressing	*pansement*
burns	*les brûlures*
first-degree burn	*brûlure du premier degré*
superficial burn	*brûlure superficielle*
second-degree burn	*brûlure du deuxième degré*

5. Treatment — *Traitement*

dandruff shampoo	*shampooing antipelliculaire*
vegetal tar	*goudron végétal*
cortisone	*cortisone*
corticosteroid	*corticoïdes*
antifungal medication	*traitement antimycosique*
retinoid	*acide rétinoïque*
skin peeling	*exfoliation chimique*
skin graft / transplant	*greffe de peau*
stitches	*points de suture*
sunscreen product / lotion	*crème solaire*
sun protection factor (SPF)	*indice de protection solaire*
topical / local	*topique / local*
avoid prolonged sun exposure	*éviter une exposition prolongée au soleil*
curettage	*curetage*
excision of skin cancer	*exérèse d'un cancer de la peau*
cryosurgery	*cryochirurgie*
liquid nitrogen	*azote liquide*
freeze	*geler*
electrosurgery	*électrocoagulation*
plastic surgery	*chirurgie plastique / esthétique*
liposuction	*liposuccion*
facelift	*lifting*
elective surgery	*chirurgie de convenance*
laser surgery	*chirurgie par laser*
radiation therapy	*radiothérapie*
removal of tattoos	*détatouage*
dermabrasion	*dermabrasion*
sand paper	*papier de verre*

6. Abbreviations — *Sigles*

BCC	basal cell carcinoma	-	*cancer baso-cellulaire*
HSV	type 1 herpes simplex virus	-	*virus herpès de type 1*
SCC	squamous cell carcinoma	-	*cancer spino-cellulaire*
SLE	systemic lupus erythematosus	*LED*	*lupus érythémateux disséminé*
SPF	sun protection factor	-	*indice de protection solaire*
UV rays	ultraviolet rays	*rayons UV*	*rayons ultraviolets*

VIII. Rheumatology and orthopaedics — *Rhumatologie et orthopédie*

1. Anatomy and function — *Anatomie et fonction*

joint / articulation	*articulation*
bone	*os*
bony joint	*articulation osseuse*
neck	*cou*
shoulder	*épaule*
<u>upper limb</u>	*<u>membre supérieur</u>*
arm	*bras*
elbow	*coude*
forearm	*avant-bras*
wrist	*poignet*
hand	*main*
palm	*paume*
finger	*doigt*
phalanx	*phalange*
meta-phalanx	*métaphalange*
thumb	*pouce*
index finger / first finger / forefinger	*index*
big finger / second finger / middle finger	*majeur*
ring finger / third finger	*annulaire*
little finger / fourth finger / ear finger	*auriculaire*
knuckles	*articulations des doigts*
<u>lower limb</u>	*<u>membre inférieur</u>*
hip	*hanche*
knee	*genou*
leg	*jambe*

ankle	*cheville*
foot	*pied*
sole	*plante du pied*
heel	*talon*
toe	*orteil*
tarsus	*tarse*
meta-tarsus	*métatarse*
big toe	*gros orteil*
little toe	*petit orteil*
tibiofemoral / knee joint	*articulation du genou*
femur	*fémur*
fibula	*péroné*
tibia	*tibia*
patella / knee-cap	*rotule*
patellar ligament	*ligament rotulien*
infrapatellar fat pad	*tissu adipeux sous rotulien*
intra-articular ligaments	*ligaments intra-articulaires*
anterior cruciate ligament	*ligament croisé antérieur*
posterior cruciate ligament	*ligament croisé postérieur*
articular disc / meniscus (pl. menisci)	*ménisque*
humeroscapular joint / glenohumeral joint / shoulder joint	*articulation scapulo-humérale*
clavicle	*clavicule*
scapula / shoulderblade	*omoplate*
humerus	*humérus*
coracohumeral ligament	*ligament coraco-huméral*
glenohumeral ligament	*ligament gléno-huméral*
transverse humeral ligament	*ligament huméral transverse*
glenoid labrum	*bourrelet glénoïdien*
elbow joint	*articulation du coude*
radius	*radius*
ulna	*cubitus*
radiocarpal joint / wrist joint	*articulation du poignet*
coxal joint / hip joint	*articulation coxo-fémorale / de la hanche*
The cone-shaped peg fits into a socket.	*La partie conique s'enfonce dans une partie creuse.*
rounded surface	*partie arrondie*
ball-like surface	*tête sphérique*
zona orbicularis	*zone orbiculaire*
iliofemoral ligament	*ligament de Bertin*
pubofemoral ligament	*ligament pubo-fémoral*
ischiofemoral ligament	*ligament ischio-fémoral*
capitate ligament	*ligament rond*
acetabular labrum	*bourrelet cotyloïdien*
talocrural joint / ankle joint	*articulation de la cheville / tibio-tarsienne*
talus / ankle bone	*astragale*
calcaneum / heel bone	*calcanéum*
fibrous joint	*articulation fibreuse*
permit little movement	*permettre un mouvement limité*
cartilaginous joint	*articulation cartilagineuse*
little or no movement	*peu ou pas de mouvement*
bony joint	*articulation osseuse*
synovial joint	*articulation synoviale*
space between articulating bones	*espace entre les os formant une articulation*
synovial cavity	*cavité articulaire / cavité synoviale*
articular cartilage	*cartilage articulaire*
The outer layer is a fibrous capsule.	*La couche externe est une capsule fibreuse.*
inner layer of synovial membrane	*couche interne de membrane synoviale*
areolar connective tissue with elastic fibres and adipose tissue	*tissu conjonctif lâche avec des fibres élastiques et du tissu adipeux*
secrete synovial fluid lubricating the joint	*sécréter le liquide synovial lubrifiant l'articulation*
bursa	*bourse séreuse*
types of movement	*types de mouvement*
gliding movement	*glissement*
angular movement	*mouvement angulaire*
Flexion is a decrease in the angle between the surfaces of articulating bones.	*La flexion est une réduction de l'angle entre les faces antérieures des os adjacents.*
Extension is an increase in the angle between the surfaces of articulating bones.	*L'extension est une ouverture de l'angle entre les faces antérieures des os adjacents.*
Hyperextension is the continuation of the extension beyond the anatomical position.	*L'hyperextension est la poursuite de l'extension au-delà de la position anatomique.*
Abduction is a movement of a bone away from the midline.	*L'abduction est l'éloignement d'un os de la ligne médiane du corps.*
Adduction is a movement of a bone towards the midline.	*L'adduction est le rapprochement d'un os de la ligne médiane du corps.*
Rotation is the movement of a bone around its longitudinal axis.	*La rotation est le mouvement d'un os autour de son axe longitudinal.*
Circumduction is a movement in which the distal end of a bone moves in a circle while the proximal end remains stable.	*La circumduction est un mouvement dans lequel l'extrémité distale d'un os décrit un cercle tandis que l'extrémité proximale reste fixe.*

Dorsiflexion is the bending of the foot in the direction of the dorsum (upper surface).	*La dorsiflexion est le mouvement de flexion du pied vers le haut.*
Plantar flexion is the bending of the foot in the direction of the plantar surface (sole).	*La flexion plantaire est le mouvement d'extension du pied vers le bas.*

2. Clinical examination — *Examen clinique*

A. Past and present symptoms — *Antécédents et symptômes actuels*

Do any of your bones ache?	*Avez-vous une douleur au niveau d'un os ?*
Are any of your joints swollen?	*Avez-vous un gonflement au niveau d'une articulation ?*
Do any of your muscles show signs of stiffness?	*Avez-vous une raideur au niveau d'un muscle ?*
Is it worse when the weather is damp?	*Cela s'aggrave-t-il quand le temps est humide ?*
when you get up in the morning?	*Est-ce pire quand vous vous levez le matin ?*
Do you experience morning stiffness?	*Vous sentez-vous raide au lever ?*
Does rest make the pain and stiffness go away?	*La douleur et la raideur sont-elles calmées par le repos ?*
Does exercise relieve or worsen the pain?	*La douleur est-elle calmée ou aggravée à l'effort ?*
Have you ever broken one of your bones?	*Avez-vous déjà eu une fracture ?*
Is the pain migrating from joint to joint?	*La douleur migre-t-elle d'une articulation à l'autre ?*
the same in both sides?	*est-elle la même des deux côtés ?*
Did the pain begin suddenly and severely?	*La douleur a-t-elle commencé brutalement et était-elle violente ?*
begin slowly and mildly and then get worse?	*progressivement et légèrement pour empirer ?*
Do you maintain the joint in one particular position in order to minimise pain?	*Gardez-vous l'articulation dans une position particulière pour atténuer la douleur ?*
crepitus	*claquement*
benign wrist popping	*claquement bénin du poignet*
<u>low back pain</u>	<u>*douleur lombaire*</u>
backache	*mal de reins*
lumbar pain	*douleur lombaire*
spasm of the large, supportive muscles	*contraction des grands muscles statiques*
pulled muscle in the back	*déchirure dorsale*
Do you have any pain in your back?	*Avez-vous mal au dos ?*
Is the pain on one side only?	*La douleur est-elle d'un seul côté ?*
<u>sciatic pain</u>	<u>*douleur sciatique*</u>
Is the pain located behind the thigh?	*Est-ce que la douleur se situe derrière la cuisse ?*
down the inside of the leg?	*le long de la face interne de la jambe ?*
Is the pain persistent?	*La douleur persiste-t-elle ?*
Does the pain get worse with lifting a heavy object?	*Est-ce que la douleur s'aggrave en soulevant quelque chose de lourd ?*
Does light exercise relieve the pain?	*La douleur est-elle calmée lors d'un petit effort ?*
<u>disk injury</u>	<u>*lésion discale*</u>
Does the pain increase with coughing?	*La douleur est-elle aggravée quand vous toussez ?*
with sneezing?	*quand vous éternuez*
when bending over?	*quand vous vous penchez en avant ?*
Do you have severe pain at night?	*Souffrez-vous beaucoup la nuit ?*
<u>shoulder pain</u>	<u>*douleur à l'épaule*</u>
Do your daily activities necessitate very repetitive movements?	*Est-ce que vos activités journalières nécessitent des mouvements répétés ?*
Did you feel a sudden pop in the shoulder at the same time as severe pain?	*Avez-vous ressenti un claquement soudain dans l'épaule en même temps qu'une douleur intense ?*
Do you experience increased weakness when trying to rotate your arm?	*Est-ce que la faiblesse musculaire augmente lors des mouvements de rotation du bras ?*

elbow, wrist, hand	*coude, poignet, main*
Does the pain extend into the fingers?	*La douleur se propage-t-elle dans les doigts ?*
Does the pain occur only with certain movements or positions?	*Avez-vous mal seulement dans certaines positions ?*
Does the pain prevent normal use of the wrist, hand, or arm?	*Est-ce que la douleur vous empêche d'utiliser normalement le poignet, la main ou le bras ?*
Does heat help?	*La chaleur diminue-t-elle la douleur ?*
Is there numbness or tingling in the fingers?	*Y a-t-il un engourdissement ou des picotements dans les doigts ?*
Have you overused your arm recently?	*Avez-vous beaucoup utilisé votre bras récemment ?*
Is the pain aggravated by wrist and finger movements?	*La douleur est-elle aggravée par des mouvements du poignet et des doigts ?*
knee pain	*douleur du genou*
Are both knees affected?	*Les deux genoux sont-ils affectés ?*
Is the pain in the entire knee?	*Avez-vous mal dans tout le genou ?*
in the kneecap?	*au niveau de la rotule ?*
on the outer side of the knee?	*sur le bord externe du genou ?*
on the inner surface of the knee?	*sur le bord interne du genou ?*
below the knee?	*au-dessous du genou ?*
Is there swelling of the knee?	*Y a-t-il gonflement du genou ?*
in the calf of the leg?	*du mollet ?*
Do you have any numbness or loss of sensation in your leg?	*Avez-vous un engourdissement ou une perte de sensibilité de la jambe ?*
Do you have difficulty in walking?	*Avez-vous des difficultés pour marcher ?*
I sometimes need a stick.	*J'ai parfois besoin d'une canne.*
I don't need any crutches yet.	*Je n'ai pas encore besoin de béquilles.*
ligamentous injury	*lésion ligamentaire*
collateral ligament injury	*atteinte des ligaments latéraux*
Have you recently received a blow to the side of your knee?	*Avez-vous reçu récemment un coup sur le côté du genou ?*
Did you experience a sensation of tearing at the same time as pain?	*Avez-vous ressenti un déchirement en même temps que la douleur ?*
anterior cruciate ligament injury	*lésion du ligament croisé antérieur*
Did you feel a pop, snap or a tearing sensation when you twisted your knee?	*Avez-vous eu une sensation de claquement ou de déchirement quand vous vous êtes tordu le genou ?*
Was there effusion soon after?	*Y a-t-il eu un épanchement juste après ?*
meniscal tear	*rupture de ménisque*
Do you have difficulties in bearing your full weight on your knee?	*Avez-vous mal quand vous portez le poids du corps sur le genou ?*
Do you ever get the impression that your knee locks?	*Avez-vous parfois l'impression que votre genou se bloque ?*
Does your knee ever give way?	*Est-ce qu'il arrive que votre genou se dérobe ?*
patellofemoral pain syndrome	*syndrome fémoro patellaire*
Is the knee pain worse when sitting in a tight space with your knees flexed?	*La douleur augmente-t-elle lorsque vous êtes assis à l'étroit, les genoux fléchis ?*
when descending stairs or steep slopes?	*quand vous descendez un escalier ou une pente raide ?*
patellar dislocation	*luxation de la rotule*
ankle pain	*douleur de la cheville*
rheumatoid arthritis	*arthrite rhumatoïde*
Is the morning stiffness precipitated by prolonged rest?	*La raideur matinale est-elle plus prononcée après un repos prolongé ?*
Does this stiffness last for hours?	*Cette raideur dure-t-elle plusieurs heures ?*
Does this stiffness go away with activity?	*disparaît-elle avec l'activité physique ?*
osteoarthritis	*ostéoarthrite*
Do you suffer intermittent stiffness precipitated by brief periods of rest?	*Avez-vous par moment une raideur augmentée par des périodes de repos ?*
Is the stiffness aggravated by physical activity?	*La raideur est-elle aggravée par l'activité physique ?*
gouty arthritis / crystal-induced synovitis	*goutte articulaire*
Was the onset of symptoms acute?	*Le début a-t-il été brutal ?*
nocturnal?	*nocturne ?*
Did you experience fever at the same time?	*Avez-vous eu de la fièvre en même temps ?*
Was your big toe affected?	*Votre gros orteil était-il atteint ?*
Have you been rather overindulgent with food, recently?	*Avez-vous fait quelques excès de table ces temps derniers ?*

B. Physical examination
Examen physique

The patient's posture must be observed.	*L'attitude du patient doit être observée.*
Build is to be appreciated.	*La carrure du patient doit être appréciée.*
Walk back and forth whilst I study your gait.	*Allez et revenez pendant que je vous regarde marcher.*
Observe the patient squat and rise.	*Observer le patient quand il s'accroupit et quand il se relève.*
Lie down and raise your right leg without bending the knee	*Allongez-vous et soulevez la jambe droite sans plier le genou.*
Does the pain radiate along your thigh or buttock?	*La douleur se propage-t-elle le long de la cuisse ou de la fesse ?*
Does bending the knee relieve the pain?	*La douleur est-elle soulagée en pliant le genou ?*
Does it hurt when you move that joint?	*Avez-vous mal lorsque vous bougez cette articulation ?*
Do you hear a grating sound when you move that joint?	*Quand vous mobilisez cette articulation est-ce que ça grince ?*
Show me how far you can move the joint.	*Montrez-moi jusqu'où vous pouvez bouger l'articulation.*
Move the joint	*Bouger l'articulation*
go through a full range of flexion	*fléchir à fond*
of extension	*étendre à fond*
Measure the distance from the patient's fingertips to the floor during forward flexion with the knees straight.	*Mesurer la distance entre les bouts des doigts du patient et le sol pendant qu'il penche en avant, les genoux raides.*
I am going to examine your cervical spine.	*Je vais examiner votre colonne cervicale.*
Stand up straight.	*Tenez-vous droit.*
Bend your head down and touch your chin to your chest.	*Penchez la tête en avant et touchez la poitrine avec le menton.*
Bend your head back.	*Penchez la tête en arrière.*
Touch your ear to your shoulder, without lifting your shoulder.	*Touchez votre épaule avec l'oreille, sans lever l'épaule.*
Bend over and touch your fingers to the floor.	*Penchez-vous en avant et touchez le sol avec les doigts.*
Bend your wrist inward, outward.	*Tournez le poignet en dedans, en dehors.*
Touch the tip of your thumb with the tip of your little finger.	*Touchez l'extrémité du pouce avec l'extrémité du petit doigt.*
Make a fist.	*Serrez le poing.*
He is unable to grasp large objects with his hand.	*Il est incapable de saisir des objets volumineux avec la main.*
He is unable to grip things firmly between his thumb and fingers.	*Il est incapable de tenir fermement quelque chose entre le pouce et les autres doigts.*
Curl your toes.	*Fléchissez les orteils.*
Spread your toes apart.	*Ecartez les orteils.*
He has flat feet.	*Il a les pieds plats.*
Palpate between bony areas to assess abnormal movements.	*Palper entre les os afin d'apprécier les mouvements anormaux*
Press with fingers in order to check for muscle spasms.	*Appuyer avec les doigts afin de détecter une contraction musculaire.*
During neurological testing, power or strength, sensation and reflexes are tested.	*Pendant un examen neurologique, on teste la force musculaire, la sensibilité et les réflexes.*
The goniometer quantifies arc of movement.	*Le goniomètre mesure l'amplitude des mouvements*
measurement of strength	*mesure de la force*
gait or co-ordination disturbance	*démarche ou coordination anormales*
Muscle wasting or sensory loss is noted.	*On note une atrophie musculaire ou une perte de sensation.*

3. Diseases *Maladies*

sciatica	*sciatique*
pain radiating into the buttock and the back of the thigh	*la douleur se propage dans la fesse et en arrière de la cuisse*
irritation of the sciatic nerve root	*irritation de la racine du nerf sciatique*
compression of nerve by a disc.	*compression du nerf par un disque*
radiculopathy	*radiculopathie*
dysfunction of a nerve root	*dysfonction d'une racine nerveuse*

herniated disc / herniated nucleus pulposus / disc rupture / disc prolapse	*hernie discale*
rheumatism	*rhumatisme*
any painful state of the supporting structures of the body	*toute douleur du système de soutien du corps*
arthritis	*arthrite*
rheumatoid arthritis	*polyarthrite rhumatoïde*
osteoarthritis / wear-and-tear arthritis	*arthrose*
degenerative joint disease	*maladie dégénérative des articulations*
crystal-induced synovitis / gouty arthritis	*arthrite goutteuse*
excessive uric acid production	*surproduction d'acide urique*
insufficient uric acid elimination	*élimination insuffisante d'acide urique*
sodium urate crystals deposited in soft tissues of joints	*dépôts d'urates de sodium dans les tissus mous des articulations*
ankylosing spondylitis	*spondylarthrite ankylosante*
ankle sprain	*entorse de la cheville*
strain	*foulure*
twist one's ankle	*se tordre la cheville*
partial rupture of ligaments	*rupture partielle des ligaments*
knee injury	*lésion du genou*
tearing of an articular disc / tearing of meniscus	*déchirure d'un ménisque*
tearing of the anterior cruciate ligament	*déchirure du ligament croisé antérieur*
rupture of the tibial / medial collateral ligament	*rupture du ligament latéral interne*
patellofemoral stress syndrome / runner's knee	*syndrome fémoro-patellaire*
swollen knee	*genou enflé*
dislocated knee	*luxation du genou*
bursitis	*bursite*
chronic inflammation of a bursa	*inflammation chronique d'une bourse séreuse*
bunions	*oignons / hallux valgus*
friction bursitis over head of first metatarsal bone	*friction de la bourse séreuse au dessus du premier métatarsien*
housemaid's knee / carpet layer's knee	*hygroma prérotulien*
bursitis of prepatellar or subcutaneous intrapatellar	*hygroma prérotulien*
tennis elbow / lateral epicondylitis	*tennis elbow*
little-league elbow	*épicondylite du débutant*
nursemaid's elbow / radial head subluxation	*subluxation du coude de l'enfant*
mallet finger	*doigt en marteau*
hip fracture	*fracture de la hanche*
dislocated hip	*luxation de la hanche*
rotor cuff syndrome	*syndrome de la coiffe des rotateurs*
adhesion capsulitis / frozen shoulder	*atrophie de l'épaule*
osteoporosis	*ostéoporose*

4. Complementary exams — *Examens complémentaires*

magnetic resonance imaging	*imagerie par résonance magnétique*
myelogram	*myélogramme*
computer assisted tomography / CAT scan	*tomodensitométrie / scanner*
electromyogram (EMG)	*électromyogramme (EMG)*
complete blood count (CBC) / full blood count (FBC)	*numération formule sanguine (NFS)*
white blood cell (WBC) / differential count	*compte leucocytaire / formule blanche*
erythrocyte sedimentation rate (ESR)	*vitesse de sédimentation (VS)*
serum uric acid test	*dosage sérique de l'acide urique*
aspiration of synovial fluid	*aspiration du liquide synovial*
synovial fluid analysis	*analyse du liquide synovial*
The non-inflammatory synovial fluid is clear, viscous and amber-coloured.	*Le liquide synovial non inflammatoire est clair, visqueux et de couleur ambre.*
It has a low WBC count.	*Il a un faible taux de leucocytes.*
Inflammatory synovial fluid is turbid, yellow and has a lower viscosity	*Le liquide synovial inflammatoire est trouble, jaune et à viscosité plus faible*
arthroscopy	*arthroscopie*
arthroscope	*arthroscope*
arthroplasty	*arthroplastie*

5. Treatment — *Traitement*

meniscectomy	*meniscectomie*
total hip replacement	*remplacement total de la hanche*
NSAIDs provide symptomatic relief.	*Les AINS procurent un soulagement.*

6. Abbreviations — *Sigles*

CAT scan	computer assisted tomography	-	*tomodensitométrie / scanner*
CBC	complete blood count	*NFS*	*numération formule sanguine*
EMG	electromyogram	*EMG*	*électromyogramme*
ESR	erythrocyte sedimentation rate	*VS*	*vitesse de sédimentation*
FBC	full blood count	*NFS*	*numération formule sanguine*
NSAID	non steroidal anti-inflammatory drug	*AINS*	*anti-inflammatoire non stéroïdien*
WBC	white blood cell	-	*compte leucocytaire*

IX. Neurology — *Neurologie*

1. Anatomy — *Anatomie*

A. Neurons
Les neurones

the granular cytoplasm	*le cytoplasme granulaire*
the nerve fibre	*la fibre nerveuse*
the dendrites	*les dendrites*
the axon	*l'axone*
the axon terminal	*la terminaison axonale*
the synaptic end bulb	*le bouton synaptique*
receptors	*les récepteurs*
the myelin sheath	*la gaine de myéline*
neurolemmocytes / Schwamm cells	*les cellules de Schwamm*
neurolemma / sheath of Schwamm	*la gaine de Schwamm / neurilemme*
neurofibral nodes / nodes of Ranvier	*les nœuds de Ranvier*
neuronal pools	*les groupes de neurones*

B. The central nervous system (CNS)
Le système nerveux central (SNC)

1. The brain
L'encéphale

mushroom-shaped	*en forme de champignon*
the cranial meninges	*les méninges*
the dura mater	*la dure-mère*
the arachnoid	*l'arachnoïde*
the pia mater	*la pie-mère*
the cerebrospinal fluid (CSF)	*le liquide céphalo-rachidien (LCR)*
a colourless liquid	*un liquide incolore*
the ventricles	*les ventricules*
the interventricular foramen / foramen of Monro	*le trou de Monro*
the cerebral aqueduct	*l'aqueduc de Sylvius*
the aperture of Magendie	*le trou de Magendie*
the apertures of Luschka	*les trous de Luschka*
the choroid plexuses	*les plexus choroïdes*
the arachnoid villi	*les villosités arachnoïdiennes / granulations de Pacchioni*

the brain stem	*le tronc cérébral*
the medulla oblongata	*le bulbe rachidien*
the ascending tracts	*les faisceaux ascendants*
the descending tracts	*les faisceaux descendants*
the pyramids	*les pyramides*
decussation of pyramids	*décussation des pyramides*
the nucleus gracilis	*le noyau gracile / noyau de Goll*
the nucleus cuneatus	*le noyau cunéiforme / noyau de Burdach*
the reticular formation	*la formation réticulée*
the cardiac centre	*le centre cardiaque*

the medullary rhythmicity area / the respiratory centre	*le centre respiratoire*
the vasomotor centre	*le centre vasomoteur*
the pons	*la protubérance annulaire / le pont de Varole*
the middle cerebellar peduncles	*les pédoncules cérébelleux moyens*
the midbrain / mesencephalon	*le mésencéphale*
the cerebral peduncles	*les pédoncules cérébraux*
the tectum	*le tectum / la lame quadrijumelle*
the corpora quadrigemina	*les tubercules quadrijumeaux*
the substantia nigra	*le locus niger*
the red nucleus	*le noyau rouge*
the medial lemniscus	*le ruban de Reil médian*
the diencephalon	*le diencéphale*
the thalamus	*le thalamus*
the internal capsule	*la capsule interne*
the cerebrum	*le cerveau*
the cerebral cortex	*le cortex cérébral*
the convolutions / gyri	*les circonvolutions*
folds	*des plis*
deep grooves	*de profondes rainures*
shallow grooves	*des sillons peu profonds*
the fissures	*les scissures*
the sulci	*les sillons*
the longitudinal fissure	*la scissure interhémisphérique*
the transverse fissure	*la scissure transverse*
the hemispheres	*les hémisphères*
the corpus callosum	*le corps calleux*
the falx cerebri / cerebral fold	*la faux du cerveau*
the lobes	*les lobes*
the central sulcus	*la scissure de Rolando*
the frontal lobe	*le lobe frontal*
the parietal lobe	*le lobe pariétal*
the precentral gyrus	*la circonvolution frontale ascendante*
the postcentral gyrus	*la circonvolution pariétale ascendante*
the lateral cerebral sulcus	*la scissure de Sylvius*
the temporal lobe	*le lobe temporal*
the parietooccipital sulcus	*la scissure perpendiculaire interne*
the occipital lobe	*le lobe occipital*
the insula	*l'insula*
basal ganglia / cerebral nuclei	*les noyaux gris centraux*
the corpus striatum	*le corps strié*
the caudate nucleus	*le noyau caudé*
the lentiform nucleus	*le noyau lenticulaire*
the putamen	*le putamen*
the globus pallidus	*le globus pallidus*
the limbic system	*le système limbique*
the sensory areas	*les aires sensitives*
the motor areas	*les aires motrices*
the language areas	*les centres moteurs du langage*
the motor speech area / Broca's area	*le centre moteur du langage / l'aire de Broca*
the cerebellum	*le cervelet*
the transverse fissure	*la scissure transverse*
the tentorium cerebelli	*la tente du cervelet*
the vermis	*le vermis*
the falx cerebelli	*la faux du cervelet*
the cortex	*le cortex*
the folia	*les lamelles*

2. The spinal cord *La moelle épinière*

the cervical enlargement	*le renflement cervical*
the lumbar enlargement	*le renflement lombaire*
the conus medullaris	*le cône médullaire*
the cauda equina	*la queue de cheval*
the spinal segment	*le segment médullaire*
the anterior median fissure	*le sillon médian antérieur*
a deep, wide groove	*un large et profond sillon*
the posterior median sulcus	*le sillon médian postérieur*
a shallower, narrow groove	*un sillon étroit et moins profond*
the gray / grey matter	*la substance grise*
an H-shaped area	*une région en forme de H*
the gray commissure	*la commissure grise*
the cross bar of the H	*la barre transversale du H*
the central canal	*le canal de l'épendyme*
the anterior (ventral) white commissure	*la commissure blanche*
the horns	*les cornes*
the anterior (ventral) gray horns	*les cornes antérieures*
the posterior (dorsal) gray horns	*les cornes postérieures*
the lateral gray horns	*les cornes latérales*
the white matter	*la substance blanche*
the anterior (ventral) white columns	*les cordons antérieurs*
the posterior (dorsal) white columns	*les cordons postérieurs*
the lateral white columns	*les cordons latéraux*
the tracts	*les faisceaux*
bundles of myelinated fibres	*groupes de fibres myélinisées*
the ascending tracts	*les faisceaux ascendants*

the descending tracts	*les faisceaux descendants*
a nerve	*un nerf*
a ganglion (pl. ganglia)	*un ganglion*
the nucleus (pl. nuclei)	*le noyau*
vertebral canal	*le canal rachidien*
the meninges (sg. meninx)	*les méninges*
the epidural space	*l'espace épidural*
the subdural space	*l'espace sous-dural*
the sub-arachnoid space	*l'espace sous-arachnoïdien*
the denticulate ligaments	*les ligaments dentelés*
the posterior / dorsal (sensory) root	*la racine postérieure (sensitive)*
the root ganglion	*le ganglion spinal*
a swelling	*un renflement*
the anterior / ventral (motor) root	*la racine antérieure (motrice)*
the conduction pathway	*la voie de conduction*

C. The peripheral nervous system (PNS) / *Le système nerveux périphérique (SNP)*

1. Cranial nerves / *Les nerfs crâniens*

the sensory nerves	*les nerfs sensitifs*
the olfactory nerve (CNI)	*le nerf olfactif*
the optic nerve (CNII)	*le nerf optique*
the mixed nerves	*les nerfs mixtes*
the oculomotor nerve (CNIII)	*le nerf moteur oculaire commun*
the trochlear nerve (CNIV)	*le nerf pathétique*
the trigeminal nerve (CNV)	*le nerf trijumeau*
the abducens nerve (CNVI)	*le nerf moteur oculaire externe*
the facial nerve (CNVII)	*le nerf facial*
the vestibulocochlear / acoustic nerve (CNVIII)	*le nerf auditif*
the glossopharyngeal nerve (CNIX)	*le nerf glosso-pharyngien*
the vagus nerve (CNX)	*le nerf pneumogastrique*
the accessory nerve (CNXI)	*le nerf spinal*
the hypoglossal nerve (CNXII)	*le nerf grand hypoglosse*

2. Spinal nerves / *Les nerfs rachidiens*

a mixed nerve	*un nerf mixte*
the endoneurium	*l'endonèvre*
the perineurium	*le périnèvre*
the cervical plexus	*le plexus cervical*
the brachial plexus	*le plexus brachial*
median nerve	*nerf médian*
axillary / circumflex nerve	*nerf circonflexe*
radial nerve	*nerf radial*
ulnar nerve	*nerf cubital*
the lumbar plexus	*le plexus lombaire*
femoral nerve	*nerf crural*
obturator nerve	*nerf obturateur*
the sacral plexus	*le plexus sacré*
sciatic nerve	*nerf grand sciatique*
tibial nerve	*nerf sciatique poplité interne*
common peroneal nerve	*nerf sciatique poplité externe*
superficial peroneal	*nerf musculo-cutané*
deep perineal	*nerf tibial antérieur*
pudental nerve	*nerf honteux interne*
intercostal nerves	*les nerfs intercostaux*

2. Physiology / *Physiologie*

the sensory function	*la sensibilité*
sense any change	*détecter tout changement*
the integrative function	*l'intégration*
the motor function	*la motricité*
respond to the interpretation	*réagir à l'interprétation*
the somatic nervous system	*le système nerveux somatique*
the autonomic nervous system	*le système nerveux autonome*
nerve impulse	*influx nerveux*
thinking	*la pensée*
controlling muscle activity	*la maîtrise de l'activité musculaire*
regulating glands	*la régulation des glandes*
neuroglia / glial cells	*la névroglie / les cellules gliales*
a synapse	*une synapse*
a gap junction / synaptic junction	*une jonction synaptique*
a neurotransmitter	*un neurotransmetteur*
a reflex arc	*un arc réflexe*
the receptor	*le récepteur*
the sensory neuron	*le neurone sensitif*
the centre	*le centre*
the motor neuron	*le neurone moteur*
the effector	*l'effecteur*
reflexes	*les réflexes*
spinal reflexes	*les réflexes spinaux*

somatic reflexes	*les réflexes somatiques*
cranial reflexes	*les réflexes crâniens*
visceral (autonomic) reflexes	*les réflexes végétatifs*
superficial reflexes	*les réflexes superficiels*
knee reflex / knee jerk	*le réflexe rotulien*
achillean reflex	*le réflexe achilléen*
Babinski's sign	*le signe de Babinski*
plantar reflex	*le réflexe cutané plantaire*
the perivascular space	*l'espace périvasculaire*
the blood-brain barrier	*la barrière hémato-encéphalique*
the reticular activating system (RAS)	*système réticulo-endothélial (SRE)*
split-brain concept / brain lateralization	*la latéralisation cérébrale*

3. Clinical examination — *Examen clinique*

A. Past and present history — *Antécédents et symptômes actuels*

headache	*mal de tête*
Is this a new type of headache for the patient?	*Est-ce un nouveau type de mal de tête pour le malade ?*
I have got an awful sensation of pressure.	*J'ai la tête dans un étau.*
Is it a band-like sensation?	*Est-ce comme un bandeau trop serré ?*
Could you describe the headache as pulsating / throbbing?	*Votre mal de tête est-il de type pulsatif / lancinant ?*
Do you have the impression that you have experienced your worst ever headache?	*Avez-vous le sentiment que ce mal de tête est le plus douloureux que vous n'ayez jamais eu ?*
cluster headache	*migraines en salve*
Is the headache located in the forehead or around the eyes?	*Le mal de tête est-il situé au niveau du front ou autour des yeux ?*
Are the headaches worse when lying down?	*Les maux de tête empirent-ils en vous allongeant ?*
when sitting down?	*quand vous vous asseyez ?*
when standing up?	*quand vous vous levez ?*
when coughing?	*quand vous toussez ?*
Do you get headache when you are stressed?	*Avez-vous mal à la tête quand vous êtes tendu ?*
during your menstrual cycle?	*pendant vos règles ?*
Is the headache relieved by medication?	*Est-ce-que votre mal de tête est soulagé par des médicaments ?*
Does nausea or vomiting accompany the headache?	*Le mal de tête est-il accompagné par des nausées ou des vomissements ?*
Is the headache preceded by a pop / snap in the skull?	*Le mal de tête est-il précédé d'un claquement / déclic dans la tête ?*
by temporary loss of half of the visual field?	*d'une perte temporaire de la moitié du champ visuel ?*
Do neurological symptoms such as weakness or loss of speech occur when you have a headache?	*Y a t il des symptômes tels que faiblesse ou perte du langage quand vous avez mal à la tête ?*
Does the headache cause the eye to tear on the same side as where the headache is?	*Est-ce que le mal de tête provoque des larmes du côté où se trouve la douleur ?*
Have you got a runny nose or stuffiness on the same side?	*Avez-vous le nez qui coule ou le nez bouché du même côté ?*
rhinorrhea / runny nose	*rhinorrée / nez qui coule*
nasal congestion	*encombrement nasal*
swelling under or around the eyes	*gonflement sous ou autour des yeux*
excessive tears	*excès de larmes*
red eyes	*yeux rouges*
migraine	*migraine*
common migraine	*migraine commune*
Do you ever suffer migraine?	*Vous arrive-t-il d'avoir des migraines ?*
dull aching pain	*douleur sourde*
migraine with aura	*migraine avec aura*
classical migraine	*migraine classique*
Aura occur before the migraine attack	*L'aura survient avant la migraine*
Do you experience neck pain after an attack?	*Ressentez-vous des douleurs au niveau du cou après la migraine ?*
reducing migraine pain	*soulagement de la douleur migraineuse*
Does lying in a dark, quiet room ease the migraine?	*Est-ce-que le fait de s'allonger dans une pièce sombre et calme soulage la douleur ?*
Does putting a cold compress over your forehead relieve pain?	*Est-ce-qu'une compresse froide appliquée sur le front soulage la douleur ?*

Does putting pressure on your temples help?	*Est-ce-que le fait d'appuyer sur les tempes vous soulage ?*
I try to massage my scalp.	*J'essaye de me masser le cuir chevelu.*
dizziness	*étourdissement*
Do you ever suffer vertigo?	*Vous arrive-t-il d'avoir des vertiges ?*
Do you ever experience a feeling of spinning?	*Vous arrive-t-il d'avoir la tête qui tourne ?*
Do you suffer dizzy spells when you turn your head from side to side?	*Avez-vous des étourdissements quand vous tournez la tête d'un côté à l'autre ?*
orthostatic hypotension	*hypotension posturale*
Do you feel dizzy when you change from a lying or sitting position to an upright position?	*Avez-vous des étourdissements quand vous passez d'une position allongée ou assise à une position debout ?*
Do you take drugs for high blood pressure?	*Prenez-vous des médicaments pour l'hypertension ?*
faintness	*malaise*
Do you ever have a sensation of giddiness?	*Vous arrive-t-il d'avoir une sensation de vertige ?*
Do you yawn just before an attack?	*Bâillez-vous juste avant une crise ?*
I found him gaping.	*Je l'ai retrouvé la mâchoire pendante.*
He has a pallor / an ashen colour of face.	*Il est pâle / d'un teint terreux.*
Did you have cold perspiration just before fainting?	*Avez-vous eu des sueurs froides juste avant de vous évanouir ?*
Often syncope is sudden and without warning.	*La syncope survient brusquement et sans prévenir.*
After the attack, did he lie motionless?	*Est-il resté allongé immobile après la crise ?*
Was his pulse strong or feeble?	*Son pouls était-il fort ou faible ?*
seizure / fit	*crise (d'épilepsie)*
Did it occur on one side only?	*S'est-elle produite d'un côté seulement ?*
Did it affect only a part of the body?	*N'a-t-elle touché qu'un côté du corps ?*
Was it a major movement (convulsion) seizure?	*Etait-ce une crise convulsive ?*
Was consciousness maintained during the seizure?	*Est-il resté conscient pendant la crise ?*
Was it a rhythmic contraction and relaxation of the muscles?	*Etait-ce une contraction et une relaxation rythmées des muscles ?*
Were there prolonged muscle contractions only?	*Y-a-t-il eu simplement des contractions musculaires prolongées ?*
Do you feel cold or sweaty after a seizure?	*Avez-vous froid ou des sueurs après une crise ?*
Is your neck stiff or tender after a seizure?	*Avez-vous le cou raide ou sensible après une crise ?*
Does your scalp feel tender afterwards?	*Avez-vous le cuir chevelu sensible par la suite ?*
Do you feel annoyed after a seizure?	*Vous sentez-vous irritable après une crise ?*
partial seizure	*crise partielle*
focal seizure	*crise focale*
adversive seizure	*crise adversive*
deviation of eyes to one side	*déviation latérale des yeux*
complex partial seizure	*crise partielle complexe*
Do you suffer from sensory hallucinations or spatial illusions?	*Avez-vous des hallucinations sensorielles ou spatiales ?*
Do you notice any loss of awareness?	*Remarquez-vous une sensation d'absence ?*
generalised seizure	*crise convulsive généralisée*
tonic-clonic seizure	*crise tonico-clonique*
generalised motor seizure	*crise motrice généralisée*
tonic phase	*phase tonique*
Is there generalised muscular contraction during a fit?	*Y-a-t-il une contraction musculaire généralisée pendant une crise ?*
tongue-biting	*morsure de la langue*
cheek-biting	*morsure de la joue*
teeth-clenching	*serrement de dents*
drooling	*baver*
Did he bite his tongue or his cheek during the fit?	*S'est-il mordu la langue ou la joue pendant la crise. ?*
Did he clench his teeth during the attack?	*A-t-il serré les dents pendant la crise ?*
Did he drool during the attack?	*A-t-il bavé pendant la crise ?*
Did he urinate after the fit?	*A-t-il eu une perte d'urine après la crise ?*
clonic phase	*phase clonique*
clonic jerks of limbs	*mouvements brusques des membres*
Did you observe any violent rhythmic muscular contraction?	*Avez-vous remarqué des contractions musculaires violentes et rhytmées ?*
absence	*absence*
Does he stare into space during an episode?	*Regarde-t-il dans le vide pendant une crise ?*
cessation of ongoing behaviour	*arrêt d'activité en cours*

Does he stop what he is doing just before an attack?	*Arrête-t-il son activité juste avant la crise ?*
Have you observed any abnormal fluttering of eyelids or eye blinking?	*Avez-vous remarqué un battement anormal des paupières ou un clignement des yeux ?*
facial twitches	*tics faciaux*
wide-eyed stare	*les yeux grands ouverts*
unblinking stare	*les yeux ne clignent pas*
slightly open mouth	*bouche entrouverte*
uncontrolled drooling	*bavement involontaire*
Is this the first time he has had this type of seizure?	*Est-ce la première fois qu'il a eu ce type de crise ?*
Did the seizure occur with some memory loss?	*La crise a-t-elle été accompagnée de perte de mémoire ?*
Did the seizure occur after an episode of rapid breathing / hyperventilation?	*La crise s'est-elle produite après une période d'hyperventilation ?*
Did the seizure occur with lip smacking?	*La crise a-t-elle été accompagnée de claquement de lèvres ?*
with impairment of taste / dysgeusia?	*d'une diminution du goût / dysgueusie ?*
with loss of smell / anosmia?	*d'une perte d'odorat / anosmie ?*
<u>weakness</u>	<u>*faiblesse*</u>
Is the weakness worse in the morning or at night?	*La faiblesse est-elle plus importante le matin ou la nuit ?*
Is the weakness noticed only after strenuous activity or exercise?	*La faiblesse apparaît-elle seulement après une activité ou un effort intenses ?*
Does the weakness affect breathing?	*La faiblesse affecte-t-elle la respiration ?*
talking?	*le langage ?*
chewing?	*la mastication ?*
swallowing?	*la déglutition ?*
walking?	*la marche ?*
climbing stairs?	*le fait de monter un escalier ?*
sitting?	*de s'asseoir ?*
getting up?	*de se lever ?*
Is he clumsy when accomplishing fine movements?	*Est-il maladroit lorsqu'il fait des mouvements précis ?*
Do you ever experience difficulty in buttoning shirts?	*Vous arrive-t-il d'avoir des difficultés à boutonner votre chemise ?*
in typing?	*à taper à la machine ?*
in hair grooming?	*a vous coiffer ?*
in lifting objects to high shelves?	*à mettre des objets en hauteur ?*
in arising from a bed or a chair?	*à vous lever d'un lit ou d'une chaise ?*
in climbing a flight of stairs?	*à monter des escaliers ?*
Do you often trip up?	*Trébuchez-vous souvent ?*
Does he have clumsy walking / gait?	*A-t-il une démarche gauche ?*
He has problems in starting and stopping walking.	*Il a des difficultés à se mettre à marcher et à s'arrêter.*
<u>tics and habits</u>	<u>*tics nerveux*</u>
stereotyped, purposeless and irregularly repetitive movements	*mouvements répétitifs stéréotypés, sans but et irréguliers*
sniff	*renifler*
clear the throat	*s'éclaircir la gorge*

B. Mental status
Etat mental

I. Neurological examination
Examen neurologique

neurologist	*neurologue*
psychiatrist	*psychiatre*
<u>attention</u>	<u>*attention*</u>
Does the patient pay attention?	*Le malade peut-il se concentrer ?*
Is he easily distracted?	*Est-il facilement distrait ?*
a string of numerals	*respecter une série de chiffres*
I'm going to recite a series of numbers.	*Je vais citer une série de chiffres.*
Can you tell me each time I repeat the number "5"?	*Pouvez-vous me signaler chaque fois que je répète le chiffre « 5 » ?*
<u>delirium</u>	<u>*confusion*</u>
clouding of consciousness	*état confusionnel*
Can you tell me where you are at the present moment?	*Pouvez-vous me dire où vous êtes en ce moment ?*
What day are we today?	*Quel jour sommes-nous aujourd'hui ?*
Does he get days and nights mixed up?	*Mélange-t-il le jour et la nuit ?*
Is he awake during his usual sleep time?	*Reste-t-il éveillé quand il devrait normalement dormir ?*
Does he recognise people?	*Reconnaît-il les gens ?*
Can he answer questions appropriately?	*Répond-il de façon appropriée ?*
<u>memory</u>	<u>*mémoire*</u>
amnesia / loss of memory	*amnésie / perte de mémoire*

forgetfulness / absent-mindedness	*étourderie*
immediate memory	*mémoire immédiate*
Repeat after me the following series of numbers.	*Répétez après moi la liste des nombres suivants.*
Can you recall any of the objects you have just seen?	*Vous rappelez-vous les objets que je viens de vous montrer ?*
He has an impaired short-term memory.	*Il a un trouble de la mémoire des faits récents.*
Can the patient remember recent events?	*Le sujet se souvient-il de faits récents ?*
There is impaired long-term memory.	*Il y a défaillance de la mémoire des faits anciens.*
Can the patient remember events from further in the past?	*Le sujet peut-il se rappeler de faits très anciens ?*
anterograde amnesia	*amnésie antérograde*
There is a loss of memory about events that occurred prior to his accident.	*Il a perdu la mémoire des faits antérieurs à son accident.*
retrograde amnesia	*amnésie rétrograde*
There is a loss of memory about events that occurred after this specific experience.	*Il a perdu la mémoire des faits postérieurs à cet événement particulier.*
soon after	*peu après*
right after	*juste après*
a long time after	*longtemps après*
He has only got a minimal loss of memory.	*Il a seulement une légère perte de mémoire.*
confabulation	*affabulation*
The person makes up stories to cover gaps in memory.	*La personne invente des histoires pour combler son manque de mémoire.*
Has the memory loss been getting worse over years?	*La perte de mémoire s'est-elle accentuée au fil des années ?*
been developing over weeks or months?	*accentuée ces derniers mois ?*
Is the memory loss present all the time?	*La perte de mémoire est-elle permanente ?*
Are there distinct episodes of amnesia?	*Y-a-t-il des périodes précises d'amnésie ?*
<u>emotional behaviour</u>	*<u>comportement émotionnel</u>*
Is he particularly irritable at the moment?	*Est-il particulièrement irritable en ce moment ?*
Does he appear anxious?	*Semble-t-il anxieux ?*
Is he depressed?	*Est-il déprimé ?*
Does he show signs of indecision?	*Se montre-t-il indécis ?*
Has he become self-centred, recently?	*Est-il devenu égocentrique, récemment ?*
Is he inflexible in his attitude?	*A-t-il une attitude inflexible ?*
Have you noticed that he has no observable mood?	*Avez-vous remarqué des périodes d'indifférence ?*
He has shown inappropriate mood and behaviour.	*Il a eu des comportements et une humeur inadaptées.*
Is he sleepy during the day?	*A-t-il sommeil la journée ?*
Does he show signs of drowsiness?	*Présente-t-il des signes de somnolence ?*
Does he show apathy towards everything?	*A-t-il un comportement apathique envers toute situation ?*
He is lethargic.	*Il est apathique.*
Does he have poor temper control?	*Se maîtrise-t-il difficilement ?*
Is he emotionally unstable?	*Est-il d'humeur instable ?*
<u>withdrawal from social interaction</u>	*<u>retrait de la vie sociale</u>*
He has lost the ability to interact in daily life.	*Il a perdu sa capacité à réagir aux situations courantes.*
Has he had problems maintaining full employment?	*A-t-il eu des problèmes pour garder son emploi ?*
Does he show a decreased ability to care for himself?	*Présente-t-il une perte d'autonomie ?*
Does he have decreased interest in daily living activities?	*Se désintéresse-t-il des activités quotidiennes ?*
Does he show a lack of spontaneity?	*Manque-t-il de spontanéité ?*
<u>depression</u>	*<u>dépression</u>*
Has there been a suicide attempt?	*A-t-il tenté de se suicider ?*
Is he extremely depressed?	*Est-il très déprimé ?*
Is the depression severe enough to impair occupational or social functioning?	*La dépression est-elle grave au point d'affecter son comportement professionnel ou social ?*
What is his social life like?	*A-t-il une vie sociale ?*
<u>agitation</u>	*<u>agitation</u>*
Is he more talkative than usual?	*Est-il plus bavard que d'habitude ?*
Does he show increased purposeless activity such as pacing or hand-wringing?	*A-t-il une activité sans but telle que faire les cent pas ou se tordre les mains ?*
Is he extremely restless?	*Est-il toujours en mouvement ?*
He is trembling and twitching.	*Il tremble et a des mouvements saccadés.*
<u>speech and language difficulties</u>	*<u>troubles de la parole et du langage</u>*

examine language function	*examiner la fonction du langage*
dominant hemisphere	*l'hémisphère dominant*
dysarthria	*dysarthrie*
He has a defect of articulation.	*Il a un défaut d'articulation.*
His speech is slurred.	*Il a du mal à articuler.*
mispronunciation of words	*mauvaise prononciation des mots*
He has a problem with clearly pronouncing words.	*Il a des difficultés à prononcer distinctement.*
He has difficulty in pronouncing vowel sounds.	*Il a des difficultés à prononcer les voyelles.*
He has great difficulties in forming words	*Il a d'énormes difficultés à former les mots.*
He has poor enunciation	*Il a une mauvaise élocution.*
He has a problem expressing thoughts through speech.	*Il a des difficultés à exprimer ce qu'il pense.*
<u>aphasia</u>	<u>*aphasie*</u>
Has he ever suffered loss of speech or language?	*A-t-il déjà eu des pertes de la parole ou du langage ?*
He has absent or impaired language ability.	*Il a une absence ou une défaillance de langage.*
<u>aphonia</u>	<u>*aphonie*</u>
Has he ever lost his voice?	*A-t-il déjà perdu la voix / été aphone ?*
<u>dysphonia</u>	<u>*dysphonie*</u>
it can be due to recurrent laryngeal nerve entrapment	*elle peut être provoquée par la compression du nerf récurrent*
Is he able to comprehend speech?	*Peut-il comprendre ce qu'on dit ?*
Does he have inappropriate speech, use of jargon or wrong words?	*A-t-il un discours inadapté, utilise-t-il un jargon ou des termes impropres ?*
Is he able to repeat a simple sentence?	*Peut-il répéter une phrase simple ?*
Has he developed a habit of persistent repetition of phrases?	*A-t-il pris l'habitude de toujours répéter ses phrases ?*
<u>writing</u>	<u>*écriture*</u>
Write your name and a short sentence.	*Ecrivez votre nom et une phrase courte.*
illegible handwriting	*écriture illisible*
agraphia	*agraphie*
He cannot write.	*Il est incapable d'écrire.*
<u>reading</u>	<u>*lecture*</u>
standard reading test	*test de lecture standard*
Is there a problem understanding a written text?	*A-t-il du mal à comprendre un texte écrit ?*
<u>dyslexia</u>	<u>*dyslexie*</u>
difficulty in handling words	*difficulté à reconnaître les mots*
reversed letters	*lettres inversées*
upside down letters	*lettres à l'envers*
Does he have a tendency of skipping words when reading?	*A-t-il tendance à sauter des mots lorsqu'il lit ?*
<u>alexia</u>	<u>*alexie*</u>
He is unable to read.	*Il est incapable de lire.*
<u>cognitive function</u>	<u>*fonction cognitive*</u>
patient's mental capacities	*les capacités mentales du malade*
He has symptoms of disordered reasoning.	*Il présente des erreurs de raisonnement.*
He has a marked decrease in problem solving skills and judgement capability.	*Il a une baisse très nette de la capacité à résoudre des problèmes et à porter un jugement.*
Is he able to concentrate?	*Peut-il se concentrer ?*
He has an intellectual disorder.	*Il a un problème intellectuel.*
He presents signs of a fluctuating mental status.	*Il a un état mental variable.*
He has lost the ability to generalise.	*Il a perdu la capacité à généraliser.*
the capacity of abstract thinking.	*la capacité d'abstraction.*
He has impaired calculating ability.	*Il a une baisse de son aptitude à calculer.*
He has great difficulty in learning new facts.	*Il a d'énormes difficultés à apprendre des faits nouveaux.*
sequential subtraction of 3 from 30 down to zero	*soustraire de 3 en 3 en partant de 30 et en allant jusqu'à zéro*
<u>visual-spatial perception</u>	<u>*perception visio-spatiale*</u>
When I take my pen out of my pocket, please touch your left ear with your right index finger.	*Lorsque je sortirai mon stylo de ma poche, touchez votre oreille gauche avec votre index droit.*
visuospatial agnosia	*agnosie visiospatiale*
Copy this drawing of a five-pointed star.	*Reproduisez ce dessin d'une étoile à cinq branches.*
Can he reproduce simple geometric figures?	*Peut-il reproduire des figures géométriques simples ?*
constructional apraxia	*apraxie constructionnelle*
incoherence of thought / of perception / of understanding	*incohérence de pensée / de perception / de compréhension*
Is he able to mimic hand positions?	*Peut-il imiter certains gestes de la main ?*

agnosia	*agnosie*
He has impaired recognition of familiar objects or persons.	*Il reconnaît moins bien les objets ou les gens connus.*

2. Cranial nerve (CN) examination
Examen des nerfs crâniens (CN)

the olfactory nerve (CNI)	*le nerf olfactif*
anosmia	*anosmie*
impression of being bothered by abnormal odours	*impression d'être gêné par des odeurs anormales*
Block your right nostril and sniff this.	*Bouchez-vous la narine droite et reniflez ceci.*
Can you identify the odour?	*Pouvez-vous identifier cette odeur ?*
Does this odour smell most like chocolate, banana or onion?	*Cette odeur ressemble-t-elle plutôt à du chocolat, de la banane ou de l'oignon ?*
the optic nerve (CNII)	*le nerf optique*
Is the vision blurred or is there double vision?	*Votre vision est-elle floue ou double ?*
Are there temporary blind spots?	*Vous arrive-t-il d'avoir des trous noirs ?*
Do you ever have spots before your eyes?	*Vous arrive-t-il d'avoir des taches devant les yeux ?*
Are there areas that appear black or missing?	*Y a-t-il des zones qui paraissent noires ou manquantes ?*
Is side-vision missing?	*La vision latérale fait-elle défaut ?*
Are flashing lights or zigzag lines seen?	*Voyez-vous des éclairs ou des lignes en zigzag ?*
Photophobia is the discomfort when in bright light.	*La photophobie est la gêne éprouvée lorsque l'on est en pleine lumière.*
Are you bothered by the light?	*La lumière vous gêne-t-elle ?*
Are you extremely sensitive to light?	*Etes-vous très sensible à le lumière ?*
Do stationary things seem to be moving?	*Voyez-vous bouger des objets immobiles ?*
Do you experience other visual hallucinations?	*Avez-vous d'autres hallucinations visuelles ?*
colours are missing	*perte de la vision des couleurs*
Is it difficult to differentiate colours?	*Avez-vous des difficultés à distinguer les couleurs ?*
He suffers from partial monocular blindness.	*Il souffre de cécité monoculaire partielle*
He is completely blind.	*Il est complètement aveugle.*
amaurosis fugax	*amaurose transitoire*
sudden painless temporary loss of vision	*perte de vision temporaire soudaine et indolore*
Does your vision ever appear to dim?	*Vous arrive-t-il d'avoir la vue qui baisse ?*
Was the onset of your blindness like a curtain coming gradually over the vision?	*La perte de la vision a-t-elle commencé comme un rideau vous tombant devant les yeux ?*
I'm going to test your visual acuity on this chart.	*Je vais tester votre acuité visuelle à l'aide de ce tableau.*
diminished visual acuity	*acuité visuelle diminuée*
optic fundi examined with an ophthalmoscope	*fond d'œil exploré à l'aide d'un ophtalmoscope*
Keep your eye wide open while I take a look at the retina.	*Gardez l'œil grand ouvert pendant que je regarde la rétine.*
visual field mapping	*mesure du champ visuel*
Cover one eye and fix the other straight ahead.	*Cachez-vous un œil et regardez droit devant avec l'autre.*
Tell me when you can see the pin I'm holding.	*Dites-moi quand vous voyez l'aiguille que je tiens.*
the oculomotor nerve (CNIII), the trochlear nerve (CNIV), the abducens nerve (CNVI)	*le nerf moteur oculaire commun, le nerf pathétique, le nerf moteur oculaire externe*
examination of eyes	*examen des yeux*
Turn your eyes to the right, left.	*Tournez les yeux à droite, à gauche.*
Do you experience discomfort on moving your eyes from side to side?	*Ressentez-vous une gêne en déplaçant les yeux d'un côté à l'autre ?*
Look upwards, downwards.	*Levez les yeux, baissez les yeux.*
Do you experience discomfort on moving your eyes up and down?	*Ressentez-vous un gêne en déplaçant les yeux de haut en bas ?*
Move your eyes in a circle.	*Décrivez un cercle avec vos yeux.*
paralysis of eye muscles	*paralysie des muscles oculaires*
diplopia	*diplopie*
His eyes are crossed / he is cross-eyed.	*Il louche.*
Does one of the eyes "drift"? Do both?	*Est-ce qu'un des yeux se décale ? les deux ?*
pupillary examination	*examen des pupilles*
myosis	*myosis*
He has a prompt symmetrical constriction on exposure to light.	*Il a une rétraction symétrique rapide à la lumière.*
dilated pupil	*pupille dilatée*
He had enlarged, dilated pupils.	*Il avait les pupilles largement dilatées.*

absence of corneal reflex	*absence de réflexe cornéen*
decreased pupil response	*réponse de la pupille diminuée*
sluggish pupil reaction	*réaction léthargique de la pupille*
eyelid drooping	*paupières tombantes*
<u>the trigeminal nerve (CNV)</u>	<u>*le nerf trijumeau*</u>
Clench your teeth while I examine your jaw muscles / temple muscles.	*Serrez les dents pendant que j'examine les muscles de la mâchoire, de vos tempes.*
Open wide your mouth.	*Ouvrez grand la bouche.*
Try to resist when I push on your jaw from the side.	*Essayez de résister pendant que je pousse votre mâchoire de côté.*
When I pass this light wisp of cotton across your face, tell me what you feel.	*Lorsque je passe cette boule de coton sur votre visage, dites-moi ce que vous ressentez.*
<u>the facial nerve (CNVII)</u>	<u>*le nerf facial*</u>
examination of facial movements	*examen des muscles de la face*
Lift up your eyebrows.	*Levez les sourcils.*
Wrinkle your forehead.	*Plissez le front.*
Can you frown?	*Pouvez-vous froncer les sourcils ?*
Puff out your cheeks.	*Gonflez les joues.*
Purse your lips and then whistle.	*Pincez les lèvres et puis sifflez.*
examination of taste	*étude du goût*
dysgeusia	*dysgueusie*
sensation of abnormal taste	*sensation de goût anormal*
Can you describe the taste on this cotton bud?	*Pouvez-vous décrire le goût présent sur ce coton-tige ?*
Is it sugary / sweet or salty?	*Est-ce sucré ou salé ?*
Is it a bitter or sour taste?	*Est-ce amer ou aigre ?*
<u>the vestibulocochlear / acoustic nerve (CNVIII)</u>	<u>*le nerf auditif*</u>
Can you hear when I rub my fingers together?	*Entendez-vous quand je frotte mes doigts ?*
spondee threshold	*seuil auditif*
Can you repeat what I have just whispered to you?	*Pouvez-vous répéter ce que je viens de vous chuchoter ?*
<u>the glossopharyngeal nerve (CNIX)</u>	<u>*le nerf glosso-pharyngien*</u>
swallowing	*déglutition*
<u>the vagus nerve (CNX)</u>	<u>*le nerf pneumogastrique*</u>
pulse	*pouls*
<u>the accessory nerve (CNXI)</u>	<u>*le nerf spinal*</u>
diminished shoulder shrug	*diminution du haussement d'épaules*
Can you shrug your shoulders while I apply a downward force on them?	*Pouvez-vous hausser les épaules pendant que j'appuie dessus ?*
Can you turn your head from side to side against the resistance of my hand?	*Pouvez-vous tourner la tête d'un côté à l'autre contre la pression de ma main ?*
<u>the hypoglossal nerve (CNXII)</u>	<u>*le nerf grand hypoglosse*</u>
tongue deviation	*déviation de la langue*
Move your tongue from side to side.	*Déplacez la langue d'un côté à l'autre.*

3. Motor examination
Examen de la motricité périphérique

The muscles are examined for evidence of atrophy or hypertrophy.	*On recherche une atrophie ou une hypertrophie musculaire.*
Let me turn your wrist without opposition.	*Laissez-moi vous tourner le poignet sans résister.*
<u>paralysis / palsy</u>	<u>*paralysie*</u>
paresis	*parésie*
He has a slight loss of motor strength.	*Il a une légère perte de force motrice.*
apraxia	*apraxie*
It is a disorder of learned movements.	*C'est un trouble des gestes acquis.*
akinesia	*akinésie*
He has difficulty in initiating changes in activity, rapidly and easily.	*Il a des difficultés pour passer rapidement d'un geste à l'autre.*
<u>abnormal muscle tone</u>	<u>*tonus musculaire anormal*</u>
<u>athetosis</u>	<u>*athétose*</u>
He cannot sustain his finger in one position.	*Il ne peut pas maintenir son doigt dans la même position.*
<u>myoclonus</u>	<u>*myoclonie*</u>
He suffers brief, involuntary, random muscular contractions.	*Il présente des contractions musculaires brèves, involontaires et aléatoires.*
<u>tremor</u>	<u>*tremblement*</u>
The tremor is regular / irregular.	*Le tremblement est régulier / irrégulier.*
His movements are small / fine or large.	*Ses mouvements sont fins / précis ou amples.*
The tremor impairs his ability to use his hands.	*Le tremblement l'empêche de se servir de ses mains.*
It is a rapid and rhythmic tremor.	*C'est un tremblement rapide et rythmé.*
Is it worse after emotional stress?	*Est-ce que ça augmente après une émotion ?*

when you try to use your hand?	*quand vous essayez de vous servir de vos mains ?*
action tremor	*tremblement d'action*
Please note that holding the arms extended horizontally make the tremor worse.	*Notez que le tremblement augmente quand il tend les bras horizontalement.*
Parkinson's disease	*maladie de Parkinson*
limb stiffness	*raideur des membres*
rhythmic oscillations of a part of the body	*mouvements rythmés d'une partie du corps*
cogwheel movement	*phénomène de la roue dentée*
chorea	*chorée*
He has quick, arrhythmic movements.	*Il a des mouvement rapides et saccadés.*
Huntington's disease	*maladie de Huntington*
His movements are forcible, rapid, jerky and restless.	*Ses mouvements sont violents, rapides, saccadés et incessants.*
rigidity	*rigidité*
The muscles appear to be in continuous contraction.	*Les muscles semblent être constamment contractés.*
resistance to passive movement	*résistance à des mouvements passifs*
reflexes	*réflexes*
Stretch reflexes are best elicited in a relaxed limb.	*Les réflexes d'extension sont mieux perçus sur un membre relâché.*
I'm going to test your reflexes using this small hammer.	*Je vais tester vos réflexes à l'aide de ce petit marteau.*
superficial cutaneous reflexes	*réflexes cutanés superficiels*
plantar reflex	*réflexe plantaire*
I'm going to stroke the outer side of your foot with this tongue blade.	*Je vais gratter le bord externe du pied avec cet abaisse-langue.*
normal plantar flexion of the toes	*flexion plantaire normale des doigts de pied*
paradoxical extension of the big toe	*extension paradoxale du gros orteil*

4. Sensory function *Fonction sensitive*

sense of vibration	*sensation de vibration*
tinnitus / ringing / whistling in ears	*sifflement d'oreilles*
history of hearing loss	*antécédents de perte d'audition*
buzzing	*bourdonnement*
tuning fork placed on the forehead	*diapason placé sur le front*
threshold of vibration perception	*seuil de perception des vibrations*
Can you feel the vibrations?	*Sentez-vous les vibrations ?*
joint position testing	*évaluation de la position des membres*
big toe / finger movement	*mouvement du gros orteil / d'un doigt*
Let me bend your finger.	*Laissez-moi vous plier le doigt.*
sense of touch	*sensation du toucher*
Can you feel this wisp of cotton when I brush your hand lightly?	*Sentez-vous le coton quand je vous effleure la main ?*
sense of pain	*sensation de douleur*
paresthesia	*paresthésie*
tingling / pins and needles	*picotements / fourmillements*
Do you have a sensation of tingling?	*Avez-vous des sensations de fourmillements ?*
numbness / loss of sensation	*engourdissement / perte de sensation*
pin-prick test	*épreuve du pique-touche*
Do you notice a difference when I touch your skin with the sharp and blunt ends of this pin?	*Sentez-vous une différence quand je vous touche avec l'extrémité pointue ou mousse de cette épingle ?*
Can you show me where the tingling sensation occurs?	*Pouvez-vous me montrer où ça fourmille ?*
Do you have numbness over the entire foot or hand, like a stocking or glove?	*Avez-vous un engourdissement général du pied ou de la main, comme si vous aviez une chaussette ou un gant ?*
thermal sensation	*sensation thermique*
When I place this object against your skin, can you tell me if it is hot or cold?	*Lorsque je vous place cet objet contre la peau, pouvez-vous me dire si c'est chaud ou froid ?*
touch localisation	*localisation du toucher*
Close yours eyes and indicate with your index finger where I am touching you.	*Fermez les yeux et montrez-moi avec votre index à quel endroit je vous touche.*

5. Co-ordination *Coordination*

finger to nose excursion	*épreuve du doigt sur le nez*
to chin excursion	*sur le menton*
heel – knee – shin excursion	*épreuve du talon sur le genou et le tibia*
Can you touch alternatively your nose and then my outstretched finger?	*Pouvez-vous toucher successivement votre nez et ensuite mon doigt tendu ?*

Can you tap your thigh alternatively with the back of your hand and then the palm?	*Pouvez-vous vous frapper la cuisse d'abord avec le dos de la main puis avec la paume ?*

6. Posture and gait
Attitude et marche

loss of balance	*perte d'équilibre*
He stands legs apart in order to maintain his balance.	*Il se tient les jambes écartées pour garder son équilibre.*
His stance provokes titubation.	*Il titube en position debout.*
His trunk sways.	*Il a un déséquilibre du tronc.*
Could you stand up, please?	*Pouvez-vous vous lever, s'il vous plaît ?*
control of posture	*contrôle de la position*
control of stance	*contrôle de la position debout*
control of balance	*contrôle de l'équilibre*
control of gait	*contrôle de la marche*
Romberg test	*test de Romberg*
Stand still with your feet together and your eyes closed.	*Tenez-vous immobile les pieds joints et les yeux fermés.*
Walk in a straight-line, turn around and then walk in heel-toe fashion.	*Marchez tout droit, retournez-vous et ensuite revenez vers moi en mettant un pied juste devant l'autre.*
When did this problem with walking begin?	*Quand ce trouble de la marche est-il survenu ?*
disturbance of gait	*trouble de la marche*
stagger	*chanceler*
scissoring walking	*marche en ciseaux*
He has a scissors gait with his legs crossing each other.	*Il a une marche en ciseaux avec les jambes qui se croisent.*
He has a steppage gait.	*Il a un steppage.*
He has foot drop and his toes scrape the ground	*Il a le pied qui tombe et les orteils raclent le sol.*
He has a spastic gait.	*Il a une marche spastique.*
He has a stiff, foot-dragging walk.	*Il a une démarche raide avec les pieds qui traînent.*
He possesses a propulsive gait.	*Il court après son centre de gravité.*
He adopts a stooped, rigid posture with head and neck bent forward.	*Il a une allure voûtée et raide, la tête et le cou penchés en avant.*
He has a waddle gait.	*Il a une marche en canard.*
hemiparesis	*hémiparésie*
weakness of limbs on one side of the body	*faiblesse des membres d'un côté du corps*
coarse forward and backward tremor of the body	*oscillations irrégulières du corps en avant et en arrière.*
paraparesis	*paraparésie*
He has slow, stiff movements at the hips.	*Ses mouvements sont lents et raides à partir du bassin.*
Do you have difficulty in standing or walking without support?	*Avez-vous des difficultés à vous tenir debout ou à marcher sans aide ?*
shuffle steps	*traîner les pieds*
arm swing diminishes	*le balancement des bras diminue*
stooped posture	*se tenir voûté*
bodily awkwardness / clumsy movements	*mouvements maladroits*
ataxia	*ataxie*

4. Complementary exams — *Examens complémentaires*

cerebrospinal fluid (CSF) analysis	*analyse du liquide céphalo-rachidien (LCR)*
lumbar puncture / spinal tap	*ponction lombaire*
lie on one side	*s'étendre sur un côté*
draw knees and chest together	*ramener les genoux sur la poitrine*
insert a needle	*introduire une aiguille*
fine-bore needle	*aiguille très fine*
medium-bore needle	*aiguille moyenne*
large-bore needle	*grosse aiguille*
withdraw cerebrospinal fluid	*retirer du liquide céphalo-rachidien*
obtain pressure measurements	*prendre la pression*
sample of CSF for bacteriological examination	*échantillon de LCR pour analyse bactériologique*
CSF is turbid.	*Le LCR est trouble.*
cerebrospinal fluid (CSF) white cell count	*numération des leucocytes dans le LCR*
meningitis	*méningite*
increased leukocyte count	*augmentation du nombre de leucocytes*
CSF cultures are positive.	*Les cultures de LCR sont positives.*
non-invasive internal carotid artery radiology	*examen non invasif de l'artère carotide interne*
ultrasound imaging	*échographie*
transcranial Doppler	*Doppler transcrânien*

cerebral computed tomography / CT scan (CT)	*scanner cérébral*
myelography	*myélographie*
a contrast medium	*un produit de contraste*
determine or rule out the presence of lesions	*déterminer la présence ou l'absence de lésions*
excellent discrimination of lesions of central nervous system (CNS)	*discrimination excellente des lésions du système nerveux central (SNC)*
differentiate haemorrhage from infarction after stroke	*différencier une hémorragie d'un infarctus après un accident vasculaire cérébral*
skull fractures	*fractures du crâne*
head X-ray	*radiographie du crâne*
sinus X-ray	*radiographie des sinus*
skull films	*clichés radiographiques du crâne*
cerebral magnetic resonance imaging (MRI)	*imagerie cérébrale par résonance magnétique (IRM)*
intravenous contrast agent	*produit de contraste intraveineux*
myelography	*myélographie*
water soluble, non-ionic contrast medium	*produit de contraste non ionique et soluble dans l'eau*
tumours visualised due to breakdown of blood-brain barrier (BBB)	*tumeurs visibles grâce à la rupture de la barrière hémato-encéphalique (BHE)*
discriminate white matter lesions	*discriminer les lésions de la substance blanche*
electrophysiology	*électrophysiologie*
an electroencephalogram (EEG)	*électroencéphalogramme (EEG)*
brain waves	*ondes cérébrales*
electromyelography	*électromyélographie*
alpha, beta and delta waves	*ondes alpha, bêta et delta*
evoked response / evoked potential	*potentiel évoqué*
visual evoked potential	*potentiel évoqué visuel*
watch a black and white checkerboard pattern	*regarder un damier noir et blanc*
brainstem auditory evoked response (BAER)	*potentiel évoqué auditif*
clicks transmitted to the ear through earphones	*clicks retransmis à l'oreille par un casque*
somatosensory evoked response (SER)	*potentiel évoqué sensitif*
produced by small painless stimuli	*produit par de faibles stimuli indolores*
brain electrical activity mapping (BEAM)	*mesure de l'activité électrique cérébrale*
electromyelogram (EMG)	*electromyélogramme (EMG)*
needle electrode	*électrode-aiguille*
changes in electrical potential	*changements du potentiel électrique*
nerve conduction study	*étude de la conduction nerveuse*
interventional radiology	*radiologie interventionnelle*
navigate into small vessels using manoeuvrable microcatheters	*naviguer dans des petits vaisseaux à l'aide de microcathéters*
high resolution digital fluoroscopy	*fluoroscopie digitale à haute résolution*
nuclear medicine	*médecine nucléaire*
positron emission tomography (PET)	*tomographie par émission de positons*
single photon emission computer tomography (SPECT)	*tomoscintigraphie par émission monophotonique*
metastatic lesion	*lésion métastatique*
Sleep study	*étude du sommeil*
polysomnography	*polysomnographie*

5. Diseases — *Maladies*

headache / cephalalgia / migraine	*céphalalgie / céphalée / mal de tête / migraine*
tension headache	*mal de tête d'origine psychosomatique*
migraine headache	*la migraine*
syncope	*syncope*
vasovagal syncope	*syncope vasovagale*
postural hypotension with syncope	*hypotension orthostatique avec syncope*
defective vasomotor reflexes	*réflexes vasomoteurs anormaux*
cardiac syncope due to arrhythmia	*syncope cardiaque par trouble du rythme*
vertigo	*vertige*
labyrinthine dysfunction	*trouble de fonction labyrinthique*
vestibular dysfunction	*trouble de fonction vestibulaire*
seizure	*crise*

epilepsy	*épilepsie*
epileptic seizure / fit	*crise d'épilepsie*
complex seizure	*crise complexe*
tonic-clonic / grand mal seizure	*crise tonico-clonique / grand mal / épilepsie généralisée*
petit mal seizure	*petit mal*
sustained muscle contraction	*contracture musculaire persistante*
motor neuron disorders	*troubles des neurones moteurs*
cramp	*crampe*
tetanus	*tétanos*
stiff-man syndrome	*syndrome de l'homme raide*
habit spasms / tics	*tics nerveux*
abnormal facial movements	*mouvements anormaux du visage*
hemifacial spasm	*tic hémifacial*
facial tic	*tic facial*
trigeminal neuralgia	*névralgie essentielle du trijumeau*
abnormal limb movement	*mouvement anormal des membres*
fasciculation	*fasciculation*
restless leg syndrome	*syndrome des jambes sans repos*
cerebrovascular disease	*maladie cérébrovasculaire*
a stroke	*un accident vasculaire cérébral (AVC) / une attaque*
destruction of brain tissue	*destruction du tissu cérébral*
cerebral infarction	*infarctus cérébral*
transient ischaemic attack (TIA)	*accident ischémique transitoire (AIT)*
ischaemic cerebrovascular disease	*maladie ischémique cérébrovasculaire*
lacunar lesion	*lésion lacunaire*
cerebral embolism	*embolie cérébrale*
haemorrhage	*hémorragie*
trauma	*traumatisme*
brain injuries	*lésions cérébrales*
concussion	*commotion cérébrale*
contusion	*contusion*
laceration	*lacération*
bruising	*meurtrissure*
blood leaking	*écoulement sanguin*
skull fracture	*fracture du crâne*
gunshot wound	*plaie par balle*
brain-dead	*mort cérébrale*
deep coma	*coma profond*
irreversible coma	*coma dépassé*
brain tumour	*tumeur cérébrale*
infection	*infection*
meningitis	*méningite*
poliomyelitis / infantile paralysis / polio	*poliomyélite / polio*
bulbar polio	*poliomyélite bulbaire*
demyelinating diseases	*maladies démyélinisantes*
multiple sclerosis (MS)	*sclérose en plaques (SEP)*
myelin sheath	*gaine de myéline*
hardening of the sheath	*durcissement de la gaine*
delirium	*delirium tremens (DT)*
acute confusional state (ACS)	*état de confusion aigu*
dementia	*démence*
Alzheimer's disease	*maladie d'Alzheimer*
incapacitating illness	*maladie invalidante*
Parkinson's disease / paralysis agitans / shaking disease	*maladie de Parkinson*
muscular weakness	*faiblesse musculaire*
muscular wasting / amyotrophia	*atrophie musculaire*
Amyotrophic lateral sclerosis (ALS) is a progressive motor neuron disease.	*La sclérose latérale amyotrophique (SLA) est une maladie progressive des neurones moteurs.*
nerve disorders	*maladies des nerfs*
radial nerve damage	*lésion du nerf radial*
hand drop	*main tombante*
median nerve damage	*lésion du nerf médian*
carpal tunnel syndrome	*syndrome du canal carpien*
ulnar nerve damage	*lésion du nerf cubital*
injury to the femoral nerve	*lésion du nerf crural*
inability to extend the leg	*incapacité d'étendre la jambe*
loss of sensation in the skin	*perte de sensibilité cutanée*
sciatic nerve injury	*lésion du nerf sciatique*
sciatica	*la sciatique*
herniated / slipped intervertebral disc	*hernie discale*
spinal cord injury	*les lésions de la moelle épinière*
compression from a tumour	*compression tumorale*
fracture of a vertebra	*fracture d'une vertèbre*
dislocation of a vertebra	*luxation d'une vertèbre*
penetrating wound	*plaie pénétrante*
neuritis	*la névrite*
mental retardation	*retard mental*
IQ of less than 70	*un QI inférieur à 70*
Down's syndrome / trisomy 21 / mongolism	*trisomie 21 / mongolisme*
cretinism due to iodine deficiency	*crétinisme par carence en iode*
cerebral palsy	*infirmité motrice cérébrale*
sleep disorders	*troubles du sommeil*

insomnia	*insomnie*
difficulty in falling asleep or staying asleep	*difficultés à s'endormir ou à rester endormi*
awaken many times during the night	*se réveiller de nombreuses fois la nuit*
breath holding spells	*périodes d'apnée*
snoring	*ronflement*
obstructive sleep apnea syndrome (OSAS)	*syndrome des apnées obstructives du sommeil (SAOS)*

6. Treatment — *Traitement*

seizure and epilepsy	*crises d'épilepsie*
low dose anti-epileptic medication	*médicament anti-épileptique faiblement dosé*
electroconvulsive therapy (ECT)	*électrochocs*
cerebrovascular diseases	*maladies cérébrovasculaires*
oedema treated with osmotic agent	*œdème cérébral traité par produit hyperosmolaire*
antihypertensive therapy for lacunar stroke	*traitement antihypertensif pour lésion lacunaire*
neoplasm	*néoplasme*
radiation therapy for unresectable cerebral metastases	*radiothérapie pour métastases cérébrales non résécables*
trigeminal nerve	*nerf trijumeau*
pharmacological treatment of tic douleureux	*traitement pharmacologique de tic douloureux*

7. Abbreviations — *Sigles*

ACS	acute confusional state	-	*état de confusion aigu*
ALS	amyotrophic lateral sclerosis	*SLA*	*sclérose latérale amyotrophique*
ANS	autonomic nervous system	*SNA*	*système nerveux autonome*
ASDH	acute subdural haematoma	*HSD*	*hématome sous-dural (aigu)*
Bab	Babinski reflex	*BBK*	*réflexe de Babinski*
BAER	brainstem auditory evoked response	-	*potentiel évoqué auditif du tronc cérébral*
BBB	blood-brain barrier	*BHC*	*barrière hémato-cérébrale*
BEAM	brain electrical activity mapping	-	*mesure de l'activité électrique cérébrale*
CN	cranial nerve	*NC*	*nerf crânien*
CNI, CNII...	cranial nerves I, II...	*NCI, NCII...*	*nerfs crâniens I, II...*
CNS	central nervous system	*SNC*	*système nerveux central*
CS	conscious(ness)	-	*conscient, conscience*
CSF	cerebrospinal fluid	*LCR*	*liquide céphalo-rachidien*
CT scan	computed tomography scan	-	*scanner*
CVA	cerebrovascular accident	*AVC*	*accident vasculaire cérébral*
DT	delirium tremens	*DT*	*delirium tremens*
ECT	electroconvulsive therapy	-	*électrochocs*
EEG	electroencephalogram	*EEG*	*électroencéphalogramme*
EMG	electromyogram	*EMG*	*électromyogramme*
EVP	evoked visual potential	*PEV*	*potentiel visuel évoqué*
FP	facial palsy	*PF*	*paralysie faciale*
GP	general paralysis	*PG*	*paralysie générale*
IC	intracerebral	-	*intracérébral*
KJ	knee jerk	-	*réflexe rotulien*
LP	lumbar puncture	*PL*	*ponction lombaire*
LS	lumbosacral	*LS*	*lombo-sacré*
MS	multiple sclerosis	*SEP*	*sclérose en plaques*
MRI	magnetic resonance imaging	*IRM*	*imagerie par résonance magnétique*
NS	nervous system	*SN*	*système nerveux*
nyst	nystagmus	-	*nystagmus*

ON	optic nerve	*NO*	*nerf optique*
OSAS	obstructive sleep apnea syndrome	*SAOS*	*syndrome des apnées obstructives du sommeil*
PERLA	pupils equal, react to light and accommodation	*PERC*	*pupilles égales régulières contractiles*
PET	positron emission tomography	-	*tomographie par émission de positrons*
PMD	progressive muscular dystrophy	*DMP*	*dystrophie musculaire progressive*
PNS	peripheral nervous system	*SNP*	*système nerveux périphérique*
PSVER	pattern shift visual evoked response	-	*potentiel évoqué visuel*
RAS	reticular activating system	*SRE*	*système réticulo-endothélial*
RBN	retrobulbar neuritis	*NORB*	*névrite optique rétro-bulbaire*
SAH	subarachnoid haemorrhage	-	*hémorragie méningée*
SER	somatosensory evoked response	-	*potentiel évoqué sensitif*
SNS	sympathetic nervous system	*SNS*	*système nerveux sympathique*
SPECT	single photon emission computer tomography	-	*tomoscintigtaphie par émission monophotonique*
TIA	transient ischaemic attack	*AIT*	*accident ischémique transitoire*
TJ	triceps jerk	-	*réflexe tricipital*
Ucs	unconscious	-	*inconscient*
VEP	visual evoked potential	*PEV*	*potentiel visuel évoqué*
VF	visual field	*CV*	*champ visuel*

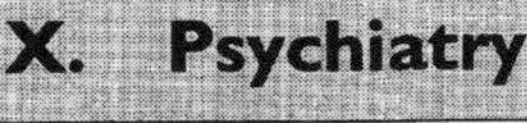

X. Psychiatry — *Psychiatrie*

1. General background — *Généralités*

a psychiatrist	*un psychiatre*
psychiatry	*la psychiatrie*
develop psychiatric problems	*présenter des troubles psychiatriques*
psychoanalysis	*la psychanalyse*
depression in association with medical illness	*dépression liée à une maladie*
clinical depression	*une dépression clinique*
mental disorders	*les troubles mentaux*
a fit of depression	*un accès dépressif*
a touch of the blues	*un coup de cafard*
sadness	*tristesse*
indifference	*indifférence*
apathy	*apathie*
feel hopeless	*se sentir désespéré*
a couch	*un divan*
the subconscious	*l'inconscient*
mental health	*la santé mentale*
a mental illness	*une maladie mentale*
abnormal behaviour	*comportement anormal*
impairment of occupational or social behaviour	*dégradation du comportement professionnel ou social*
insomnia	*l'insomnie*
sleep disturbances / disorders	*troubles du sommeil*
decreased appetite	*la perte d'appétit*
lose weight	*perdre du poids*
dementia	*la démence*
delirium tremens (DT)	*le delirium tremens*
land in a mental hospital	*se retrouver en hôpital psychiatrique*
electrical shocks	*les électrochocs*
electro-convulsive therapy (ECT)	*électroconvulsivothérapie / sysmothérapie*

2. Anxiety — *Anxiété - angoisse*

sense of unease	*sentiment de malaise*
sense of dread	*sentiment de peur*
sense of foreboding	*mauvais pressentiment*
panic disorder	*trouble panique*

recurrent and unpredictable panic attacks	*crises d'angoisse récurrentes et imprévisibles*
episodes of intense fear	*épisodes de peur intense*
fear of impending doom	*peur d'une fin imminente*
avoidance of places or situations	*éviter certains lieux ou situations*
irritability	*irritabilité*
generalised anxiety disorder	*troubles de l'angoisse généralisés*
persistent or excessive worry	*inquiétude constante ou excessive*
difficult to control worry	*difficile de maîtriser l'inquiétude*
judgement impairment	*dégradation du jugement*
obsessive-compulsive disorder (OCD)	*trouble obsessionnel compulsif (TOC)*
obsessive thoughts and compulsive behaviour	*pensées obsessionnelles et compulsives*
inability to concentrate	*incapacité à se concentrer*
social phobia	*phobie sociale*
specific phobia	*phobie spécifique*
post traumatic stress disorder (PTSD)	*état de stress post-traumatique*
acute stress disorder	*état de stress aigu*
awkward feeling of waiting	*sentiment pénible d'attente*
unjustified fear	*peur sans objet*
feeling of insecurity	*sentiment d'insécurité*
easily tired	*fatigabilité*
easily irritated	*irritabilité*
victimology	*victimologie*
nightmare	*cauchemar*
ego anxiety	*angoisse du moi*
neurovegetative disorders	*troubles neurovégétatifs*
anger fits	*accès de colère*
aggressiveness	*agressivité*

3. Personality disorders — *Troubles de la personnalité*

patterns of thinking relatively inflexible	*raisonnement quasiment inflexible*
paranoia	*la paranoïa*
paranoiac	*paranoïaque*
paranoid	*paranoïde*
paranoiac delusion	*délire paranoïaque*
schizoid	*schizoïde*
schizotypal personality disorder	*trouble de la personnalité de type schizoïde / schizotypique*
impulsivity	*impulsivité*
abrasive	*agressif*
restricted emotional range	*champ émotionnel restreint*
antisocial behaviour	*comportement antisocial*
borderline personality	*état limite*
histrionic type	*personnalité histrionique*
narcissistic type	*personnalité narcissique*
impulsive behaviour	*comportement impulsif*
impulsiveness	*impulsivité*
excessively emotional	*trop émotif*
avoidant personality type	*type de personnalité fuyante*
temperament	*caractère*
features	*traits*
personality test	*tests de personnalité*
hysteric personality	*personnalité hystérique*
erotization	*érotisation*
mythomania	*mythomanie*
pathologically lying	*mythomane*
sexual problems	*troubles de la sexualité*
emotional lability	*labilité émotionnelle*
labile / unstable	*labile*
somatization	*somatisation*
psychic rigidity	*psychorigidité*
distrust	*méfiance*
self overconfidence	*surestimation de soi*
falsity of judgement	*fausseté du jugement*
difficult social behaviour	*troubles des relations sociales*
quibbling	*procédurier*
psychopathic personality	*personnalité psychopathique*
sociopathy	*sociopathie*
instability	*instabilité*
acting out	*passage à l'acte*
risky behaviour	*conduites à risques*
immaturity	*immaturité*
lack of attention	*carence affective*
identity crisis	*troubles de l'identité*
idealisation	*idéalisation*
introversion	*introversion*
rationalisation	*rationalisation*
desocialization	*désocialisation*
vagrancy / wandering	*vagabondage*
toxicophilia	*toxicophilie*
delinquency	*délinquance*
alcoholism	*alcoolisme*
turn into a tramp	*se clochardiser*

4. Neurosis — *Névrose*

inhibition	*inhibition*
agoraphobia	*agoraphobie*
hypochondria	*l'hypochondrie*
hypochondriac	*hypochondriaque*
obsessional neurosis / compulsion neurosis	*névrose obsessionnelle*
rituals	*rituels*
compulsion / inner compulsion	*compulsion*
doubting mania	*folie du doute*
phobic disorders	*phobies*
marked and persistent fear of objects or situations	*peur constante et accentuée d'objets ou de situations*
phobic neurosis / anxiety hysteria	*névrose phobique*
fears of contamination by germs	*peur de contamination par des microbes*
avoidant disorder / escape activity	*conduites d'évitement*
claustrophobia	*claustrophobie*
impulsive obsession	*phobie d'impulsion / obsession impulsive*
nosophobia	*nosophobie / crainte obsédante de la maladie*
dysmorphophobia	*dysmorphophobie*
hysteria	*hystérie*
fit of hysterics / attack of nerves	*crise de nerfs*
epilepsy	*épilepsie*

5. Psychosis — *Psychose*

acute paranoid reaction	*bouffée délirante aiguë (BDA)*
schizophrenia	*la schizophrénie*
schizophrenic	*schizophrène*
postpartum psychosis	*psychose puerpérale*
mental confusion / acute confusional state	*confusion mentale*
delirium	*délire*
passivity phenomenon	*automatisme mental*
catatonia	*catatonie*
mutism	*mutisme*

6. Mood disorders — *Troubles de l'humeur*

depression	*dépression*
melancholy	*mélancolie*
manic depressive psychosis (MDP)	*psychose maniaco-dépressive (PMD)*
depressive illness	*maladie dépressive*
nervous breakdown	*dépression nerveuse*
be depressed	*être déprimé*
serious depression	*profonde dépression*
worthless	*inutile*
feeling of worthlessness	*sentiment d'inutilité*
inappropriate guilt	*culpabilité inappropriée*
loss of interest in	*la perte d'intérêt pour*
recurrent thoughts of death	*pensées récurrentes de la mort*
suicide	*suicide*
morbid thoughts	*ruminations morbides*
odd and eccentric	*bizarre et excentrique*
feeling of emptiness	*sentiments de vide*
self-accusation	*auto-accusation*

7. Clinical examination — *Examen clinique*

A. Past and present symptoms — *Antécédents et symptômes actuels*

age at first smile	*âge du premier sourire*
at standing	*de la station debout*
at walking	*de la marche*
at speaking	*de la parole*
at being toilet trained	*de la propreté*
schooling	*scolarité*
puberty	*puberté*
apprenticeship	*apprentissage*
military service	*service militaire*
separation from the family environment	*séparation du milieu familial*
sentimental and sexual relationships	*liaisons sentimentales et sexuelles*

marriage	*mariage*
children	*enfants*
family life and family union	*vie et entente familiale*
mode of onset	*mode d'apparition*
slow	*lent*
sudden	*brutal*
progressive	*progressif*
behaviour disorder	*trouble du comportement*
disruption of family life	*perturbation de la vie familiale*
of professional life	*de la vie professionnelle*
of leisure time	*des loisirs*
body care	*soins corporels*
sleep	*sommeil*
getting up	*lever*
going to bed	*coucher*
sexual behaviour	*comportement sexuel*
dietary behaviour	*conduites alimentaires*
run away	*fuguer*
fighting	*bagarres*
conflict with the employers	*conflit avec les employeurs*
arson	*incendie criminel*
homicide	*homicide*
child battering	*mauvais traitement à un enfant*
suicide attempt	*tentative de suicide*
clear conscience	*conscience claire*
loss of awareness	*conscience obscurcie*
sense of confusion	*confusion*

B. Physical examination
Examen physique

be reluctant	*être réticent*
opponent	*opposant*
sad appearance	*physionomie triste*
happy appearance	*gaie*
fixed appearance	*figée*
slovenly-looking dress	*tenue débraillée*
dirty clothing	*sale*
odd-looking dress	*excentrique*
understanding of the examination	*compréhension de l'examen*
active opposition	*opposition active*
aggressive opposition	*agressive*
playful opposition	*ludique*
silent unconscious opposition	*inconsciente avec mutisme*
indifference	*indifférence*
tics / habits	*tics*
stuttering / stammering	*bégaiement*
deformed perception: illusion	*perception déformée : illusion*
imaginary perception: hallucination	*perception sans objet : hallucination*

8. Abbreviations — *Sigles*

DT	delirium tremens	-	*le delirium tremens*
ECT	electro-convulsive therapy	-	*électroconvulsivothérapie / sysmothérapie*
MDP	manic depressive psychosis	*PMD*	*psychose maniaco-dépressive*
OCD	obsessive-compulsive disorder	*TOC*	*trouble obsessionnel compulsif*
PTSD	post traumatic stress disorder	-	*état de stress post-traumatique*

XI. Ophthalmology — *Ophtalmologie*

I. Anatomy — *Anatomie*

A. The optical system
Le système oculaire

the adnexa oculi / accessory structures	*les organes annexes oculaires*
the eyebrows	*les sourcils*
a transverse arch	*un arc transversal*
coarse hairs	*poils fournis*
the orbicularis oculi muscles	*les muscles orbiculaires des paupières*
the eyelids / palpebrae	*les paupières*
the upper eyelid / upper palpebra	*la paupière supérieure*
the lower eyelid / lower palpebra	*la paupière inférieure*

shade the eye	*protéger l'œil*
spread lubricating secretions over the eyeballs	*lubrifier les globes oculaires*
the upper eyelid levator	*le muscle releveur de la paupière supérieure*
the palpebral fissure	*la fente palpébrale*
the lateral commissure	*le canthus externe*
the medial commissure	*le canthus interne*
the caruncle	*la caroncule*
a small reddish elevation	*une petite protubérance rougeâtre*
sebaceous glands	*les glandes sébacées*
sudoriferous glands	*les glandes sudoripares*
the tarsal plate	*le tarse palpébral*
the tarsal / Meibomian glands	*les glandes tarsiennes / de Meibomius*
the eyelashes	*les cils*
a row of short thick hairs	*une rangée de poils courts et épais*
sebaceous ciliary glands / glands of Zeis	*glandes ciliaires / glandes de Zeis*
the lachrymal apparatus	*l'appareil lacrymal*
the lachrymal glands	*les glandes lacrymales*
manufacture and drain tears	*fabriquer et drainer les larmes*
the excretory lachrymal ducts	*les canaux excréteurs*
the lachrymal puncta	*les points lacrymaux*
the lachrymal canals	*les canalicules lacrymaux*
the lachrymal sac	*le sac lacrymal*
the nasolachrymal duct	*le canal lacrymo-nasal*
the optic nerve	*le nerf optique*
the eye muscles / ocular muscles	*les muscles oculomoteurs*

B. The eye / *L'œil*

the eyeball	*le globe oculaire*
the orbit / socket	*l'orbite*
fit in the orbit	*se loger dans l'orbite*
the cornea	*la cornée*
the blind spot	*la tache aveugle*
three layers	*trois membranes*
the fibrous tunic	*la tunique fibreuse*
the papilla	*la papille*
the sclera	*la sclérotique*
the white of the eye	*le blanc de l'œil*
the scleral venous sinus / Schlemm's canal	*le sinus scléral / canal de Schlemm*
the vascular tunic / uvea	*la tunique vasculaire / uvée*
the choroid	*la choroïde*
the ciliary body	*le corps ciliaire*
the ora serrata	*l'ora serrata*
the ciliary processes	*les procès ciliaires*
protrusions	*saillies*
folds	*plis*
the ciliary muscle	*le muscle ciliaire*
the iris	*l'iris*
the pupil	*la pupille*
a black hole	*une ouverture noire*
the retina	*la rétine*
the photoreceptors	*les photorécepteurs*
the bipolar cells	*les neurones bipolaires*
the ganglion cells	*les cellules ganglionnaires*
the rods	*les bâtonnets*
the cones	*les cônes*
the fovea	*la fovea centralis*
the macula	*la macula*
the optic disc / blind spot	*la papille optique / tache aveugle / tache de Mariotte*
the lens	*le cristallin*
suspensory ligaments	*ligaments suspenseurs*
the anterior cavity	*la cavité antérieure*
the anterior chamber	*la chambre antérieure*
the posterior chamber	*la chambre postérieure*
the aqueous humour	*l'humeur aqueuse*
drain	*drainer*
the posterior cavity	*la cavité postérieure*
the vitreous body	*le corps vitré*
a jellylike substance	*une substance gélatineuse*
the trabecular meshwork	*le trabéculum*
the drainage channels	*les émonctoires*
the conjunctiva	*la conjonctive*
a thin mucous membrane	*une muqueuse fine*
a loose white layer	*une couche blanche lâche*

2. Physiology / *Physiologie*

sight	*la vue*
vision	*la vision*
contract	*se contracter*
dilate	*se dilater*
visual field	*champ visuel*
focus	*focaliser / mettre au point*
accommodation	*l'accommodation*
accommodate	*accommoder*
contraction of the pupil	*la contraction de la pupille*
dilation	*la dilatation*

monocular vision	*la vision monoculaire*
binocular vision	*la vision binoculaire*
inversion of the image	*le renversement de l'image*
adaptation to light	*l'adaptation à la lumière*
adaptation to darkness	*l'adaptation à l'obscurité*
black and white vision	*vision en noir et blanc*
a dim light	*une lumière faible*
shades of dark and light	*tons de lumière et d'ombre*
shapes	*formes*
movements	*mouvements*
colour vision	*vision des couleurs*
a bright light	*une lumière vive*
dazzle	*éblouir*
night vision	*vision de nuit*
visual acuity	*acuité visuelle*
sharpness of vision	*netteté de la vision*
acute vision	*vue perçante*
tears	*les larmes*
shed tears	*verser des larmes*
cry / weep	*pleurer*
a watery solution	*une solution aqueuse*
salts	*des sels*
lubricate	*lubrifier*
moisten	*humidifier*
the lachrymal system	*le système lacrymal*
the blinking of the eyelids	*le clignement des paupières*
blink	*cligner*
twitch	*se contracter*
refraction of rays of light	*la réfraction des rayons lumineux*

3. Clinical examination — *Examen clinique*

A. Past and present symptoms — *Antécédents et symptômes actuels*

see	*voir*
look	*regarder*
watch	*regarder attentivement*
scan	*balayer du regard*
stare	*regarder fixement*
gaze	*regarder dans le vide*
glare	*écarquiller les yeux*
Is your sight good?	*Votre vue est-elle bonne ?*
Do you see normally?	*Voyez-vous normalement d'habitude ?*
Do you have any blurred vision?	*Voyez- vous flou ?*
Can you see clearly up close?	*Voyez-vous bien de près ?*
Are you able to read?	*Pouvez-vous lire ?*
Are you able to sew?	*Pouvez-vous coudre ?*
Can you see objects clearly at distance?	*Voyez-vous nettement de loin ?*
Do you wear glasses?	*Portez-vous des lunettes ?*
Do you wear contact lenses?	*Portez-vous des verres de contact ?*
Did you wear glasses when you were a child?	*Portiez-vous des lunettes, enfant ?*
Do you have perfect vision when you wear glasses?	*Voyez-vous parfaitement quand vous portez vos lunettes ?*
When did you first notice there was something wrong with your eyes?	*Quand avez-vous remarqué pour la première fois que vous aviez un problème de vue ?*
How long have you had trouble with your eyes?	*Depuis combien de temps avez-vous un problème de vue ?*
Did your sight fail gradually or suddenly?	*Votre vue a-t-elle baissé régulièrement ou brutalement ?*
Do you have any double vision?	*Voyez-vous double ?*
Do you have trouble seeing during the day?	*Avez-vous du mal à voir pendant la journée ?*
in the evening when it starts to get dark?	*le soir quand il commence à faire sombre ?*
when you have a good light?	*quand c'est bien éclairé ?*
when you are in strong artificial light?	*quand vous êtes en éclairage artificiel intense ?*
Are you bothered by the light?	*La lumière vous gêne-t-elle ?*
Are you extremely sensitive to the light?	*Etes-vous extrêmement sensible à la lumière ?*
Do stationary things seem to move?	*Les objets stables semblent-ils bouger ?*
Do you experience other visual hallucinations?	*Avez-vous d'autres hallucinations visuelles ?*
Are colours missing?	*Certaines couleurs manquent-elles ?*
Is it difficult to differentiate colours?	*Vous est-il difficile de différencier les couleurs ?*
Do you ever have spots before your eyes?	*Vous arrive-t-il d'avoir des taches devant les yeux ?*

Was the onset of your blindness like a curtain coming gradually over the vision?	*Votre vue a-t-elle disparu progressivement comme un rideau qui tombe ?*
Did you receive a blow to your eye?	*Avez-vous reçu un coup à l'œil ?*
around the eye?	*autour de l'œil ?*
Was the object sharp?	*L'objet était-il acéré ?*
dull / blunt?	*émoussé ?*
pointed?	*pointu ?*
Have you received a speck of dust in the eye?	*Avez-vous reçu un grain de poussière dans l'œil ?*
a bit of grit?	*une escarbille ?*
Do your eyes ever burn?	*Avez-vous parfois les yeux qui brûlent ?*
Do you ever see sparks?	*Vous arrive-t-il de voir des étincelles ?*
flashes of light?	*des éclairs lumineux ?*
zigzag lines?	*des zigzags ?*
bright rings?	*des anneaux brillants ?*
halos of light?	*des halos lumineux ?*
Do your eyes tire easily?	*Avez-vous la vue qui fatigue vite ?*
Do your eyes often itch?	*Vos yeux vous démangent-ils souvent ?*
Do you ever have bloodshot eyes?	*Vous arrive-t-il d'avoir des yeux injectés de sang ?*
Do your eyes ever sting?	*Avez-vous des élancements dans les yeux ?*
Do you ever have a discharge from your eyes?	*Avez-vous parfois des écoulements oculaires ?*
Was it pussy?	*Etait-ce purulent ?*
thick?	*épais ?*
watery?	*aqueux ?*
How long have you worn an artificial eye?	*Depuis combien de temps portez- vous une prothèse oculaire ?*
Does your eye turn inward when you are tired?	*Votre œil bascule-t-il en dedans quand vous êtes fatigué ?*
towards your nose?	*vers votre nez ?*
outwards?	*en dehors ?*

B. Physical examination *Examen physique*

an ophthalmologist	*un ophtalmologiste*
an optometrist	*un optométriste*
an optician / oculist	*un opticien*
emmetropia / normal vision	*emmétropie*
normal eye	*œil emmétrope / normal*
Take off your glasses.	*Enlevez vos lunettes.*
Don't move.	*Ne bougez pas.*
Hold your head still.	*Gardez la tête immobile.*
Open your eyes as wide as you can.	*Ouvrez les yeux aussi grand que possible.*
<u>movement</u>	*<u>motricité</u>*
Follow my finger with your eyes.	*Suivez mon doigt du regard.*
Look straight ahead.	*Regardez droit devant vous.*
Turn your eyes to the right.	*Regardez à droite.*
Look up and to the left.	*Regardez en haut et à gauche.*
Look down and to the right.	*Regardez en bas et à droite.*
Look upwards.	*Regardez vers le haut.*
Look downwards.	*Regardez vers le bas.*
Move your eyes in a circle.	*Faites des mouvements circulaires des yeux.*
Do you experience discomfort on moving your eyes up and down?	*Ressentez-vous une gêne en bougeant vos yeux de haut en bas ?*
from side to side?	*d'un côté à l'autre ?*
<u>visual field</u>	*<u>champ visuel</u>*
I am going to explore your visual field.	*Je vais examiner votre champ visuel.*
Close your left eye.	*Fermez l'œil gauche.*
With your open eye, look straight into my left eye.	*Fixez mon œil gauche avec votre œil ouvert.*
Keep looking straight into my eye.	*Continuez à me regarder droit dans l'œil.*
Tell me as soon as you can see the pencil.	*Prévenez-moi dès que vous voyez le crayon.*
Tell me when you can see the pin I am holding.	*Dites-moi quand vous verrez l'épingle que je tiens.*
Tell me if we come to a blind spot.	*Prévenez-moi si nous arrivons à un point aveugle.*
Are there areas that look black and missing?	*Y a-t-il des zones qui semblent noires et manquantes ?*
Is side vision missing?	*Avez-vous perdu la vision sur le côté ?*
Can you outline the lost portion of your vision?	*Pouvez-vous définir la portion de champ visuel qui manque ?*
<u>visual acuity</u>	*<u>acuité visuelle</u>*
I am going to explore your visual acuity.	*Je vais examiner votre acuité visuelle.*
Cover your right eye with this card.	*Couvrez-vous l'œil droit avec cette carte.*
Cover your right eye and fix the other straight ahead.	*Couvrez-vous l'œil droit et regardez droit devant vous avec l'autre.*
I am going to test your visual acuity.	*Je vais tester votre acuité visuelle.*

Can you see the first line on the chart?	*Pouvez-vous voir la première ligne sur le tableau ?*	Keep your eye open while I take a look at the retina.	*Gardez l'œil grand ouvert pendant que je regarde la rétine.*
Can you read these letters?	*Pouvez-vous lire ces lettres ?*	Keep looking at that point.	*Regardez fixement ce point.*
Can you read these figures?	*Pouvez-vous lire ces chiffres ?*	The light won't hurt you.	*La lumière ne vous fera pas mal.*
Is it lighter or darker than it was?	*Est-ce plus clair ou plus sombre qu'auparavant ?*	I am going to do a fundus.	*Je vais faire un fond d'œil.*
exploring the fundus	*examen du fond d'œil*	Please put your glasses back on.	*Remettez vos lunettes s'il vous plaît.*
I'll put a few drops in your eye.	*Je vais vous mettre quelques gouttes dans l'œil.*	Your near visual acuity is fair.	*Votre vision rapprochée est bonne.*
It's to dilate the pupil.	*C'est pour dilater la pupille.*	You are blind in the right eye.	*Vous êtes aveugle de l'œil droit.*

4. Complementary exams — *Examens complémentaires*

an ophthalmoscopy	*une ophtalmoscopie*	a set of mirrors and prisms	*un jeu de miroirs et de prismes*
an ophthalmoscope	*un ophtalmoscope*	perimetry	*périmétrie*
evaluate the fundus	*évaluer le fond d'œil*	test the visual field	*tester le champ visuel*
a fundus (pl. fundi)	*un fond d'œil*		
dilating drops	*des gouttes pour dilater*		
a light source	*une source lumineuse*		

5. Diseases — *Maladies*

vision defect	*défaut de vision*	a loss of transparency	*une diminution de la transparence*
vision deficit	*déficit visuel*	the clouding of the lens	*l'opacité du cristallin*
eye disorders	*anomalies oculaires*	a sharp image	*une image nette*
eye diseases	*maladies oculaires*	a degraded image	*une image dégradée*
bulging / prominent eyeballs	*yeux proéminents / exorbités*	hazy edge	*bord flou*
a field defect	*un déficit du champ visuel*	ageing / aging	*le vieillissement*
a chalazion	*un chalazion*	ultraviolet B radiation	*les rayons ultraviolets B*
epicanthus of both eyes	*épicanthus bilatéral*	long-term use of steroids	*utilisation prolongée de corticoïdes*
tumour or cyst on the eyelid	*tumeur ou kyste palpébral*	glaucoma	*le glaucome*
a sty	*un orgelet*	excessive intraocular pressure (IOP)	*pression intra-oculaire excessive*
a vesicle	*une vésicule*	a tonometre	*un tonomètre*
watery eyes	*les yeux embués*	gonioscopy	*gonioscopie*
excessive watering	*larmoiement excessif*	inspection of the angle	*examen de l'angle*
excessive dryness	*sécheresse excessive*	build-up of aqueous humour	*accumulation d'humeur aqueuse*
myopia / short-sightedness	*myopie*	degeneration of the retina	*dégénérescence de la rétine*
short-sighted	*myope*	mild visual impairment	*légère anomalie de la vision*
hyperopia / farsightedness (US) long-sightedness (GB)	*hypermétropie*	degeneration of the optic disc	*dégénérescence de la papille optique*
farsighted / long-sighted	*hypermétrope*	visual field defects	*déficits du champ visuel*
astigmatism	*astigmatisme*	blindness	*cécité*
astigmatic	*astigmate*		
presbyopia	*presbytie*		
presbyptic	*presbyte*		
cataract	*la cataracte*		

blind	*aveugle*
partial monocular blindness	*cécité partielle d'un œil*
total monocular blindness	*cécité totale d'un œil*
retina detachment	*décollement de la rétine*
trauma	*traumatisme*
a blow to the head	*un coup à la tête*
a loss of vision	*une perte de la vision*
distorted vision	*vision déformée*
detach	*se décoller*
age related macula degeneration (ARMD)	*dégénérescence maculaire liée à l'âge (DMLA)*
neo-vessels grow	*des néo-vaisseaux se développent*
blood vessel proliferation	*prolifération de vaisseaux sanguins*
stare at a straight line	*regarder fixement une ligne droite*
a bent line	*une ligne courbe*
a twisted line	*une ligne tordue*
a black spot	*un point noir*
green red colour vision deficiency	*le daltonisme*
difficulty distinguishing green from red	*difficulté à distinguer entre le rouge et le vert*
a scotoma	*un scotome*
conjunctivitis	*la conjonctivite*
inflammation of the conjunctiva	*inflammation de la conjonctive*
bacteria	*des bactéries*
irritants	*des substances irritantes*
dust	*la poussière*
pollutants in the air	*des polluants de l'air*
glare	*éblouissement*
trachoma	*le trachome*
fleshy follicles on the eyelids	*follicules sur les paupières*
corneal opacity	*opacité de la cornée*
achromatopsia	*achromatopsie*
complete colour blindness	*incapacité totale de percevoir les couleurs*
ametropia	*amétropie*
refractive abnormality of the eye	*trouble de la réfraction oculaire*
anopsia	*anopsie*
defect of vision	*anomalie de la vision*
blepharitis	*blépharite*
inflammation of the eyelid	*inflammation de la paupière*
epiphora	*épiphora*
tearing	*larmoiement*
exotropia	*extropie*
turning outward of the eyes	*les yeux en dehors*
keratitis	*kératite*
inflammation of the cornea	*inflammation de la cornée*
myosis	*myosis*
mydriasis	*mydriase*
dilated pupil	*pupille dilatée*
nystagmus	*nystagmus*
rapid involuntary movement of the eyeballs	*mouvement involontaire rapide des globes oculaires*
photophobia	*photophobie*
abnormal visual intolerance to light	*intolérance visuelle anormale à la lumière*
ptosis	*ptosis*
drooping of the eyelid	*affaissement de la paupière*
the eyelids drop	*les paupières tombent*
strabismus	*strabisme*
squint	*loucher*
be cross-eyed	*loucher*
concomitant squint	*strabisme concomitant*
paralysis of upward gaze	*paralysie du regard vers le haut*
a lazy eye	*un œil paresseux*

6. Treatment — *Traitement*

eyeglasses / spectacles	*lunettes*
corrective lenses	*verres correcteurs*
contact lenses	*lentilles cornéennes*
hard contact lenses	*lentilles de contact dures*
soft contact lenses	*lentilles de contact souples*
disposable lenses	*lentilles jetables*
concave / divergent lens	*lentille concave / divergente*
convex / convergent lens	*lentille convexe / convergente*
correct vision	*corriger la vision*
enhance vision	*améliorer la vision*
vision aids	*prothèse visuelle*
eye drops	*un collyre*
inserts	*insert*
eye ointments	*pommade oculaire*
miotics	*des myotiques*
epinephrine compounds	*des dérivés de l'épinéphrine*
beta-blockers	*des bêtabloquants / bêtabloqueurs*
carbonic anhydrase inhibitors	*des inhibiteurs de l'anhydrase carbonique*
alpha-adrenergic agonists	*des agonistes alpha-adrénergiques*

corneal transplant	*greffe de cornée*	trabeculoplasty	*trabéculoplastie*
excise the defective cornea	*exciser la cornée malade*	trabeculectomy	*trabéculectomie*
sew the transplanted cornea	*recoudre la cornée greffée*	a laser beam	*un rayon laser*
radial keratotomy	*kératotomie radiaire*	burn tissue	*brûler les tissus*
flatten the cornea	*aplatir la cornée*	iridotomy	*iridotomie*
epikeratoplasty	*épikératoplastie*	filtering surgery	*chirurgie filtrante*
photocoagulation	*photocoagulation*	cryosurgery	*cryochirurgie*
laser surgery	*chirurgie au laser*	scleral resection	*résection sclérale*

7. Abbreviations — *Sigles*

ARMD	age related macula degeneration	*DMLA*	*dégénérescence maculaire liée à l'âge*
CV	colour vision	-	*vision des couleurs*
IOP	intraocular pressure	-	*pression intra-oculaire*
OD	oculus dexter	*OD*	*œil droit*
OL	oculus laevus	*OG*	*œil gauche*
ON	optic nerve	*NO*	*nerf optique*
OPH	ophthalmology	*OPH*	*ophtalmologie*
RBN	retrobulbar neuritis	*NORB*	*névrite optique rétro-bulbaire*
RD	retinal detachment	*DR*	*décollement de la rétine*
VA	visual acuity	*AV*	*acuité visuelle*
VEP	visual evoked potential	*PEV*	*potentiel évoqué visuel*
VF	visual field	*CV*	*champ visuel*

XII. Ear, nose, and throat (ENT) — *Otorhinolaryngologie (ORL)*

1. Anatomy — *Anatomie*

A. The ear — *L'oreille*

the external / outer ear	*l'oreille externe*
the auricle	*le pavillon*
the helix	*l'hélix*
the conqua	*la conque*
the tragus	*le tragus*
the lobule / ear lobe	*le lobule / lobe*
the external auditory canal	*le conduit auditif externe*
the ceruminous glands	*les glandes cérumineuses*
cerumen / earwax	*le cérumen*
hairs	*les poils*
the middle ear	*l'oreille moyenne*
the tympanic membrane / eardrum	*le tympan*
the tympanic cavity	*la caisse du tympan*
an air-filled cavity	*une cavité remplie d'air*
a thin bony partition	*une cloison osseuse mince*
the tympanic antrum	*l'antre mastoïdien*
the attic	*l'attique*
the auditory / Eustachian tube	*la trompe d'Eustache*
the auditory ossicles	*les osselets*
the malleus / hammer	*le marteau*
the incus / anvil	*l'enclume*
the stapes / stirrup	*l'étrier*
the oval window / fenestra vestibuli	*la fenêtre ovale*
the round window / fenestra cochleae	*la fenêtre ronde*
the facial nerve	*le nerf facial*
the internal / inner ear	*l'oreille interne*
the labyrinth	*le labyrinthe*
thc cochlea	*la cochlée*
the bony labyrinth	*le labyrinthe osseux*
the membranous labyrinth	*le labyrinthe membraneux*
the endolymph	*l'endolymphe*

the perilymph	*la périlymphe*
the spiral organ / organ of Corti	*l'organe de Corti*
hair receptor cells	*les cellules ciliées réceptrices*
supporting cells	*les cellules de soutien*
the crista	*la crête ampullaire*
the cupula	*la cupule*
the macula	*la macule*

B. The nose / *Le nez*

the root	*la racine*
the apex, the tip	*la pointe, le bout*
the bridge	*l'arête*
pliable cartilage	*cartilage flexible*
nostril / naris (pl. nares)	*la narine*
the wing	*l'aile*
the nasal cavity	*les fosses nasales*
the nasal septum	*la cloison nasale*
the sinuses	*les sinus*
the superior (middle, inferior) concha	*le cornet inférieur (moyen, supérieur)*
the meatus	*le méat*

C. The oral cavity / *La cavité buccale*

the vestibule	*le vestibule*
the sulcus terminalis	*le V lingual*
the hard palate	*le palais osseux*
the soft palate	*le voile du palais*
the uvula	*la luette*

D. The pharynx / *Le pharynx*

the nasopharynx	*le rhinopharynx*
the choanae	*les choanes*
the adenoids / pharyngeal tonsils	*les végétations adénoïdes*
the oropharynx	*l'oropharynx*
the palatine tonsils	*les amygdales*
the tonsillar fossae	*la loge amygdalienne*
the lingual tonsils	*les amygdales linguales*
the wall	*la paroi pharyngée latérale (postérieure)*
the hypopharynx	*l'hypopharynx*
The piriform sinus	*le sinus piriforme*
the laryngopharynx / hypopharynx	*le pharyngolarynx*

E. The larynx / *Le larynx*

the thyroid cartilage / Adam's apple	*le cartilage thyroïde / la pomme d'Adam*
the cricoid cartilage	*le cartilage cricoïde*
the arytenoid	*l'aryténoïde*
the epiglottis	*l'épiglotte*
the glottis	*la glotte*
vocal cords	*les cordes vocales*
the ventricular folds / false vocal cords	*les bandes ventriculaires*

F. The neck / *Le cou*

the oesophagus / the gullet	*l'œsophage*
the trachea	*la trachée*
the thyroid gland	*la thyroïde*
the lymph nodes	*les ganglions lymphatiques*
the internal (external) carotid artery	*l'artère carotide interne (externe)*
the internal (external) jugular vein	*la veine jugulaire interne (externe)*
the recurrent laryngeal nerve	*le nerf récurrent*
the respiratory pathway	*les voies respiratoires*

G. The salivary glands / *Les glandes salivaires*

the parotid gland	*la glande parotide*
the submandibular gland	*la glande sous-maxillaire*
the sublingual gland	*la glande sublinguale*

2. Physiology / *Physiologie*

auditory sensations	*les sensations auditives*
receptors for sound waves	*les récepteurs des ondes sonores*
equilibrium / balance	*l'équilibre*
static equilibrium	*l'équilibre statique*
dynamic equilibrium	*l'équilibre dynamique*
vibrate	*vibrer*
smell	*l'odorat*
respiration / breathing	*la respiration*
taste	*le goût*
phonation	*la phonation*
swallowing	*la déglutition*

3. Clinical examination *Examen clinique*

A. Past and present symptoms *Antécédents et symptômes actuels*

the ear	*l'oreille*
Does your ear hurt / ache?	*Avez-vous mal à l'oreille ?*
Does the pain ever wake you up at night?	*La douleur vous réveille-t-elle la nuit ?*
Have you ever taken a blow on your ear?	*Avez-vous déjà reçu un coup à l'oreille ?*
Have you ever had an injury around your ear?	*Vous êtes-vous déjà blessé près de l'oreille ?*
Did you bleed from your ear?	*Avez-vous saigné de l'oreille ?*
Have you ever had a foreign body in your ear?	*Avez-vous déjà eu un corps étranger dans l'oreille ?*
Have you ever had an ear infection?	*Avez-vous déjà eu une infection de l'oreille ?*
Have you ever had a discharge from your ear?	*Avez-vous déjà eu des écoulements au niveau des oreilles ?*
There was a spot of blood on the pillow.	*Il y avait une tache de sang sur l'oreiller.*
Does your ear ever run?	*Avez-vous parfois des écoulements par l'oreille ?*
Was it pussy?	*Etait-ce purulent ?*
bloody?	*sanglant ?*
Was your hearing affected at this time?	*Aviez-vous des problèmes d'audition à l'époque ?*
Did your hearing return to normal afterwards?	*Votre audition est-elle redevenue normale par la suite ?*
Did you feel dizzy?	*Vous êtes-vous senti étourdi ?*
Do you think you have trouble hearing?	*Pensez-vous avoir du mal à entendre ?*
Did anyone tell you that you had a hearing impairment?	*Quelqu'un vous a-t-il dit que vous aviez une baisse de l'audition ?*
When did you first notice this deafness?	*Quand avez-vous remarqué pour la première fois cette surdité ?*
Does the weather affect your hearing?	*Votre audition varie-t-elle avec le temps ?*
Do you hear better in dry or damp weather?	*Entendez-vous mieux par temps sec ou par temps humide ?*
Do you have trouble hearing whispered sounds?	*Avez-vous des difficultés à entendre les chuchottements ?*
spoken words?	*les paroles ?*
high-pitched sounds?	*les sons aigus ?*
low-pitched sounds?	*les sons graves ?*
Are you exposed to loud noises at work?	*Est-ce que vous travaillez dans un environnement bruyant ?*
Do you have problems hearing in a noisy environment?	*Avez-vous des difficultés à entendre dans une ambiance bruyante ?*
Do you hunt or target-practice?	*Pratiquez-vous la chasse ou le tir ?*
compressed air	*air comprimé*
scuba diving	*plongée sous-marine*
ear swab	*coton tige*
Do you wear a hearing-aid?	*Portez-vous une prothèse auditive ?*
Do you have a buzzing or ringing in your ears?	*Avez-vous des bourdonnements ou des sifflements d'oreille ?*
On which side?	*De quel côté ?*
Are they low or high-pitched?	*Sont-ils graves ou aigus ?*
Are they beating?	*Sont-ils pulsatils ?*
Do you feel dizzy?	*Avez vous des vertiges ?*
How long do they last?	*Combien de temps ça dure ?*
Does your head turn?	*Est-ce que ça tourne ?*
Do you have a hearing loss?	*Votre audition baisse-t-elle ?*
Do you have nausea or vomiting?	*Avez-vous des nausées ou des vomissements ?*
the nose	*le nez*
Have you had a cold recently?	*Avez-vous eu un rhume récemment ?*
Do you often have colds?	*Etes-vous fréquemment enrhumé ?*
Have you had sinusitis recently?	*Avez-vous eu récemment une sinusite ?*
Are you allergic to anything?	*Etes-vous allergique à quelque chose ?*
Have you inhaled any irritating dust?	*Avez-vous respiré quelque chose d'irritant comme de la poussière ?*
fumes?	*de la fumée ?*
steam?	*de la vapeur ?*
Do you sneeze a lot?	*Eternuez-vous beaucoup ?*
When you sneeze, do you do it several times?	*Quand vous éternuez, le faites vous plusieurs fois de suite ?*
Does your nose often become stuffed up?	*Avez-vous souvent le nez plein ?*
Does your nose itch?	*Avez-vous le nez qui vous démange ?*
Is your nose blocked?	*Avez-vous le nez bouché ?*
Does your nose feel dry and irritated?	*Avez-vous le nez sec et irrité ?*

Do you ever have nosebleeds?	*Vous arrive-t-il de saigner du nez ?*
I pick my nose a lot.	*Je me cure beaucoup le nez.*
Does the discharge contain crusts?	*L'écoulement comporte-t-il des croûtes ?*
mucus?	*des mucosités ?*
blood?	*du sang ?*
You have postnasal drip.	*Vous avez un écoulement dans l'arrière gorge.*
Is there anything that makes it worse?	*Y a-t-il quelque chose qui aggrave ces symptômes ?*
cutting the grass?	*tondre ?*
an air-conditioned room?	*l'air conditionné ?*
cold or hot weather?	*le temps froid ou chaud ?*
Is your sense of smell good?	*Avez-vous un odorat bien développé ?*
poor?	*peu développé ?*
Do you have these problems all year round or just at certain periods or seasons?	*Avez-vous ces problèmes toute l'année ou seulement à certaines périodes ou saisons ?*
<u>the throat</u>	<u>*la gorge*</u>
Have you had tonsillitis recently?	*Avez-vous eu récemment une amygdalite ?*
pharyngitis?	*une pharyngite ?*
Have you had your tonsils out?	*Vous a-t-on enlevé les amygdales ?*
Did you swallow anything that could have stuck in your throat?	*Avez-vous avalé quelque chose qui ait pu se bloquer dans votre gorge ?*
Do you smoke?	*Fumez-vous ?*
Do you drink?	*Buvez-vous ?*
Do you have a constant urge to clear your throat?	*Etes-vous toujours obligé de vous racler la gorge ?*
Does it hurt when you swallow?	*Avez-vous mal en avalant ?*
Do you have an earache when you have a sore throat?	*Avez-vous mal aux oreilles quand vous avez mal à la gorge ?*
Have you ever coughed up blood?	*Avez-vous déjà craché du sang ?*
Does it feel as if you had a lump in your throat?	*Avez-vous l'impression d'avoir une grosseur dans la gorge ?*
Does your throat tickle?	*Avez-vous des chatouillements dans la gorge ?*
Do you breathe easier with your mouth open?	*Respirez-vous plus facilement la bouche ouverte ?*
Do you snore when you sleep?	*Ronflez-vous en dormant ?*
<u>loss of voice</u>	<u>*perte de la voix*</u>
Has your voice changed?	*Votre voix a-t-elle changé ?*
Is it higher?	*Est-elle plus haute ?*
lower?	*plus basse ?*
weaker?	*plus faible ?*
Is your voice husky at times?	*Votre voix est-elle parfois rauque ?*
Do you often lose your voice?	*Avez-vous souvent des extinctions de voix ?*
Does it tire you to talk?	*Cela vous fatigue-t-il de parler ?*
<u>coughing</u>	<u>*la toux*</u>
Do you cough?	*Toussez-vous ?*
Are you able to cough?	*Pouvez-vous tousser ?*
Do you cough up anything?	*Crachez-vous en toussant ?*
Did you notice a hacking cough?	*Avez-vous remarqué que vous aviez une toux sèche ?*
Do you have difficulty breathing?	*Avez-vous du mal à respirer ?*
Is it a dry cough?	*Est-ce une toux sèche ?*
wet cough?	*toux grasse ?*
Does the coughing come in bouts?	*Toussez-vous par quintes ?*
Does anything precipitate the coughing?	*Y a-t-il des facteurs déclenchant la toux ?*
dust?	*la poussière ?*
pollen?	*le pollen ?*
cold?	*le froid ?*
Does anything relieve the coughing?	*Y a-t-il des facteurs calmant la toux ?*
cough mixture	*sirop pour la toux*
Do you cough at night?	*Toussez-vous la nuit ?*
<u>sputum</u>	<u>*expectoration*</u>
Do you bring up any sputum?	*Crachez-vous ?*
Do you spit up any secretions?	*Remontez-vous des glaires ?*
What colour is it?	*Quel en est l'aspect ?*
white	*blanc*
yellow purulent	*jaune purulent*
green	*vert*
dirty	*sale*
Is the smell of the sputum offensive?	*Ces expectorations ont-elles une odeur désagréable ?*
Show me your sputum cup.	*Montrez-moi votre crachoir.*

B. Physical examination *Examen physique*

<u>the ear</u>	<u>*l'oreille*</u>
Sit down.	*Asseyez-vous.*

Please hold still while I look in your ear with this instrument.	*Restez tranquille, s'il vous plaît, pendant que j'examine votre oreille avec cet instrument.*
Tilt your head back.	*Inclinez la tête en arrière.*
Turn your head slightly towards me.	*Tournez légèrement la tête vers moi.*
Turn your head slightly to the other side.	*Tournez légèrement la tête de l'autre côté.*
I am going to perform an exam of your ear canal.	*Je vais examiner votre conduit auditif.*
I am going to aspirate your ear, it's going to make a lot of noise.	*Je vais aspirer votre oreille, ça va faire beaucoup de bruit.*
The left auricle is small.	*Le pavillon de l'oreille gauche est petit.*
Vesicles are seen on the helix of the right ear.	*On note des vésicules au niveau de l'hélix de l'oreille droite.*
An excoriated area is seen on the lobe.	*On note une excoriation au niveau du lobe.*
A furuncle is seen to block the external canal.	*Un furoncle obture le conduit auditif externe.*
Cerumen is seen in the external canal.	*Le conduit auditif externe contient du cérumen.*
There is atresia of the left external canal.	*Il y a une atrésie du conduit auditif externe gauche.*
The right tympanic membrane is bulging and inflamed.	*Le tympan droit est bombé et congestif.*
There is a hearing impairment of the right ear.	*Il y a un déficit auditif à droite.*
There is deafness of both ears.	*Il y a une surdité bilatérale.*
<u>the nose</u>	<u>*le nez*</u>
Breathe in and out slowly with your mouth open.	*Respirez lentement en gardant la bouche ouverte.*
Cough.	*Toussez.*
There is sinus tenderness on palpation over the maxillary and frontal sinus.	*La palpation des sinus maxillaires et frontaux est sensible.*
I am going to test your sense of smell.	*Je vais tester votre odorat.*
Sniff this.	*Reniflez ceci.*
Stop breathing.	*Arrêtez de respirer.*
The nose deviates to the left side of the face.	*Le nez est dévié vers la gauche.*
The nostrils are enlarged.	*Les narines sont dilatées.*
The nasal septum is deviated.	*La cloison est déviée.*
You have got polyps in your nasal cavity.	*Vous avez des polypes dans les fosses nasales.*
I am going to cauterise them.	*Je vais vous faire une cautérisation.*
<u>the mouth</u>	<u>*la bouche*</u>
The right corner of the mouth droops.	*Le coin droit de la bouche est abaissé.*
Are you able to open your mouth?	*Arrivez-vous à ouvrir la bouche ?*
Do you have any sores in your mouth?	*Avez-vous mal dans la bouche ?*
on your lips?	*au niveau des lèvres ?*
Do you have any trouble moving your tongue when you speak?	*Avez-vous du mal à bouger la langue quand vous parlez ?*
Will you please remove your denture?	*Enlevez votre dentier, s'il vous plaît.*
Open your mouth.	*Ouvrez la bouche.*
Stick out your tongue.	*Tirez la langue.*
Breathe through your mouth.	*Respirez par la bouche.*
Whistle two or three times.	*Sifflez deux ou trois fois.*
Put your tongue against the roof of your mouth.	*Collez la langue contre le palais.*
Stick out your upper lip.	*Faites saillir la lèvre supérieure.*
your lower lip.	*la lèvre inférieure.*
Draw the corners of your mouth backwards.	*Tirez les coins de la bouche en arrière.*
Put your lips together and blow hard.	*Serrez les lèvres et soufflez fort.*
Draw the tip of your chin upwards.	*Levez l'extrémité du menton.*
A line is seen on the gums around the necks of the teeth.	*On note une ligne gingivale au niveau du collet des dents.*
The tongue is scarred.	*La langue est crevassée.*
There is increased salivation.	*La salivation est augmentée.*
The palate is whitish.	*Le palais est blanchâtre.*
There is no movement of the soft palate.	*Le voile du palais est immobile.*
A bony hard mass is felt on the hard palate.	*On sent une masse dure, osseuse au niveau du palais.*
There is a complete cleft involving the hard palate.	*Il y a une fente palatine complète.*
The surfaces of tonsils are cryptic.	*Les amygdales sont cryptiques.*
A dirty greyish membrane is seen over the left tonsil.	*L'amygdale gauche est recouverte d'une membrane sale, grisâtre.*
Mucous patches are seen over the tonsilar pillars.	*Des enduits muqueux recouvrent les piliers des amygdales.*
<u>the larynx</u>	<u>*le larynx*</u>
The vocal cords move poorly.	*Les cordes vocales sont peu mobiles.*

The right hemilarynx is immobile.	*L'hémilarynx droit est bloqué.*
<u>the neck</u>	<u>*le cou*</u>
Cervical palpation is normal.	*La palpation cervicale est normale.*
The right side of the neck is enlarged.	*Le côté droit du cou est augmenté de volume.*
The neck veins are distended.	*Les veines du cou sont distendues.*
Scattered groups of discrete enlarged lymph nodes are palpated on the right side of the neck.	*On palpe de petites adénopathies disséminées sur la face droite du cou.*
A row of small nodes is seen on the back of the neck.	*On voit une rangée de petits ganglions à la face postérieure du cou.*
The posterior cervical nodes are adherent to the skin and to the deep tissues.	*Les ganglions cervicaux postérieurs adhèrent à la peau et aux plans profonds.*
The thyroid is enlarged.	*La thyroïde est augmentée de volume.*
The mass rises during swallowing.	*La masse ascensionne à la déglutition.*

4. Complementary exams — *Examens complémentaires*

an audiogram	*une audiogramme*
an audiometer	*un audiomètre*
the stapedial reflex	*le réflexe stapédien*
the auditory evoked potentials	*les potentiels évoqués auditifs*
a bronchoscopy	*une bronchoscopie*
a bronchoscope	*un bronchoscope*
an oesophagoscopy	*une œsophagoscopie*
an oesophagoscope	*un œsophagoscope*
an indirect laryngoscopy	*une laryngoscopie indirecte / au miroir*
a panendoscopic exam	*un examen panendoscopique*
examination of the sputum	*examen des expectorations*
direct examination	*examen direct*
Gram stain	*coloration de Gram*
culture and sensitivity	*mise en culture et antibiogramme*
a biopsy	*une biopsie*
cytology	*cytologie*
examination for malignant cells	*recherche de cellules néoplasiques*

5. Diseases — *Maladies*

<u>the ear</u>	<u>*l'oreille*</u>
sensorineural deafness	*surdité de perception*
conduction deafness	*surdité de transmission*
ostalgia	*otalgie*
earache	*douleur d'oreille*
perforated eardrum	*tympan perforé*
ruptured eardrum	*rupture de la membrane du tympan*
a hole	*Une perforation tympanique*
acute pain	*douleur aiguë*
hearing impairment	*troubles de l'audition*
trauma	*traumatisme*
skull fracture	*fracture du crâne*
a foreign body	*un corps étranger*
profuse bleeding	*saignement abondant*
a cerebrospinal fluid (CSF) leakage	*un écoulement de liquide céphalo-rachidien (LCR)*
mastoiditis	*mastoïdite*
deafness	*la surdité*
dizziness	*vertiges*
vertigo	*le vertige*
labyrinthitis	*labyrintite*
labyrinthine disease	*le syndrome vestibulaire*
Ménière's syndrome	*le syndrome de Ménière*
central vertigo	*vertige central*
warning symptoms	*symptômes avant-coureurs*
yawning	*bâillement*
salivation	*salivation*
pallor	*pâleur*
cold sweats	*sueurs froides*
drowsiness	*torpeur / somnolence*
psychogenic vertigo	*vertige psychogénique*
motion sickness	*le mal des transports*
seasickness	*mal de mer*
airsickness	*mal de l'air*
car sickness	*mal de la route*
swing sickness	*mal du balancement*
tinnitus	*acouphène*
roaring tinnitus	*forts acouphènes*
roaring / ringing in the ears	*bourdonnement d'oreilles*
clicking in the ears	*tintement d'oreilles*
sensation of spinning	*impression de tourner*

fluctuating hearing loss	*surdité variable*
sudden hearing loss	*surdité brusque*
peripheral vertigo	*vertige périphérique*
sudden onset	*arrivée brutale*
outward bulging of the eardrum	*convexité accrue du tympan*
acute otitis media	*l'otite moyenne*
otitis media with effusion	*otite séromuqueuse*
eustachitis	*eustachite*
myringitis / tympanitis	*myringite / tympanite*
otosclerosis	*otospongiose*
chronic otitis media	*otite chronique*
retraction pocket / atelectasic ear	*poche de rétraction*
cholesteatoma	*cholestéatome*
acoustic neuroma	*neurinome de l'acoustique*
the nose	*le nez*
nosebleed / epistaxis	*saignement de nez*
haemorrhage	*hémorragie*
coryza / common cold	*le coryza / rhume*
sneezing	*éternuement*
rhinorrhea / excessive nasal secretion	*rhinorrhée / sécrétion nasale excessive*
nasal obstruction	*obstruction nasale*
dry cough	*toux sèche*
congestion	*congestion*
rhinitis	*rhinite*
the throat	*la gorge*
sore throat / sore infection	*angine*
tonsillitis	*amygdalite*
laryngitis	*laryngite*
dyspnea during inspiration	*dyspnée inspiratoire*
irritants	*agents irritants*
dysphonia	*dysphonie*
hoarseness	*enrouement*
be hoarse	*être enroué*
loss of voice	*perte de la voix*
cancer of the larynx	*cancer du larynx*
pain on swallowing	*douleur à la déglutition*
pain radiating to an ear	*douleur irradiant vers l'oreille*
influenza	*la grippe*
chills	*frissons*
fever	*fièvre*
headache	*céphalées*
muscular ache	*douleurs musculaires*

6. Treatment — *Traitement*

the ear	*l'oreille*
ear drops	*gouttes pour les oreilles*
paracentesis	*paracentèse*
gromet	*aérateur transtympanique*
myringoplasty	*myringoplastie / greffe du tympan*
tympanoplasty	*tympanoplastie*
mastoidectomy	*mastoïdectomie*
graft of skin	*greffe de peau*
of a vein	*de veine*
of fascia	*de fascia*
of cartilage	*de cartilage*
cauterisation	*cautérisation*
artificial ears	*prothèse auditive*
a device	*un appareil*
the nose	*le nez*
nose drops	*gouttes pour le nez*
decongestant	*décongestionnant*
spray	*nébuliseur*
silver nitrates	*nitrates d'argent*
litigate / tie an artery	*ligature*
radiation therapy	*traitement par irradiation*
brachytherapy	*curiethérapie*
chemotherapy	*chimiothérapie*
surgery	*chirurgie*
the throat	*la gorge*
a trachostomy	*une trachéotomie*
an intubation	*une intubation*
tonsillectomy	*amygdalectomie*

7. Abbreviations — *Sigles*

Abbreviation	English	Sigle	French
dB	decibel	*dB*	*décibel*
EAC	external auditory canal	*CAE*	*conduit auditif externe*
ENT	ear, nose, throat	*ORL*	*otorhinolaryngologie*
-	ENT specialist	*ORL*	*otorhinolaryngologiste*
FP	facial palsy	*PF*	*paralysie faciale*
ME	middle ear	*OM*	*oreille moyenne*

OE	otitis externa	*OE*	*otite externe*
OM	otitis media	*OA*	*otite moyenne aiguë*
T&A	tonsils and adenoids	-	*amygdales et végétations*

XIII. Odontology — *Odontologie*

I. Anatomy — *Anatomie*

A. The mouth
La bouche

the gums / gingivae (sg. gingiva)	*les gencives*
the cheeks	*les joues*
the lips	*les lèvres*
the upper lip	*la lèvre supérieure*
the lower lip	*le lèvre inférieure*
the angle of the mouth / labial commissure	*la commissure des lèvres*
the taste buds	*les papilles gustatives*
the tongue	*la langue*
the saliva	*la salive*
a gland	*un ganglion*
the salivary glands	*les glandes salivaires*
the submandibular salivary glands	*les glandes salivaires sous maxillaires*
the hard palate	*le palais*
the soft palate / velum palati	*le voile du palais*
the uvula	*la luette*
the pharyngeal isthmus	*l'isthme pharyngé*
the gingival margin	*la gencive marginale*
the attached gingiva	*la gencive attachée*
the free gingiva	*la gencive non attachée*
the mucous membranes	*les muqueuses*
the frenum	*le frein*
temporo-mandibular joint (TMJ)	*l'articulation temporo-mandibulaire (ATM)*

B. The tooth
La dent

a tooth (pl. teeth)	*une dent*
the upper jaw / the maxilla	*la mâchoire supérieure / le maxillaire*
the upper teeth / the maxillary teeth	*les dents supérieures*
the lower jaw / the mandible	*la mâchoire inférieure / la mandibule*
the lower teeth / the mandibular teeth	*les dents inférieures*
the periodontal ligament	*le ligament alvéolo-dentaire*
anchor / splint the teeth	*maintenir les dents en place*
an incisor	*une incisive*
a central incisor	*une incisive centrale*
a lateral incisor	*une incisive latérale*
chisel-shaped	*en forme de biseau*
tapered finish	*préparation en biseau*
chamfered preparation	*taille en chanfrein*
shoulder	*épaulement*
a canine / cuspid	*une canine / cuspide*
a premolar / bicuspid	*une prémolaire*
a molar	*une molaire*
a wisdom tooth / third molar	*une dent de sagesse*
a baby / milk / primary / deciduous tooth	*une dent de lait*
an adult / a secondary / permanent tooth	*une dent définitive*
erupt	*pousser*
tooth eruption	*poussée dentaire*
he is teething	*il perce une dent*
an unerupted tooth	*une dent incluse*
an impacted tooth	*une dent enclavée*
mixed dentition	*dentition mixte*
the crown	*la couronne*
the neck	*le collet*
the root	*la racine*
embedded in the socket	*fixé dans l'alvéole*
the alveolous / socket	*l'alvéole*
the apex	*l'apex*
buccal	*buccal / vestibulaire*
enamel	*l'émail*
brittle	*fragile*
dentin	*l'ivoire / la dentine*
dental pulp / tooth pulp	*la pulpe dentaire*
pulp chamber / pulp canal / pulp cavity	*chambre pulpaire / pulpe canalaire*
the root canal	*le canal radiculaire*
root canal treatment / endodontics	*traitement des racines / endodontie*
the apical foramen	*l'orifice apical*

the clamps	*les crampons*
the cementum	*le cément*
periodontal membrane	*la coiffe de la racine*

C. Cranial nerves
Nerfs crâniens

trigeminal nerve (III)	*nerf trijumeau*
facial nerve (VII)	*nerf facial*
glosso-pharyngeal nerve (IX)	*nerf glosso-pharyngien*
vagus nerve (X)	*nerf vague*
hypoglossal nerve (XII)	*nerf grand hypoglosse*

2. Clinical examination — *Examen clinique*

A. Past and present symptoms
Antécédents et symptômes actuels

agenesia / anodontia	*agénésie*
edentulous	*édenté*
abutment	*pilier*
supernumerary teeth	*dents surnuméraires*
abrasion	*l'abrasion*
wear facets	*facettes d'usure*
attrition (from an abrasive diet)	*l'abrasion (due à une alimentation dure)*
overjet	*overjet*
overbite	*supraclusie*
closed bite / deep bite	*forte supraclusie*
anterior open bite	*béance antérieure*
lateral open bite	*béance latérale*
crossbite	*occlusion croisée*
crowding / crowded teeth	*manque de place / dents qui se chevauchent*
pains in the tongue / glossodynia	*douleurs de la langue / glossodynie*
pain in swallowing / dysphagia	*douleurs pour avaler / dysphagie*
pain in speaking / dysphonia	*douleurs pour parler / dysphonie*
problems with tooth eruption	*accidents de croissance*
infected tooth	*dent infectée*
swelling of the neck	*gonflement du cou*
swellings in the neck / swollen glands	*de gros ganglions (dans le cou)*
salivary disorders	*problèmes pour saliver*
to be fitted with dental prostheses	*avoir des prothèses dentaires*
to be prone to having bad teeth	*avoir tendance à faire des caries*

B. Physical examination
Examen physique

a dentist	*un dentiste*
a dental surgeon	*un chirurgien dentiste*
an odontologist	*un odontologiste / odontologue*
a stomatologist	*un stomatologue*
a prosthodontist	*un prothésiste*
a dental surgeon	*un chirurgien dentiste*
a dental assistant / dentist's assistant	*un assistant*
a laboratory technician	*un technicien de laboratoire*
a hygienist	*un hygiéniste*
Are your teeth good / in good condition?	*Avez-vous de bonnes dents ?*
Have you any missing teeth? / Are you missing any teeth?	*Avez-vous des dents manquantes ?*
How long ago did you lose your teeth?	*Depuis quand avez-vous perdu vos dents ?*
Was the partial, complete loss of your teeth a long time ago?	*La perte partielle, totale de vos dents est-elle ancienne ?*
Do you have any pain? / Are you in pain?	*Avez-vous des douleurs ?*
Show me.	*Montrez-moi.*
Do your joints make noise when you eat?	*Est-ce que vos articulations font du bruit quand vous mangez ?*
What sort of noises?	*Quelles sortes de bruit ?*
crunching?	*des crépitements ?*
clicking	*des claquements ?*
cracking?	*des craquements ?*
Do your joints make abnormal movements?	*Avez-vous des ressauts dans vos articulations ?*
Do these pains occur spontaneously?	*Ces douleurs surviennent-elles spontanément ?*
with pressure?	*à la pression ?*
on chewing?	*à la mastication ?*
Can you chew / masticate your food?	*Pouvez-vous mâcher vos aliments ?*
Is the facial pain always brought on by touching the same spot?	*Cette douleur de la face est-elle toujours déclenchée au toucher de la même zone ?*

Do your gums bleed frequently?	*Saignez-vous fréquemment des gencives ?*
spontaneously?	*spontanément ?*
on brushing?	*quand vous les brossez ?*
under pressure?	*à la pression ?*
on chewing?	*à la mastication ?*
at the slightest touch?	*au moindre contact ?*
Do you grind your teeth (bruxism)?	*Grincez-vous des dents (bruxisme) ?*
Do you have your dental records?	*Avez-vous votre dossier dentaire ?*
How often do you brush your teeth?	*Vous brossez-vous souvent les dents ?*
Do you use a hard bristle toothbrush?	*Utilisez-vous une brosse à dents à poils durs ?*
Do you use a soft bristle / medium toothbrush?	*Utilisez-vous une brosse à dents à poils souples ?*
Do you use dental floss?	*Utilisez-vous du fil dentaire ?*
tooth picks?	*des cure-dents ?*
interdental woodsticks?	*des bâtonnets interdentaires en bois ?*
interdental brushes?	*des brossettes interdentaires ?*
a fluoride toothpaste	*un dentifrice fluoré*
Is the tooth painful when chewing?	*Votre dent est-elle douloureuse à la mastication ?*
Do you have any tics / habits?	*Avez-vous des tics ?*
nail-biting?	*se ronger les ongles ?*
pencil chewing?	*mordiller un crayon ?*
Do you ever bite your cheek?	*Vous arrive-t-il de vous mordre la joue ?*
Have you received orthodontic treatment?	*Avez-vous bénéficié d'un traitement d'orthodontie ?*
Have you had your teeth straightened?	*Avez-vous eu les dents redressées ?*
When was your last dental appointment?	*De quand date votre dernière visite chez le dentiste ?*
Smile.	*Souriez.*
Swallow your saliva.	*Avalez votre salive.*
Clench your teeth together.	*Serrez les dents.*
Open.	*Ouvrez. / Desserrez les dents.*
Keep still!	*Restez tranquille !*
Don't move!	*Ne bougez pas !*
Rinse your mouth.	*Rincez-vous la bouche.*
Spit out!	*Crachez !*
Open your mouth wide.	*Ouvrez grand la bouche.*
Move your jaw.	*Bougez la mâchoire.*

Place the tip of your tongue at the back of the palate.	*Mettez la pointe de la langue au fond du palais.*
You have a hidden / unerupted wisdom tooth.	*Vous avez une dent de sagesse incluse.*
Your tooth is loose.	*Votre dent est mobile.*
Your tooth is decayed.	*Votre dent est cariée.*
Your tooth is vital / alive.	*Votre dent est vivante.*
Have you been treated for caries recently?	*Vous a-t-on soigné récemment pour des caries ?*
The problems you are having are due to...	*Vous avez...*
a decayed tooth.	*une dent cariée.*
a fractured tooth.	*une dent fracturée.*
a cracked tooth.	*une dent fêlée.*
an unerupted tooth.	*une dent incluse.*
an impacted tooth.	*une dent enclavée.*
the presence of a cyst.	*un kyste.*
an abscess.	*un abcès.*
Do you feel that one of your teeth is too long?	*Avez-vous l'impression qu'une dent dépasse ?*
Do you feel that one of your teeth touches before the others when you close?	*Avez-vous l'impression qu'une de vos dents touche avant les autres en fermant la bouche ?*
Your teeth are too far forward.	*Vos dents sont trop en avant.*
too far back.	*trop en arrière.*
Your teeth are too crowded.	*Vos dents se chevauchent.*
Do you wear a prosthesis?	*Portez-vous une prothèse dentaire ?*
a dental appliance?	*un appareil dentaire ?*
false teeth?	*de fausses dents ?*
a denture?	*un dentier ?*
Is it fixed?	*Est-il fixe ?*
removable?	*amovible ?*
Is it fitting correctly?	*Est-il bien adapté ?*
Does it hurt you?	*Vous blesse-t-il ?*
Has it got a rubber suction disc?	*A-t-il une ventouse en caoutchouc ?*
Is your dental prosthesis old?	*Votre prothèse dentaire est-elle ancienne ?*
a dental bridge	*un pont / bridge*
a pontic	*une dent intermédiaire sur bridge*
the filling	*l'obturation*
Are your fillings old?	*vos amalgames sont-ils anciens ?*
an articulator	*un articulateur*
semi-adaptable	*semi-adaptable*
fully-adaptable	*entièrement adaptable*
a stump	*un chicot*
the residual root	*le fragment de racine*

the prepared stump of the tooth	*le chicot retaillé*	spicy foods?	*des plats épicés ?*
the gold crown	*la couronne en or*	Have you got a metallic taste in your mouth?	*Avez-vous un goût métallique dans la bouche ?*
the jacket crown	*la jaquette*	Do you suffer from bad breath?	*Avez-vous mauvaise haleine ?*
the porcelain / ceramic tooth	*le dent en porcelaine*	Do you have too much saliva?	*Avez-vous trop de salive ?*
the post crown	*la dent à tenon*	too little saliva?	*pas assez de salive ?*
the cast post and core	*le tenon à faux moignon*	a dry mouth?	*la bouche sèche ?*
Do you wear a space maintainer?	*Portez-vous un mainteneur d'espace ?*	cold sores in your mouth?	*des ulcérations dans la bouche ?*
Do your mouth ulcers occur after eating cheese?	*Vos aphtes surviennent-ils après avoir mangé du fromage ?*		
nuts?	*des noix ?*		

3. Complementary exams — *Examens complémentaires*

lateral skull cephalometric radiograph	*radiographie de profil à 5 mètres*	a panoramic radiograph	*un panoramique*
a radiograph of the maxillary sinuses / Water's view	*une radiographie des sinus maxillaires / un Blondeau*	a magnetic resonance imaging (MRI)	*imagerie par résonance magnétique (IRM)*
a lateral oblique radiograph	*un « maxillaire défilé »*	CAT scan / CT scan	*scanner*
bitewing radiograph	*une radiographie latérale dentaire / bitewing*	an endoscopy of the sinus	*une endoscopie des sinus*
a periapical radiograph	*une radiographie rétroalvéolaire*	a cannulation of the sinuses / intra-nasal drainage	*une canulation des sinus*
an vertex occlusal radiograph	*une radiographie occlusale*	sinus rinse	*une séance de drainage et lavage sinusien / un Proetz*

4. Diseases — *Maladies*

a tooth decay / a bad tooth / a rotten tooth / a carie	*une carie*	candidosis	*une candidose*
occlusal pits and fractures	*sillons dentaires*	mycotic / fungal infections	*mycoses*
a crown fracture	*une fracture coronaire*	thrush	*le muguet*
a decalcified tooth	*une dent décalcifiée / déminéralisée*	pericoronitis	*péricoronarite*
a hypomineralised tooth	*une dent hypominéralisée*	aphthous ulcer / aphtha (pl. aphtae)	*aphte*
a facial cleft	*une fente faciale*	aphtosis	*aphtose*
a hare lip	*un bec de lièvre*	minor aphthae	*aphtes communs*
buck teeth	*dents proéminentes*	recurrent aphthae	*aphtes récidivants*
cleft palate	*fente palatine*	major aphthae	*aphtes géants*
gingivitis	*gingivite*	Behçet's syndrome	*maladie de Behçet*
haemorrhagic gingivitis	*gingivorragies*	lesion of the oral cavity	*lésion de la cavité buccale*
acute necrotizing ulcerative gingivitis (ANUG)	*gingivite ulcéro-nécrotique aiguë (GUN)*	gingival hypertrophy	*hypertrophie des gencives*
an oedema of the face	*un œdème de la face*	an abscess	*un abcès*
angioneurotic oedema	*œdème de Quincke*	salivate / produce saliva	*avoir une production de salive*
a haematoma / bruise	*un hématome*	a discharge of pus	*une production de pus*
difficulty in opening the mouth	*difficultés à ouvrir la bouche*	of blood	*de sang*
stomatitis	*une stomatite*	of small stones	*de petits calculs*
		tartar	*le tartre*
		dental plaque	*la plaque dentaire*

have toothache	*avoir mal aux dents*
paroxysmal toothache	*rage de dents*
pulpitis	*pulpite*
maxillary sinusitis	*sinusite maxillaire*
antral tumour	*tumeur des sinus*
oro-antral fistula	*communication bucco-sinusienne*
dental pain / odontalgia	*algie dentaire / odontalgie*
sinus disorder	*pathologie sinusienne*
maxillo-facial injury	*traumatisme maxillo-facial*
problems with the occlusion of the teeth	*troubles de l'articulé dentaire*
inflammatory and infectious disorders	*pathologie inflammatoire et infectieuse*
mechanical or lithiastic disorders	*pathologie mécanique ou lithiasique*
adenopathy	*adénopathie*
lymphadenopathy	*lymphadénopathie*
lymphadenitis	*lymphadénite*
dislocation	*luxation*
ankylosis	*ankylose*
arthritis	*arthrite*

5. Treatment — *Traitement*

<u>medical equipment</u>	<u>*le matériel médical*</u>
the operator's chair	*le fauteuil du dentiste*
the dental chair	*le fauteuil du patient*
the armrest	*l'accoudoir*
the headrest	*l'appuie tête*
the basin / spittoon	*le crachoir*
the water glass, filled automatically / autofill rinse	*le gobelet à remplissage automatique*
the stool	*le tabouret de dentiste*
the washbasin	*le lavabo*
the instrument cabinet	*le meuble à instrumentation*
the drawer for burs	*le tiroir à fraises*
the overhead light	*la lampe de dentiste / le scialytique*
the ceiling light	*le plafonnier*
the X-ray apparatus for panoramic pictures	*l'appareil de radiographie pour clichés panoramiques*
the X-ray generator	*le générateur de rayons X*
the microwave oven	*le four micro-ondes*
the radiation unit	*l'appareil à irradiation*
<u>the instrument tray</u>	<u>*le plateau à instruments*</u>
the storage unit	*le bloc de rangement*
the turbine / high-speed handpiece	*la turbine / contre-angle multiplicateur*
the slow-speed handpiece	*le contre-angle*
the carborundum disc	*le disque en corindon*
the grinding wheel	*la meule en corindon*
the bur	*la fraise pour cavités*
the diamond bur	*la fraise diamantée*
the tungsten carbide bur	*la fraise en tungstène*
the steel bur	*la fraise acier*
the flame-shaped finishing bur	*la fraise flamme*
the fissure bur	*la fraise fissure*
the mouth mirror	*le miroir à bouche*
the mouth lamp	*la lampe à bouche*
the cautery	*le thermocautère / cautère*
the electrocautery	*le bistouri électrique*
the platinum-iridium electrode	*l'électrode en platine iridié*
the probe	*la sonde*
the periodontal probe	*la sonde parodontale*
the extraction forceps	*le clavier*
the tooth-root elevator	*l'élévateur*
the bone chisel	*le ciseau à os*
the spatula	*la spatule*
the mixer for filling material	*le mélangeur de produit d'obturation*
the amalgamator	*le mélangeur d'amalgame*
the timer	*la minuterie*
the hypodermic syringe for injection of local anaesthetic	*la seringue hypodermique pour anesthésie locale*
the hypodermic needle	*l'aiguille hypodermique*
the matrix band	*la matrice*
the matrix band holder	*le porte-matrice*
the impression tray	*le porte-empreinte*
the spirit lamp	*la lampe à alcool*
the saliva aspirator / pump	*la pompe à salive*
the surgical aspiration	*l'aspiration chirurgicale*
the multi-purpose syringe	*la seringue air-eau multifonctions*
with cold water	*avec de l'eau froide*
with warm water	*avec de l'eau chaude*
with spray	*avec du spray*
with air	*avec de l'air*
<u>dental treatment</u>	<u>*soin dentaire*</u>
devitalise a tooth	*dévitaliser une dent*
remove the decayed part of a tooth	*enlever la partie cariée d'une dent*
pull out a tooth	*arracher une dent*

remove / extract a tooth	*extraire une dent*
a dental extraction	*une extraction dentaire*
a filling	*une restauration*
fill the cavity of a tooth	*obturer la cavité d'une dent*
an amalgam	*un amalgame*
a temporary dressing	*un pansement provisoire*
glasionomer cement	*ciment verre-ionomère*
zinc oxide cement	*pansement en oxyde de zinc*
tooth coloured composite filling	*restauration en composite couleur dent*
acid-etch enamel	*mordancer l'émail*
total etch	*mordancer l'émail et la dentine*
primer	*l'apprêt dentaire*
bonding agent	*composite / agent de liaison*
pit and fissure sealant	*scellement des puits et fissures*
intradentinal pin	*vis dentaire*
screwpost	*tenon vissé*
whiten a tooth	*blanchir une dent*
bleach	*blanchiment*
crown a tooth	*couronner une dent*
dental prosthesis	*prothèse dentaire*
fixed prosthesis	*prothèse fixée*
metallic prosthesis	*prothèse métallique*
chrome-cobalt prosthesis	*prothèse stellite*
titanium denture	*prothèse stellite en titane*
ceramic prosthesis	*prothèse céramique*
removable prosthesis	*prothèse amovible*
a bridge	*un bridge*
an orthodontic appliance	*un appareil orthodontique*
tighten the archwire	*resserrer l'appareil orthodontique*
an orthodontic band	*une bague orthodontique*
a mouth prop	*un cale bouche*
a cheek / flap retractor	*un écarteur*
a bracket	*un bracket / verrou*
an arch wire	*un arc droit*
a facebow	*un arc facial*
a palatal expander	*un vérin d'expansion palatin*
a curing light	*une lampe à photopolymériser*
an explorer	*une sonde*
interproximal stripper	*des strips abrasifs*
an impression	*une empreinte*
alginate	*alginate*
interocclusal registration / bite-wax	*enregistrement d'occlusion*
an implant	*un implant*
a retraction cord	*un fil de rétraction*
a burn-out post	*un tenon calcinable*
a space maintainer	*un mainteneur d'espace*
a root separation	*une séparation de racine*
grind off an artificial tooth	*poncer une prothèse dentaire*
grind in an artificial tooth	*ajuster une prothèse dentaire*
acrylic dentures	*un dentier en résine*
repositioning of unerupted teeth	*mise sur l'arcade de dents incluses*
of ectopic teeth	*de dents mal positionnées*
exposure of the clinical crown	*dégagement de la couronne clinique*
conservative dentistry	*odontologie conservatrice*
eat cold food, soft food for 24 hours	*manger froid, semi-liquide pendant 24 heures*
sleep with the head raised on a pillow	*dormir la tête relevée par un oreiller*
place a sterile pack in the mouth	*placer un tampon stérile dans la bouche*
a mouth wash	*un bain de bouche*
gargle	*se gargariser*
a gargling	*un gargarisme*
apply pressure at the site of bleeding	*appuyer à l'endroit qui saigne*
exert pressure on the mandible	*forcer sur la mâchoire*
an arsenical dressing	*un pansement arsenical*
a scale	*un détartrage*
scale	*détartrer*
the scaler	*la curette à détartrer*
polish	*polir*
osteotomy	*ostéotomie*
surgical correction of the maxillae	*chirurgie correctrice des maxillaires*
pulpectomy	*pulpectomie*
pulpotomy	*pulpotomie*
root canal filling	*obturation canalaire*
apicectomy	*apicectomy*
gingival / soft tissue curettage	*curetage gingival*
curettage of the sinus	*curetage du sinus*
of the granuloma	*du granulome*
of the cyst	*du kyste*
packing	*méchage*
root canal treatment	*dévitalisation*
bite-raising splint	*gouttière de surélévation*
biopsy	*biopsie*
bone graft	*greffe osseuse*
frenectomy	*freinectomie*
implantology	*implantologie*

6. Abbreviations — *Sigles*

ANUG	acute necrotizing ulcerative gingivitis	*GUN*	*gingivite ulcéro-nécrotique aiguë*
CAT scan	computerised axial tomography	-	*scanner*
ENT	ear, nose and throat	*ORL*	*oto-rhino-laryngologie*
MRI	magnetic resonance imaging	*IRM*	*imagerie par résonance magnétique*
TMJ	temporo-mandibular joint	*ATM*	*articulation temporo-mandibulaire*

XIV. Infectious diseases — *Maladies infectieuses*

I. Epidemiology of infectious diseases — *Epidémiologie des maladies infectieuses*

an infectious disease expert	*un spécialiste en maladies infectieuses*
an epidemic	*une épidémie*
an epidemiologist	*un épidémiologiste*
an endemic	*une endémie*
a pandemic	*une pandémie*
the epidemic worked its way through the country	*l'épidémie s'est répandue dans le pays*
spill over to another country	*gagner un autre pays*
stem the spread of an epidemic	*endiguer la course d'une épidémie*
creep into a population	*gagner une population*
sweep into a population	*ravager une population*
the spread of infection	*la propagation de l'infection*
carry bacteria from one person to another	*transporter des bactéries d'une personne à l'autre*
transmitted between caregivers and patients	*transmis entre patients et soignants*
a case	*un cas*
report a new case	*faire état d'un nouveau cas*
wide-ranging epidemic	*épidémie de grande envergure*
break out	*se déclarer / éclater*
an outbreak	*une manifestation soudaine*
a scourge	*un fléau*
handle an epidemic	*contrôler une épidémie*
put at risk	*mettre en danger*
contract	*contracter*
strike down man	*frapper l'homme*
extend one's reach / spread	*s'étendre*
gather steam	*prendre de l'ampleur*
the infected people	*les personnes infectées*
decimate	*décimer*
contain an epidemic	*contenir une épidémie*
keep an epidemic under control	*enrayer une épidémie*
a preventable epidemic	*une épidémie évitable*
subside	*se calmer / décliner*
abate	*décroître*
die down	*s'éteindre*
a hard-hit country	*un pays durement touché*
the death toll	*le bilan des victimes*
climb	*augmenter*
soar up / rocket	*exploser*
proliferation	*prolifération*
contaminate	*contaminer*
contamination	*contamination*
progress	*progresser*
exposure to	*le contact avec*
a test for exposure to	*déterminer s'il y a eu contact avec*
be exposed to	*être en contact avec*
detect	*détecter*
detection	*détection*
escape detection	*échapper à l'examen*
the rate of infection	*le taux de contamination*
grow	*augmenter*
rise	*s'élever*
a source of infection	*une source d'infection*
carry a virus	*être porteur d'un virus*
a carrier	*un porteur*
be on the rise	*être en phase ascendante*
slow down	*ralentir*
be at risk of infection	*risquer une infection*
be in danger of being infected	*être exposé à la contagion*
an upsurge in infection	*une recrudescence de la contagion*
slow the rate of infection	*ralentir le rythme de la contagion*

2. Main infectious diseases — *Les principales maladies infectieuses*

A. Viral diseases — *Les maladies virales*

hepatitis	*l'hépatite*
measles	*la rougeole*
mumps	*les oreillons*
rubella / German measles	*la rubéole*
MMR vaccine	*vaccin ROR*
poliomyelitis	*la poliomyélite*
small pox	*la variole*
the flu / influenza	*la grippe*
chicken pox	*la varicelle*
jaundice	*la jaunisse*
rabies	*la rage*
mononucleosis	*la mononucléose*
genital herpes	*l'herpès génital*
oral herpes	*l'herpès buccal*
viral encephalitis	*encéphalite virale*
shingles / herpes zoster	*le zona*
HIV infection	*infection VIH*
acquired immunodeficiency syndrome	*syndrome d'immunodéficience acquise*
yellow fever	*la fièvre jaune*
haemorrhagic fever	*fièvre hémorragique*
dengue	*la dengue*
hantavirusis	*infection à hantavirus*

B. Bacterial diseases — *Les maladies bactériennes*

tetanus	*le tétanos*
tuberculosis	*la tuberculose*
typhoid	*la typhoïde*
a TB test	*un test tuberculinique*
anthrax	*la maladie du charbon*
botulism	*le botulisme*
brucellosis	*la brucellose / fièvre de Malte*
cholera	*le choléra*
diphtheria	*la diphtérie*
dysentery	*la dysenterie*
leprosy	*la lèpre*
the plague	*la peste*
salmonellosis	*la salmonellose*
scarlet fever	*la scarlatine*
leptospirosis	*la leptospirose*
gonorrhoea	*une blennorragie*
syphilis	*la syphilis*
cat scratch disease	*la maladie des griffes de chat*
Lyme disease	*la maladie de Lyme*
tularaemia	*la tularémie*
chronic meningococcemia	*la méningococcémie chronique*

C. Bacteria — *Les bactéries*

salmonella	*salmonelle*
a staphylococcus (pl. staphylococci)	*un staphylocoque*
a streptococcus (pl. streptococci)	*un streptocoque*
anaerobe	*anaérobie*

3. Main infectious syndromes — *Les principaux syndromes infectieux*

septicaemia	*une septicémie*
bacteremia	*une bactériémie*
laryngitis	*la laryngite*
meningitis	*la méningite*
rhinitis	*une rhinite*
a croup	*une laryngite*
sinusitis	*une sinusite*
an ear infection / otitis	*une otite*
conjunctivitis	*la conjonctivite*
tonsillitis	*l'amygdalite*
bronchitis	*la bronchite*
pneumonia	*une pneumonie*
endocarditis	*endocardite*
community acquired pneumonia	*pneumonie communautaire*
nosocomial pneumonia	*pneumonie nosocomiale*
ventilator-associated pneumonia	*pneumonie associée à la ventilation*
a venereal disease	*une maladie vénérienne*
a genital wart	*un condylome*
sexually transmissible disease (STD)	*maladie sexuellement transmissible (MST)*
uretritis	*urétrite*
infectious vaginitis	*vaginite infectieuse*
urinary tract infections	*infections des voies urinaires*
catheter-related blood stream infection	*septicémie liée à un cathéter*
vascular catheter infection	*infection liée à un cathéter vasculaire*
bite-wound infection	*infection secondaire à une morsure*
nosocomial infection	*infection nosocomiale*

lymphangitis	*lymphangite*	gas gangrene	*gangrène gazeuse*
narcotising fasciitis	*fasciite nécrosante*	prostatic abscess	*abcès de la prostate*
dermatitis	*dermatite*	drug fever	*fièvre liée à un médicament*
pyodermas	*pyodermite*	sepsis	*un sepsis*
needlestick injury	*plaie par piqûre*	refractory septic shock	*choc septique réfractaire*
tick-borne diseases	*maladies transmises par les tiques*	systemic inflammatory response	*réponse inflammatoire systémique*
tick-borne relapsing fever	*fièvre récurrente à tiques*	multiorgan dysfunction	*défaillance muliviscérale*
arthritis	*l'arthrite*	gingivitis	*gingivite*
osteomyelitis	*l'ostéomyélite*	periodontal disease	*maladie périodontale*
diarrhoea (GB) / diarrhea (US)	*la diarrhée*	invasive fungal infection	*infection invasive fongique*
		diabetic foot infection	*infection du pied diabétique*
food poisoning	*intoxication alimentaire*	mucositis	*mucite*
mononucleosis-like illness	*syndrome mononucléosique*	facial palsy	*paralysie faciale*
		enterocolitis	*entérocolite*
hemolytic-uremic syndrome	*syndrome hémolytique et urémique*	fever of unknown origin (FUO)	*fièvre de cause inconnue*
cellulitis	*cellulite*		

4. Clinical and physical examination — *Examen clinique et physique*

a cold	*un rhume*	How long ago?	*Il y a combien de temps ?*
a chill	*un refroidissement*	How long did you stay there?	*Combien de temps y êtes-vous resté ?*
catch a chill	*prendre froid*		
catch a cold	*attraper un rhume*	Have you been travelling abroad lately?	*Avez-vous voyagé à l'étranger récemment ?*
have a cold in the head	*avoir un rhume de cerveau*		
coryza	*coryza*	Are you up to date in immunisation?	*Etes-vous à jour dans vos vaccinations ?*
a runny nose	*le nez qui coule*		
blow one's nose	*se moucher*	When was your last recall / booster for tetanus?	*Quand avez-vous fait votre dernier rappel contre le tétanos ?*
cough	*tousser*		
a dry hacking cough	*une toux sèche et pénible*	œdema	*œdème*
sneeze	*éternuer*	swollen	*enflé*
shiver	*grelotter*	inflamed joints	*articulations enflammées*
sweat	*suer*	exanthem	*exanthème*
be in a sweat	*être en sueur*	arthralgia	*arthralgies*
a cough	*une toux*	headache	*mal de tête*
a sore throat	*un mal de gorge / une angine*	meningeal signs	*signes méningés*
		altered mental status	*altération des fonctions supérieures*
be hoarse	*être enroué*		
a fit of coughing	*une quinte de toux*	nuchal rigidity	*raideur de nuque*
a spot	*un bouton*	prostration	*prostration*
a rash	*une éruption*	myalgia	*myalgie*
macular rash	*rash maculeux*	abdominal cramping	*crampes abdominales*
itch	*démanger*	backache	*mal de dos*
scratch	*se gratter*	ear pain	*otalgie*
fever	*la fièvre*	oral ulcers	*ulcères buccaux*
abscess	*abcès*	aphthous ulcers	*aphtes*
hyperthermia	*hyperthermie*	splenomegaly	*splénomégalie*
fever curve	*courbe de température*	crepitant rales	*râles crépitants*
a fever spike	*un pic de fièvre*	adenopathy	*adénopathie*
quartan fever	*fièvre quarte*	malaise	*un malaise*
drenching sweats	*sueurs profuses*	fatigue	*asthénie*
Have you been to foreign countries?	*Etes-vous allé dans des pays étrangers ?*	weakness	*faiblesse*
		nodules	*nodules*

coryza — *coryza*
dissociation pulse-temperature — *dissociation pouls-température*
scattered petechiae — *pétéchies disséminées*
initial inoculation — *inoculation initiale*
a chancre — *un chancre*
diffuse adenopathy — *polyadénopathie*
indwelling device — *matériel étranger*

5. Immune defence against infection — *Défense immunitaire contre l'infection*

the defence system — *le système de défense*
develop immunity — *s'immuniser*
acquired immunity — *immunité acquise*
immunisation — *l'immunisation*
a phagocyte — *un phagocyte*
a macrophage — *un macrophage*
a neutrophil — *un neutrophile*
a basophil — *un basophile*
the immune system — *le système immunitaire*
be immune to — *être immunisé contre*
immunodeficiency — *immunodéficience*
protection against — *protection contre*
erode the immune system — *attaquer le système immunitaire*
an invading mechanism — *un mécanisme d'envahissement*
an antigen — *un antigène*
neutralise an antigen — *neutraliser un antigène*
activate the immune system — *mettre le système immunitaire en action*
set off a chain reaction — *provoquer une réaction en chaîne*
release chemicals — *libérer des agents chimiques*
an antibody-producing cell — *une cellule productrice d'anticorps*
antibodies — *des anticorps*
weaken the body's immune system — *affaiblir les défenses immunitaires*
cripple the immune system — *paralyser le système immunitaire*
break the outer defences — *briser les défenses externes*
lose one's resistance against — *perdre sa résistance contre*
provoke / trigger off an immune response — *provoquer / déclencher une réponse immunitaire*
a host — *l'hôte, le receveur*

6. Physiopathology of infectious diseases — *Physiopathologie des maladies infectieuses*

A. General terms in microbiology — *Termes généraux de microbiologie*

a toxin — *une toxine*
a germ — *un germe*
a micro-organism — *un micro-organisme*
a bacillus (pl. bacilli) — *un bacille*
a bacterium (pl. bacteria) — *une bactérie*
a fungus (pl. fungi) — *un champignon*
a parasite — *un parasite*
a saprophyte — *un saprophyte*
a virus — *un virus*
pathogen — *pathogène*

B. Bacterial / viral transmission — *Transmission bactérienne / virale*

virology — *la virologie*
bacteriology — *la bactériologie*
a virologist — *un virologue*
bacteriologist — *un bactériologiste*
microbial invasion — *invasion microbienne*
resistant to — *résistant à*
susceptible to — *sensible à*
a strain — *une souche*
an isolate — *un isolat*
mutate — *muter*
infect — *infecter*
an infective agent — *un agent infectieux*
swab — *un écouvillon*
culturing specimens — *prélèvement pour culture*
blood culture — *hémoculture*
a colony — *une colonie*
bronchoalveolar washing / lavage (BAL) — *lavage bronchoalvéolaire*
endotracheal aspirate — *aspiration endotrachéale*
bronchial aspirates — *aspirations bronchiques*
sputum — *crachat / expectoration*
urine cultures — *examen cytobactériologique des urines*
gram stain — *coloration dc gram*
pyuria — *pyurie*
bacteriuria — *bactériurie*
genitourinary tract specimens — *prélèvements urogénitaux*

stool cultures	*coprocultures*
abscess material	*prélèvement d'abcès*
ulcers	*ulcères*

C. Natural history of infectious diseases
Histoire naturelle des maladies infectieuses

be infected with / by	*être infecté par*
a pattern of infection	*déroulement de l'infection*
a reservoir of infection	*un réservoir d'infection*
incubate	*incuber*
incubation period	*période d'incubation*
enter the blood stream	*pénétrer dans le sang*
transmit a virus	*transmettre un virus*
catch	*attraper*
spread	*se répandre*
multiply	*se multiplier*
proliferate	*proliférer*
contract a disease	*contracter une maladie*
be weakened by	*être affaibli par*
lie dormant in a cell	*rester en sommeil dans une cellule*
activate a cell	*activer une cellule*
penetrate the cell nucleus	*pénétrer le noyau de la cellule*

7. Treatment of infectious diseases — *Traitement des maladies infectieuses*

A. Prevention of infectious diseases
Prévention des maladies infectieuses

a vaccine	*un vaccin*
vaccinate / immunise	*vacciner*
immune to	*immunisé contre*
vaccination	*vaccination*
a vaccination booster	*un rappel de vaccination*
prophylaxis	*prophylaxie*
prevent exposure to	*empêcher le contact avec*
avoid exposure to	*éviter d'être en contact avec*
immunotherapy	*immunothérapie*
hand washing	*se laver les mains*
glove use	*utilisation de gants*
infection control team	*l'équipe de l'hygiène hospitalière*
enteric precaution	*précautions d'isolement entérique*

B. Fighting off infectious diseases
La lutte contre les maladies infectieuses

provide clinical improvement	*procurer une amélioration clinique*
be free of a virus	*être débarrassé d'un virus*
fight off a disease	*lutter contre une maladie*
ward off a disease	*parer à une maladie*
to contain an agent	*contenir un agent*
inhibition of a disease	*inhibition d'une maladie*
antibiotics	*antibiotiques*
topical antibiotics	*antibiotiques locaux*
empirical treatment	*traitement empirique*
antipyretics	*antipyrétiques*
non steroidal anti-inflammatory drugs (NSAID)	*médicaments anti-inflammatoires non stéroïdiens (AINS)*
a bactericidal antibiotic	*un antibiotique bactéricide*
a bacteriostatic antibiotic	*un antibiotique bactériostatique*
antibiotic combination	*une association d'antibiotiques*
the postantibiotic effect	*l'effet post-antibiotique*
colony stimulating factors	*facteurs de croissance hématopoïétique*

8. AIDS — *Le SIDA*

A. General background
Généralités

Acquired Immune Deficiency Syndrome (AIDS)	*Syndrome d'immunodéficience acquise (SIDA)*
Human Immunodeficiency Virus (HIV)	*Virus de l'immunodéficience humaine (VIH)*
HIV-infected patient	*patient infecté par le VIH*
person with HIV infection	*personne ayant une infection par le VIH*
HIV-seronegative person	*personne séronégative au VIH*

test a patient for HIV	*tester un patient pour le VIH*
AIDS patient / sufferer	*patient atteint du SIDA*
AIDS-related disease	*maladie liée au SIDA*
screen a patient for HIV	*faire passer un test de dépistage du SIDA*
cause damage to the immune system	*s'attaquer au système immunitaire*
a severely weakened immune system	*un système immunitaire sévèrement affaibli*
result in AIDS	*aboutir au SIDA*
the early stages of the disease	*les stades précoces de la maladie*
deadly disease	*maladie mortelle*
AIDS-free	*sans SIDA*
a preventable disease	*une maladie évitable*
the risk of progression to AIDS	*le danger de la progression du SIDA*
retrovirus	*rétrovirus*
receptor	*récepteur*
host cell	*cellule hôte*
CD4 cells	*lymphocytes CD4*
T-cell deficiency	*déficience en lymphocytes T*
replication	*réplication*
replicate	*répliquer*
a human trial	*un essai clinique*
AIDS epidemic	*l'épidémie du SIDA*
informed consent	*consentement éclairé*
AIDS-defining illness	*maladie définissant / classant le SIDA*
confidentiality	*confidentialité*
ethical issues related to HIV infection	*questions d'éthique liées au SIDA*
intent to treat analysis	*analyse en intention de traiter*
losses to follow up	*perdus de vue*

B. Diagnosis of HIV infection
Diagnostic de l'infection par le VIH

blood screening program	*programme de dépistage sanguin*
mandatory screening	*dépistage obligatoire*
screening facilities	*centre de dépistage*
have an AIDS test	*passer un test pour le SIDA*
require routine tests	*nécessiter des tests répétés*
press for testing	*insister pour faire réaliser un test*
counselling	*informer*
screening test	*test de dépistage*
plasma viremia	*virémie plasmatique*
total lymphocyte count	*nombre total de lymphocytes*
T-lymphocyte subset analysis	*analyse des sous-populations lymphocytaires*
surrogate marker of HIV-1 progression	*marqueur de progression de l'infection VIH*
level of HIV-1 RNA	*niveau d'ARN du VIH*
viral load	*charge virale*
genotypic resistance	*résistance génotypique*
phenotypic resistance	*résistance phénotypique*
HIV-1 specific antibody response	*réponse anticorps spécifique au VIH*
CD4 binding site	*site de liaison sur le CD4*
HIV all tropism	*tropisme cellulaire pour le VIH*
window period before seroconversion	*la fenêtre sérologique*

C. Risk factors for HIV infection
Facteurs de risque pour l'infection au VIH

maternal-foetal transmission	*transmission materno-fétale*
breastfeeding	*allaitement*
breast milk	*lait maternel*
risk group	*groupe à risque*
vertical transmission	*transmission verticale*
blood transfusion recipients	*receveurs de transfusions sanguines*
transfused blood	*sang transfusé*
contaminated blood	*sang contaminé*
blood donation	*don de sang*
blood donor	*donneur de sang*
blood products contamination	*contamination de produits sanguins*
intravenous drug user	*toxicomane par voie intraveineuse*
share a needle	*partager une aiguille*
unsterilized needle	*aiguille non stérilisée*
parenteral exposure	*exposition parentérale*
percutaneous exposure to	*exposition percutanée à*
incidence among	*incidence parmi*
high risk sexual practice	*pratique sexuelle à haut risque*
have free sex	*avoir des rapports non protégés*
homosexual men	*homosexuels*
bisexual persons	*bisexuels*
haemophiliae	*hémophiles*
HIV-associated risk behaviour	*comportement à risque d'infection VIH*
anal intercourse	*rapports sexuel anal*
vaginal intercourse	*rapport sexuel vaginal*

D. Natural history of HIV infection
Histoire naturelle de l'infection au VIH

asymptomatic stage of HIV infection	*stade asymptomatique de l'infection au VIH*
primary HIV infection	*primo-infection par le VIH*

mononucleosis-like illness	*syndrome mononucléosique*
recurrent infection	*infections récidivantes*
opportunistic pathogens	*pathogènes opportunistes*
opportunistic diseases	*maladies opportunistes*
AIDS-related dementia	*démence associée au VIH*
wasting syndrome	*syndrome cachectique*
thrush / oral candidiasis	*candidose oropharyngée*
oral hairy leukoplasia	*leucoplasie chevelue de la langue*
pneumocystis carinii pneumonia	*pneumocystose*
cryptococcosis	*cryptococcose neuroméningée*
central nervous system toxoplasmosis	*toxoplasmose cérébrale*
cytomegalovirus retinitis	*rétinite à cytomégalovirus*
Kaposi sarcome	*sarcome de Kaposi*
non-Hodgkin's lymphoma	*lymphome non hodgkinien*
latency	*latence*
acute HIV exanthem	*exanthème aigu associé à l'infection au VIH*
development of AIDS	*progression du SIDA*
median time to developing AIDS	*médiane de survenue du SIDA*
a stage of HIV disease	*un stade du VIH*
weight loss	*perte de poids*
incubation period	*période d'incubation*
reactivation	*réactivation*
predictor of HIV disease progression	*marqueurs prédictifs de l'évolution*
acute seroconversion syndrome	*primo-infection au VIH*
persistent lymphadenopathy	*adénopathie persistante*
route of HIV transmission	*mode de transmission du VIH*
cellular targets of HIV	*cibles cellulaires du VIH*

E. Treatment of HIV infection
Traitement de l'infection par le VIH

antiretroviral drug testing	*des tests de sensibilité aux médicaments*
drug resistance	*résistance médicamenteuse*
block the disease	*bloquer la maladie*
eradicate the virus	*éradiquer le virus*
inactivate the virus	*inactiver le virus*
slow the course of the disease	*ralentir l'évolution de la maladie*
keep the epidemic at bay	*contenir l'épidémie*
antiretroviral therapy	*thérapie antirétrovirale*
combination therapy	*thérapie combinée*
antiretroviral naive patients	*patients vierges d'un traitement antirétroviral*
drug-resistant HIV-1 isolates	*isolats résistant au traitement contre le VIH*
DNA polymerase	*ADN polymérase*
maintenance therapy	*thérapie de maintien*
secondary prophylaxis	*prophylaxie secondaire*
guidelines for	*directives / recommandations pour*
obligation to treat	*obligation de traiter*
unproven therapies	*traitement non validé*
cross-resistance to	*résistance croisée à*
chemoprophylaxis	*chimioprophylaxie*
prophylaxis	*prophylaxie*

F. AIDS prevention
Prévention contre le SIDA

bleach	*eau de Javel*
sterilise needles	*stériliser les aiguilles*
supply free needles	*fournir des aiguilles gratuites*
protect from infection	*protéger de l'infection*
safe sex	*conduite sexuelle sans risque*
practice safe sex / adopt safe-sex practice	*adopter une conduite sexuelle sans risque*
be / keep on guard	*rester sur ses gardes*
call for a change of life style	*nécessiter un changement de mode de vie*
launch a campaign	*lancer une campagne*
an awareness campaign	*une campagne de prise de conscience*
aware of the dangers of	*conscient des dangers de*
protect against	*protéger contre*
condom	*préservatif*
suggest the use of condoms	*suggérer d'utiliser des préservatifs*
devise a pro-condom advertising campaign	*concevoir une campagne pour l'utilisation de préservatifs*
prevention program	*programme de prévention*
put on TV spots	*passer des spots publicitaires télévisés*
health care workers	*travailleurs sociaux*
prevention of occupational HIV exposure	*prévention des risques professionnels d'exposition au VIH*
behaviour change	*changement de comportement*
blood and body fluid precautions	*précautions d'emploi du sang et des liquides biologiques*
voluntary HIV screening	*dépistage volontaire du VIH*
social support for HIV-infected person	*la prise en charge sociale des personnes infectées par le VIH*

XV. Gynaecologogy — Gynécologie

1. Anatomy — *Anatomie*

the female reproductive system	*l'appareil reproducteur de la femme*
<u>the adnexa</u>	*<u>les annexes</u>*
the ovaries	*les ovaires*
the germinal epithelium	*l'épithélium germinatif*
the tunica albuginea	*l'albuginée*
the stroma	*le stroma*
the ovarian follicles	*les follicules ovariens*
the vesicular ovarian / Graafian follicle	*le follicule de De Graaf*
the corpus luteum	*le corps jaune*
uterine tubes / Fallopian tubes / oviducts	*les trompes de Fallope / trompes utérines*
the infundibulum	*le pavillon*
funnel-shaped	*en forme d'entonnoir*
the fimbriae	*les franges*
the ampulla	*l'ampoule*
<u>the uterus</u>	*<u>l'utérus</u>*
the womb	*la matrice*
the fundus	*le fond*
the body	*le corps*
the cervix	*le col*
the isthmus	*l'isthme*
the uterine cavity	*la cavité utérine*
the endometrium	*l'endomètre*
the cervical canal	*le canal cervical*
the internal os	*l'orifice interne*
the external os	*l'orifice externe*
the anteflexion	*l'antéversion*
a retroflexion	*une rétroversion*
the vesicouterine pouch	*le cul-de-sac vésico-utérin*
the rectouterine pouch / pouch of Douglas	*le cul-de-sac de Douglas*
<u>the vagina</u>	*<u>le vagin</u>*
the fornix	*le cul-de-sac*
the rugae	*les crêtes du vagin*
the vaginal orifice	*l'orifice vaginal*
the hymen	*l'hymen*
the vulva / pudendum	*la vulve*
the mons pubis	*le mont de Vénus*
the labia majora	*les grandes lèvres*
the labia minora	*les petites lèvres*
the clitoris	*le clitoris*
the vestibule	*le vestibule*
a cleft	*une fente*
the perineum	*le périnée*
<u>the breast</u>	*<u>le sein</u>*
the mammary glands	*les glandes mammaires*
the lactiferous ducts	*les canaux galactophores*
the nipple	*le mamelon*

2. Physiology — *Physiologie*

oogenesis	*l'ovogenèse*
the menstrual cycle	*le cycle menstruel*
the hormonal control	*la régulation hormonale*
the menstrual phase / menstruation / menses	*le cycle menstruel*
the periods	*les règles*
menarche	*la ménarche*
menopause	*la ménopause*
the climateric	*le climatère*

3. Clinical examination — *Examen clinique*

A. Past and present symptoms
Antécédents et symptômes actuels

gynaecology (GB) / gynecology (US)	*la gynécologie*
a gynaecologist	*un gynécologue*
<u>menstruation</u>	*<u>les règles</u>*
dysmenorrhea	*trouble des règles*
Could you tell me what seems to be the matter?	*Pouvez-vous m'expliquer ce qui vous arrive ?*
When did your periods first start?	*Quand avez-vous eu vos premières règles ?*
Are your periods regular?	*Vos règles sont-elles régulières ?*
How often do you get them?	*Tous les combien êtes-vous réglée ?*
Does it hurt before or after your periods?	*Ressentez-vous des douleurs avant ou après vos règles ?*

How many pads do you need each day during your periods?	*Combien de serviettes hygiéniques utilisez-vous par jour pendant vos règles ?*
How many menstrual tampons?	*Combien de tampons ?*
Have you forgotten to take the pill lately?	*Avez-vous oublié de prendre votre pilule ces derniers temps ?*
When was your last period?	*Quand avez-vous eu vos dernières règles ?*
Are your periods late?	*Avez-vous un retard de règles ?*
Has this ever happened before?	*Cela vous est-il déjà arrivé ?*
Did your periods cease?	*Etes-vous ménopausée ?*
Do you get hot flushes?	*Avez-vous des bouffées de chaleur ?*
Have you noticed any vaginal discharge?	*Avez-vous des pertes vaginales ?*
Are they creamy white?	*Sont-elles blanchâtres ?*
pink?	*rosées ?*
red?	*rougeâtres ?*
dark brown?	*brun foncé ?*
greenish?	*verdâtres ?*
yellow?	*jaunâtres ?*
foul-smelling?	*nauséabondes ?*
thick?	*épaisses ?*
watery?	*aqueuses ?*
frothy?	*mousseuses ?*
sticky?	*collantes ?*
heavy?	*abondantes ?*
scanty?	*peu abondantes ?*
Does this occur at any particular point in the menstrual cycle?	*Ces pertes se produisent-elles à un moment particulier de votre cycle ?*
near the beginning?	*vers le début ?*
about half way through?	*vers le milieu ?*
near the end?	*vers la fin ?*
haemorrhage	*hémorragie*
Have you had any bleeding recently?	*Avez-vous eu des pertes de sang récemment ?*
Was this during your periods?	*Cela s'est-il produit pendant vos règles ?*
in between your periods?	*entre vos règles ?*
Are you losing blood at the moment?	*Perdez-vous du sang en ce moment ?*
For how many days have you had the bleeding?	*Depuis combien de jours saignez-vous ?*
Is the blood bright in colour?	*Le sang que vous perdez est-il rouge vif ?*
dark?	*foncé ?*
Have you passed any clots?	*Avez-vous perdu des caillots de sang ?*
Have you ever had a miscarriage?	*Avez-vous déjà fait une fausse couche ?*
Have you had a pregnancy test?	*Avez-vous fait un test de grossesse ?*

family planning	*planning familial*
Are you on oestrogen replacement therapy?	*Avez-vous un traitement hormonal substitutif ?*
family spacing	*espacement des naissances*
postpone childbearing	*différer une grossesse*
contraception	*contraception*
Do you use any form of contraception?	*Utilisez-vous un moyen de contraception ?*
which one?	*lequel ?*
Are you on the pill?	*Prenez-vous la pilule ?*
Have you had a coil fitted?	*Vous êtes-vous fait poser un stérilet ?*
Do you use condoms?	*Utilisez-vous des préservatifs ?*
a diaphragm?	*un diaphragme ?*
an intrauterine device (IUD)?	*un stérilet ?*
vaginal foam?	*un gel spermicide ?*
the rhythm method?	*l'abstention périodique / la méthode des températures ?*
withdrawal?	*le retrait ?*
Do you have sexual intercourse regularly?	*Avez-vous des rapports sexuels réguliers ?*
Does it hurt when you have sexual intercourse?	*Avez-vous mal lors de vos rapports ?*
sexually transmitted diseases (STD)	*maladies sexuellement transmissibles (MST)*
Have you ever had venereal disease?	*Avez-vous déjà eu des maladies vénériennes ?*
Do you have several partners?	*Avez-vous plusieurs partenaires sexuels ?*
Do you sometimes have intercourse with male prostitutes?	*Avez-vous des rapports sexuels avec des prostitués hommes ?*
Have you had an AIDS test?	*Avez-vous déjà eu un test de dépistage du sida ?*
Are you prepared to have one?	*Acceptez-vous d'en subir un ?*
past pregnancies	*antécédents obstétricaux*
How many times have you been pregnant?	*Combien de fois avez-vous été enceinte ?*
Have you had normal vaginal deliveries?	*Avez-vous eu des accouchements normaux par voie basse ?*
forceps deliveries?	*avec des forceps ?*
caesarean sections / C-sections?	*par césarienne ?*
premature deliveries?	*prématurés ?*
unwanted pregnancies?	*des grossesses non désirées ?*
induced abortions?	*des IVG ?*
spontaneous abortions / miscarriages?	*des fausses couches ?*

B. Physical examination — *Examen physique*

I am going to examine your breasts.	*Je vais vous examiner les seins.*
Do you have any swelling in the breasts?	*Avez-vous des gonflements au niveau des seins ?*
Do you have any discharge from the nipple?	*Avez-vous un écoulement par le mamelon ?*
Have you any itching of the nipple?	*Avez-vous des démangeaisons du mamelon ?*
Did you breastfeed your children?	*Avez-vous allaité vos enfants ?*
Could you please remove your bra?	*Pourriez-vous retirer votre soutien-gorge ?*
Raise your arms.	*Levez les bras.*
I can't feel any lump.	*Je ne sens aucune masse.*
Have you ever had a mammography?	*Avez-vous déjà fait une mammographie ?*
I am going to examine your private parts / genitalia.	*Je vais vous faire un examen vaginal.*
Would you mind undressing?	*Veuillez vous déshabiller.*
I have read in your record that you had an IUD fitted in 1995.	*J'ai lu dans votre dossier que vous vous êtes fait poser un stérilet en 1995.*
Lie down on the examination table.	*Allongez-vous sur la table d'examen.*
Spread your legs apart.	*Ecartez les jambes.*
Could you put your feet here in the stirrups?	*Mettez vos pieds ici dans les étriers.*
Relax.	*Détendez-vous.*
Does it hurt when I press here?	*Avez-vous mal quand j'appuie ici ?*
There is some unusual discharge.	*Il y a un écoulement suspect.*
I am just going to take a vaginal swab.	*Je vais faire un prélèvement vaginal.*
perform a cervical smear.	*un frottis du col utérin.*
the pap smear / Papanicolaou test	*le test de Papanicolaou*
I'll remove a sample with a swab.	*Je vais prélever un échantillon avec une spatule.*
It is a reliable test to rule out any malignancy.	*C'est un test fiable pour éliminer toute suspicion de cancer.*
Could you cough?	*Toussez.*
The neck of the womb / cervix is normal.	*Le col de l'utérus est sain.*
infected.	*infecté.*
inflamed.	*enflammé.*
open.	*ouvert.*
closed.	*fermé.*
Everything seems to be normal.	*Tout paraît normal.*

4. Complementary exams — *Examens complémentaires*

speculum examination	*examen au spéculum*
pregnancy test	*test de grossesse*
cervical smear	*frottis cervico-vaginaux*
dilatation and curettage (DnC)	*curetage*
hystero-salpingography	*hystérosalpingographie*
laparoscopy	*coelioscopie*
biopsy of the cervix	*biopsie du col*
colposcopy	*colposcopie*
culdoscopy	*culdoscopie*
a mammography	*une mammographie*
screening	*le dépistage*
an ultrasound (US) scan	*une échographie*
endometrial biopsy	*biopsie de l'endomètre*
chorionic villus sampling (CVS)	*prélèvement d'échantillons de villosités choriales*

5. Diseases — *Maladies*

an ectopic pregnancy	*une grossesse extra-utérine*
sexually transmitted diseases (STDs)	*les maladies sexuellement transmissibles (MST)*
venereal diseases (VD)	*les maladies vénériennes*
gonorrhoea / clap	*la gonorrhée*
syphilis	*la syphilis*
genital herpes	*l'herpès génital*
trichomoniasis	*la trichomonase*
genital warts	*condylome*
menstrual abnormalities	*troubles liés au cycle mensuel*
amenorrhea	*aménorrhée*
dysmenorrhea	*dysménorrhée*
leukorrhea	*leucorrhée*
abnormal uterine bleeding	*hémorragies utérines anormales*
pre-menstrual syndrome (PMS)	*le syndrome prémenstruel*
menopause	*ménopause*
hot flushes (GB) / hot flashes (US)	*bouffées de chaleur*
miscellaneous	*divers*
ovarian cysts	*kystes de l'ovaire*
endometriosis	*endométriose*

fibroadenoma	*adénofibrome du sein*	hermaphroditism	*hermaphrodisme*
cervical cancer	*cancer du col de l'utérus*	prurit	*prurit / démangeaisons*
cervical dysplasia	*dysplasie cervicale*	endometritis	*endométrite*
pelvic inflammatory disease (PID)	*pelvipéritonite*	vaginal dryness	*sécheresse vaginale*
salpingitis	*salpingite*	vaginitis	*vaginite*

6. Treatment *Traitement*

lumpectomy	*tumorectomie*	a magnifying device	*un appareil grossissant*
mastectomy	*mastectomie*	transcervical balloon tuboplasty	*tuboplastie transcervicale par dilatation*
a cone biopsy	*une conisation*	colpotomy	*colpotomie*
a punch biopsy	*une biopsie à l'emporte-pièce*	culdotomy	*culdotomie*
an endocervical curettage (ECC)	*un curetage endocervical*	oophorectomy	*ovariectomie*
a D and C (dilatation and curettage)	*un curetage*	salpingectomy	*salpingectomie*
a hysterectomy	*une hystérectomie*	adnexectomy	*annexectomie*

7. Abbreviations *Sigles*

BC	birth control	-	*régulation des naissances*
CT	computed tomography	-	*tomographie axiale assistée par ordinateur*
CX	cervix	-	*col (utérin)*
D & C	dilatation and curettage	-	*curetage*
ECC	endocervical curettage	-	*curetage endocervical*
EP	ectopic pregnancy	*GEU*	*grossesse extra-utérine*
FH	foetal heart	*BdCF*	*bruit du cœur du fœtus*
FMP	first menstrual period	*DPR*	*date des premières règles*
GUS	genitourinary system	-	*appareil génito-urinaire*
ITI	intratubal insemination	*IIU*	*insémination intra-utérine*
IUD	intrauterine device		*un stérilet*
IVF	in vitro fertilisation	*FIV*	*fécondation in vitro*
LMP	last menstrual period	*DDR*	*date des dernières règles*
MCHS	maternal and child service	*PMI*	*protection maternelle et infantile*
MP	menstrual period	-	*règles*
NIP	nipple	-	*mamelon*
OB / GYN	obstetrician and gynaecologist	-	*gynécologue accoucheur*
OC	oral contraceptive	*CO*	*contraception orale*
Pg	pregnant	-	*enceinte*
PID	pelvic inflammatory disease	-	*salpingite aiguë*
PMB	post-menopausal bleeding	-	*hémorragie après la ménopause*
PMS	pre-menstrual syndrome	-	*le syndrome prémenstruel*
PV	per vaginam	*TV*	*toucher vaginal*
RE	rectal examination	*TR*	*toucher rectal*
RV	retroversion	*RV*	*retroversion*
STD	sexually transmitted disease	*MST*	*maladie sexuellement transmissible*
US	ultrasound scan	-	*échographie*
VD	venereal disease	-	*maladie vénérienne*
VE	vaginal examination	*TV*	*toucher vaginal*

XVI. Obstetrics — Obstétrique

1. Pregnancy and birth — Grossesse et naissance

a maternity clinic / department / ward	*une maternité*
the labour ward	*le bloc d'accouchement*
a delivery room	*une salle d'accouchement*
pregnancy	*la grossesse*
childbearing	*la grossesse*
expect a baby	*attendre un enfant*
an expectant mother	*une future mère*
be expecting / be pregnant	*être enceinte*
be in the family way (fam)	*être enceinte*
gestation	*gestation*
a week's gestation	*une grossesse d'une semaine*
be 12 weeks pregnant	*être enceinte de 12 semaines*
the 28th week of pregnancy	*la 28e semaine de grossesse*
the duration of pregnancy	*la durée de la grossesse*
be four months pregnant	*être enceinte de quatre mois*
first, second, third trimester	*premier, deuxième, troisième trimestre*
an unwanted pregnancy	*une grossesse non désirée*
a foetus	*un fœtus*
motherhood	*état de / sentiments de mère*
morning sickness	*la nausée du matin*
a foetal / fetal defect	*une anomalie du fœtus*
a pregnancy test	*un test de grossesse*
prenatal diagnosis	*diagnostique prénatal*
childbirth classes	*préparation à l'accouchement*
prenatal care	*soins prénatals*
genetic counselling	*conseil génétique*
birth	*la naissance*
bear a child	*porter un enfant / être enceinte*
be born	*naître*
an unborn child	*un enfant à naître*
viable	*viable*
a still-born child / still birth	*un enfant mort-né*
give birth to	*donner naissance à*
a childbirth	*un accouchement*
natural childbirth	*accouchement par les voies naturelles*
a birth certificate	*un acte d'extrait de naissance*
birthplace	*lieu de naissance*
birthdate (GB) / birthday (US)	*date de naissance*
birthday (GB)	*anniversaire*
the birth-rate	*le taux de natalité*
a birthmark	*une tache de vin / marque de naissance*
delivery	*l'accouchement*
deliver a baby	*accoucher*
have a complicated labour	*avoir un accouchement difficile*
give birth to a daughter	*accoucher d'une fille*
at term / full term	*à terme*
premature	*prématuré*
before term	*avant terme*
labour pains / the throes of childbirth	*douleurs de l'accouchement*
in labour	*en travail*
induced delivery	*accouchement provoqué*
painless delivery	*accouchement sans douleur*
the placenta	*le placenta*
the afterbirth	*la délivrance*
the decidua	*la caduque*
the umbilical cord	*le cordon ombilical*
the umbilicus / navel	*l'ombilic / nombril*
the belly-button (fam.)	*le nombril*
head first presentation	*présentation céphalique*
a breech presentation	*un siège / présentation podalique*
a miscarriage	*une fausse-couche*
miscarry / have a miscarriage	*faire une fausse-couche*
a caesarean (GB) / caesarean section / C-section (US)	*une césarienne*
deliver by caesarean section	*accoucher par césarienne*
scar	*cicatrice*
a bikini cut (fam.)	*une incision horizontale*
an impending arrival	*un accouchement imminent*
foetal position	*position fœtale*
new-born	*nouveau-né*
infant	*nourrisson*
twins	*jumeaux*
one of the twins	*un des jumeaux*
dizygotic / fraternal twins	*jumeaux bivitellins / dizygotes*
monozygotic / identical twins	*jumeaux univitellins / monozygotes*
conjoined / siamese twins	*jumeaux siamois*
triplets	*triplés*
quadruplets	*quadruplés*
quintuplets	*quintuplés*

2. Clinical examination — *Examen clinique*

obstetrics	*l'obstétrique*
the obstetrician	*l'obstétricien*
the OB / GYN	*le gynécologue accoucheur*
the midwife	*la sage-femme*
the nurse	*l'infirmière*
the children's nurse	*la puéricultrice*

A. Meeting the midwife — *Rencontre avec la sage-femme*

Have you been paying regular visits to your doctor?	*Etes-vous suivie régulièrement par un médecin ?*
Do you know how long you have been pregnant?	*Savez-vous depuis quand vous êtes enceinte ?*
Have you had any health problems since you became pregnant?	*Avez-vous eu des problèmes de santé depuis le début de votre grossesse ?*
a high blood pressure?	*une tension artérielle trop élevée ?*
sugar in your urine?	*du sucre dans les urines ?*
a lot of contractions?	*de nombreuse contractions ?*
bleeding?	*des hémorragies ?*
Do you have any stretch-marks?	*Avez-vous des vergetures ?*
When is the baby due?	*Quand devez-vous accoucher ?*
Can you feel the baby moving?	*Sentez-vous le bébé bouger ?*
Did the doctor tell you how the baby is presenting?	*Le médecin vous a-t-il dit comment se présente le bébé ?*
Is it in the head position?	*Se présente-t-il par la tête ?*
the breech position?	*par le siège ?*
Do you want to have an epidural / spinal anaesthesia?	*Souhaitez-vous une péridurale ?*
You'll go numb below the navel.	*Vous n'aurez plus de sensibilité à partir du nombril.*
Have you had an X-ray taken of your pelvis?	*Vous a-t-on déjà fait une radiographie du bassin ?*

B. Blood and urine test — *Analyse d'urine et de sang*

We are going to give you a blood test to check that you are pregnant.	*Nous allons faire un test sanguin pour confirmer la grossesse.*
Have you had a blood test done recently for German measles?	*Avez-vous fait faire récemment des examens sanguins pour la rubéole ?*
for syphilis?	*pour la syphilis ?*
for AIDS?	*pour le sida ?*
for toxoplasmosis?	*pour la toxoplasmose ?*
Have you had a urine sample recently to check for glucose?	*Avez-vous fait faire des examens d'urine pour la recherche de glucose ?*
acetone?	*d'acétone ?*
albumin?	*d'albumine ?*
infection?	*d'infection ?*

C. Ultrasound scan / ultrasonography — *Echographie*

sonographer	*échographiste*
You are going to have an ultrasound scan.	*Nous allons vous faire une échographie.*
There is the embryo.	*Voici l'embryon.*
the foetus / fetus (pl. foetuses / fetuses).	*le fœtus.*
your baby.	*le bébé.*
Everything is fine.	*Tout est parfait.*
The placenta is in the right place.	*Le placenta est bien placé.*
Do you want to know if it's a boy or a girl?	*Voulez-vous savoir quel est le sexe du bébé ?*
I can't make out which one it is.	*Je n'arrive pas à distinguer si c'est une fille ou un garçon.*

D. Something wrong — *Un problème*

We are going to listen to your baby's heartbeat.	*Nous allons écouter les battements du cœur de votre bébé.*
I think there may be something wrong with your baby.	*Je pense que le bébé présente peut-être une anomalie.*
abort a pregnancy	*avorter*
The baby appears to have a malformation.	*On dirait qu'il y a une malformation chez le bébé.*
We'll have to induce labour.	*Il va falloir déclencher l'accouchement.*
I'm afraid we'll have to terminate the pregnancy.	*Il va malheureusement falloir effectuer une interruption de grossesse..*
amniography	*amniographie*
amnioscopy	*amnioscopie*
amniocentesis	*amniocentèse*
amniotic fluid	*liquide amniotique*
You need to have a C-section as soon as possible.	*Il faut faire une césarienne de toute urgence.*

E. The natural delivery
L'accouchement par voie basse

the vaginal delivery	*l'accouchement par les voies naturelles*
Could you lie down on the delivery table?	*Allongez-vous sur la table d'accouchement.*
Have your waters broken?	*Avez-vous perdu les eaux ?*
When did this happen?	*Depuis combien de temps ?*
What was the amniotic fluid like?	*Comment était le liquide amniotique ?*
How long have you been having contractions?	*Depuis combien de temps avez-vous des contractions ?*
How often do they occur?	*Quelle est leur fréquence ?*
It's time to start now.	*C'est le moment de commencer.*
You'll need to push in order to let the baby out.	*Il va falloir pousser pour faire sortir le bébé.*
Tell me when the contractions begin.	*Prévenez-moi dès que les contractions commenceront.*
Right, it's time to get going.	*Maintenant, allez-y.*
Take hold of the traction bar.	*Attrapez les poignées.*
Pull and keep your elbows apart.	*Tirez et écartez les coudes.*
That's it. One more time.	*C'est cela. Encore une fois.*
Push hard with your stomach.	*Poussez fort avec le ventre.*
Relax.	*Relâchez.*
Get your breath back.	*Reprenez votre souffle.*
Right now, try again.	*Allons, encore un petit effort.*
We can see the hair.	*On voit les cheveux.*
Come on, one last push.	*Allez-y, poussez une dernière fois.*
Here we are, it's coming out.	*Voilà, il arrive.*
Cut off the cord.	*Coupez le cordon.*
It's a boy.	*C'est un garçon.*
What are you going to call him?	*Comment allez-vous l'appeler ?*

F. An episiotomy
Une épisiotomie

I am going to perform an episiotomy.	*Je vais faire une épisiotomie.*
prevent stretching	*empêcher une distension*
prevent tearing	*empêcher un déchirement*
a cut	*une incision*
put in stitches	*faire des points de suture*
I am going to sew you up.	*Je vais vous recoudre.*
It might leave a scar.	*Cela pourrait laisser une cicatrice.*

G. After the delivery
Après l'accouchement

<u>the mother</u>	<u>*la mère*</u>
I'm going to wash your private parts.	*Je vais faire votre toilette intime.*
Bend your legs.	*Pliez les jambes.*
Lift your pelvis.	*Soulevez le bassin.*
I'm going to put you on a bedpan.	*Je vais mettre le plat bassin.*
Can you open your knees wide?	*Pouvez-vous écarter les genoux ?*
I'm going to remove the dressing and put another one.	*Je vais enlever la mèche et en mettre une autre.*
I'm going to clean your perineum.	*Je vais vous nettoyer le périnée.*
You have clips on.	*Vous avez des agrafes.*
wires on.	*des fils.*
<u>the baby</u>	<u>*le bébé*</u>
I'm going to introduce this tube.	*Je vais introduire ce tube.*
I want to suck / aspirate the secretions.	*Je veux aspirer les sécrétions.*
First into the nose, then into the mouth.	*D'abord dans le nez, puis la bouche.*
I'll clean the eyes.	*Je vais lui nettoyer les yeux.*
Listen to his cries.	*Ecoutez le crier.*
We'll give him a bath.	*Nous allons lui donner un bain.*
Wrap him up in this blanket.	*Enveloppez le dans cette couverture.*
I'll place him in the incubator.	*Je vais le mettre dans la couveuse.*
I am going to look after him.	*Je vais lui donner des soins.*
weigh him.	*le peser.*
measure him.	*le mesurer.*
dress him.	*l'habiller.*

H. Post partum
Suite de couches

Have you had bowel movements since the baby was born?	*Etes-vous allée à la selle depuis l'accouchement ?*
You mustn't strain.	*Vous ne devez pas forcer.*
I'm going to give you something to help open your bowels.	*Je vais vous donner quelque chose pour aller à la selle.*
Do you lose urine when you cough?	*Perdez-vous vos urines quand vous toussez ?*
when you laugh?	*quand vous riez ?*
when you strain?	*quand vous faites un effort ?*
Your skin was torn while you were giving birth.	*Vous avez été déchirée lors de l'accouchement.*

Your womb has almost come back to its normal size.	*Votre utérus est presque revenu à sa taille normale.*

3. After the birth — *Après la naissance*

day care	*la crèche*	breast milk	*le lait maternel*
day care facilities	*une crèche*	mixed feeding	*l'allaitement mixte*
a day care centre	*une crèche*	a wet nurse	*une nourrice*
baby feeding	*l'alimentation du nourrisson*	a baby bottle	*un biberon*
breastfeed	*allaiter*	powdered milk (GB) / formula milk (US)	*lait en poudre*
bottle-feed	*donner le biberon*		

4. Diseases — *Maladies*

morning sickness	*les vomissements de la grossesse / nausées matinales*	preeclampsia	*prééclampsie*
puerperal fever	*fièvre puerpérale*	Down's syndrome	*mongolisme / trisomie 21*

5. Abbreviations — *Sigles*

AB	abortion	*IVG*	*interruption volontaire de grossesse*
AF	amniotic fluid	*LA*	*liquide amniotique*
AI	artificial insemination	*IA*	*insémination artificielle*
AID	artificial insemination by donor	*IAD*	*insémination artificielle par donneur*
AN	antenatal	-	*anténatal*
APH	ante partum haemorrhage	-	*hémorragie anténatale*
ARM	artificial rupture of the membranes	*RAM*	*rupture artificielle des membranes*
BC	birth control	-	*régulation des naissances*
BPD	biparietal diameter	*BIP*	*diamètre bipariétal*
BW	birth weight	*PN*	*poids à la naissance*
CS	caesarean section	-	*césarienne*
CT	computed tomography / CT scan	-	*tomographie axiale assistée par ordinateur / scanner*
CTG	cardiotocography	*CTG*	*cardiotocographie*
CVS	chorionic villus sampling	-	*prélèvement d'échantillons de villosités choriales*
EDD	expected date of delivery	*DPA*	*date présumée de l'accouchement*
EFM	electronic foetal monitoring	-	*surveillance électronique fœtale*
EP	ectopic pregnancy	*GEU*	*grossesse extra-utérine*
ET	embryo transfer	*TE*	*transfert d'embryon*
FD	forceps delivery	-	*accouchement avec forceps*
FDIU	foetal death in utero	*MFIU*	*mort fœtale in utero*
FH	foetal heart	*BdCF*	*bruits du cœur du fœtus*
FSH	follicle stimulating hormone	*FSH*	*follicle stimulating hormone*
FT	full term	*AT*	*accouchement à terme*
FTND	full term normal delivery	-	*accouchement à terme normal*
GIFT	gamete intrafallopian transfer	-	*le transfert intratubulaire de gamètes*
GU	genitourinary	-	*gynécologique et urinaire*
ITI	intratubal insemination	*IIU*	*insémination intra-utérine*
IUD	intrauterine device	-	*un stérilet*

IUGR	intrauterine growth retardation	*RCIU*	*retard de croissance intra-utérin*
IVF	in vitro fertilisation	*FIV*	*fécondation in vitro*
LBW	low birth weight	-	*faible poids de naissance*
LFA	left fronto anterior (position of foetus)	*NIGA*	*naso-iliaque gauche antérieur*
LH	luteinizing hormone	*LH*	*hormone lutinisante*
MCHS	maternal and child service	*PMI*	*protection maternelle et infantile*
NB	new-born	*NN*	*nouveau né*
ND	normal delivery	-	*accouchement normal*
NFTD	normal full term delivery	-	*accouchement normal à terme*
NIP	nipple	-	*mamelon*
OB / GYN	obstetrician and gynaecologist	-	*gynécologue accoucheur*
OBS	obstetrics	-	*obstétrique*
OC	oral contraceptive	*CO*	*contraception orale*
PET	pre eclamptic toxaemania	-	*toxémie pré-éclamptique*
Pg	pregnant	-	*enceinte*
PIH	pregnancy induced hypertension	*HTAG*	*hypertension artérielle gravidique*
PN	postnatal	-	*postnatal*
PP	post partum	*PP*	*post partum*
PPH	post partum haemorrhage	-	*hémorragie du post partum*
Prem	premature	*Préma*	*prématuré*
PROM	premature rupture of membranes	*RPM*	*rupture prématurée des membranes*
PV	per vaginam	*TV*	*toucher vaginal*
ROM	rupture of membranes	-	*rupture des membranes*
RV	retroversion	*RV*	*retroversion*
SB	stillbirth	*Mn*	*mort-né*
SD	spontaneous delivery	*Asp*	*accouchement spontané*
SROM	spontaneous rupture of the membranes	-	*rupture spontanée des membranes*
SVD	spontaneous vaginal delivery	-	*accouchement spontané par voie basse*
US	ultrasound scan	-	*échographie*

XVII. Sexual life — *La vie sexuelle*

family planning clinic — *centre de planning familial*
family planning counsellor — *conseiller du planning familial*
a sex education program — *un programme d'éducation sexuelle*
a contraceptive-counselling programme — *un programme d'information sur la contraception*
hand out a leaflet — *distribuer une brochure*
Leaflets are available on the rack. — *Des brochures sont disponibles sur le présentoir.*

I. Birth control (BC) — *La régulation des naissances*

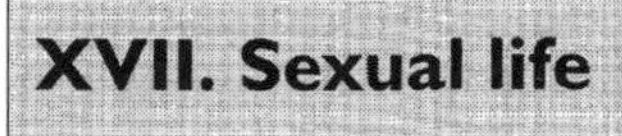

A. Contraception — *La contraception*

have sex — *faire l'amour*
contraceptive research — *la recherche sur la contraception*
a method of contraception — *une méthode de contraception*
available — *disponible*
a contraceptive device — *un moyen de contraception*
a contraceptive means — *un moyen de contraception*
have safe sex — *relations sexuelles protégées*
the physiological method — *les méthodes physiologiques*
the rhythm method — *la méthode des températures*
the hormonal method — *la méthode hormonale*
the pill — *la pilule*
be on the pill — *prendre la pilule*

a birth control pill	*une pilule anticonceptionnelle*
use the pill	*utiliser la pilule*
an oral contraceptive	*un contraceptif oral*
the next-day pill	*la pilule du lendemain*
RU 486 / the morning-after pill	*le RU 486 / la pilule du lendemain*
an injectable contraceptive	*un contraceptif injectable*
a side effect	*un effet secondaire*
long-term health effects	*les effets sur la santé à long terme*
induce menstruation	*provoquer les règles*
a spermicide	*un spermicide*
a foam	*une mousse*
a cream	*une crème*
a jelly	*un gel*
a sponge	*une éponge*
the barrier methods	*les moyens mécaniques*
a condom	*un préservatif*
a rubber (fam)	*une capote anglaise (fam)*
use as a protection	*servir de protection*
a cervical cap / diaphragm	*un diaphragme*
an intrauterine device (IUD) / coil / loop	*un stérilet*
sterilisation	*la stérilisation*
vasectomy	*la vasectomie*
tubal litigation	*ligature des trompes*
tubal sterilisation	*la stérilisation des trompes*
sterilise	*stériliser*
be sterilised	*se faire stériliser*
have one's tubes tied	*se faire ligaturer les trompes*
coitus interruptus	*le coït interrompu*
withdrawal	*le retrait*
a failure rate	*un taux d'échec*
provide 100% protection	*donner une protection efficace à 100 %*

B. Conception
La conception

prevent conception	*éviter une grossesse / empêcher la conception*
conceive a child	*concevoir un enfant*
the inception of pregnancy	*le début de la grossesse*
fertilisation	*la fertilisation*
fecundation	*la fécondation*
ovulation	*l'ovulation*
cleavage	*la segmentation*
semen	*la semence / le sperme*
sperm	*le sperme / le spermatozoïde*
the egg	*l'œuf*
the menstrual cycle	*le cycle menstruel*
menstruate	*avoir ses règles*
have one's periods	*avoir ses règles*
have one's monthlies (fam.)	*avoir ses règles*
miss one's periods	*ne pas avoir ses règles*

2. Fecundation — *La fécondation*

A. Fertility
La fertilité

spermatogenesis	*spermatogenèse*
fertilise	*fertiliser*
stimulate fertility	*stimuler la fertilité*
take fertility drugs	*se soigner contre la stérilité*
a hormone stimulant	*un stimulant hormonal*
a fertility drug	*un médicament contre la stérilité*
semen analysis	*spermatocytogramme*
slow sperm mobility	*asthénospermie*
a slow sperm count	*oligospermie*
a blockage	*une obstruction*
an ovum (pl. ova)	*un ovule*

B. Sterility
La stérilité

infertility	*l'infertilité*
infertile	*stérile*
a barren / sterile woman	*une femme stérile*
barrenness / sterility	*stérilité*
be childless	*ne pas avoir d'enfants*
produce children	*faire des enfants*
be unable to make a baby	*être incapable de faire un bébé*
damage a relationship	*nuire à une relation*
rock a marriage	*ébranler un couple marié*
put a marriage on the rocks	*provoquer la rupture dans un couple marié*
put the blame on	*rejeter la responsabilité sur*
affect sexuality	*avoir des conséquences sur la sexualité*
self-image	*l'image de soi*
self-esteem	*l'estime de soi*

C. Reproductive techniques
Les techniques de reproduction

a laboratory conception	*une conception en laboratoire*
insemination	*l'insémination*
inseminate	*inséminer*

artificial insemination (AI)	*l'insémination artificielle (IA)*
artificial procreation	*procréation assistée*
intratubal insemination (ITI)	*insémination intra-utérine (IIU)*
in vitro fertilisation (IVF)	*fécondation in vitro (FIV)*
be fertilised	*être fertilisé*
sperm donation	*don de sperme*
withdraw the ovum	*prélever l'œuf*
donate	*donner*
artificial insemination by donor (AID)	*insémination artificielle par donneur (IAD)*
a sperm bank	*une banque du sperme*
deposit eggs	*faire un dépôt d'œufs*
ovulation	*l'ovulation*
a spermatozoon (pl. spermatozoa)	*un spermatozoïde*
an embryo	*un embryon*
an embryo transfer (ET)	*un transfert d'embryon (TE)*
an embryo experiment	*une expérience sur l'embryon*
split an embryo	*fractionner / diviser un embryon*
freeze an embryo	*geler un embryon*
implant an embryo in a womb	*implanter un embryon dans un utérus*
gestate an embryo	*garder un embryon en gestation*
gamete intrafallopian transfer (GIFT)	*le transfert intratubaire de gamètes*
transvaginal oocyte retrieval	*la récupération transvaginale d'ovocytes*
foetal surgery	*la chirurgie fœtale*
a Pietri dish	*une boîte de Pietri*
a test-tube baby	*un bébé éprouvette*
twin fission	*la fission de jumeaux*
produce twins	*produire des jumeaux*
cloning	*la technique du clonage*
a clone	*un individu cloné / un clone*

D. Surrogate motherhood
Les mères porteuses

surrogacy / surrogate motherhood	*maternité de substitution*
hire a mother	*louer les services d'une mère porteuse*
rent a uterus	*louer un utérus*
conceive by artificial insemination	*concevoir par insémination artificielle*
bear a child on behalf of	*porter un enfant pour le compte de*
bear a child for payment	*porter un enfant moyennant finances*
for the convenience of	*par souci de commodité pour*
commission a baby	*passer commande d'un bébé*
pay a fee to someone for a baby	*verser une commission à quelqu'un pour un bébé*
provide the womb / uterus	*fournir l'utérus*
consent to the birth	*consentir à la naissance*
draw up a contract	*établir / rédiger un contrat*
carry out an agreement	*appliquer un accord*
back out of a contract	*désavouer / se retirer d'un contrat*
forbid payment to	*interdire le versement d'argent à*

E. Ethical problems
Problèmes éthiques

an ethics committee / board	*un comité d'éthique*
raise legal issues	*soulever des problèmes juridiques*
an ethical problem	*un problème d'éthique*
tamper with a natural process	*intervenir indûment dans un processus naturel*
natural sexual reproduction	*la reproduction sexuelle naturelle*
bypass the normal act	*contourner l'acte naturel*
the product of a loving act	*le fruit d'un acte d'amour*
a conjugal act	*un acte conjugal*
be born in a natural family	*naître dans une vraie famille*
a biological father / mother	*un père / une mère biologique*

3. Sexual education — *L'éducation sexuelle*

A. General background
Généralités

seek guidance	*avoir besoin de conseils*
obtain / get contraceptive counselling	*se faire conseiller en matière de contraception*
seek contraception	*chercher un moyen de contraception*
an accessible means of	*un moyen accessible à*
get someone on birth control	*prescrire la pilule à*
be open about	*parler ouvertement de*

a lack of openness about sex	*un manque de franchise sur les questions sexuelles*
a taboo	*un tabou*
be ignorant about	*ne rien savoir sur*
a lack of information	*un manque d'information*
be awash in information	*crouler sous l'information*
form a mistaken notion of	*se faire une idée fausse de*
ineptitude	*des sottises*
dedramatize	*dédramatiser*
demystify	*démystifier*
virginity	*la virginité*
lose one's virginity	*perdre sa virginité*
be a virgin	*être vierge*
precocious sexuality	*sexualité précoce*
an early experimentation with	*une expérience précoce de*
go unprotected	*ne pas prendre de précautions*
have sexual intercourse	*avoir un rapport sexuel*
unwanted pregnancy	*une grossesse non désirée*
She is promiscuous.	*Elle n'est pas farouche.*
frown on / upon	*voir d'un mauvais œil*
a sexual disease	*une maladie sexuelle*
a sexually transmitted disease (STD)	*une maladie sexuellement transmissible (MST)*
a venereal disease	*une maladie vénérienne*
herpes	*un herpès*
stress abstinence	*valoriser l'abstinence*
abstain from	*éviter de*
refrain from	*s'abstenir de*
be chaste	*être chaste*
encourage chastity	*encourager la chasteté*
warn against the dangers of	*mettre en garde contre les dangers de*
family planning services	*les services du planning familial*
planned parenthood	*la programmation des naissances*
family spacing	*l'espacement des naissances*
upgrade teen medical care	*renforcer les soins aux adolescents*
contraception	*contraception*
Do you use any form of contraception? which one?	*Utilisez-vous un moyen de contraception ? lequel ?*
Are you on the pill?	*Prenez-vous la pilule ?*
Have you had a coil fitted?	*Vous êtes-vous fait poser un stérilet ?*
Do you use condoms?	*Utilisez-vous des préservatifs ?*
a diaphragm?	*un diaphragme ?*
vaginal foam?	*un gel spermicide ?*
the rhythm method?	*l'abstention périodique / méthode des températures ?*
withdrawal?	*le retrait ?*

B. Teenage pregnancy *La grossesse de l'adolescente*

a teen mother	*une mère adolescente*
hide one's pregnancy from	*cacher sa grossesse à*
a teenage abortion	*un avortement chez une adolescente*
She concealed her pregnancy to her parents.	*Elle a dissimulé sa grossesse à ses parents.*
not think ahead	*ne pas anticiper / prévoir*
not grasp the situation	*ne pas se rendre compte de la situation*
family consequences	*conséquences familiales*
be born to a single mother	*être né de mère célibataire*
an absentee father	*un père absent*
a fatherless home	*un foyer sans père*
phantom parents	*des parents fantômes*
immature parents	*des parents trop jeunes*
psychological and social background	*contexte psychologique et social*
the weight of responsibility	*le poids des responsabilités*
carry a burden	*porter un poids*
negotiate the psychological perils	*résoudre les problèmes psychologiques*
experience emotional problems	*rencontrer des problèmes affectifs*
fill a void in life	*combler un vide dans l'existence*
a poverty-related problem	*un problème associé à la pauvreté*
be trapped in poverty	*être pris au piège de la pauvreté*
the feminization of poverty	*la féminisation de la pauvreté*
a drop out	*un marginal (qui a abandonné ses études)*
drop out of school	*abandonner ses études*
not keep in school	*ne pas continuer ses études*
resignation	*la résignation*
an absence of alternative	*une absence de choix*
a sense of fatalism	*un sentiment de fatalité*
passivity	*la passivité*
resign oneself to	*se résigner à*
be resigned to one's fate	*être résigné à son sort*
at the prospect of	*à la perspective de*
be resentful of an unborn child	*en vouloir à l'enfant qui va naître*
impose lasting hardships to	*imposer des privations durables à*
live in disarray	*vivre dans le désarroi*
a sense of worthlessness	*un sentiment d'inutilité*
spiral out of control	*perdre tout contrôle sur*
despair	*le désespoir*
drive into despair	*conduire au désespoir*
a child in danger	*un enfant en danger*
a high rate of illness	*un fort taux de maladie*

a mortality rate	*un taux de mortalité*
complications related to	*complications liées à*
put a baby in danger of	*mettre la vie d'un bébé en danger de*
prematurity	*la prématurité / naissance avant terme*
be born premature	*être né avant terme*
a low-weight baby	*un bébé de faible poids*
undersized	*trop petit*
ailing	*de santé délicate*
handicapped	*handicapé*
a handicap	*un handicap*
receive life-long medical care	*recevoir des soins toute la vie*
mental problems	*des problèmes psychologiques*
developmental problems	*des problèmes de croissance*
be emotionally disturbed	*être psychologiquement perturbé*
be unbalanced	*ne pas être équilibré*
struggle to raise a child	*élever un enfant avec difficultés*
be on welfare	*être assisté*
receive public assistance	*recevoir un secours public*
a lack of opportunity	*un manque de perspectives*
find direction	*trouver un sens*
find a purpose	*trouver un but*

4. Abortion — *L'avortement*

A. General background — *Généralités*

an abortion centre / clinic	*un centre d'orthogénie*
an abortion facility	*un service d'orthogénie*
run an abortion clinic	*diriger un centre d'orthogénie*
She is not suited for motherhood.	*Elle n'est pas apte à être mère.*
unsuited for	*inapte à*
unready for	*ne pas être prêt / mûr pour*
I can't afford a child.	*Je n'ai pas les moyens d'élever / avoir un enfant.*
abort	*avorter*
have an abortion	*avorter*
a spontaneous abortion	*un avortement spontané*
self-abort	*se faire avorter seule*
elective / legal abortion	*avortement provoqué*
perform an abortion	*pratiquer un avortement*
induce an abortion	*provoquer un avortement*
induced abortion	*interruption volontaire de grossesse (IVG)*
terminate a pregnancy	*mettre fin à une grossesse*
termination of pregnancy	*interruption de grossesse*
end in abortion	*se terminer par un avortement*
not carry a pregnancy to term	*ne pas mener une grossesse à terme*
vacuum aspiration	*aspiration par le vide*
perform	*exécuter*
a suction abortion	*un avortement par la technique d'aspiration*
an abortion pill	*une pilule abortive*

B. Past and present legislation — *La législation passée et actuelle*

an illegal abortion	*un avortement illégal*
outlaw / ban abortion	*interdire l'avortement*
an illegal procedure	*une démarche / procédure illégale*
a punishable criminal act	*un acte réprimé par la loi*
disapprove of abortion	*désapprouver l'avortement*
disapproval of	*désapprobation / réprobation de*
object to having an abortion	*réprouver le fait d'avorter*
objectionable	*répréhensible*
raise objections to aborting	*élever des objections au / devant le fait d'avorter*
be against	*être contre*
discourage	*décourager*
raise	*soulever*
a conscience clause	*une clause de conscience*
a dilemma	*un dilemme*
make it a personal duty to	*se donner / s'assigner pour devoir de*
warn against	*mettre en garde contre*
resort to	*avoir recours à*
a hallowed obligation	*une obligation sacrée*
the moment of conception	*le moment de la conception*
be tantamount to a murder	*s'apparenter à un meurtre*
a killing	*un assassinat*
baby killing	*infanticide*
an expedient way to	*un bon moyen pour / un moyen facile de*
correct a mistake	*rectifier une erreur*
mend a wrong	*effacer une faute*
contribute to a breakdown of	*contribuer à la rupture de*
traditional family values	*valeurs traditionnelles de la famille*
an abortion Act	*une loi sur l'avortement*
pass an Act against	*adopter une loi contre*

parental consent	*consentement parental*
a parental consent law	*loi sur le consentement parental*
an abortionist	*un avorteur*
a reported abortion	*un avortement dénoncé*
deserve protection from the law	*mériter la protection de la loi*
restrict abortion	*restreindre l'avortement*
enact restrictions on	*mettre en place une législation restrictive sur*
a defective foetus	*un fœtus mal formé*
a foetal abnormality	*une malformation fœtale*
rape	*violer*
a child conceived in rape in incest	*un enfant issu d'un viol d'un inceste*
a rape victim	*une femme violée*
a rapist	*un violeur*
an incest	*un inceste*
an incest victim	*la victime d'un inceste*

C. Prolifers
Les anti-IVG / les adversaires de l'avortement

be pro-life	*être contre l'avortement*
the right to life	*le droit à la vie*
a right to live	*le droit de vivre*
a right-to-lifer	*un adversaire de l'avortement*
a right-to-life movement	*un groupe anti-IVG*
an anti-abortionist	*un adversaire de l'avortement*
the anti-abortionist forces	*l'opposition à l'avortement*
foster a controversy	*nourrir une controverse*
be anti-choice	*être contre la liberté de choix*
the anti-abortion cause	*le parti des adversaires de l'avortement*
side with pro-lifers	*se ranger du côté des anti-IVG*
a backstreet abortionist	*une faiseuse d'anges*
backstreet butchery	*l'abattoir des avortements clandestins*
mother's life at stake	*la vie de la mère en jeu*
a failed abortion	*un avortement qui a échoué*
bungled	*raté*
puncture the uterus	*perforer l'utérus*
safeguard the mother's health	*préserver la mère*
be at risk	*être en danger*
die in childbirth	*mourir en couches*
die in childbed	*mourir en couches*

D. The pro-choice
Les partisans du libre choix

an abortion-rights activist	*un militant du droit à l'avortement*
a pro-choice activist	*un partisan de l'avortement*
a pro-choicer	*un partisan de l'avortement*
an advocate of / a supporter of	*un partisan de*
advocate	*préconiser*
control one's life	*avoir le contrôle / être maître de sa vie*
have a say in	*avoir son mot à dire en ce qui concerne*
make a decision about	*prendre une décision au sujet de*
leave the decision to	*s'en remettre à la décision de*
It's for them to decide for themselves.	*C'est à elles de décider.*
a woman's rights to	*le droit d'une femme de*
enslave a woman	*asservir une femme*
enslavement to	*être l'esclave de / asservi à*
enslavement	*asservissement*
bear an unwanted child	*être enceinte d'un enfant non désiré*
legalise abortion	*rendre l'avortement légal / légaliser l'avortement*
permit abortions	*autoriser les avortements*

5. Abbreviations *Sigles*

AB	abortion	*IVG*	*interruption volontaire de grossesse*
AI	artificial insemination	*IA*	*insémination artificielle*
AID	artificial insemination by donor	*IAD*	*insémination artificielle par donneur*
BC	birth control	-	*régulation des naissances*
ET	embryo transfer	*TE*	*transfert d'embryon*
GIFT	gamete intrafallopian transfer	-	*le transfert intratubaire de gamètes*
GU	genitourinary	-	*gynécologique et urinaire*
ITI	intratubal insemination	*IIU*	*insémination intra-utérine*
IUD	intrauterine device	-	*un stérilet*
IUGR	intrauterine growth retardation	*RCIU*	*retard de croissance intra-utérin*
IVF	in vitro fertilisation	*FIV*	*fécondation in vitro*

MCHS	maternal and child service	*PMI*	*protection maternelle et infantile*
OC	oral contraceptive	*CO*	*contraception orale*
STD	sexually transmitted disease	*MST*	*maladie sexuellement transmissible*
VD	venereal disease	-	*maladie vénérienne*

XVIII. Paediatrics for the GP *Pédiatrie pour l'omnipraticien*

I. General background *Généralités*

A. The child and its relatives *L'enfant et ses proches*

a baby	*un bébé*
a new-born	*un nouveau-né*
an infant	*un nourrisson*
infancy	*la petite enfance*
a child (pl. children)	*un enfant*
childhood	*l'enfance*
a teenager (thirteen to nineteen)	*un adolescent (treize à dix-neuf ans)*
teenage / adolescence	*l'adolescence*
the mother	*la mère*
mum / mummy	*maman*
the father	*le père*
dad / daddy	*papa*
the grandmother	*la grand-mère*
granny	*mémé / mamy*
the grandfather	*le grand-père*
granddad	*pépé / papy*
the childminder	*la nourrice*
the nanny	*la nounou*
full-time	*à temps plein*
part-time	*à temps partiel*
half-time	*à mi-temps*
the wet nurse	*la nourrice (qui allaite)*
the dry nurse	*la nourrice (qui n'allaite pas)*

B. Infant care *Puériculture*

the cot	*le berceau*
the perambulator / pram	*le landau*
the folding hood	*la capote repliable*
the pushchair (GB) / stroller (US)	*la poussette*
the bouncing cradle	*le siège de détente / transat*
the car seat	*le siège auto*
the pillow	*l'oreiller*
the baby's high chair	*la chaise haute*
the folding chair	*la chaise pliante*
the play pen	*le parc*
the baby bath	*la baignoire*
the changing top / unit	*la table à langer*
the hairbrush	*la brosse à cheveux*
the comb	*le peigne*
the hand towel	*la serviette*
the cream jar	*la boîte / le tube de crème*
the layette box	*la mallette pour nécessaire de bébé*
the thermometer	*le thermomètre*
the teething ring	*l'anneau de dentition*
the dummy	*la sucette*
nappies (GB) / diapers (US)	*les couches*
the baby's potty / pot	*le pot*
the feeding bottle	*le biberon*
the teat	*la tétine*
the bottle warmer	*le chauffe biberon*
the bib	*le bavoir*
the baby's jacket	*la brassière*
the hood	*le bonnet*
the booties	*les chaussures d'enfant*
the counting beads	*le boulier*
the building blocks / building bricks	*le jeu de construction*
the rattle	*le hochet*
the teddy bear	*l'ours en peluche*
the doll	*la poupée*

C. The child and his or her pre-school activities *L'enfant et ses activités pré-scolaires*

crèche / kindergarten	*crèche / jardin d'enfants*
the day nursery	*la garderie*
pre-school education	*l'éducation préscolaire*
the nursery nurse	*la puéricultrice*
the nursery child	*l'enfant d'âge préscolaire*
toys	*les jouets*
tricycle	*tricycle*
building and filling cubes	*le jeu de cubes*
children's books	*les livres d'images*
the nursery school / playschool	*l'école maternelle*

handicraft	*le travail manuel*
glue	*la colle*
paintbox	*la boîte à peinture*
paintbrush	*le pinceau*
jigsaw puzzle	*le puzzle*
coloured pencils / wax crayons	*les crayons de couleur*
modelling clay / plasticine	*la pâte à modeler*
chalk	*la craie*
the blackboard	*la tableau*
the felt-tip pen	*le marqueur*
the cloakroom	*le vestiaire*

D. Filiation
La filiation

(il)legitimacy	*filiation (il)légitime*
(il)legitimate	*(il)légitime*
an illegitimate birth	*une naissance illégitime*
be born	*naître*
When were you born?	*Quelle est votre date de naissance ?*
be born out of wedlock	*être un enfant naturel*
an out-of-wedlock child	*un enfant naturel*
an adulterine child	*un enfant adultérin*
divorced parents	*parents divorcés*
separated	*séparés*
child custody	*garde de l'enfant*
paternity	*la paternité*
affiliation proceedings	*la procédure de filiation / la recherche de paternité*
do blood tests	*procéder à des examens sanguins*
provide a conclusive proof	*fournir des preuves concluantes*

E. Adoption
L'adoption

adopt	*adopter*
give up a child for adoption	*confier un enfant pour adoption*
an adoption agency	*un service d'adoption*
prospective adoptive parents	*futurs parents adoptifs*
an adoption order	*un jugement d'adoption*
an upper-age limit	*une limite d'âge maximum*
be vested with duties	*se voir investi de devoirs*
fostering	*le placement dans un foyer d'accueil*
a foster home	*un foyer d'accueil*
a foster family	*une famille d'accueil*
a foster mother / father	*une mère / un père adoptif*
foster parents	*les parents adoptifs*
foster a child with	*placer un enfant chez*
wind up in foster care	*se retrouver placé chez*
be in care	*être placé*
a social worker	*une assistante sociale*
take away	*ôter*
be taken away from	*être retiré à*
take back	*reprendre*
remove	*reprendre*
guardianship	*la tutelle*
grant legal custody	*accorder la garde légale*
place with a guardian	*être confié à un tuteur*
custodianship	*droit de garde*
a custody order	*un décret / jugement de garde*
a step parent	*un parent par alliance*

2. Clinical examination — *Examen clinique*

A. Past and present symptoms
Antécédents et symptômes actuels

<u>family</u>	<u>*la famille*</u>
How many children are there in the family?	*Combien d'enfants y a-t-il dans la famille ?*
What are their ages and sexes?	*Quel est leur âge et sexe ?*
Are they in good health?	*Sont-ils en bonne santé ?*
Is there a history of illness in the relatives?	*Y a-t-il des malades dans votre entourage ?*
the close relatives?	*les parents proches ?*
yourself or your husband?	*vous-même ou votre mari ?*
the siblings?	*les frères et sœurs ?*
the distant relatives?	*les parents éloignés ?*
cousins?	*des cousins ?*
<u>pregnancy history</u>	<u>*déroulement de la grossesse*</u>
Did you have any miscarriages?	*Avez-vous eu des fausses couches ?*
still births?	*des enfants morts-nés ?*
What was the birth like?	*Comment s'est déroulé l'accouchement ?*
Was the delivery a normal vaginal delivery?	*L'accouchement était-il normal par voie basse ?*
a caesarian section?	*par césarienne ?*
a forceps delivery?	*par forceps ?*
Did you keep well while you were pregnant?	*Etiez-vous bien portante pendant la grossesse ?*
Did you smoke then?	*Avez-vous fumé pendant cette période ?*
take drugs?	*pris de la drogue ?*
drink alcohol?	*bu de l'alcool ?*

take any medication?	*absorbé des médicaments ?*
neonatal period	*période néonatale*
Was this a full-term infant / was he born at full term?	*L'enfant est-il né à terme ?*
Was he a premature baby / was he born premature?	*L'enfant était-il prématuré ?*
How many weeks before?	*A combien de semaines du terme ?*
Was he born late?	*L'enfant est-il né après terme ?*
What was the birth weight?	*Quel était le poids à la naissance ?*
Were there any complications after the birth such as diffficulty in breathing?	*L'enfant a-t-il présenté après la naissance des complications telles que des difficultés respiratoires ?*
apnea?	*des apnées ?*
anaemia?	*une anémie ?*
jaundice?	*un ictère ?*
fits / convulsions?	*des convulsions ?*
vomiting?	*des vomissements ?*
feeding history	*mode d'alimentation*
How was the child fed?	*Quel a été le mode d'alimentation ?*
breast-fed?	*allaitement maternel ?*
bottle-fed?	*allaitement artificiel ?*
Were vitamin supplements given?	*Lui a-t-on donné des vitamines ?*
You'll have to draw your milk.	*Vous allez devoir tirer votre lait.*
You'll have to hire a breast pump.	*Vous devrez louer un tire-lait.*
Is he a very hungry baby?	*A-t-il toujours faim ?*
Does he choke on his drink?	*S'étouffe-t-il quand il boit ?*
Does he cry a lot?	*Pleure-t-il beaucoup ?*
At any particular time of the day?	*A un moment particulier de la journée ?*
Is he a colicky baby?	*A-t-il souvent des coliques ?*
Does he have a lot of wind?	*Fait-il beaucoup de rots ?*
At what age were solids introduced?	*A quel âge avez-vous introduit des aliments solides ?*
Is he a good eater?	*A-t-il bon appêtit ?*
Is he a poor eater?	*Mange-t-il peu ?*
Is there anything that doesn't agree with him?	*Y-a-t-il des aliments qu'il supporte mal ?*
that he won't eat?	*qu'il ne veut pas manger ?*
Has he been eating normally?	*Mange-t-il normalement ?*
Does he gobble his food down?	*Mange-t-il goulûment ?*
Does he bring up his food after eating?	*Vomit-il après avoir mangé ?*
Are his bowel motions normal?	*Ses selles sont-elles normales ?*
Can you describe his stools?	*Comment sont ses selles ?*

Are they normal?	*Sont-elles normales ?*
hard?	*dures ?*
soft?	*molles ?*
watery?	*liquides ?*
greenish?	*verdâtres ?*
foul-smelling?	*nauséabondes ?*
Was there a satisfactory weight gain in infancy?	*A-t-il grossi normalement ?*
Has he been growing regularly since he was born?	*A-t-il eu une croissance régulière depuis sa naissance ?*
Has he lost weight recently?	*A-t-il perdu du poids récemment ?*
vaccinations	*vaccinations*
Has he been vaccinated against:	*L'enfant a-t-il été vacciné contre :*
diphteria?	*la diphtérie ?*
tetanus?	*le tétanos ?*
poliomyelitis?	*la polio ?*
pertussis / whooping cough?	*la coqueluche ?*
measles?	*la rougeole ?*
rubella / German measles?	*la rubéole ?*
hepatitis B?	*l'hépatite B ?*
three in one (3:1 / DPT)?	*diphtérie - tétanos - coqueluche ?*
two in one (2:1 / DT)?	*diphtérie - tétanos ?*
measles - mumps - rubella (MMR)?	*rougeole - oreillons - rubéole (ROR) ?*
Have you brought his health records?	*Avez-vous apporté son carnet de santé ?*
developmental milestones	*étapes du développement psychomoteur*
How old was he when he first smiled?	*A quel âge a-t-il souri pour la première fois ?*
held his head steadily?	*a-t-il tenu sa tête ?*
turned head to sound?	*a-t-il tourné la tête vers un son ?*
grasped an object?	*a-t-il attrapé un objet ?*
remained in a sitting position?	*s'est-il tenu assis ?*
transfered objects from one hand to the other?	*a-t-il passé des objets d'une main à l'autre ?*
crawled?	*a-t-il rampé ?*
stood with support?	*s'est-il tenu debout avec un support ?*
became steady on his feet?	*a-t-il tenu sur ses jambes ?*
took his first steps?	*a-t-il fait ses premiers pas ?*
walked alone?	*a-t-il marché seul ?*
used his first words?	*a-t-il dit ses premiers mots ?*
used his first sentences?	*a-t-il dit ses premières phrases ?*
became toilet trained?	*a-t-il été propre ?*
controled his bowels?	*a-t-il contrôlé ses selles ?*

controled his bladder?	*a-t-il contrôlé ses urines ?*
got his first tooth?	*a-t-il eu une dent ?*
dressed himself?	*s'est-il habillé seul ?*
Does he sleep well?	*Dort-il bien ?*
How many hours' sleep does he get at night?	*Combien d'heures dort-il par nuit ?*
Does he still need nappies at night?	*A-t-il encore besoin de couches la nuit ?*
Does he wet his bed at night?	*Fait-il pipi au lit ?*
Does he have a nap in the afternoon?	*Fait-il une sieste l'après-midi ?*
Does he have nightmares?	*A-t-il des cauchemars ?*
Does he normally sleep on his side?	*Dort-il en général sur le côté ?*
on his back?	*sur le dos ?*
on his stomach?	*sur le ventre ?*
Does he need to have his favourite toy with him to go to sleep?	*A-t-il besoin de tenir un objet fétiche pour s'endormir ?*
Is it a teddy?	*Est-ce un nounours ?*
a cuddly toy?	*une peluche ?*
a cushion?	*un coussin ?*
a dummy?	*une tétine ?*
Have you brought it here?	*L'avez-vous apporté ?*
Does he suck his thumb?	*Suce-t-il son pouce ?*
social history	*environnement*
Does he attend school?	*Va-t-il à l'école ?*
playschool / nursery school?	*l'école maternelle ?*
primary school / infant school?	*l'école primaire ?*
Does he like school?	*Aime-t-il l'école ?*
Does he get on well at school?	*Travaille-t-il bien à l'école ?*
I am told he is hyperactive.	*On me dit qu'il est agité.*
Are there any behavioural problems?	*A-t-il des troubles du comportement ?*
Does he have tantrums?	*Est-il coléreux ?*
Does he mix well with other children?	*Aime-t-il jouer avec d'autres enfants ?*
Has the child been separated from his mother?	*L'enfant a-t-il été séparé de sa mère ?*
when?	*quand ?*
for how long?	*combien de temps ?*
Who usually looks after the child?	*Qui s'occupe de l'enfant en général ?*
parents?	*les parents ?*
grand-parents?	*les grands-parents ?*
the stepmother?	*la belle-mère (après remariage) ?*
childhood diseases	*maladies infantiles*
Has the child had chickenpox?	*L'enfant a-t-il eu la varicelle ?*
Has he got spots?	*A-t-il des boutons ?*
Does he scratch?	*Se gratte-t-il ?*
Has he had his appendix removed?	*A-t-il été opéré de l'appendicite ?*
Has he been in contact with any sick or contagious children?	*A-t-il été en contact avec des enfants malades ou contagieux ?*
Is he having treatment for anything?	*Suit-il un traitement médical ?*
Which one?	*Lequel ?*
What for?	*Pour quoi ?*
Has he been in hospital before?	*A-t-il déjà été hospitalisé ?*

B. Physical examination
Examen physique

the general practitioner (GP)	*le médecin traitant*
the paediatrician (GB) pediatrician (US)	*le pédiatre*
How old is your baby?	*Quel âge a votre bébé ?*
Is it a he or a she?	*Est-ce un garçon ou une fille ?*
Can you tell me what's wrong with your baby?	*Pouvez-vous me dire ce qui arrive au bébé ?*
She keeps rubbing her ear.	*Elle n'arrête pas de se frotter l'oreille.*
I am going to examine the child.	*Je vais examiner l'enfant.*
Sit her on your knees / lap.	*Asseyez-la sur vos genoux.*
Would you like to stay sitting on mum's knees?	*Veux-tu bien rester sur les genoux de maman ?*
Will you please undress her?	*Voulez-vous bien la déshabiller ?*
Can you take off her jumper and blouse?	*Pouvez-vous lui retirer son pull et sa chemise ?*
She won't be cold in here.	*Elle n'aura pas froid ici.*
I'm going to put this thing on your chest.	*Je vais te poser cela sur la poitrine.*
It's called a stethoscope.	*Cela s'appelle un stéthoscope.*
It might be a bit cold.	*Cela pourrait être un peu froid.*
I'll warm it up.	*Je vais le réchauffer.*
First of all, I'll listen to your chest.	*Je vais d'abord écouter devant.*
Then your back.	*Maintenant, derrière.*
I was told she has a murmur.	*On m'a dit qu'elle a un souffle.*
Perhaps it was an innocent murmur.	*Ce n'était peut-être qu'un souffle transitoire.*
Everything's clear now.	*Maintenant tout est normal.*
Well done, you didn't move at all.	*Bien, tu n'as pas bougé du tout.*
Now, I'd like to see your tummy.	*Maintenant, je voudrais voir ton ventre.*
Can you lie on the bed for a minute?	*Tu vas t'allonger une minute sur le lit.*
I bet I can guess what's in your tummy this morning.	*Je vais deviner ce qu'il y a dans ton ventre ce matin.*

I'll bet it's corn flakes.	*Je parie que ce sont des céréales.*
I am going to examine your neck and under your arms.	*Je vais examiner ton cou et sous tes bras.*
Are you tickly / ticklish?	*Crains-tu les chatouilles ?*
Now, the top of your legs.	*Maintenant, le haut de tes jambes.*
there's no click in the hips.	*Il n'y a pas d'anomalie au niveau des hanches.*
That's all very quick, isn't it?	*Cela va très vite, n'est-ce-pas ?*
Can she sit on your knees again?	*Peut-elle à nouveau s'asseoir sur vos genoux ?*
I'd like you to hold her there while I examine her ears and throat.	*Pouvez-vous la maintenir ainsi pendant que j'examine les oreilles et la gorge.*
Right, here's a little light to look into your ears.	*Bien, voici une petite lampe pour regarder dans ton oreille.*
This will tickle a bit.	*Cela va te chatouiller un peu.*
But it won't hurt.	*Mais ça ne te fera pas mal.*
What a nice ear!	*Quelle belle oreille !*
Now, let's see the other one.	*Maintenant, voyons voir l'autre.*
Her eardrums are not swollen.	*Ses tympans sont normaux.*
Now, nearly the last bit.	*Maintenant, c'est presque fini.*
Open your mouth.	*Ouvre la bouche.*
Let me see your teeth.	*Montre moi tes dents.*
Open it as wide as you can.	*Ouvre la bouche aussi grand que tu peux.*
Good girl!	*Tu es une grande fille !*
I wonder how tall you are.	*Je me demande combien tu mesures.*
Could you come and stand over here?	*Peux-tu venir te mettre là.*
I'll measure your height.	*Je vais te mesurer.*
Stand straight.	*Tiens-toi droite.*
That's fine.	*C'est bien.*
Have you ever been on a weighing machine?	*Es-tu déjà montée sur une balance ?*
Just stand up here.	*Monte juste là-dessus.*
We'll see how heavy you are.	*Nous allons voir combien tu pèses.*
Well, we are all finished now.	*Voilà, c'est terminé.*
You've been very good.	*Tu as été très gentille.*
I'll have a talk with your mum.	*Je vais parler avec ta maman.*
You can play with the toys for a minute.	*Tu peux t'amuser avec les jouets quelques instants.*
Don't worry, there's nothing serious.	*Ne vous inquiétez pas, il n'y a rien de grave.*
She'll soon be well again.	*Elle va vite guérir.*
Is there any reason to fear for the future?	*Il n'y a rien à craindre pour l'avenir ?*
Everything will be back to normal soon.	*Tout va rentrer dans l'ordre.*
Everything will work out all right.	*Tout va s'arranger.*

3. Diseases — *Maladies*

have fever	*avoir de la fièvre*
have a high temperature	*avoir beaucoup de fièvre*
be listless	*être abattu*
be sleepy	*être endormi*
have diarrhoea	*avoir de la diarrhée*
gastroenteritis	*une gastroentérite*
cystic fibrosis	*mucoviscidose*
bring up / throw up / vomit	*vomir*
dehydration	*déshydratation*
bowel infection	*infection intestinale*
be constipated	*être constipé*
hard stools	*des selles dures*
a very mild enema	*un lavement très doux*
a cold	*un rhume*
have a runny nose	*avoir le nez qui coule*
bronchitis	*bronchite*
chronic asthma	*asthme chronique*
have difficulty breathing	*avoir des difficultés à respirer*
an ENT infection	*une infection ORL*
a throat infection / sore throat	*une angine*
otitis	*une otite*
acute bilateral otitis	*une otite aiguë bilatérale*
red eardrums	*tympans rouges*
rhinitis	*rhinite*
pharyngitis	*pharyngite*
laryngitis	*laryngite*
a heatstroke	*un coup de chaleur*
suntan cream / lotion	*une crème solaire*
sunburn	*coup de soleil*
convulsions / fits	*des convulsions*
epileptic fits	*des crises d'épilepsie*
come over in convulsions	*être pris de mouvements convulsifs*
roll one's eyes	*avoir les yeux révulsés*
remain motionless	*rester inerte / sans mouvement*
infectious diseases	*les maladies infectieuses*
chickenpox	*la varicelle*
measles	*la rougeole*
German measles	*la rubéole*
scarlet fever	*la scarlatine*
whooping cough	*la coqueluche*

mumps	*les oreillons*
glandular fever	*la mononucléose infectieuse*

4. Treatment — *Traitement*

paracentesis	*paracentèse*
baby spacer	*chambre d'inhalation pour enfant*
suppository	*suppositoire*
cough mixture	*sirop pour la toux*
syrup	*sirop*
two spoonfuls	*deux cuillers mesure / cuillerées*
ear drops	*gouttes auriculaires*
saline solution	*serum physiologique*
cotton bud	*coton tige*

5. Domestic violence — *Violence domestique*

child abuse	*maltraiter un enfant*
abuse a child	*abuser (sexuellement) d'un enfant / maltraiter un enfant*
be abused by	*subir de mauvais traitements de la part de*
a baby batterer	*un bourreau d'enfant*
baby battering	*mauvais traitement à enfant*
bully	*brutaliser*
ill-treat	*maltraiter*
beat	*battre*
hit	*frapper*
be scarred	*porter des marques / des cicatrices*
traumatise	*traumatiser*
neglect	*se désintéresser de*
abandon	*abandonner*
expose a child to a danger	*exposer un enfant à (tout type de) danger*
be in want of	*être privé de*
molest	*se livrer à des actes répréhensibles sur*
child molestation	*brutalités à enfant / abus sexuel à enfant*
assault	*exercer des violences contre / se montrer violent envers*
assault indecently	*attentor à la pudeur de*
sexual intercourse	*rapport sexuel*
force sexual intercourse on	*imposer un rapport sexuel à*
incest	*inceste*
bring a charge of indecency against	*mettre en examen pour attentat à la pudeur*
be put into care	*se voir confié à une institution spécialisée*
be placed into care	*être pris en charge par une institution spécialisée*

6. Abbreviations — *Sigles*

BW	birth weight	*PN*	*poids à la naissance*
CF	cystic fibrosis	-	*mucoviscidose*
DOB	date of birth	-	*date de naissance*
DPT	diphteria, pertussis, tetanus	*DTCoq*	*diphtérie, tétanos, coqueluche*
DT	diphteria, tetanus	*DT*	*diphtérie, tétanos*
ENT	ear, nose, throat	*ORL*	*otorhinolaryngologie*
FTT	failure to thrive	*RSP*	*retard staturo-pondéral*
GP	general practitioner	-	*médecin généraliste / médecin traitant*
HDN	haemolytic disease of the newborn	*MHNN*	*maladie hémolytique du nouveau-né*
HMD	hyaline membrane disease	*MMH*	*maladie des membranes hyalines*
IUGR	intrauterine growth retardation	*RCIU*	*retard de croisance intra-utérin*
LBW	low birth weight	-	*faible poids à la naissance*
MCHS	maternal and child health service	*PMI*	*protection maternelle et infantile*
MMR	measles, mumps, rubella	*ROR*	*rougeole, oreillons, rubéole*
NAI	non-accidental injury	-	*syndrome de Silverman (enfants battus)*

NB	newborn	*NN*	*nouveau-né*
Paed	paediatrics	-	*pédiatrie*
Prem	premature	*Préma*	*prématuré*
SB	stillbirth	*Mn*	*mort-né*
SIDS	sudden infant death syndrome	*MSIN*	*mort subite inexpliquée du nourisson*

XIX. Geriatrics — *Gériatrie*

I. General background — *Généralités*

A. Ageing (GB) / aging (US) — *Le vieillissement*

old people	*les personnes âgées*
the aged citizens	*les personnes âgées*
turn sixty	*passer soixante ans*
be sixty-something	*avoir passé la soixantaine / être sexagénaire*
be in one's mid sixties	*avoir la bonne soixantaine*
the senior citizens	*les seniors / le troisième âge*
the grey heads	*les têtes grises*
the silver generation	*la génération vermeil*
the old folks	*les vieux*
the elderly	*les personnes d'un certain âge / âgées*
elderly	*d'un certain âge / vieillissant*
be on the wrong side of 60	*avoir passé la soixantaine*
be on the right side of 60	*avoir moins de soixante ans*
the under-sixties	*les moins de soixante ans*
the over-sixties	*les plus de soixante ans*
the sixty-year-olds	*les sexagénaires*
be sixty years old	*avoir soixante ans*
the third age	*le troisième âge*
a sexagenarian	*un sexagénaire*
a septuagenarian	*un septuagénaire*
an octogenarian	*un octogénaire*
a nonagenarian	*un nonagénaire*
a centenarian	*un centenaire*
get old / get on in years	*vieillir / prendre de l'âge*
grow old	*prendre de l'âge*
He's been ageing greatly with all these difficulties.	*Il a beaucoup vieilli, avec toutes ces difficultés.*
age-old	*très âgé*
be well on in years	*être d'un âge très avancé*
be well-stricken in years	*être fort âgé / d'un âge canonique*
grow younger	*rajeunir*
be of mature age	*être mature*
pass a milestone	*franchir une étape*
be past one's prime	*ne plus être tout jeune*
life expectancy	*l'espérance de vie*
a rise in life expectancy	*un allongement de l'espérance de vie*
longevity	*longévité*
the life span	*la durée de l'existence*
extend the life span	*allonger la durée de l'existence*
prolong life	*prolonger la vie*
society's ageing / aging	*le vieillissement de la population*

B. The scourge of old age — *Le fléau des années*

the age quake	*le choc de la vieillesse*
the wear and tear of age	*le poids des ans*
a wrinkle	*une ride*
wrinkled	*ridé*
heavily lined	*buriné*
go / turn grey	*grisonner*
turn white	*blanchir*
dye	*teindre*
dyed hair	*cheveux teintés / teints*
<u>frailty</u>	*<u>la fragilité</u>*
frail	*frêle*
fragility	*la fragilité (psychologique)*
fragile	*fragile*
vulnerability	*la vulnérabilité*
vulnerable	*vulnérable*
declining	*sur le déclin*
a waning of vitality	*une vitalité amoindrie*
wither	*se faner*
shrivel	*se rabougrir*
wane	*décliner / décroître*
fade	*s'amenuiser*
failing / flagging / weakening strength	*perte / affaiblissement des forces*
lose one's strength	*perdre ses forces*
lose one's faculties	*perdre ses facultés*
curb one's activities	*ralentir ses activités*
sickness	*la maladie*
senility	*la sénilité*
senile	*sénile*

disability	*l'invalidité*
be disabled	*être invalide*
the disabilities of old age	*les handicaps / infirmités de l'âge*
draw a disability pension	*percevoir une pension d'invalidité*
a disability-insurance plan (US)	*une couverture invalidité*
slide into illness	*sombrer dans la maladie*
experience a dampening of	*faire l'expérience d'une baisse de*
sexlessness	*indifférence sexuelle / perte de libido*
impotency	*l'impuissance*
sexual abilities	*les capacités sexuelles*
sexual urges	*le désir / les pulsions sexuelles*
keep doting	*ressasser / répéter les mêmes histoires*
dotage	*le gâtisme*
be in one's second childhood	*retomber en enfance*
a deterioration of functions	*une baisse des fonctions vitales*
become incapacitated	*être frappé d'incapacité*
lessen desires / capabilities	*diminuer les désirs / les capacités*
have a chronic condition	*être atteint de maladie chronique*
suffer mental impairment	*souffrir de troubles mentaux*
turn cranky	*devenir acariâtre / grincheux*
crankiness	*le caractère aigri / acariâtre*

C. Death
La mort

die from / of	*mourir de*
pass away	*trépasser*
be dead	*être mort*
a dead woman	*une morte*
the dead	*les morts*
the demise of	*la disparition de*
the death rate	*le taux de mortalité*
a death certificate	*un certificat de décès*
decease	*décéder*
a decease	*un décès*
the deceased	*les personnes décédées*
late	*feu*
late doctor Smith	*feu le docteur Smith*

2. Retirement — *La retraite*

A. The retirement age
L'âge de la retraite

retire	*prendre sa retraite*
retire someone	*mettre quelqu'un en retraite*
a retiree	*un retraité*
the pension eligibility age	*l'âge pour une pension de retraite*
be of pensionable age	*avoir l'âge de la retraite*
delay mandatory retirement age	*repousser l'âge de la retraite obligatoire*
postpone retirement	*repousser l'âge de la retraite*
move up / down the retirement age from... to	*ramener / repousser l'âge de la retraite de... à*
approach retirement age	*s'approcher de l'âge de la retraite*
change retirement patterns	*changer les modes de retraite*
reach retirement age	*atteindre la limite d'âge*
flock into retirement	*entrer en retraite en masse*
(in-)voluntary retirement	*la retraite (non) choisie*
take early retirement	*prendre une retraite anticipée*

B. Pension
Pension de retraite

pension off someone	*mettre quelqu'un en retraite*
draw a pension from	*recevoir une pension de*
collect a pension	*percevoir une pension*
enjoy a state pension	*percevoir une pension civile*
an old-age pension	*une pension de vieillesse*
a retirement pension	*une pension civile de retraite*
a pension book	*un livret de retraite*
a pension fund	*une assurance vieillesse*
a pensioner	*un retraité*
a retirement pension package	*un plan de retraite*
a full federal pension	*une pension civile intégrale*
retire on a pension (GB)	*prendre sa retraite de pensionné*
draw benefits	*percevoir une allocation*
a recipient	*un bénéficiaire*
be eligible for a pension	*avoir droit à une retraite*

C. The silver industry
Le marché du troisième âge

a woople (well off older people)	*un retraité aisé*
a population top-heavy with old folk	*une pyramide des âges gonflée au sommet*
be better off / well off	*être plus à l'aise*
create a huge market	*créer un énorme marché*
enjoy silver leisure services	*bénéficier d'organismes de loisirs pour le troisième âge*
educational services	*programmes éducatifs*
retraining services	*programmes de recyclage*
dietetic services	*services de diététique*
home-service delivery	*livraisons à domicile*
use "wellness" products	*utiliser des produits pour s'entretenir*
wage a political clout	*représenter un poids politique*
be beloved / pampered by	*être choyé par*
tap the grey vote	*exploiter le vote du troisième âge*
court the grey vote	*courtiser le vote des personnes âgées*
grey lobbying	*la pression exercée par les personnes âgées*
a grey lobby	*un groupe de pression de personnes âgées*
a force to be reckoned with	*une force avec laquelle il faut compter*

3. Old age disorders — *Les maladies de l'âge*

A. Frailty
La fragilité

tease out the contributing factors for frailty	*démêler les facteurs contributifs de la fragilité*
care of frail and disabled elderly people	*soins apportés aux personnes âgées fragilisées et handicapées*
much of the work of geriatric assessment units	*l'essentiel de la tâche des unités d'évaluation en gériatrie*
Disability indicates loss of function.	*L'incapacité révèle une perte fonctionnelle.*
Frailty indicates instability and risk of loss of function.	*La fragilité révèle une instabilité et un risque de perte de fonction.*
stable disability	*handicap stable / non évolutif*
Small precipitants such as a change in drug therapy.	*De petits facteurs déclenchants tels qu'une modification de la thérapeutique médicamenteuse.*
an attack of bronchitis	*une poussée de bronchite*
the threshold of symptomatic clinical failure	*la seuil de la défaillance clinique symptomatique*
an overt disease	*une maladie déclarée*
predicting disability	*prédire l'incapacité*
physical performances measures such as	*mesures des performances physiques telles que*
markers of frailty	*indices de fragilité*
timed walk	*marche minutée*
chair stand	*station assise*
frequent falls	*chutes fréquentes*
key components of frailty	*éléments-clé de la fragilité*
nutritional reserves	*réserves nutritionnelles*
reduced by disease and age	*amoindri par la maladie et l'âge*
It can be modified by intervention programmes.	*Cela peut être modifié par des programmes d'intervention.*

B. How to measure frailty ?
Comment mesurer la fragilité ?

mini-mental state examination	*mini-examen de l'état mental*
<u>assess mental status</u>	<u>*évaluer l'état mental*</u>
How well can you remember?	*Avez-vous une bonne mémoire ?*
Hello, how are you today?	*Bonjour, comment ça va aujourd'hui ?*
You know who I am, don't you?	*Vous savez qui je suis, hein ?*
I've met you several times before.	*Je vous ai déjà rencontré plusieurs fois.*
Have you ever seen me before?	*M'avez-vous déjà vu ?*
May be you don't recall that.	*Vous ne vous en souvenez plus, peut-être.*
Have you been here long?	*Il y a longtemps que vous êtes ici ?*
Do you remember where this is?	*Vous souvenez-vous de l'endroit où nous sommes ?*
Where is this place?	*Où sommes-nous ?*
Where do you live?	*Où habitez-vous ?*
How long have you been living in this street?	*Vous habitez dans cette rue depuis combien de temps ?*
Do you remember when you were born?	*Vous souvenez-vous quand vous êtes né ?*
What was the year of your birth?	*En quelle année êtes-vous né ?*
Can you remember that?	*Vous vous en souvenez ?*

What month were you born in?	*Quel mois êtes-vous né ?*
Do you remember what time of the month?	*Vous souvenez-vous quel jour dans le mois ?*
What was the date?	*Quelle en était la date ?*
How old will you be now, do you think?	*Ça vous fait donc quel âge maintenant ?*
What year is this year?	*En quelle année sommes-nous ?*
What month are we in?	*En quel mois sommes-nous ?*
Is it summer or winter?	*Nous sommes en été ou en hiver ?*
Do you remember what day of the week it is?	*Vous souvenez-vous quel jour de la semaine nous sommes ?*
Do you know the name of our president?	*Connaissez-vous le nom de notre président ?*
I wonder if you could do this little test for me.	*Pourriez-vous me faire ce petit test ?*
<u>locomotion</u>	<u>*mobilité*</u>
Musculoskeletal function is measured by grip-strength.	*La fonction musculaire se mesure par la force de préhension.*
predictors of loss of function	*indicateurs de perte fonctionnelle*
unable to perform without help	*incapable d'exécuter sans aide*
requiring human help	*qui a besoin d'aide*
feeding	*se nourrir*
grooming	*faire sa toilette*
bathing	*prendre un bain*
dressing	*s'habiller*
walking across a room	*traverser une pièce*
transferring from a chair	*se déplacer depuis sa chaise*
housekeeping / household chores	*les tâches ménagères*
shopping	*faire les courses*
using transportation	*utiliser les transports en commun*
balance manoeuvres	*épreuves d'équilibre*
test postural blood pressure after 5 minutes of quiet lying	*prendre la pression artérielle en position debout après 5 minutes de repos*
test manually with the subject seated	*vérifier manuellement sur le sujet assis*
do a one-leg stand	*se tenir sur une jambe*
able to get up from a chair	*capable de se lever d'un fauteuil*
sit down in a chair 3 times in a row	*se rasseoir dans un fauteuil 3 fois de suite*
turn a full circle	*faire un tour sur soi-même*
walk 10 feet, turn around and walk back at a usual pace	*faire 3 mètres et revenir à sa place après demi-tour, à allure normale*

C. Ageing and the skeletal system
Squelette et vieillissement

decalcification	*décalcification*
a decrease in the rate of protein formation	*une baisse du taux de production des protéines*
<u>a condition called osteoporosis</u>	<u>*une affection nommée ostéoporose*</u>
cause the bones to become brittle	*rendre les os cassants*
susceptible to fracture	*sujet aux fractures*
thin and weaken the bones	*amincir et affaiblir les os*
an osteoporosis-related fracture	*une fracture provoquée par l'ostéoporose*
Small body frames are at greater risk.	*Les petits gabarits sont plus exposés.*
bones in the hip, lower spine and wrist	*les os de la hanche, de la colonne lombaire et du poignet*
<u>Who gets osteoporosis?</u>	<u>*Qui est touché par l'ostéoporose ?*</u>
Women are most likely to get osteoporosis.	*Les femmes sont les plus susceptibles d'être atteintes d'ostéoporose.*
go through menopause	*atteindre la ménopause*
The risk increases as you get older.	*Le risque augmente avec l'âge.*
a diet too low in calcium	*une type d'alimentation trop pauvre en calcium*
not get enough exercise	*ne pas faire suffisamment d'exercice*
Losing height is a late diagnostic feature.	*Le tassement est un signe diagnostique tardif.*
measure bone density	*mesurer la densité osseuse*
a long-term disabling condition	*une affection invalidante de longue durée*
Treatment is intended to slow the rate of hormone loss.	*Le traitement est destiné à ralentir le taux de perte hormonale.*
hormone replacement therapy (HRT)	*traitement de substitution hormonale*
come in 2 forms: injections or nasal sprays	*se présenter sous 2 formes : injection ou nébulisation nasale*
live a healthy lifestyle	*avoir une vie saine*

D. Falls by older persons
La chute chez le vieillard

a fall injury	*une blessure par chute*
unintentional injury	*blessure involontaire*
the 6th leading cause of death	*la 6ème principale cause de décès*
hip fracture	*fracture de hanche*
joint dislocation	*luxation*
head injury	*blessure à la tête*
neck of the thigh bone	*col du fémur*
She has broken her hip.	*Elle s'est cassé le col du fémur.*

severe lacerations	*contusions sévères*
soft tissue injuries	*blessures des parties molles*
visit emergency room for a fall injury event	*se rendre aux urgences pour une blessure par chute*
report continued pain or restriction in usual activity	*signaler la persistance de douleurs ou la limitation de l'activité ordinaire*
fall-related morbidity	*morbidité liée aux chutes*
cognitive impairment	*handicap cognitif*
decreased reaction time	*temps de réaction diminué*
balance disturbance	*trouble de l'équilibre*
poor visual acuity	*acuité visuelle médiocre*
Fall history must include near falls.	*L'historique doit inclure les chutes évitées.*
occurrence of other fractures since age 50	*antécédents de fracture depuis l'âge de 50 ans*
long- and short-acting sedative medications	*sédatifs à effet immédiat et prolongé*
record the participants' medication directly from the bottles and containers	*repérer le traitement des sujets âgés en examinant les flacons et les emballages*

E. Pressure sores / bed sores
Les escarres

The prevalence of pressure sores reaches 20% in hospitalised elderly subjects.	*La fréquence des escarres atteint 20 % chez les sujets âgés hospitalisés.*
undernutrition	*dénutrition*
mental disorders	*troubles mentaux*
skin fragility	*fragilité cutanée*
Pressure sores develop in the hospital within one week of admission.	*Les escarres se développent dans la semaine qui suit l'admission à l'hôpital.*
Healing is generally achieved within 3 to 5 months.	*La réparation se fait en général en 3 à 5 mois.*
prolong the hospital stay	*prolonger le séjour en hôpital*
overmortality associated with pressure sores	*surmortalité associée aux escarres*
identify elderly patients at risk	*repérer les malades âgés à risque*
at risk of pressure sores	*susceptibles de développer des escarres*
rapidly implement preventive measures	*mettre rapidement en place des mesures de prévention*
friction	*friction*
shearing force	*cisaillement*
malnutrition	*mauvaise alimentation*
bowel incontinence	*incontinence fécale*
use a risk scale to adapt preventive measures	*utiliser une échelle de risque pour adapter les mesures de prévention*
interrupt bed rest as soon as possible	*arrêter l'alitement dès que possible*
use a cushioned chair	*utiliser un fauteuil avec rembourrage*
Reclining in the strictly lateral position must be avoided.	*Eviter le décubitus en position latérale stricte.*
A 30° dorsal inclination in the lateral position is to be preferred.	*Préférer le décubitus dorsal à 30° sur le côté.*
to be changed every 2 or 3 hours	*à changer toutes les 2 ou 3 heures*
In the reclining sitting position, a greater than 30° inclination should be avoided.	*En position semi-assise, éviter une inclinaison supérieure à 30°.*
It increases the shearing forces applied to the sacrum.	*Il accroît l'effet de cisaillement au niveau du sacrum.*
Ventral position is inappropriate.	*Le décubitus ventral ne convient pas.*
mattress (pl. mattresses)	*matelas*
cushions	*coussins*
maintain the patient in a dry environment	*tenir le malade au sec*
use emollients to prevent skin drying	*utiliser des émollients pour éviter le dessèchement de la peau*
local and general treatment	*traitement local et général*
local care	*soins locaux*
Analgesics are required when making the dressings.	*Les analgésiques sont nécessaires pour faire les pansements.*
avoid local antiseptics and antibiotics	*éviter antiseptiques et antibiotiques locaux*
preserve the local bacterial ecosystem	*respecter l'écosystème bactérien local*
allow natural autolytic cleansing	*permettre un nettoyage autolytique naturel*
budding and epithelialization phases	*stades de bourgeonnement et d'épithélialisation*
use oily or humid dressings	*utiliser des pansements gras ou humides*
surgical repair with flaps or grafts	*réparation chirurgicale par lambeaux ou greffes cutanées*
protein-calorie nutrition	*alimentation hyper-calorique et protidique*
Wound infection should be suspected in case of an induration around the wound.	*Suspecter une infection de la plaie devant une induration périphérique.*
delayed healing	*retard de cicatrisation*
germs found on local bacteriological samples	*germes détectés sur des prélèvements bactériologiques locaux*
Osteitis should be suspected if the wound is in contact with bones.	*Suspecter une ostéite si la plaie est au contact de l'os.*

In case of biopsy proven osteitis with positive culture, prolonged oral antibiotics are indicated.	*En cas d'ostéite prouvée par biopsie avec culture positive, un traitement prolongé par antibiotiques oraux est indiqué.*
Tendon retraction should benefit from rehabilitation exercises.	*Une rétraction tendineuse bénéficiera de rééducation.*

F. Incontinence and urinary tract infection (UTI)
Incontinence et infection des voies urinaires

Incontinence may be the first and only symptom of a UTI.	*L'incontinence peut être le premier et le seul signe clinique d'une infection urinaire.*
loss of bladder control	*perte du contrôle vésical*
leakage of urine	*perte d'urine*
A condition that ranges from mild leakage to uncontrollable wetting.	*Une affection qui peut aller de quelques gouttes à la perte abondante non contrôlée.*
an embarrassing situation	*une situation gênante*
pull away from family and friends	*fuir les proches et les amis*
Curing the infection may relieve or cure the problem.	*Traiter l'infection peut atténuer ou faire disparaître le problème.*
<u>types of incontinence</u>	*<u>types d'incontinence</u>*
Stress incontinence happens when urine leaks during exercise, coughing, sneezing, laughing, lifting heavy objects.	*L'incontinence d'effort se produit lors d'un exercice physique, à la toux, en se mouchant, en riant ou en soulevant quelque chose de lourd.*
urge incontinence	*incontinence avec impossibilité à se retenir*
You can't hold your urine long enough to reach a toilet.	*Vous êtes incapable de vous retenir suffisamment pour atteindre les toilettes.*
a warning sign of early bladder cancer	*signe précoce d'un cancer de la vessie*
an enlarged prostate	*une prostate augmentée de volume*
overflow incontinence	*incontinence par regorgement*
Small amounts of urine leak from the bladder that is always full.	*De petites quantités d'urine s'échappent d'une vessie toujours pleine.*
urine build-up / retention	*rétention d'urine*
an abnormally positioned bladder	*une vessie en position anormale*
blockage due to an enlarged prostate	*blocage dû à une prostate augmentée de volume*
functional incontinence	*incontinence fonctionnelle*
have a hard time getting to the toilet in time	*avoir de grandes difficultés pour atteindre les toilettes à temps*
It's a crippling disorder.	*C'est une vraie infirmité.*
<u>diagnosis</u>	*<u>diagnostic</u>*
a nursing home patient	*un malade en maison de retraite*
some clues remain undetected	*des indices passent inaperçus*
loss of appetite	*perte d'appétit*
increase in heart and respiratory rates	*augmentation des rythmes cardiaque et respiratoire*
urgency and frequency	*besoins impérieux et fréquents d'uriner*
local tenderness	*gêne locale*
bout of fever	*accès de fièvre*
suffer from backache	*avoir mal au dos*
check urine samples	*faire un examen d'urines*
be referred to a urologist	*se voir adressé à un urologue*
<u>treatment</u>	*<u>traitement</u>*
behavioural techniques	*techniques comportementales*
pelvic muscle exercises	*rééducation des muscles pelviens*
bladder training	*exercices de contrôle de la vessie*
to sense your bladder filling	*pour sentir que la vessie se remplit*
to delay voiding until you reach the toilets	*pour retarder la miction jusqu'au moment où vous êtes aux toilettes*
<u>preventive measures</u>	*<u>prévention</u>*
Nurse, please, avoid long-term in-site catheterization.	*Mademoiselle, s'il vous plaît, évitez de laisser la sonde à demeure.*
in-dwelling catheter	*sonde à demeure*
enter the bladder	*pénétrer dans la vessie*
drive bacteria back into the bladder	*refouler les bactéries dans la vessie*
bypass local defences	*contourner les défenses naturelles*
preclude colonisation of bladder urine	*éviter la colonisation microbienne de l'urine vésicale*
bathe and wash after bowel movement	*se laver après la selle*
external collecting device	*dispositif externe de recueil d'urine*
fitted over the penis and connected to a drainage bag	*installé sur le pénis et relié à une poche de drainage*
get special absorbent underclothing	*se procurer des protections absorbantes adaptées*
no more bulky than normal underwear	*guère plus encombrant que les sous-vêtements ordinaires*

4. Old age and health care — *La vieillesse et les soins*

A. Old age and medications — *La vieillesse et les médicaments*

Older people tend to have more long-term illnesses.	*Les personnes âgées ont tendance à développer des maladies de plus longue durée.*
have a number of diseases or disabilities at the same time	*accumuler les maladies ou les handicaps au même moment*
drugs act differently in older people than in younger people	*les médicaments n'ont pas le même effet chez les personnes âgées et chez les personnes plus jeunes*
lose water and lean tissue (mainly muscle) and gain more fat tissue	*perdre de l'eau et des tissus maigres (du muscle essentiellement) et se charger en tissus adipeux*
The kidneys and liver are two important organs that remove most drugs from the body.	*Les reins et le foie sont deux organes majeurs qui éliminent bien des médicaments.*
It may not work as well as it used to.	*Cela peut ne pas fonctionner aussi bien que par le passé.*
Drugs are strong enough to cure you and strong enough to hurt you if they are not used right.	*Les médicaments ont l'efficacité requise pour guérir et aussi faire souffrir en cas d'usage impropre.*
<u>special care for elderly patients</u>	<u>*soins particuliers aux personnes âgées*</u>
a few questions to be answered	*quelques questions auxquelles il faut répondre*
What the name of the drug is and what it will do.	*Donner le nom du médicament, décrire ses effets.*
How often the patient should take it.	*Fréquence des prises.*
How long he should take it.	*Durée du traitement.*
When he should take it.	*Quand il doit être pris.*
As needed or not.	*Selon les besoins ou non.*
Before, with, after or between meals.	*Avant, pendant, après ou entre les repas.*
At bedtime or not.	*Au coucher ou non.*
What he should do if he forgets to take it.	*Ce qu'il faut faire en cas d'oubli.*
What side effects might be expected and whether to report them or not.	*Les effets secondaires attendus et la nécessité ou non de les signaler.*
Whether there is any material about the drug that he can take along with him.	*Existence d'une documentation disponible.*
If the patient does not take this drug, whether there is anything else that would work as well.	*Au cas où le malade ne peut pas prendre tel médicament, existence d'un substitut aussi efficace.*

B. Nursing home care for old people — *Soins en maison de retraite*

set national benchmarks	*établir des références nationales*
a national regulatory system and standards	*une réglementation et des normes nationales*
<u>care for elderly people</u>	<u>*soins des personnes âgées*</u>
a geriatric clinic	*un centre de gériatrie*
a gerontologist	*un gérontologue*
a nursing home	*une maison de retraite*
a home for the aged	*une maison du troisième âge*
a silver mansion	*une résidence de luxe pour personnes âgées*
nursing care	*les soins*
be bed-ridden	*être grabataire*
be housebound	*être confiné chez soi*
be in the care of a home for the aged	*être soigné dans une maison pour personnes âgées*
require special care	*exiger des soins particuliers*
need 24-hour nursing	*nécessiter des soins permanents*
<u>shift to residential care</u>	<u>*un nouveau lieu de soins : la résidence pour retraités*</u>
manage chronic illness	*prendre en charge la maladie chronique*
have physical and mental impairment	*avoir des handicaps physiques et mentaux*
frail elderly patients in long-term care	*les malades âgés fragiles en soins de longue durée*
Lengths of hospital stay fall.	*La durée du séjour en hôpital diminue.*
miss rehabilitative opportunities	*ne pas bénéficier des possibilités de rééducation*
decrease commitment of the health system to chronic care	*diminuer la part du système de santé dans les soins de très longue durée*
The specialty has by and by merged with general medicine...	*La spécialité s'est progressivement fondue dans la médecine générale...*
... making for the release of hospital beds.	*... contribuant à libérer des lits d'hôpital.*
Medical care is provided by general practitioners	*Les soins sont apportés par l'omnipraticien.*

entrust medical care to GPs	*confier les soins aux généralistes*
enable homes to cope with patients who require rehabilitation	*permettre aux établissements privés de bien s'occuper des malades qui nécessitent une rééducation*
a gerontological nurse	*une infirmière spécialisée en gérontologie*
Standard rules for nursing homes demand that a registered nurse be present at all time.	*Les normes pour les cliniques exigent la présence d'une infirmière diplômée d'Etat 24 heures sur 24.*
a shortage of fully trained nurses	*un manque d'infirmières spécialisées*
reduce personal dependence	*réduire la dépendance*
Comprehensive geriatric assessment can delay the development of dependence.	*Une évaluation du profil gériatrique global peut retarder l'apparition de la dépendance.*
meet individual's care needs	*satisfaire les besoins sanitaires de chaque individu*
re-establish elderly patients in their community	*ré-insérer le malade âgé dans son milieu*

5. An active old age — *Une vieillesse active*

A. Coping with ageing — *Faire face au vieillissement*

plan for old age	*préparer sa retraite*
avoid an idle old age	*éviter une retraite sans activité*
break free	*s'échapper*
escape	*s'évader*
take to travelling	*se mettre à voyager*
be content with	*être satisfait / heureux de*
be busy in charitable work	*s'occuper à des œuvres caritatives*
plunge into good works	*se plonger dans des œuvres de bienfaisance*
return to school	*reprendre ses études*
a university for the third age	*une université du troisième âge*
energy	*énergie*
have zip / pep	*avoir du tonus / être dynamique*
be reckless	*être téméraire*
unbounded	*sans limite*
vitality	*la vitalité*
keep up an adolescent spirit	*rester jeune d'esprit*
wilful	*volontaire*
wilfulness	*volonté*
be full of go	*être plein d'allant*
be on the go	*être plein d'activité*
be hale and hearty	*être en pleine forme*
free of health problems	*sans problème de santé*
be in / show continual alertness	*être plein de / manifester de la verdeur*
stay / keep mentally engaged	*rester actif intellectuellement*
have / keep a positive outlook on life	*avoir / conserver un point de vue optimiste*
cultivate new interests	*poursuivre de nouveaux intérêts*
be dependable	*être digne de confiance*
reliable	*fiable*

B. Prevention — *La prévention*

dieting	*le régime alimentaire étudié*
Make foods that are high in calcium part of your diet.	*Prenez l'habitude de consommer des aliments riches en calcium.*
low-fat dairy products	*produits laitiers allégés*
canned fish with bones	*conserves de poisson avec arêtes*
dark-green leafy vegetables	*légumes verts*
dietary supplements	*compléments alimentaires*
being out in the sun	*s'exposer au soleil*
milk fortified with vitamin D	*lait enrichi en vitamine D*
break the ageing process	*interrompre le processus de vieillissement*

C. Exercising — *L'activité physique*

a preventable disease	*une maladie évitable*
a lifestyle that includes regular physical exercise	*prendre l'habitude d'une activité physique*
Exercise helps older people stay active and mobile.	*L'exercice physique aide les personnes âgées à préserver activité et mobilité.*
engage in some form of exercise	*avoir une activité physique quelconque*
benefit from exercise	*tirer profit de l'activité physique*
Exercise can improve your health.	*L'activité physique peut améliorer la santé.*
good for your heart, mood and confidence	*bénéfique pour le cœur, le moral et la confiance en soi*
a key to good health well into later years	*la clef d'une bonne santé jusqu'à un âge avancé*

increase your strength and stamina	*donner de la force et de la résistance*
not think you are too old or too frail	*ne pas imaginer que vous êtes trop vieux ou trop fragile*
Exercising against resistance can make the bones stronger and improve balance.	*Les exercices avec des charges contribuent à fortifier les os et à améliorer l'équilibre.*
take up any kind of physical exercise ranging from heavy-duty exercises to easier efforts	*adopter n'importe quel type d'exercice physique, intense ou non*
Exercises like jogging or bicycling must be promoted.	*Les activités du type course à petite foulée ou bicyclette doivent être encouragées.*
Move at your own pace.	*Marchez à votre rythme.*
do weight-bearing exercises on a regular basis	*utiliser régulièrement ses haltères*
weight-lifting	*soulever des haltères*
strength-training	*entretenir sa force musculaire*
take a brisk walk	*marcher d'un bon pas*
climb stairs	*monter des escaliers*
improve the fitness	*améliorer l'état physique*
prevent hip fracture	*prévenir une fracture de hanche*
slow bone-weakening	*ralentir la fragilisation osseuse*
lessen arthritis pain	*diminuer la douleur d'origine arthritique*
reduce the risk of falls	*diminuer les risques de chute*
feel less anxious or stressful after exercising	*se sentir moins anxieux, moins tendu après l'exercice physique*
be less likely to develop adult onset diabetes	*avoir moins de risques de voir apparaître un diabète*
help loosen muscles in the arm	*favoriser le relâchement des muscles des bras*
<u>a few tips</u>	*<u>quelques conseils</u>*
Don't try to take on too much at first.	*N'essayez pas de trop en faire au début.*
Once you start, try to stick with it.	*Une fois que vous avez démarré, essayez de vous y maintenir.*
short bursts of activity	*petites séances d'exercice*
Take the stairs instead of the elevator.	*Utilisez l'escalier au lieu de l'ascenseur.*
Do gardening.	*Faites du jardinage.*
Rake leaves.	*Ratissez les feuilles.*
Play actively with children.	*Participez au jeux des enfants.*
Do household chores / housework.	*Faites des tâches domestiques.*
add up to a good 30 minutes of exercise a day	*totaliser au moins 30 minutes d'exercice par jour*

XX. Surgery and anaesthesia *Chirurgie et anesthésie*

I. General background *Généralités*

operate on a patient	*opérer un malade*
be operated on (by a surgeon)	*être opéré*
perform an operation on a patient for	*pratiquer une opération sur un malade pour*
undergo an operation	*bénéficier d'une opération*
have surgery	*bénéficier d'une opération*
undergo surgery	*bénéficier d'une opération*
have extensive surgery	*bénéficier d'une grosse opération*
an operating theatre	*un bloc opératoire*
an operating room (OR)	*une salle d'opération*
the operating table	*la table d'opération*
a consent form	*une autorisation*
give one's written consent	*donner par écrit son accord*
a parent	*un des deux parents*
a guardian	*un tuteur*
next of kin	*proche*
be under age	*être un mineur*
be of age	*être majeur*
sign a consent form for an operation	*donner son accord écrit pour une opération*
consent to operate	*autorisation d'opérer*
I, the undersigned..., hereby authorise the surgeon and anaesthetist of the hospital to perform under anaesthetic any operation which may be required by my state of health.	*Je soussigné..., autorise le chirurgien et l'anesthésiste de l'hôpital à pratiquer sur ma personne toute intervention chirurgicale sous anesthésie qui pourrait être nécessaire à ma santé.*
Signature	*Signature :*
wish to discharge oneself	*désirer quitter l'hôpital de soi-même*

I, the undersigned..., declare that I am leaving the hospital against the doctor's advice, having been notified of my condition.	*Je soussigné..., déclare sortir de l'hôpital contre avis médical, en ayant pris connaissance de mon état de santé.*

2. The surgical unit — *Le service de chirurgie*

A. The operating team — *L'équipe opératoire*

the surgeon	*le chirurgien*
the assistant	*l'assistant*
the scrub nurse	*la panseuse*
responsible for the instruments	*responsable des instruments*
fetch and carry the instruments	*aller chercher et apporter les instruments*
the anaesthetist (GB) / anaesthesiologist (US)	*l'anesthésiste*
the theatre charge nurse	*la surveillante de bloc*
responsible for organising the theatre	*responsable du fonctionnement de la salle d'opération*
teamwork	*le travail d'équipe*

B. The operating theatre — *La salle d'opération*

<u>operating table</u>	*<u>la table d'opération</u>*
table pedestal	*le socle de table*
control device	*l'appareil de commande*
mattress	*le matelas*
arm board	*repose bras*
adjustable top of the operating table	*la table d'opération articulée*
stool	*le tabouret*
stand for intravenous drip	*le support de perfusion*
handle	*la poignée*
swivel arm	*la bras orientable*
a curtain	*un rideau*
<u>light</u>	*<u>éclairage</u>*
swivel-mounted shadow-free operating lamp	*le dispositif pivotant d'éclairage sans ombre portée*
individual lamp	*la lampe / scialytique*
<u>anaesthesia and breathing apparatus</u>	*<u>l'appareil d'anesthésie</u>*
inhalers / inhaling tubes	*le tube d'inhalation*
flowmeter for nitrous oxide	*le débitmètre de gaz hilarant / d'oxyde d'azote*
oxygen flowmeter	*le débitmètre d'oxygène*
anaesthesia and respiratory apparatus	*le respirateur artificiel*
respirator	*respirateur*
fluothane container / halothane container	*le réservoir de fluothane*
ventilation control knob	*le bouton de réglage de la ventilation*
indicator with pointer for respiratory volume	*le tableau d'enregistrement avec indication du volume respiratoire*
stand with inhalers and pressure gauges (GB) / gages (US)	*le statif avec tubes d'inhalation et manomètre*
basic life support	*un appareil de respiration artificielle*
advanced life support	*le matériel élaboré de survie*
a monitoring device	*un moniteur*
<u>mobile fluoroscope</u>	*<u>l'appareil mobile de radiologie</u>*
monitor of the image converter	*le moniteur du convertisseur d'image*
monitor	*le moniteur*
tube	*tube*
image converter	*le convertisseur d'image*
C-shaped frame	*le bâti en C*
control panel for the air conditioning	*le tableau de commande du conditionnement d'air*

C. Preparation and sterilisation room — *La salle de préparation et de stérilisation*

dressing material	*matériel à pansement*
carriage of the operating table	*chariot de la table d'opération*
mobile instrument table	*table d'instruments mobile*
sterile cloth	*champ stérile*
instrument tray	*plateau à instruments*
catheter holder	*porte-cathéters*
catheter in sterile packing	*cathéter sous emballage stérile*
trolley	*chariot*
surgical suture material	*matériel de sutures*
mobile waste tray	*seau à pansements*
container for unsterile pads	*boîte de compresses non stériles*
roll of plaster	*le rouleau de sparadrap*
cotton wool	*le coton*
gauze	*la gaze*
a sterile pack	*un paquet stérile*
disposable equipment	*matériel jetable*
non-disposable	*non jetable / à réutiliser*

D. Surgical instruments
Les instruments chirurgicaux

scalpel / surgical knife	*le bistouri / scalpel*
the handle	*le manche*
the blade	*la lame*
curved scissors	*les ciseaux courbes*
forceps	*une pince*
artery forceps	*la pince hémostatique*
an artery clamp	*clamp artériel*
side-clamp	*clampage latéral*
aortic clamping	*clampage aortique*
arterial canula	*canule artérielle*
venous canula	*canule veineuse*
dilator	*dilatateur*
surgeon's tourniquet	*le tourniquet*
ligature-holding forceps	*la pince à ligature*
sequestrum forceps	*la pince à séquestre*
bone nippers / bone-cutting forceps	*la pince-gouge*
scoop for curettage / curette for erasion	*la curette*
obstetrical forceps	*le forceps*
olive-pointed / bulb-headed probe	*la sonde à boule olivaire / à bout rond*
hollow probe	*la sonde cannelée*
drainage tube	*le drain*
jaw	*la branche de pince*
blunt hook	*l'écarteur à fil*
a retractor	*un écarteur*
a hook	*un crochet*
a needle	*une aiguille*
sticking plaster	*le pansement adhésif*
a bandage	*une bande*
a dressing	*un pansement*
a bedpan	*un plat-bassin / urinoir*
a temperature chart	*une feuille / un relevé de température*
a medical chart	*une feuille / un relevé de température*

E. Anaesthesia
Anesthésie

gastric tube	*tube nasogastrique*
tracheal intubation	*intubation trachéale*
mechanical ventilation	*ventilation mécanique*
arterial pressure	*pression artérielle*
electrical shock	*choc électrique*
cardiac rate	*fréquence cardiaque*
pulmonary arterial pressure	*pression artérielle pulmonaire*
P wave	*onde P*
sinusal node	*nœud sinusal*
wire	*guide*
anaesthetic induction	*induction anesthésique*
central venous canulae	*canule de pression veineuse centrale*
endotracheal tube	*tube trachéal*

3. The operation — *L'opération*

A. Changing room
Vestiaire

clogs	*sabots*
sandals	*sandales*
gloves	*gants*
sterilise	*stériliser*
a gown	*une blouse*
a cap	*un calot*
a mask	*un masque*

B. Open
Ouvrir

lower the patient's temperature to 18°C	*descendre la température du patient à 18° C*
total bypass time / extra corporeal circulation (ECC)	*temps de circulation extra corporelle (CEC)*
total aortic clamping time	*temps de clampage aortique*
total arrest time	*temps d'arrêt circulatoire*
cooling bypass	*CEC avec refroidissement*
rewarming bypass	*CEC avec réchauffement*
deep hypothermia	*hypothermie profonde*
urinary catheter	*sonde urinaire*
patency rate	*taux de perméabilité*
end-to-end anastomosis	*anastomose termino-terminale*
end-to-side anastomosis	*anastomose termino-latérale*
side-to-side anastomosis	*anastomose latéro-latérale*
cut into	*couper dans*
remove	*enlever*
a removal	*une ablation*
an amputation	*une amputation*
carry out an amputation	*pratiquer une amputation*
an amputee	*un amputé*
be under an anaesthetic	*être sous anesthésie*
be sedated	*être endormi*
maintain the body heat	*conserver la chaleur du corps*
an intravenous infusion / an IV	*une intraveineuse*
oxygenation	*l'oxygénation*
blood pressure	*la pression artérielle*
a fall / drop in blood pressure	*un chute de la pression artérielle*
a drainage tube	*un drain*

drain off the blood	*évacuer le sang de la plaie*
cardiopulmonary bypass	*shunt cardio-pulmonaire*
circulatory arrest	*arrêt circulatoire*
sternal incision	*incision sternale*
thoracotomy	*thoracotomie*
sternal saw	*scie sternale*
preclot	*précoaguler*
clotting	*coagulation*
prevent blood from clotting	*empêcher la coagulation du sang*
a blood clot	*un caillot de sang*
remove the suction drain when there is nothing left in the wound	*retirer le redon quand la plaie s'est vidée*
blood loss	*la perte de sang*
a blood transfusion	*une transfusion sanguine*
blood replacement	*une transfusion sanguine*
plasma	*le plasma*
the pulse rate	*le nombre de pulsations minute / le pouls*

C. Suture
La suture

a suture	*une suture*
cauterise	*cautériser*
sew	*coudre*
absorbable stitches	*points de suture résorbables*
non-absorbable	*non résorbable*
lay stitches	*points de suspension*
continuous stitches / running suture	*surjet*
interrupted stitches	*points séparés*
staple	*agrafe*
thread	*fil*
a knot	*un nœud*
Nurse, could you please mop my forehead?	*Infirmière, pourriez-vous m'éponger le front, s'il vous plaît ?*
Please, put the table in Trendelenbourg position.	*Mettez la table en position de Trendelenbourg, s'il vous plaît.*
Will you please give me the dissection forceps?	*Passez-moi la pince à disséquer, s'il vous plaît.*
Give me the suction, please.	*Passez-moi l'aspiration, s'il vous plaît.*
Will you please give me the thread?	*Passez-moi le fil, s'il vous plaît.*

D. The post-operative period
La période post-opératoire

post operative acute pain service	*prise en charge de la douleur post opératoire*
promote improved pain management	*promouvoir une meilleure prise en charge de la douleur*
a pain team	*une équipe spécialisée dans la douleur*
on each ward there is a resource nurse	*dans chaque unité il y a une infirmière référente*
patients are regularly pain assessed	*on évalue de façon régulière la douleur chez les patients*
visual analogue scale	*échelle visuelle analogique*
patient control analgesia	*contrôle de la douleur*
better patient outcome	*suites meilleures pour le patient*
quicker discharge	*sortie plus rapide*
reduce post operative complications	*diminuer les complications post opératoires*
intensive care unit (ICU)	*une unité de soins intensifs*
be in intensive care	*être en réanimation*
awake room	*salle de réveil*
Is he breathing normally?	*Est-ce qu'il respire bien ?*
Is he awake?	*Est-il réveillé ?*
surgical shock	*le choc opératoire*
be in a critical condition	*être dans un état critique*
a drain	*un drain*
a drip / infusion	*une perfusion*
be on a drip	*être sous perfusion*
be drip-fed	*être alimenté par perfusion*
issue a bulletin	*délivrer un bulletin de santé*
be in a stable condition	*être dans un état stationnaire*
physiotherapy	*la kinésithérapie / la rééducation*
Nurse, the patient can go up.	*Infirmière, le malade peut remonter.*

4. Dressings and light surgery — *Les petits soins chirurgicaux*

A. Material
Le matériel

sterile dressings	*pansements stériles*
a dressing pad with a bandage attached	*un bloc-pansement avec son bandage*
a piece of gauze	*une compresse*
sterile gauze dressing (GB) / two-by-two (US)	*gaze stérile*
lint	*pansement ouaté*
cotton wool padding	*tampon de coton hydrophile*
remove the wrapping	*retirer l'emballage*
loose end of the bandage	*extrémité libre du bandage*
unwind	*dérouler*
unfold	*déplier*
gauze dressings	*gaze*
a gauze pad	*un tampon de gaze*
a covering for	*une protection pour*

soft — *doux*
pliable — *pliable*
adhesive strapping — *fixations adhésives*
plaster — *sparadrap*
cellulose pad — *tampon en cellulose*
specially shaped plaster — *sparadrap conditionné*
protective strips — *attaches de protection*
peel back — *retirer en décollant*
pull away — *retirer complètement*
press the edges down — *appuyer sur les bords*
surgical instruments — *instruments chirurgicaux*
needed for ward dressing — *utilisés pour les soins en salle*
scissors — *ciseaux*
bandage scissors — *ciseaux à pansements*
suture scissors — *ciseaux à suture*
plain dressing forceps — *pince à pansement*
plain dissecting forceps — *pince à disséquer*
clip-removing forceps — *pinces à agrafes*
sinus forceps — *pince à sinus*
a wound probe — *une sonde cannelée*
instrument handling forceps — *pince à instruments*
syringe — *seringue*
needle — *aiguille*
a dressing trolley — *un chariot à instruments*
the top shelf (for sterile instruments) — *la tablette du haut / supérieure (pour les instruments stériles)*
sterile gallipots — *cuvettes stériles*
bottom shelf (for unsterile equipment) — *tablette du bas / inférieure (pour les instruments non stériles)*
bandage tray — *plateau à pansements*
bandage clips — *agrafes à pansement*
bottles containing antiseptics — *flacons d'antiseptiques*
tray for used instruments — *bac pour instruments utilisés*
container for soiled dressing — *récipient pour pansements souillés*
describing instruments — *description des instruments*
What shape is it? — *Quelle forme a-t-il ?*
straight — *droit / rectiligne*
curved — *courbe / recourbé*
sharp-ended — *pointu*
blunt / blunt-tipped — *émoussé*
rounded — *arrondi*
angular forceps — *pince angulée*
What type is it? — *De quel type s'agit-il ?*
What is this instrument? — *Quel est cet instrument ?*
What do you call this instrument? — *Comment s'appelle cet instrument ?*
They are forceps. — *C'est une pince.*
It is a lancet. — *C'est un bistouri.*
the blade — *la lame*
the handle — *le manche*
cleaning and disinfecting instruments — *nettoyer et désinfecter les instruments*
a bactericide — *un produit bactéricide*
bacteriostatic agent — *un produit bactériostatique*
the destructive power — *le pouvoir destructeur*
strength — *la force*
length of time of use — *la durée d'utilisation*
inhibit the growth of bacteria — *inhiber la croissance des bactéries*
a suitable disinfectant — *un désinfectant approprié*
a toxic chemical substance — *un produit chimique toxique*
destroy living tissue — *détruire les tissus vivants*
an antiseptic — *un antiseptique*
prevent bacteria from multiplying — *empêcher la prolifération des bactéries*
cleaning and sterilisation — *nettoyage et stérilisation*
wash with soap — *laver au savon*
mop with an antiseptic — *frotter au chiffon avec un antiseptique*
dry — *assécher / sécher*
immerse in a disinfectant — *plonger dans un désinfectant*
autoclaved instruments — *instruments passés à l'autoclave*
autoclave — *passer à l'autoclave*
disinfect — *désinfecter*

B. Changing the dressing
Changer le pansement

use disposable gloves — *utiliser des gants jetables*
wash hands thoroughly — *se laver les mains soigneusement*
dress a wound — *panser une plaie*
a wound's edges — *les bords / les lèvres d'une plaie*
apply over the top — *appliquer sur le dessus*
cross-infection — *contamination croisée*
waterproof dressing — *pansement imperméable*
dispose of waste — *se débarrasser du matériel souillé*
soiled dressings — *pansements sales*
seal — *fermer hermétiquement*
sharp items — *objets blessants*
protective wrapping — *emballage protecteur*
I'm going to put a bandage on. — *Je vais vous faire un pansement.*
I'm going to have a look at your bandage. — *Je vais jeter un coup d'œil à votre pansement.*
make sure everything is all right — *s'assurer que tout va bien*
How long have you had this bandage on? — *Il y a combien de temps que vous avez ce pansement ?*
Where was the bandage put on? — *Où a été fait ce pansement ?*
I went to the health centre. — *Je suis allé au centre de soins / dispensaire.*
Who put the bandage on? — *Qui a fait ce pansement ?*
I did it myself. — *C'est moi.*
Does it hurt when the bandage is changed? — *Avez-vous mal quand on refait le pansement ?*

Before I take the bandage off, I'm going to moisten it first. — *Avant de retirer le pansement, je vais d'abord l'humidifier.*
I'm going to use an antiseptic to... — *Je vais utiliser un antiseptique pour...*
disinfect your wound. — *désinfecter la plaie.*
clean your scar. — *nettoyer la cicatrice.*
I'll use ether to remove the marks left on your skin by the plaster. — *J'utiliserai de l'éther pour enlever les traces de sparadrap sur la peau.*
Are you allergic to iodine? — *Etes-vous allergique à l'iode ?*
Tell me if it hurts. — *Dites-moi si je vous fait mal.*
How does the wound look to you? — *Que pensez-vous de la plaie ?*
It is healing up — *Elle se referme.*
be septic — *être infecté*
deep — *profond*
weeping — *purulent*
draw out pus — *permettre au pus de sortir / exprimer le pus*
mop up blood — *éponger le sang*
absorb blood — *absorber le sang*
discharge — *les sécrétions*
hairs sticking out of the wound — *poils qui sortent de la plaie*
Make sure you don't get your bandage wet. — *Veuillez à ne pas mouiller votre pansement.*
get the bandage dirty — *salir / souiller le pansement*
Let me know if blood seeps through the dressing. — *Faites-moi savoir si ça saigne à travers le pansement.*
Come back and see the doctor. — *Revenez voir le médecin.*

<u>roller bandage</u> — <u>*bande*</u>
cotton — *coton*
linen — *lin / tissu*
crêpe bandage — *bande Velpeau*
elasticated crêpe roller bandage — *bande Velpeau extensible*
tightly rolled — *étroitement serré*
suitable width — *largeur adéquate*
tie off — *arrêter avec un nœud*
bandage clip — *attache-bandage*
stick down with strips of adhesive strapping — *faire adhérer par / avec des bandes fixatives adhésives*
safety pin — *épingle de sûreté*

<u>applying a roller bandage</u> — <u>*la pose de la bande*</u>
unroll — *dérouler*
make straight turns — *enrouler tout droit*
make spiral turns — *enrouler en chevauchant*
work from the inner side outward — *appliquer en allant de l'intérieur vers l'extérieur*
from below the injury upwards — *en remontant vers le haut de la plaie*
from the inside of the limb outside — *de l'intérieur du membre vers l'extérieur*
work up the limb — *aller en remontant le membre*
Undo and reapply more loosely / less tight. — *Défaites et refaites en serrant moins.*

5. Some types of operation — *Quelques types d'interventions*

A. Orthopaedic surgery — *La chirurgie orthopédique*

an orthopaedic fracture — *une fracture orthopédique*
a clubfoot — *un pied-bot*
scoliosis — *une scoliose*
set a fracture — *réduire une fracture*
plaster cast — *plâtre*
plaster — *plâtrer*
a metal plate — *une plaque de métal*
a screw — *une vis*
a steel rod — *une tige d'acier*
a metallic prosthesis — *une prothèse métallique*
an artificial hip joint — *une hanche artificielle*
a bone tumour — *une tumeur osseuse*

B. Cardiovascular surgery — *La chirurgie cardio-vasculaire*

open-heart surgery — *une opération à cœur ouvert*
sucker — *aspiration*
clamping — *clampage*
purse-string suture — *suture en bourse*
snugger — *tirette*
cardioplegic solution — *solution cardioplégique*
a heart-lung machine — *une machine cœur-poumon*
a coronary by-pass — *un pontage coronarien*
a plastic valve — *une valve prothétique*
a pacemaker — *un stimulateur cardiaque*
an artificial heart — *un cœur artificiel*
brain damage — *les lésions au cerveau*
aneurysm — *anévrisme*

C. Keyhole surgery — *Chirurgie endoscopique*

minimal invasive surgery — *chirurgie peu invasive*
new endoscopic procedures and instrumentation — *techniques et instrumentation endoscopiques nouvelles*
top keyhole surgeons — *spécialistes de la chirurgie endoscopique*
various keyhole techniques for various procedures — *différentes techniques endoscopiques pour différentes interventions*
training surgeons for qualification is mandatory — *une formation spécifique est indispensable*

tightening up on qualification	*nécessiter une qualification plus rigoureuse*
shorten hospital stays	*diminuer le séjour hospitalier*

D. Obstetrics
L'obstétrique

sterility	*la stérilité*
a complicated delivery	*un accouchement difficile*
induced abortion / termination of pregnancy	*interruption volontaire de grossesse (IVG)*
deliver a child	*accoucher une femme*
a foetal abnormality	*une malformation fœtale*
a caesarean section / a C-section	*une césarienne*

E. Ophthalmic surgery
La chirurgie ophtalmologique

a detachment of the retina	*un décollement de rétine*
reattach	*rattacher*
restore	*corriger*
cornea graft	*une greffe de cornée*
the restoration of eyesight	*la correction de la vue*

F. Plastic surgery
La chirurgie plastique

have plastic surgery	*subir une opération de chirurgie plastique*
cosmetic surgery	*la chirurgie esthétique*
reconstructive work	*la chirurgie réparatrice*
an implant	*un implant*
have one's breasts enlarged	*se faire refaire les seins*
a breast enlargement	*un grossissement des seins*
be given a new nose	*se faire faire un nouveau nez*
a liposuction	*une liposuccion*
suck the fat out of the thighs	*aspirer l'excès de tissu adipeux des cuisses*
a scar	*une cicatrice*
a facial scar	*une cicatrice faciale*
remove wrinkles	*supprimer des rides*
disfigure	*défigurer*
a harelip	*un bec de lièvre*
a cleft palate	*une fente palatine*
a tendon severance	*une déchirure du tendon*
a burn	*une brûlure*
a third-degree burn	*une brûlure au troisième degré*

6. Transplants — *Les transplantations*

A. An organ
Un organe

a bank of organs	*une banque d'organes*
an implant	*un implant*
an implanted heart	*un cœur greffé*
a heart transplant	*une transplantation cardiaque*
transplant	*greffer*
a transplant	*une transplantation*
a transplantation	*une transplantation*
perform a transplantation	*effectuer une greffe*
a kidney transplant	*une transplantation rénale*
tissue transplant	*la greffe de tissu*
the transplanting of organs	*la transplantation d'organes*
graft	*greffer*
a graft	*une greffe / un greffon*
free graft	*greffon libre*
an orthotopic graft	*une greffe orthotopique*
a heterotopic graft	*une greffe hétérotopique*
a homograft	*une homogreffe*
a vein graft	*un greffon veineux*
a kidney graft	*un greffon rénal*
skin grafting	*la greffe de peau*
perform skin grafts / grafting	*pratiquer des greffes de peau*
limb reattachment	*greffe d'un membre*

B. A donor
Un donneur

a registry of donors	*un registre des donneurs*
a living donor	*un donneur vivant*
a potential donor	*un donneur éventuel*
a suitable donor	*un donneur compatible*
related	*de la même famille*
non-related	*étranger*
a tissue type	*un type de tissu*
tissue group	*groupe tissulaire*
brain dead / encephalic dead	*mort cérébrale*
blood group	*groupe sanguin*

C. Tissue typing
La typologie cellulaire

tissue matching	*compatibilité tissulaire*
foetal tissue	*le tissu fœtal*
match	*être compatible*
cross match	*test croisé de compatibilité tissulaire*
matched bone marrow	*la moelle compatible*
regenerate	*régénérer*
compatible	*compatible*
incompatibility	*l'incompatibilité*
receive	*recevoir*

D. A recipient (US) / receiver (GB)
Un receveur

reject	*rejeter*
rejection	*le rejet*
chronic rejection	*rejet chronique*
acute rejection	*rejet aigu*
circulatory assistance	*assistance circulatoire*
prevent rejection	*empêcher le rejet*
an anti-rejection drug	*un médicament anti-rejet*
an immunosuppressive drug	*un immunosuppresseur*
the recipient's immune system	*le système immunitaire du receveur*
graft-versus-host-disease (GVHD)	*greffon contre l'hôte / phénomène de rejet*
reject the new organ	*rejeter le nouvel organe*
overcome rejection	*vaincre le processus de rejet*
a defence mechanism	*un mécanisme de défense*
develop antibodies	*développer des anticorps*
serodiagnosis	*test sérologique*

E. Outcome
Suites immédiates

keep alive	*maintenir en vie*
lifesaving	*vital*
follow-up care	*surveillance postopératoire*
survive an operation	*survivre à une opération*
the survival rate	*le taux de survie*
short-term mortality	*mortalité à court terme*
long-term mortality	*mortalité à long terme*
end in failure and death	*se solder par un échec et la mort*

7. Intensive care unit — *L'unité de soins intensifs*

control room	*la salle de contrôle*
central control unit for monitoring heart rhythm and blood pressure	*l'unité centrale de surveillance du rythme cardiaque et de la tension artérielle*
ECG monitor	*le moniteur d'électrocardiogramme*
recorder	*l'appareil enregistreur*
recording paper	*le papier d'enregistrement*
indicator lights with call buttons for each patient	*les lampes témoins (avec touche de sélection pour chaque malade)*
window / glass partition	*la paroi transparente*
stand for infusion apparatus	*le support pour dispositif de perfusion*
infusion bottle	*le flacon de perfusion*
tube for intravenous drips	*le tube pour perfusion / goutte à goutte*
infusion device for water-soluble drugs	*le dispositif de perfusion pour médicaments hydrosolubles*
sphygmomanometer	*le tensiomètre*
cuff	*le brassard*
inflating bulb	*la poire de tensiomètre*
mercury manometer	*le manomètre à mercure*
bed monitor	*le moniteur de lit*
connecting lead to the central control unit	*les câbles de connexion à l'unité central de surveillance*
manometer for the oxygen supply	*le manomètre de distribution d'oxygène*
wall connection for oxygen treatment	*le raccord mural de masque à oxygène*
mobile monitoring unit	*le moniteur mobile de surveillance du malade*
electrode lead to the short-term pacemaker	*le câble d'électrode de stimulateur cardiaque temporaire*
electrodes for shock-treatment	*les électrodes de défibrillation*
ECG recording unit	*l'électrocardiographe*
control switches and knobs for adjusting the monitor	*les boutons de réglage du moniteur*
control buttons for the pacemaker unit	*les boutons de commande du stimulateur cardiaque*
pacemaker / cardiac pacemaker	*le stimulateur cardiaque*
mercury / cadmium nickel battery	*batterie à mercure / cadmium nickel*
programmed impulse generator	*générateur d'impulsions programmable*
electrode exit point	*sortie d'électrode*
electrode	*électrode*
implantation of the pacemaker	*l'implantation du stimulateur cardiaque*
internal cardiac pacemaker	*le stimulateur cardiaque intra-corporel / interne*
electrode inserted through the vein	*l'électrode poussée par cathétérisme intraveineux*
pacemaker control unit	*unité de contrôle du stimulateur cardiaque*
automatic impulse meter	*contrôleur d'impulsions*
ECG lead to the patient	*le câble de connexion du patient*
monitor unit for visual monitoring of the pacemaker impulses	*l'écran pour contrôle visuel des impulsions du stimulateur*
magnetic tape for recording the ECG impulses during analysis	*la bande magnétique d'enregistrement pour analysede l'ECG*
control knob for the ECG amplitude	*le bouton de réglage de l'amplitude de l'ECG*
program selector switches for the ECG analysis	*le clavier de sélection du programme d'analyse de l'ECG*
battery tester	*le contrôle des batteries*

pressure gauge for the right cardiac catheter	*le manomètre du cathéter cardiaque droit*
trace monitor	*le moniteur de contrôle de courbes*
pressure indicator	*l'indicateur de pression*
connecting lead to the paper recorder	*le câble de connexion à l'enregistreur à bande*
paper recorder for pressure traces	*l'enregistreur à bande des courbes de pression*

8. Abbreviations — *Sigles*

ECC	extra corporeal circulation	*CEC*	*circulation extra corporelle*
ECG / EKG	electrocardiogram	*ECG*	*électrocardiogramme*
GVHD	graft-versus-host-disease	-	*greffon contre l'hôte / phénomène de rejet*
ICU	intensive care unit	-	*une unité de soins intensifs*
i.v.	intravenous	-	*intraveineux*
-	termination of pregnancy	*IVG*	*interruption volontaire de grossesse*
OR	operating room	-	*salle d'opération*

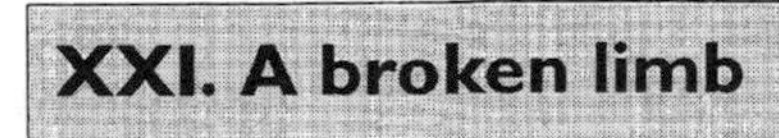

XXI. A broken limb — *Un membre cassé*

1. General background — *Généralités*

sustain a fracture	*se faire une fracture*
split under force	*céder sous l'effet d'une force*
crack	*se briser*
a crack in	*une cassure de / une rupture de*
break one's collarbone	*se casser la clavicule*
a break in	*une rupture de*
In the elderly, bones become brittle / breakable.	*Chez les personnes âgées, les os deviennent friables / cassants.*
In the child, bones are supple.	*Chez l'enfant, les os sont souples.*
<u>types of fracture</u>	*<u>types de fracture</u>*
greenstick fracture	*fracture en bois vert*
simple fracture	*fracture simple*
a clean break in	*une cassure nette de*
compound / open fracture	*fracture ouverte*
a closed fracture	*une fracture fermée*
multiple fractures	*des fractures multiples*
pierce the skin	*traverser / transpercer la peau*
accompanied by a wound	*qui s'accompagne d'une plaie*
expose to the air	*exposer à l'air*
through a wound in the skin	*par une plaie de / en surface*
prone to infection	*sujet à l'infection / susceptible de rapidement s'infecter*
shatter into fragments	*fragmenter*
break spontaneously	*se briser spontanément*
weakening factors	*des causes de fragilisation*
signs and symptoms of fracture	*signes et symptômes de fracture*
report having heard	*avoir entendu*
a snap	*un bruit sec*
suspect a fracture	*suspecter une fracture*
experience pain	*avoir mal*
worsen the pain by	*augmenter la douleur en*
result in swelling	*causer un gonflement / œdème*
haemorrhage within the tissues	*hémorragie tissulaire*
be misshapen / deformed	*être déformé*
throw into an unnatural position	*mettre / placer dans une position non anatomique*

2. Complaint — *La plainte*

I felt a terrible pain in my arm.	*J'ai eu très mal / ressenti une douleur atroce dans le bras.*
I think he should be brought into the hospital.	*Je crois qu'il faut l'hospitaliser.*
bring a patient in	*amener un malade*
come in crying	*arriver en pleurant*
come in complaining	*arriver en se plaignant*

complain of a sharp pain in	*se plaindre d'une violente douleur au*	Does it still hurt?	*Avez-vous mal encore maintenant ?*
Did it hurt straight away?	*Vous avez eu mal aussitôt ?*	Does it hurt...	*Avez-vous mal...*
		if I pull further a bit?	*si je force un peu ?*
Show me where it hurts.	*Montrez-moi où vous avez mal.*	when you move this joint?	*quand vous bougez cette articulation ?*
hurt oneself	*se blesser*	come in with a fracture	*arriver avec une fracture*

3. Clinical examination — *Examen clinique*

A. Present history — *Symptômes actuels*

What is the matter with you?	*Qu'est-ce qui ne vas pas ?*
What were you doing when it happened?	*Que faisiez-vous quand c'est arrivé ?*
I twisted my ankle.	*Je me suis tordu la cheville.*
be punched	*recevoir des coups de poing*
be kicked	*recevoir des coups de pied*
He was knocked over by a car.	*Il a été renversé par une voiture.*
be involved in a car accident	*avoir un accident de voiture*
Can you tell me how far you fell?	*Pouvez-vous me dire de quelle hauteur vous êtes tombé ?*
fall	*tomber*
(down) to the ground	*à terre*
off a horse	*de cheval*
from a tree	*d'un arbre*
downstairs	*dans un escalier*
down a hole	*dans un trou*
over skiing	*faire une chute de ski / à ski*
I heard a sort of cracking sound.	*J'ai entendu comme un craquement.*
My son has got a bad pain in his arm.	*Mon fils souffre beaucoup du bras.*
He keeps crying.	*Il pleure sans arrêt.*
It seems to be a fracture.	*On dirait une fracture.*
It looks like a fracture.	*Cela ressemble à une fracture.*
It must be a fracture.	*C'est forcément une fracture.*

B. Physical examination — *Examen physique*

Could you strip down to the waist, please.	*Pourriez-vous vous mettre torse nu, s'il vous plaît.*
If it's too painful, I'll give you a hand.	*Je vous aiderai si c'est trop douloureux*
Can you feel this when I put it in your hand?	*Si je vous mets cela dans la main, sentez-vous quelque chose ?*
Shake my hand as hard as possible.	*Serrez-moi la main de toutes vos forces.*
Your sensation is intact.	*La sensibilité est respectée.*
Your radial pulse is present.	*Le pouls radial est perçu.*
I want to take a look at...	*Je vais examiner...*
be transferred to	*être transféré à*
<u>take an X-ray</u>	*<u>faire un cliché</u>*
the radiologist	*le médecin radiologue*
take the patient to the X-ray department	*emmener le patient au service de radiologie*
take pictures of the arm	*faire des clichés du bras*
The X-rays should be ready by the time the resident arrives.	*Les clichés devraient être prêts au moment où l'interne arrivera.*
<u>need to be operated on</u>	*<u>besoin d'une intervention</u>*
You have...	*Vous vous êtes fait...*
sprained / pulled a muscle.	*une élongation / un claquage.*
tendinitis.	*une tendinite.*
a ruptured tendon.	*une rupture tendineuse.*
torn a ligament.	*un arrachement ligamentaire.*
a swelling.	*un œdème.*
fractured your collar bone	*une fracture de la clavicule*
a dislocation of the hip	*une luxation de la hanche*
break near / away from the joint	*fracturer près de / loin de l'articulation*
site and extension of a fracture	*emplacement et étendue d'une fracture*

4. Treatment — *Traitement*

treat the fracture	*traiter la fracture*	<u>plaster</u>	*<u>plâtre</u>*
reduce a fracture	*réduire une fracture*	put in plaster	*poser un plâtre*
under general anaesthesia	*sous anesthésie générale*	a plaster bandage	*bande plâtrée*

It should not be too tight.	*Il ne doit pas être trop serré.*
wrap the plaster bandage round	*enrouler la bande plâtrée autour de*
keep the plaster on	*conserver le plâtre*
plaster with the arm in flexion	*la bras fléchi dans le plâtre*
prop up the arm	*caler le bras*
When are you going to remove the plaster?	*Quand allez-vous m'enlever mon plâtre ?*
hold in place	*maintenir en place*
keep in place using...	*maintenir en place en utilisant...*
a pin	*une broche*
a plate and screws	*une plaque vissée*
a shaft	*une tige*
run a metal shaft through the bone	*poser une broche à travers l'os*
replace with	*remplacer par*
<u>put the patient in traction</u>	*<u>mettre le malade en traction</u>*
exert pressure on	*exercer une pression sur*
need outer traction	*nécessiter une mise en traction externe*
apply traction	*exercer une traction*
overhead traction	*traction haute*
continue traction until the fracture is healed	*poursuivre la traction jusqu'à ce que la fracture soit réduite*
remove the traction when the fragments become fixed together	*arrêter la traction quand les fragments se seront symphysés*
work out traction weight according to height and build	*calculer le poids à utiliser selon la taille et la corpulence*
a drain	*un drain*
a suction pump...	*une pompe à vide*
suck air out of...	*aspirer l'air de*
<u>post operative care and follow-up</u>	*<u>suivi post-opératoire</u>*
watch the patient carefully for a couple of hours	*surveiller étroitement pendant quelques heures*
His pulse must be checked regularly.	*Il faut lui prendre le pouls régulièrement.*
report back	*tenir informer*
become cold	*devenir froid*
numb	*insensible / engourdi*
pale	*pâle*
swell	*gonfler*
swollen	*gonflé*
remain still	*rester immobile*
keep still	*ne pas bouger*
ensure a comfortable position	*assurer une position confortable*
secure a comfortable position	*s'assurer / se donner une position confortable*

A stress-free position must be ensured until the limb can be set.	*Une position sans tension doit être assurée jusqu'à la consolidation de la fracture.*
put a cradle on the bed	*placer un arceau sur le lit*
take the weight of the blankets off	*supprimer le poids des couvertures*
Does it hurt under the plaster?	*Est-ce que cela vous fait mal sous le plâtre ?*
It keeps hurting.	*J'ai toujours mal.*
painful	*douloureux*
itch	*démanger*
cut the plaster open	*ouvrir le plâtre*
redo the plaster	*refaire le plâtre*
mend properly	*guérir comme il convient*
The fracture will heal normally.	*La fracture va se consolider normalement.*
<u>leaving the hospital</u>	*<u>quitter l'hôpital</u>*
The nurse will show you how to make the necessary arrangements.	*L'infirmière va vous montrer comment prendre les dispositions nécessaires.*
a walking heel under the foot	*une talonnette*
not put weight on	*ne pas prendre appui sur*
provide with crutches	*fournir des béquilles*
stick	*canne*
tripod stick	*canne tripode*
forearm crutches	*cannes anglaises*
to be rented from a chemist's	*à louer chez le pharmacien*
<u>What you must do.</u>	*<u>Ce que vous devez faire.</u>*
give the plaster time to dry completely (this will take about 48 hours).	*laisser le plâtre sécher totalement (il faut environ 48 heures).*
keep the plastered limb raised	*maintenir le membre plâtré en position haute*
keep your arm in a sling	*maintenir le bras en écharpe*
exercise your fingers / toes regularly	*bouger les doigts / les orteils régulièrement*
sit down whenever possible, with your legs stretched out and raised	*vous asseoir aussi souvent que possible, les jambes surélevées*
when in bed, rest your hand on a pillow to keep it above the level of your elbow.	*glisser un coussin sous la main pour la surélever par rapport au coude, lorsque vous vous alitez*
raise the foot of your mattress or bed	*relever l'extrémité du lit.*
tell the doctor or return to hospital if...	*prévenir un médecin ou se rendre à l'hôpital si...*
the cast breaks	*le plâtre se brise*
it becomes sore under the cast	*vous avez mal sous le plâtre*
your fingers / toes swell up or become cold, white, bluish, or numb	*vos doigts / vos orteils enflent, refroidissent, palissent, bleuissent, ou deviennent insensibles*

you notice an unpleasant smell coming from your plaster	*vous remarquez que votre plâtre dégage une mauvaise odeur*
<u>What you mustn't do.</u>	<u>*Ce que vous ne devez pas faire.*</u>
Don't...	*Veillez à ne pas...*
cover the plaster for the next 48 hours, otherwise it won't dry properly	*recouvrir le plâtre pendant 48 heures, il ne pourrait pas sécher*
get the plaster wet	*mouiller le plâtre*
walk with your leg in plaster unless the doctor has told you that you can put your weight on your foot	*marcher avec la jambe plâtrée sauf si le médecin vous a autorisé l'appui*
poke a needle or any other object down your plaster	*introduire une aiguille ou tout autre objet sous le plâtre*
hang the plastered leg down	*maintenir la jambe plâtrée dans le vide*
splint	*attelle*
have a splint put on it	*porter une attelle*
put a metal splint	*poser une attelle métallique*
a smooth splinting method	*une méthode douce de contention*
The splint is put in place around the injured arm.	*On place l'attelle autour du bras blessé.*
<u>open fracture</u>	<u>*fracture ouverte*</u>
give an anaesthetic	*donner un anesthésique*
explore a wound	*explorer une plaie*
excise dead tissue	*exciser les tissus morts*
dirty tissues	*tissus salis*
remove splinters of bone	*enlever les esquilles*
make risk of infection smaller	*diminuer les risques d'infection*
be satisfied that the wound is clean	*s'être assuré que la plaie est propre*
use an antibiotic powder	*utiliser un antibiotique en poudre*
suture / sew up the wound	*suturer la plaie*
stitch together from end to end	*recoudre de bout en bout*
cover with a sterile gauze dressing	*recouvrir d'un pansement de gaze stérile*
a raw area	*une surface à vif*
dress with sterile Vaseline petroleum jelly gauze	*recouvrir de tulle gras*
reduce the bones into anatomical position	*ramener les os en position anatomique*

XXII. Medical imaging — *Imagerie médicale*

manufacturers	*les fabriquants*
company (GB) / vendors (US)	*la société*
the representative / salesman	*le représentant*
radiologist	*radiologue*
technician	*technicien*
radiographer	*manipulateur*
medical secretary	*secrétaire médicale*

I. Nuclear medicine — *Médecine nucléaire*

<u>conventional scintigraphy</u>	<u>*scintigraphie conventionnelle*</u>
labelled molecule	*molécule marquée*
radioactive tracer	*traceur radioactif*
bone scintigraphy	*scintigraphie osseuse*
functional imaging	*imagerie fonctionnelle*
a gamma-camera	*une gamma-caméra*
gamma ray detector	*détecteur de rayons gamma*
crystal detector	*détecteur à cristal*
scintillation detector	*détecteur à scintillation*
scintillation camera	*caméra à scintillation*
slightly irradiating examination	*examen faiblement irradiant*
whole body examination	*examen corps entier*
tomographic slices	*coupes tomographiques*
rotating gamma caméra	*gamma caméra tournante*
planar imaging	*imagerie planaire*
tracer labelled with 99m technetium	*traceur marqué au technétium-99m*
vascular time	*phase vasculaire*
tissue time	*phase tissulaire*
bone time	*phase osseuse*
zone of important tracer uptake	*région hyperfixante*
reduced tracer uptake	*région hypofixante*
emission computed tomography	*tomoscintigraphie*
<u>myocardial blood flow scintigraphy</u>	<u>*scintigraphie myocardique de perfusion*</u>
single photon emission computed tomography (SPECT)	*tomographie par émission de simple photon (TEMP)*
stress test	*épreuve d'effort*
bicycle ergometer	*bicyclette ergomètre*

pharmacological stress test	*stress pharmacologique*
radionuclide ventriculography (RNV)	*ventriculographie isotopique*
scintigraphy of cardiac cavities	*scintigraphie des cavités cardiaques*
left ventricular ejection fraction (LVEF)	*fraction d'éjection ventriculaire gauche (FEVG)*
ventricular wall motion	*cinétique des parois ventriculaires*
LVEF has collapsed.	*La FEVG est effondrée.*
lung scintigraphy	*scintigraphie pulmonaire de ventilation et de perfusion*
pulmonary embolism	*embolie pulmonaire*
perfusion stage	*phase de perfusion*
ventilation stage	*phase de ventilation*
inhalation of technetium labelled gas or aerosol	*inhalation d'un gaz ou d'aérosol marqué au technétium*
a mismatch response	*une réponse non appariée*
thyroid scintigraphy	*scintigraphie thyroïdienne*
parallel hole collimator	*collimateur à trous parallèles*
pinhole collimator	*collimateur sténopé / pin-hole*
multi-nodal goiter	*goîtres multinodulaires*
kidney scintigraphy	*scintigraphie rénale*
positron emission tomography (PET)	*tomographie par émission de positons (TEP)*
the cyclotron generates high-energy particles	*le cyclotron génère des particules haute-énergie*
bombard a target	*frapper une cible*
the biosynthetiser fixes unstable nuclei onto a biologically significant molecule	*le biosynthétiseur fixe des noyaux instables sur une molécule d'intérêt biologique*
stick onto a molecule	*se coller à une molécule*
magnetic field	*champ magnétique*
electric field	*champ électrique*
glucose consumption	*consommation en glucose*
fluoro-deoxy-glucose (FDG) labelled with fluorine-18	*le fluoro-déoxy-glucose (FDG) marqué au fluor-18*
short half life	*demi-vie courte*
oxygen for blood-flow studies	*l'oxygène pour les études sur le débit sanguin*
multi-ring structure	*structure multi-anneaux*
crystal detector	*détecteur à cristaux*
positron camera	*caméra à positons*
slice of the body	*tranche du corps*
multi-slice imaging	*imagerie multi-coupe*
ring fitted with detectors	*anneau équipé de détecteurs*
coincidence detection	*détection en coïncidence*
detect an event	*détecter un événement*
time lag	*retard*
cerebral activity stimulated by paradigm	*activité cérébrale stimulée par des paradigmes*
all images are scaled	*toutes les images sont calibrées*
scaling	*calibration*

2. Plain film radiography / X-ray *Radiographie standard*

radiographer / X-ray technician	*le manipulateur radio*
X-ray examination table	*la table d'examen radiologique*
X-ray beam	*faisceau à rayons X*
X-ray tube	*le tube à rayons X*
beam collimation width	*largeur de collimation du faisceau*
X-ray filter	*filtre radiologique*
control panel / control desk	*le pupitre de commande*
contrast medium injector	*l'appareil pour injection de produits de contraste*
X-ray image intensifier	*l'amplificateur de brillance*
C-shaped frame	*le bâti en C*
film developer	*la reprographie*
monitor	*l'écran de contrôle*
swivel-mounted monitor support	*le bras pivotant de l'écran de contrôle*
pillow	*l'oreiller*
irradiation screen	*écran de protection*
digital image processing	*numérisation de l'image*
blurred image	*image floue*
sharp image	*image nette*
mammography	*mammographie*

3. Computed tomography (CT) scan *Scanner*

roundabout path	*trajet circulaire*
power source	*alimentation*
wall outlet	*prise murale*
power supply cables	*cables d'alimentation*
the cable's reach is restricted	*la longueur du cable est limitée*
tube heat capacity	*capacité thermique du tube*
over heating	*surchauffe*
tube cooling	*refroidissement du tube*

high voltage generator	*générateur radiologique*
wind	*embobiner / enrouler*
rewind	*rembobiner*
unwind	*dérouler*
the gantry	*le portique*
scanning gantry	*cadre tomographique*
gantry aperture	*tunnel d'exploration*
table speed / feed	*vitesse d'avancement de la table*
detection array	*matrice de détecteurs*
the window of scanning time	*la fenêtre d'acquisition*
spiral / helical CT scan	*scanner spiralé*
slip-ring technology	*technologie basée sur les contacts à brosse*
slip against	*se glisser contre*
one slip-ring rotation	*une rotation d'un tour*
the pitch	*le pas d'hélice*
reconstruction algorithm	*algorithme de reconstruction*
data spread	*étalement des données*
computer power	*puissance informatique*
the examination	*l'examen*
swallow a contrast agent / medium	*avaler un agent de contraste / produit de contraste*
Lie down on the bed.	*Allongez-vous sur le lit.*
Put your head on the head-rest.	*Mettez la tête sur l'appui-tête.*
Don't move during the examination.	*Ne bougez pas pendant l'examen.*
intravenous injection of contrast agent	*injection de produit de contraste par voie intraveineuse*
The table will advance slowly.	*La table va avancer lentement.*
Hold your breath.	*Ne respirez plus.*

4. Magnetic resonance imaging (MRI) *Imagerie par résonance magnétique (IRM)*

nuclear magnetic resonance (NMR)	*résonance magnétique nucléaire (RMN)*
whole body magnet	*aimant corps entier*
magnet shielding	*blindage*
low / high magnetic field	*champ magnétique faible / élevé*
low / high field machine	*appareil bas / haut champ*
superconducting magnet	*aimant supraconducteur*
Faraday shield / cage	*cage de Faraday*
radio-frequency transmitter	*émetteur radiofréquence*
receiver coil / antenna	*antenne de reception*
head coil	*antenne crâne*
body coil	*antenne corps entier*
spine coil	*antenne rachis*
scout image	*image de repérage*
transverse / axial image	*coupe transversale / axiale*
sagittal image	*coupe sagittale*
coronal image	*coupe coronale / frontale*
oblique slice	*coupe oblique*
double oblique	*double obliquité*
relaxation time	*temps de relaxation*
T1-weighted image	*image pondérée en T1*
gated / synchronised sequence to ECG	*séquence synchronisée à l'ECG*
dark-blood imaging	*imagerie en sang noir*
bright-blood imaging	*imagerie en sang blanc*
air-bone susceptibility artifact	*artéfact de susceptibilité à l'interface air-os*
breath-hold sequence	*séquence en apnée*

5. Ultrasound imaging / echography / sonography / ultrasound scan *Echographie*

acoustic coupling gel / scanning gel	*gel de contact*
amplitude brightness (AB) mode ultrasonography	*échographie mode AB*
amplitude (A) modulation ultrasonography / A-mode ultrasonography	*échographie d'amplitude / en mode A*
brightness (B) modulation ultrasonography / B-mode ultrasonography	*échographie d'amplitude / en mode B*
ultrasonic scanner	*échographe*
ultrasonic probe / probe transducer	*sonde échographique / ultrasonore*
electronic phased-array sector scanner	*échographie à déphasage*
phased-array sector scanning	*balayage électronique à déphasage*
electronic scanner	*échographie à balayage électronique / à barrette*
mechanical rotating transducer	*sonde à cristal rotatif*
mechanical sector scanner	*échographe sectoriel mécanique*
mechanical sector scanning	*balayage sectoriel mécanique*

multi-element linear array probe	*sonde / barrette linéaire*	doppler effet	*effet doppler*
real-time ultrasonography	*échographie en temps réel*	doppler probe	*sonde doppler*
real-time ultrasonic scanner	*échographe en temps réel / dynamique*	doppler ultrasonography	*échographie doppler*

6. Digital vascular imaging — *Angiographie numérisée*

digital vascular imaging system	*appareil d'angiographie numérisée*	angiographic catheter	*angiocathéter*
digital video angiography	*angiographie numérisée*	souple tube	*tige souple*
arch gantry	*statif à arceau*	angiographic injector / dye injector	*injecteur angiographique*
angiographic examination table	*la table d'angiographie*		

Alternative medicine
Médecines parallèles

I. General background *Généralités*

practise conventional / traditional / allopathic medicine	*pratiquer une médecine conventionnelle / traditionnelle / allopathique*
complementary medicine / alternative medicine / fringe medicine / unconventional medicine	*médecine parallèle / alternativc / douce / non conventionnelle*
practise complementary medicine	*exercer une médecine alternative*
complementary therapy	*traitement par médecine douce*
a complementary therapist	*un praticien des médecines alternatives*
increasc dramatically in the past twenty years	*augmenter considérablement pendant ces vingt dernières années*
claim to improve health	*affirmer améliorer la santé*
supposed to enhance the effect of conventional therapy	*censé augmenter l'effet de la médecine traditionnelle*
acupuncture	*acupuncture*
acupuncturist	*acupuncteur*
chiropody	*chiropodie*
chiropractic	*chiropraxie*
chiropractor	*chiropracteur*
herbalism	*usage des plantes*
homeopathy	*homéopathie*
homeopath	*homéopathe*
hypnosis	*hypnose*
hypnosis practitioner / hypnotherapist	*hypnotiseur*
massage	*massage*
massage therapist	*masseur*
naturopathy	*naturopathie*
osteopathy	*ostéopathie*
osteopath	*ostéopathe*
physiotherapy	*physiothérapie*
physiotherapist	*physiothérapeute*
reflexology	*réflexologie*
yoga	*yoga*
an umbrella body	*une instance responsable*
They must register with an appropriate regulatory body.	*Ils doivent être enregistrés auprès d'un organisme régulateur approprié.*
regulated by statute	*encadré par un statut*
ensure certain minimum standards	*assurer un certain nombre de normes minimum*
a registered practitioner	*un praticien reconnu par ses instances*
check credentials and references	*vérifier les titres et références*
turn to complementary medicine	*se tourner vers la médecine alternative*
patients with chronic and difficult to manage discases	*malades porteurs d'affections chroniques difficiles à prendre en charge*
consult a complementary therapist	*consulter un praticien de médecine alternative*
have difficult persisting problems	*avoir des problèmes difficiles et persistants*
not respond to a conventional treatment	*ne pas répondre à un traitement conventionnel*
not provide a satisfactory solution to	*ne pas apporter de solution satisfaisante à*
a long-standing condition	*une affection de longue durée / qui traîne*
Patients can use the two systems concurrently.	*Les malades peuvent utiliser les deux systèmes concurremment.*
reduce prescribing and referral	*réduire les prescriptions et le recours à un autre médecin*
deliver safe, cost effective solutions	*apporter des solutions sans danger et peu coûteuses*

maintain a level of general wellness	*maintenir un niveau de bonne santé*
a course of chiropractic treatment for	*une série de soins en chiropraxie pour*
report significant improvements	*signaler des améliorations sensibles*
ensure compliance with essential conventional medication	*s'assurer que le malade prend bien le traitement conventionnel nécessaire*
Further responsibility regarding the complementary treatment is taken over by the specialist doctor.	*Le spécialiste du traitement alternatif assure la responsabilité de son traitement.*
make complementary medicine available to people at large	*mettre la médecine alternative à la portée de tous*

II. Acupuncture — *Acupuncture*

stimulation of special points on the body	*stimulation de points particuliers sur le corps*
insert a fine needle	*insérer une fine aiguille*
the workings of the human body	*le fonctionnement du corps humain*
be controlled by a vital force	*être assujetti à une force vitale*
Energy must flow in the correct strength through each of the meridians.	*L'énergie doit circuler avec la force qui convient dans chacun des méridiens.*
aim at restoring balance	*se proposer de rétablir l'équilibre*
the tenderness of points on one part of the body	*chaque point sensible sur une partie du corps*
have agreement with the location of chronic pain	*correspondre au siège d'une douleur chronique*
a distant part of the body	*une partie éloignée du corps*
supplement a detailed case history	*fournir un compte-rendu détaillé des antécédents*
needle the trigger point for a few seconds	*manipuler les points de stimulation pendant quelques secondes*
stimulate by manual twirling	*stimuler en faisant rouler l'aiguille entre ses doigts*
not insert the needle away from a true point	*ne pas insérer l'aiguille loin du vrai point*
experience a sensation of heaviness or numbness at the point of needling	*éprouver une sensation de lourdeur, d'engourdissement à l'endroit où est l'aiguille*
used in drug and alcohol addiction	*utilisé pour traiter les dépendances à l'alcool et aux drogues*
Acupuncture is used in pain conditions.	*L'acupuncture est utilisée dans les cas de douleurs.*

III. Herbal medicine — *Médecine par les plantes*

use of plants for healing purposes	*utiliser des plantes dans le but de guérir*
ancient herbal tradition	*très ancienne tradition de l'utilisation des plantes*
Effective drugs used to be plant-based.	*Jadis, les drogues efficaces provenaient des plantes.*
Pharmaceutical laboratories have engaged in the screening of herbs.	*Les laboratoires pharmaceutiques se sont lancés dans l'analyse poussée des plantes.*
They are ascribed cooling or stimulating qualities.	*On leur attribue des vertus calmantes ou stimulantes.*
match a particular herb to a particular disease	*associer une plante particulière à une maladie particulière*
use non-adulterated plant extracts	*utiliser des extraits de plante purs*
contain different constituents	*contenir différents composants*
take extensive case history	*s'enquérir longuement sur les antécédents*
combine herbs to improve efficacy	*mélanger les plantes pour améliorer l'efficacité*
prescribe individualised combinations of herbs	*prescrire des mélanges individualisés de plantes*
produce persisting improvement in well-being	*produire une amélioration durable de l'état général*
treat the underlying cause of disease	*représenter un traitement de fond de la maladie*

IV. Homeopathy — *Homéopathie*

use very low dose preparations	*utiliser des préparations à doses très faibles*
like should be cured with like	*traiter le mal par le mal*
select a drug	*choisir un médicament*
able to cause your presenting symptoms	*en mesure de provoquer vos symptômes présents*
prepare the remedy	*préparer le remède*
a process of serial dilution and succussion	*une série de dilutions et d'agitations successives*
dilute to a great degree	*atteindre un grand degré de dilution*
Not a single molecule of the original solute is likely to be present.	*Il ne reste pratiquement pas une seule molécule du soluté de départ.*
identify the single medicine matching a patient's general constitution	*identifier le seul médicament qui correspond à l'état général du malade*
build up a symptom picture of the patient	*se donner une représentation précise du symptôme du malade*
match with a specific drug	*associer à un médicament particulier*
Few conditions are outside the remit of homeopathy.	*Peu d'affections restent en dehors du champs de l'homéopathie.*
Allopathic drugs are said to reduce the efficacy of homeopathy.	*Les médicaments allopathiques sont censés diminuer l'efficacité de l'homéopathie.*
not fail to comply with conventional treatment while using homeopathy	*ne pas oublier de suivre son traitement habituel quand on utilise l'homéopathie*

V. Osteopathy and chiropractic — *Ostéopathie et chiropraxie*

a manipulative therapy	*un traitement par manipulation*
folk tradition of bone setting	*tradition populaire de remise en place des os*
work with bones, muscles and connective tissues	*travailler sur les os, les muscles et le tissu conjonctif*
the high velocity thrust	*l'impulsion brève et puissante*
a sharp motion applied to the spine	*un déplacement brusque de la colonne vertébrale*
produce the sound of joint cracking	*produire un craquement articulaire*
Chiropractors are more likely to push on vertebrae with their hands.	*Les chiropracteurs exerceront plutôt des pressions manuelles sur la colonne vertébrale.*
Osteopaths tend to use the limbs to make levered thrusts.	*Les ostéopathes utiliseront plutôt les membres pour obtenir un effet de levier.*
treat hip pain by applying a gentle, prolonged pull to the leg	*traiter la douleur de hanche en appliquant une traction douce et prolongée sur la jambe*
slowly rotate the leg in the hip joint	*opérer une rotation légère de la jambe dans l'articulation de la hanche*
gently handle the bones	*manipuler les os sans brutalité*
Manipulative therapy is not of profit for problems related to fractures.	*Le traitement par la manipulation n'est d'aucun profit en cas de fractures.*
It is not unusual to experience mild pain at the site of manipulation	*Il n'est pas rare d'éprouver une petite douleur là où s'est faite la manipulation.*

VI. Massage therapies — *Le massage*

manipulate the soft tissues of the body	*manipuler les tissus mous du corps*
tailor treatment to individual needs	*ajuster le traitement aux besoins du sujet*
give a head and neck rub for a distressed patient	*masser la tête et les épaules d'un malade qui souffre*

bring about short-term improvement	*apporter une amélioration rapide*
improve the circulation of the blood and lymph	*améliorer la circulation du sang et de la lymphe*
help patients feel cared for	*faire en sorte que le malade sente qu'on s'occupe de lui*
use a variety of strokes	*utiliser un ensemble de caresses*
use a gentle, calming and flowing technique	*utiliser une technique douce, apaisante et sans à-coups*
massage the disordered reflex zones	*faire un massage des zones réflexes atteintes*
Aromatherapy makes use of lubricants.	*L'aromathérapie fait usage de lubrifiants.*
have a wide range of medicinal properties	*offrir un large spectre de propriétés médicinales*
good effect on wound healing	*effet positif sur la cicatrisation*
absorb into the blood through the skin	*absorption sanguine à travers la peau*

VII. Hypnosis and relaxation therapies — *L'hypnose et les techniques de relaxation*

stretches and breathing exercises	*étirements et exercices de respiration*
induce a deeply relaxed state	*induire un état de profonde détente*
suggest that smoking is no longer pleasurable	*suggérer que le tabac ne procure plus de plaisir*
be in a hypnotic trance	*être dans une transe hypnotique*
The conscious mind presents fewer barriers to external stimulations.	*La conscience offre moins de barrières aux stimulations extérieures.*
tense a group of muscles	*contracter un groupe de muscles*
hold the contraction for 15 seconds	*rester contracté pendant 15 secondes*
release it while breathing out	*relâcher en expirant*
encourage deepening and slowing of the breath	*encourager une respiration plus ample et plus lente*
let go of tension	*relâcher la tension*
still the mind.	*mettre l'esprit en repos*
empty the mind	*vider l'esprit*
remain alert	*rester vigile*
in an upright position	*dans une position redressée*
be able to induce self hypnosis	*être capable de s'auto-hypnotiser*
after the course is completed	*une fois que le cours est terminé*
teach self hypnosis to antenatal groups	*enseigner l'auto-hypnose à des futures mères*
attend relaxation classes	*se rendre à un cours de relaxation*
a disorder with a strong psychological component	*une affection avec une forte composante psychologique*

VIII. Nutritional medicine — *Se nourrir autrement*

vegetarianism	*être végétarien*
veganism	*être un végalien*
macrobiotics	*la macrobiotique*
diet as inseparable from lifestyle	*le régime alimentaire comme élément du style de vie*
elimination dieting	*le régime pour éliminer*
reintroduce problem substances into the diet	*réintroduire dans sa nourriture les aliments qui ont posé un problème*
be sensitive to a different set of food	*être attiré par un autre type de nourriture*
a health food store	*un magasin pour aliments diététiques*
organic food	*nourriture biologique*
a food supplement	*un complément en nourriture*
supplementation with products such as fish	*complémentation avec des produits tels que le poisson*
a high fibre diet	*un régime riche en fibres*
rich in fruit	*riche en fruits*
take nutritional supplements in pill form	*absorber des compléments nutritionnels sous forme de pilule*

There is some overlap between herbal and nutritional supplements.	*Il existe une zone de recouvrement entre les compléments par les plantes et les compléments nutritionnels*
advise a patient to undertake a limited fast	*conseiller au patient d'entreprendre un jeûne limité*
reduce intake of food	*réduire la quantité de nourriture*
exclusion dieting	*régime d'exclusion*
Unconventional diets are claimed to have benefits in specific conditions.	*Les régimes non conventionnels sont supposés bénéfiques dans certaines affections.*
the naturopathic approach to chronic disease	*l'approche de la maladie chronique par la naturopathie*
The drawbacks of any dietary change can be social disruption.	*Les inconvénients de tout changement d'habitudes alimentaires sont la perte de sociabilité.*
not sharing meals with friends.	*la dispatition de repas pris avec des amis.*
deficiency in nutrients.	*une déficience en nutriments.*
a highly restrictive pattern of eating.	*un régime carencé.*
It is dangerous for a lactating woman.	*C'est dangereux pour une femme qui allaite.*

Preventive medicine
Médecine préventive

I. Drinking — *L'alcoolisme*

1. General background — *Généralités*

drink	*boire*
soft drink	*boisson sans alcool*
stiff / strong drink	*boisson forte / alcoolique*
drink to someone's health	*boire à la santé de quelqu'un*
go for a drink	*aller prendre un verre*
have a drink	*prendre un verre*
take to drinking	*se mettre à boire*
beverage	*boisson / breuvage*
alcoholic beverages	*boissons alcooliques*
sip	*siroter*
take a sip	*prendre une petite gorgée*
take in	*absorber*
ingest	*ingérer*
gulp	*engloutir*
drinkers	*les buveurs*
problem drinker	*alcoolique / buveur à problèmes*
alcoholic	*alcoolique*
alcoholism	*l'alcoolisme*
drink heavily	*boire beaucoup*
heavy / serious drinker	*gros buveur / buveur excessif*
light drinker	*petit buveur*
chronic / persistent drinker	*buveur chronique*
a drunkard	*un ivrogne*
drinking buddy	*compagnon de boisson*
a drunk	*un ivrogne*
a boozer	*un pochard / un mauvais bistrot*
booze	*la boisson / l'alcool*
drinking habits	*habitudes de buveur*
statistics for alcohol consumption	*statistiques sur la consommation d'alcool*
the respondent's drinking over a considerable period of time	*la consommation du sujet interrogé sur une longue période de temps*
aggregate consumption level	*consommation globale d'alcool*
overall consumption	*consommation totale*
quantity drunk per occasion and over time	*quantité absorbée à chaque fois, dans le temps*
an amount of alcohol	*une quantité d'alcool*
consumption per head / per capita consumption	*consommation par tête / par habitant*
intake of alcohol per day	*consommation quotidienne d'alcool*
calculate from data on imports and exports	*calculer à partir des chiffres des importations et des exportations*
density of alcohol outlets	*densité des débits de boisson alcooliques*
outlets for sale of alcoholic beverages per head of population	*points de vente de boissons alcooliques par habitant*
population distribution of alcohol consumption	*répartition de la consommation d'alcool dans la population*
no cut-off point to distinguish between light and heavy drinkers	*absence de démarcation entre les petits et les gros buveurs*
recorded and unrecorded alcohol consumption	*consommation d'alcool déclarée et non déclarée*
variations in unrecorded consumption	*les variations de la consommation d'alcool non déclarée*
national consumption shown by records of tax and excise duties on alcohol	*consommation nationale d'alcool attestée par le montant des taxes et droits prélevés sur l'alcool*

reliable data to be had from Excise	données fiables disponibles auprès du service des Contributions indirectes
have particular taxes for each type of alcoholic beverage	adapter la taxation au type de boisson alcoolique
sales statistics	les chiffres des ventes
wholesale and retail companies	grossistes et détaillants
externalities	coûts indirects
adverse costs of alcohol	coûts indirects de l'alcool
embrace such sectors as health, welfare and road traffic	englober des secteurs comme la santé, les soins et la circulation automobile
the cost of law enforcement and the penal system	le coût de l'application de la loi et le système pénal
social cost of alcohol	coût social de l'alcoolisme
passive recipients	les victimes indirectes de l'alcool
costs borne by the family	coûts supportés par les proches
ruin a family	détruire une famille
the alcoholism toll	les dégâts de l'alcool
claim lives	faire des victimes

2. Drinking and health — *Alcool et santé*

alcohol-related harm	dommages liés à l'alcool
adverse effects	effets indésirables
alcohol-related problem	problème associé à l'alcool
a drinking problem	un problème lié à l'alcool
physical illnesses	atteintes physiques
hazardous / harmful use	usage dangereux
A pattern of alcohol use that increases the risk of harmful consequences.	Un type de consommation d'alcool qui augmente les risques de conséquences nocives.
long-term heavy use	l'absorption de doses importantes à long terme
a wide variety of organic mental disorders	une grande variété de troubles mentaux d'origine organique
drinking pattern	comportement face à l'alcool
evidence for dose-response relationship	preuves de la relation dose / effet
alcohol consumption and risk of liver cirrhosis	consommation d'alcool et risque de cirrhose du foie
alcoholic cirrhosis	cirrhose alcoolique
pancreatitis	pancréatite
cancer of the mouth	cancer de la bouche
breast cancer	cancer du sein
acute hepatitis	hépatite aiguë
depressive episodes secondary to heavy intakes	épisodes dépressifs suite à des consommations élevées
detrimental to sexual attractiveness	préjudiciable à la séduction
impaired sporting ability	capacités sportives diminuées
There is a positive relationship between overall consumption and suicide.	Il existe une relation positive entre la consommation totale et le suicide.
traffic fatalities.	les accidentés de la route.
violence towards others.	violence envers autrui.
a range of physical and social consequences	un ensemble de conséquences physiques et sociales
lose one's sense of self-respect	perdre le respect de soi
acute alcohol problems	problèmes aigus liés à l'alcool
ingestion of	ingestion de
drink to unconsciousness	boire jusqu'à perte de conscience
ethylic / alcoholic coma	coma éthylique
black out from drinking	ivre à perdre connaissance
a blackout	une perte de connaissance
in a drunken stupor	abruti par l'alcool
poison oneself	s'empoisonner
cause unintentional injury to	provoquer des blessures involontairement à
self-inflicted injury	se blesser volontairement
drunkenness	l'ivresse
exhilaration after light drinking	état d'euphorie après avoir bu légèrement
exhilarated	gai / euphorique
merry	gai
tipsy	éméché
inebriated / intoxicated	ivre
inebriation	ivresse
He's had too much to drink.	Il a trop bu.
a case of drunkenness	un cas d'ivresse
get drunk	s'enivrer
drunk	ivre
dead drunk	ivre mort
drunk and disorderly	manifestement en état d'ivresse
be the worse for liquor	être sous l'emprise de l'alcool
a drinking bout	une beuverie
a prolonged drinking bout	une longue beuverie
drunken symptoms	symptômes de l'ivresse
the gait	la démarche
unsteady	instable

teeter	*vaciller*
stagger	*chanceler*
reel	*tituber*
Delirium tremens (DTs)	*delirium tremens*
hallucination	*hallucination*
dull perceptions	*émousser les perceptions*
suffer memory loss	*avoir des pertes de mémoire*
hang-over	*gueule de bois*
have a hang-over	*avoir la gueule de bois*
have the shakes	*être atteint de tremblements / avoir la tremblote*
hand tremors	*tremblement des mains*
wake up trembling	*se réveiller en tremblant*
slurring of words	*paroles indistinctes*
anxiety	*anxiété*
withdrawal syndrome	*syndrome de sevrage*
seizure	*crise*
stuporous sleep	*sommeil profond*
numb one's self awareness	*neutraliser la vigilance*
slow reactions	*réactions lentes*
impair the ability to	*affecter la capacité à*
suffer the physical pangs of	*être en proie à des souffrances physiques causées par*
<u>social consequences</u>	<u>*conséquences sociales*</u>
blame alcohol for	*rendre l'alcool responsable de*
disrupt family life	*perturber la vie de famille*
account for family troubles	*être responsable de difficultés familiales*
endure alcoholism	*supporter l'alcoolisme*
spread of divorce	*augmentation des divorces*
breed absenteeism	*engendrer l'absentéisme*
behavioural problem	*problème de comportement*

3. Alcohol products — *Les produits de l'alcool*

absolute alcohol / pure alcohol	*alcool pur / absolu / à 100 degrés*
ethanol containing not more than 1% by mass of water	*éthanol ne contenant pas plus de 1 % d'eau*
alcohol content	*contenu en alcool*
organic compounds derived from	*composés organiques dérivés de*
a class of compounds	*une classe de composés*
Ethanol is the main psychoactive ingredient in alcoholic beverages.	*L'éthanol est le principal agent psychoactif dans les boissons alcooliques.*
non-alcoholic beverage	*boisson sans alcool*
spirits	*spiritueux*
proof of alcohol	*teneur en alcool*
low proof	*à faible teneur en alcool*
low alcohol brew	*pauvre en alcool*
a 100° proof	*à 100 degrés*
<u>wine</u>	<u>*vin*</u>
bottled wine	*vin en bouteille*
white wine	*vin blanc*
red wine	*vin rouge*
sparkling	*pétillant*
strong-bodied	*corsé*
fizzy / sparkling	*mousseux*
<u>other alcoholic beverages</u>	<u>*autres boissons alcooliques*</u>
beer	*bière*
cider	*cidre*
scotch whisky	*whisky écossais*
whiskey	*whisky irlandais*
bourbon	*bourbon*
liquor / spirits	*alcool / spiritueux*
hard liquor (US)	*alcool fort*
a liqueur	*une liqueur*
aperitif	*apéritif*
brandy / digestive	*eau de vie / cognac / digestif*
rum	*rhum*
port	*porto*
sherry	*xérès*
<u>alcohol making and marketing</u>	<u>*la fabrication et le commerce de l'alcool*</u>
a brewery	*une brasserie*
a distillery	*une distillerie*
a drinks outlet	*un point de vente de boissons*
a liquor store	*un magasin de vins et spiritueux*
licensed for selling	*autorisé à vendre / commerce autorisé*
have a licence (GB) / license (US)	*avoir une licence d'exploitation*
an off-licence shop	*un magasin de vins et spiritueux*
catering / hospitality industry	*la restauration*
a pub / a public house	*un débit de boisson*
a bar	*un bar*
a bartender	*un barman*
to be consumed on the premises	*à consommer sur place*
<u>home brewing</u>	<u>*la fabrication d'alcool chez soi*</u>
home-produced alcohol	*alcool fabriqué chez soi*
distil	*distiller*
a still	*un alambic*

4. Quitting alcohol — *Cesser de boire*

<u>picking up the habit</u>	*<u>prendre l'habitude de boire</u>*
take up a habit	*prendre une habitude*
take to / up drinking	*se mettre à boire*
be pressured / encouraged by peers into drinking	*être entraîné à boire sous la pression du groupe*
drink to socialise	*boire entre amis*
have a social drink	*prendre un verre entre amis*
recreational drinking	*boire pour le plaisir*
experiment with alcohol	*toucher à l'alcool*
have a low tolerance for alcohol	*mal supporter l'alcool*
<u>alcohol dependence</u>	*<u>la dépendance à l'alcool</u>*
alcohol abuse	*abus d'alcool*
become addicted to alcohol	*être dépendant de l'alcool*
be in the grip of alcohol	*être prisonnier de l'alcool*
have an obsessive desire to drink	*avoir un besoin maladif de boire*
a need for repeated doses to feel good or to avoid feeling bad	*un besoin répété de boire pour se sentir bien ou éviter de se sentir mal*
Alcohol intoxication may result in poisoning.	*L'intoxication alcoolique peut déboucher sur un empoisonnement.*
<u>abstinence</u>	*<u>l'abstinence</u>*
go dry	*cesser de boire*
stay dry	*ne plus toucher à l'alcool / avoir arrêté de boire*
get on the wagon	*rejoindre les rangs / passer dans le camp des non-buveurs*
go on the wagon	*décider de ne plus boire*
be on the wagon	*ne pas boire*
stay / keep on the wagon	*ne plus toucher à l'alcool*
sober	*sobre*
get sober	*arrêter de boire*
soberness / sobriety	*sobriété*
refrain / abstain from drinking	*s'abstenir de boire*
swear off drink	*jurer de ne plus boire*
take the temperance pledge	*faire vœu d'abstinence*
kick the habit	*se désintoxiquer*
abstainer / non-alcoholic	*personne qui ne boit pas / abstinent / non-buveur*
regain one's health	*recouvrer la santé*
pull one's life together	*reprendre sa vie en main / se reprendre*
recover from alcohol abuse	*guérir de l'alcoolisme*
a recovered alcoholic	*un alcoolique repenti / un ancien alcoolique*
surrogate	*substitut*
<u>prevention</u>	*<u>prévention</u>*
primary health care	*soins de première intention*
health care made accessible	*les soins deviennent accessibles*
at a cost the community can afford	*à un coût que la collectivité peut supporter*
methods that are practical	*des méthodes vraiment utilisables*
scientifically sound	*scientifiquement bien établi*
socially acceptable	*socialement acceptable*
vehicle for the delivery of health care	*vecteur de diffusion des soins*
screening in health care setting	*mesures de dépistage en milieu médical*
Patients might present themselves spontaneously.	*Les patients peuvent se présenter spontanément.*
<u>early intervention</u>	*<u>intervention précoce</u>*
It is directed particularly at individuals who...	*Elle s'adresse d'abord aux sujets qui...*
develop physical dependence	*développer une dépendance physique*
brief intervention	*intervention de courte durée*
structured therapy of short duration	*intervention structurée de courte durée*
designed in particular for GPs and healthcare workers	*conçu particulièrement pour les omnipraticiens et les personnels de santé*
the aim is to assist an individual to cease the use of	*le but est d'aider le sujet à cesser sa consommation de*
<u>treatment program for alcoholism</u>	*<u>programme de traitement de l'alcoolisme</u>*
treatment centre (GB) / center (US)	*centre de traitement*
therapy session	*séance de thérapie*
temperate meeting	*réunion d'anti-buveurs*
dry out	*se désintoxiquer*
drying out regimen	*régime sec*
<u>follow up</u>	*<u>suivi</u>*
a plan for follow up	*l'organisation du suivi*
Arranging follow up is a critical step.	*L'organisation du suivi est décisive.*
hand out written material	*distribuer de la documentation écrite*
a hand out	*un dépliant*
accompanying diet	*régime alimentaire associé*
<u>relapse</u>	*<u>la rechute</u>*
Abstinence is compulsory.	*L'abstinence est une obligation.*
Relapse is integral to the drinking cessation process.	*Le rechute fait partie intégrante du processus d'arrêt de l'alcoolisme.*
relapse as a learning experience	*la rechute comme enseignement*
a quit attempt	*une tentative d'arrêt*
office staff involvement	*implication du personnel / des collaborateurs*
deliver brief follow up	*assurer le suivi à court terme*

quit rate	*taux de réussite*
avoid relapse	*éviter la rechute*
be off the wagon again	*se remettre à boire*
Temperance society / teetotal league	*ligue antialcoolique / association d'abstinents*
teetotaller	*abstinent / personne qui ne boit jamais d'alcool*
mutual self-help group	*groupe d'entraide*
Alcoholic Anonymous (AA)	*Alcooliques Anonymes*
a chapter of AA	*association locale des AA.*
Mothers Against Drunk Driving (MADD)	*les mères contre l'alcool au volant*
National Council on Alcoholism	*comité national contre l'alcool*
Participants support each other.	*Les participants s'entraident.*
reverse a drink problem	*guérir un problème d'alcoolisme*

5. Fighting alcohol — *La lutte contre l'alcoolisme*

the anti-drinking campaign	*la campagne antialcoolique*
fight against alcoholism	*lutte contre l'alcoolisme*
discourage drinking	*dissuader de boire*
wage a campaign	*mener une campagne*
run an anti-alcohol drive	*mener une campagne contre l'alcool*
anti-drinking measures	*mesures / dispositions contre l'alcoolisme*
carry a health warning label	*comporter une mise en garde écrite*
act as a disincentive with	*avoir un effet dissuasif auprès de*
deter people from	*dissuader les gens de*
alcohol policy	*politique en matière d'alcool*
protect public health from the adverse effects of drinking alcohol	*protéger la population des effets nocifs de l'alcool*
at national level	*à l'échelle du pays*
the aggregate of measures to this aim	*la combinaison des mesures à cet effet*
harm reduction strategies	*stratégie visant à réduire les effets nocifs*
prevention and treatment policies	*politique de prévention et de traitement*
a society seeking to play down the severeness of alcohol problems	*une société qui s'efforce de minorer la gravité des problèmes liés à l'alcoolisme*
alcohol economy	*la dimension économique de l'alcool*
counterbalance claims as to the economic benefits of alcohol	*contrer l'affirmation que l'alcool est rentable économiquement*
the traditional analysis in terms of cost versus benefit shows that the benefits outweigh the costs of	*l'analyse habituelle en termes de coût / bénéfice montre que les bénéfices l'emportent sur*
public good	*l'intérêt public*
public health advocacy	*agir pour la santé publique*
an action devoted or directed to promotion of the general welfare of the community as a whole	*une action menée dans le but de favoriser la santé de tous*
the job of policy	*la tâche des politiques / l'objet de la politique*
in the public interest	*pour le bien de tous*
The requisite policies are alcohol policies.	*Les politiques qui s'imposent sont des politiques réglementaristes.*
health professionals with perceived authority in health	*les professionnels de la santé qui font autorité en la matière*
community action	*intervention de proximité*
reduce alcohol-related harm	*réduire les effets nocifs associés à l'alcool*
a combined approach	*une approche combinée*
personal health behaviour	*comportement individuel vis-à-vis de la santé*
community's acceptance	*acceptation par la communauté*
active backing	*soutien actif*
integral to alcohol policies	*faire partie intégrante d'une politique de santé*
mobilise community resources and support	*mobiliser les ressources et le soutien de la communauté*
alcohol taxation	*taxes sur l'alcool*
taxes added to the price of	*taxes qui s'ajoutent au prix de*
over and above the cost of production	*qui s'ajoute au coût de production*
beverages for sale	*boissons en vente*
an effective policy	*une politique efficace*
a readily available instrument	*un outil facile à mettre en œuvre*
avert alcohol-related suffering	*éviter toute souffrance liée à l'alcool*
take health interests into account	*prendre en compte la santé*
revenue from alcohol	*les revenus tirés de l'alcool*
national income	*le revenu du pays*
funds earmarked for specific health promotion purposes	*fonds réservés à la promotion d'un besoin sanitaire spécifique*
alcohol monopoly	*monopole en matière d'alcool*
remove the profit motive	*faire disparaître l'attrait du profit*

operated sensitively in the interest of the public	*manié avec discernement dans l'intérêt de le collectivité*
put health first	*placer la santé au premier plan*
drive alcohol sales downwards	*faire fléchir les ventes d'alcool*
guarantee implementation of control policies	*garantir que la politique de contrôle sera mise en application*
price elasticity	*variabilité des prix*
sensitivity of demand to changes in price	*la sensibilité de la demande aux variations de prix*
price elasticity values studied for alcohol	*variabilité des prix adaptée à l'alcool*
alcohol control	***contrôle de l'alcool***
control of production	*réglementation de la production*
programmes (GB) / programs (US) directed at reducing consumer demand	*programmes visant à diminuer la demande*
applied primarily to education	*d'abord appliqué en milieu éducatif*
supply reduction	*réduction de l'offre*
a set of regulations restricting	*un ensemble de mesures qui restreignent*
administered by government agencies	*administré par des services de l'Etat*
toughen / ease regulation	*durcir / assouplir la réglementation*
production, trade and purchase	*la production, la vente et l'achat*
curb alcohol abuse	*réduire la consommation excessive d'alcool*
cut back one's consumption	*diminuer sa consommation*
preach the dangers of imbibing	*prêcher les dangers de l'alcool*
prohibition	***interdiction totale***
press for prohibition	*pousser à la prohibition*
ban the sale of	*interdire la vente de*
A policy under which the cultivation, manufacture, and / or sale of alcohol were forbidden.	*Une politique qui stipulait que la culture,la fabrication et / ou la vente de l'alcool étaient interdits.*
Period of national interdiction in the USA (1919-1933) and in various other countries.	*Période d'interdiction aux Etats-Unis entre 1919 et 1933 ainsi que dans un ensemble d'autres pays.*
bootlegger	*trafiquant d'alcool (à cette époque)*
turn prohibitionist	*se déclarer en faveur de l'interdiction de l'alcool*
a commitment to global alcohol control	*promesse de mettre en œuvre un contrôle global de l'alcool*
European alcohol action plan	***plan d'action européen contre l'alcool***
European member states of WHO	*les pays d'Europe membres de l'OMS*
prevent the health risks resulting from	*prévenir les conséquences pour la santé*
a plan intended to support the attainment of	*un projet qui se donne pour but de parvenir à*
health-damaging consumption of alcohol	*consommation d'alcool nocive pour la santé*
achieved through measures to reduce overall levels of	*objectif atteint au moyen de mesures qui réduisent le niveau global de*
measures targeted towards high-risk behaviour	*mesures visant les comportements à haut risque*
a population-based approach	*une démarche globale centrée sur la population*
Strategies which bear on overall alcohol consumption.	*Stratégies qui s'appliquent à la consommation globale d'alcool.*
the occurrence of alcohol-related problems	*l'apparition de problèmes liés à l'alcool*
help people make the right choices for their health	*aider les gens à faire le bon choix pour leur santé*
The problem can be best addressed by...	*La meilleure façon de s'attaquer au problème, c'est de ...*
Policies cannot focus exclusively on...	*Les politiques ne peuvent pas se concentrer exclusivement sur...*
extremes of behaviour	*comportements extrêmes*
widely distributed in the drinking population	*largement répandu chez les buveurs*
Target problems are not only concentrated among heavy drinkers.	*Les problèmes-clefs ne se concentrent pas uniquement chez les gros buveurs.*
mass media campaign	*campagne dans les media*
a campaign organised by a government body	*une campagne organisée par un service de l'Etat*
increase awareness about the risks associated with	*sensibiliser davantage le public aux risques associés à*
a strategy employed by health and welfare sectors	*une stratégie mise en œuvre par les secteurs de santé et de prévention*
broad-based community-wide action	*politique d'intervention globale impliquant tout un groupe*
portrayal of the negative effects of	*description de l'effet négatif de*
strategies for reducing intake	*stratégies pour réduire la consommation*
switching to non-alcoholic beverages	*adopter les boissons non alcooliques*
advocate "moderate" alcohol use	*se faire l'avocat d'un usage «modéré» de l'alcool*
moderate one's drinking habits	*modérer ses habitudes de boisson*
impact on self-reported drinking	*effet sur la consommation d'alcool alléguée*
become health conscious	*devenir soucieux de sa santé*

<u>media advocacy</u>	<u>*rôle des media*</u>
advancing the policy	*sensibilisation à la politique (préconisée)*
shaping the debate	*organisation du débat*
setting the agenda	*mise en place d'un calendrier*
<u>the state versus the alcohol lobby</u>	<u>*l'Etat face aux groupes de pression liés à l'alcool*</u>
advertising	*la publicité*
restrictions on advertising	*restriction de la publicité*
stiffen laws	*durcir la législation*
ban the advertising of alcohol	*interdire la publicité pour l'alcool*
alcohol ad	*pub pour l'alcool*
keep alcohol commercials off TV	*interdire la publicité pour l'alcool à la télé*
curtail advertising	*réduire la publicité*
alcohol lobby	*le lobby de l'alcool*
marketing of alcohol	*la commercialisation de l'alcool*
advertise directly to a consumer group	*faire de la publicité directe à l'attention d'un groupe de consommateurs*
sponsorship of sports	*le parrainage financier de (certains) sports*
<u>self-regulation</u>	<u>*code de bonne conduite*</u>
set a code of practice	*établir un code de bonne pratique*
location of advertisements for alcohol	*emplacements des placards publicitaires pour l'alcool*
councils responsible for issuing guidelines for advertisers	*les autorités responsables de l'élaboration de recommandations à l'attention des publicitaires*
prior clearance procedure	*procédure d'autorisation préalable*
code-establishing trade associations	*déontologie des groupements économiques*
<u>access to alcohol</u>	<u>*accès à l'alcool*</u>
Alcohol is prohibited.	*L'alcool est interdit.*
state retail monopolies	*vente au détail sous monopole d'Etat*
curbs on the number and location of	*une restriction du nombre et de l'emplacement de*
restriction on outlets near schools or workplaces	*diminution des débits à proximité des écoles ou des lieux de travail*
reduce the number of alcohol outlets	*réduire le nombre de points de vente d'alcool*
drinking hours	*heures d'ouverture*
off-drinking hours	*en dehors des heures d'ouverture*
drinking after hours	*consommation d'alcool après les heures d'ouverture*

limit hours of bars / liquor stores	*réduire les heures d'ouverture des bars / des établissements de vente d'alcool*
days and hours of sale	*jours et heures de vente*
type and location of sales outlets	*catégorie et emplacement des débits de boisson*
off-license	*établissement vendant de l'alcool*
a private retail outlet	*un point de vente tenu par un particulier*
licensing of outlets	*autorisation d'ouverture des débits de boisson*
Legal provisions setting the day and hour when sale is permitted.	*Dispositions légales fixant les jours et heures de vente autorisée.*
licensing for consumption on-premises and off-premises	*autorisation pour consommer sur les lieux ou à l'extérieur*
alcohol availability	*l'accès à l'alcool*
wholesale availability	*disponibilité en gros*
retail availability	*vente au détail*
<u>server liability</u>	<u>*responsabilité du débitant de boisson*</u>
be legally liable for resulting harm	*être légalement responsable des conséquences*
traffic accident involving injury	*accident de la circulation avec dommage corporel*
subsequent risk of becoming involved in a traffic accident	*risque d'être impliqué dans un accident de la circulation*
part of preventive policy to encourage safer practices	*élément de la politique de prévention visant à développer les pratiques moins dangereuses*
server training	*formation des professionnels*
training for staff of licensed establishments that sell alcoholic beverages	*la formation du personnel des établissements autorisés à vendre des boissons alcooliques*
a change in the serving and sales practices	*un changement dans les façons de servir et de vendre*
clients leaving a licensed establishment	*les clients qui sortent d'un établissement où la vente est autorisée*
<u>legal drinking age</u>	<u>*âge légal pour la consommation d'alcool*</u>
a regulation on the minimum legal age for purchasing alcohol	*réglementation de l'âge légal minimum pour acheter de l'alcool*
loosely enforced	*appliqué mollement*
the limit is set too low	*l'âge limite est trop bas*
fatalities among young people	*les jeunes victimes de la route*
raise the minimum drinking age	*relever l'âge minimum pour boire de l'alcool*

enactment of a minimum drinking age	*instauration d'un âge minimum pour boire de l'alcool*
the drinking age	*l'âge légal pour consommer de l'alcool*
be of age / under age	*avoir / ne pas avoir l'âge légal*
drinking under age	*consommation de boissons alcoolisées avant l'âge légal*
serve minors	*servir des mineurs*
a proof of identity / an ID	*une pièce d'identité*
assert one's grownupness	*affirmer / revendiquer son identité de personne majeure*
<u>high-risk approach</u>	*<u>prise en charge des situations à haut risque</u>*
responses targeted at specific high-risk behaviours	*réponses apportées à des comportements à haut risque*
situationally directed measures	*mesures adaptées à la situation*
control of alcohol sales at football matches	*réglementation de la vente d'alcool lors des matchs de football*
individually directed measures	*mesures individuelles*
<u>drink-driving</u>	*<u>conduite en état d'ivresse</u>*
Don't drink and drive.	*Au volant, pas d'alcool.*
drunk driver	*conducteur ivre*
driving under the influence (DUI)	*conduite en état d'ivresse*
<u>blood alcohol level (BAL)</u>	*<u>alcoolémie</u>*
alcohol involvement in traffic accidents / car crashes	*rôle de l'alcool dans les accidents de la route*
public awareness on the rise / increase	*prise de conscience accrue du public*
The limits of BAL are being lowered.	*Les niveaux d'alcoolémie sont en diminution.*
become impaired with low BAL	*se retrouver handicapé malgré une faible alcoolémie*
drunk driving laws	*lois / législation contre l'alcoolisme au volant*
programmes that focus directly on drivers	*des programmes qui sont focalisés d'emblée sur les conducteurs*
self-inflating airbags	*coussins d'air gonflables*
injury in accidents as a result of drink-driving	*blessure contractée dans un accident dû à l'alcool*
random breath testing	*contrôle aveugle / au hasard de l'alcoolémie*
A random sample of drivers are stopped.	*On arrête un groupe de conducteurs pris au hasard.*
Ensure that those who are over the limit will be detected.	*Assurer le dépistage des contrevenants.*
blow into the breathalyser / the balloon	*souffler dans l'éthylotest / le ballon*
no immediate evidence of impaired driving	*pas d'incapacité évidente à conduire*
show no sign of impaired reflexes	*ne pas manifester de diminution des réflexes*
check point	*lieu / point de contrôle*
set up sobriety checkpoints	*établir des points de contrôle de la sobriété*

6. Abbreviations — *Sigles*

AA	Alcoholic Anonymous	-	*alcooliques anonymes*
BAL	blood alcohol level	-	*taux d'alcool dans le sang / alcoolémie*
DUI	driving under the influence	-	*conduite en état d'ivresse*
DTs	delirium tremens	*DT*	*delirium tremens*
ID	identity	-	*pièce d'identité*
MADD	Mothers Against Drunken Driving	-	*association des mères luttant contre l'alcool au volant*
WHO	world health organisation	*OMS*	*organisation mondiale de la santé*

II. Smoking — *Le tabac*

1. General background — *Généralités*

smoke	*fumer*
chew	*chiquer*
snuff	*priser*
smoker	*fumeur*
heavy smoker	*gros fumeur*

compulsive smoker / chain smoker	*fumeur compulsif / dépendant*
current smoker	*fumeur actuel*
former / ex-smoker	*ancien fumeur*
has never smoked	*n'a jamais fumé*
non smoker	*non-fumeur*
smoking area	*zone fumeurs*
smoking room	*fumoir*
smoking section	*coin fumeurs*
non-smoking area / smoke-free area	*zone non-fumeurs*
no smoking	*défense de fumer*

2. Smoking and health — *Le tabac et la santé*

<u>drug</u>	*<u>drogue</u>*
addiction to	*accoutumance à*
powerful addiction to	*forte dépendance à*
tobacco dependence / tobacco addiction	*dépendance au tabac*
cause addiction to	*créer la dépendance à*
addictive	*qui crée une dépendance*
have an addictive personality	*devenir facilement dépendant*
inability to give up / kick the habit	*incapacité à renoncer*
<u>health hazard</u>	*<u>danger pour la santé</u>*
carry hazards	*comporter des risques*
hazardous to the health	*dangereux pour la santé*
health hazard warning label	*mention : « nuit à la santé »*
impair / do harm	*endommager / nuire / faire du mal*
harmful to	*nuisible / mauvais pour*
cancer-causing	*cancérigène*
lung cancer	*cancer du poumon*
emphysema	*emphysème*
chronic bronchitis	*bronchite chronique*
coronary heart disease	*maladie coronarienne*
the single chief avoidable cause of death	*la principale cause de mortalité évitable*
the greatest public health issue of our time	*le problème majeur de santé public contemporain*
One half of all smokers eventually die as a result of smoking itself.	*Un fumeur sur deux va mourir des conséquences du tabagisme proprement dit.*
On the whole, smokers die eight years prematurely.(GB)	*Globalement, les fumeurs meurent huit ans plus tôt.*
<u>passive smoking</u>	*<u>tabagisme passif</u>*
second-hand smoking / environmental tobacco smoking (ETS)	*tabagisme passif*
exposure to second hand smoking	*être en contact avec des fumeurs*
long-term exposure	*exposition à long terme / prolongée*
report respiratory problems	*se plaindre de problèmes respiratoires*
environmental pollutants	*polluants de l'environnement / du cadre de vie*

3. Tobacco lobbies — *Les groupes de pression des industriels du tabac*

<u>tobacco products</u>	*<u>les produits du tabac</u>*
pack of cigarettes	*paquet de cigarettes*
smoke a cigarette	*fumer une cigarette*
Virginia / light / mild tobacco	*tabac blond*
light cigarettes	*cigarettes légères*
dark tobacco	*tabac brun*
king-size cigarette	*cigarette extra-longue*
butt	*mégot*
fag / cig	*sèche / clope*
take a drag	*tirer une bouffée*
drag / puff	*bouffée*
puff at a cigarette	*tirer sur une cigarette*
inhale	*avaler / inhaler*
blow smoke	*souffler la fumée*
nicotine	*nicotine*
tar	*goudron*
low tar cigarette	*cigarette à faible teneur en goudron*
filter	*filtre*
filter-tipped cigarette	*cigarette à bout filtre*
<u>cigar</u>	*<u>cigare</u>*
Havana	*Havane*
cigarillo	*cigarillo*
<u>pipe</u>	*<u>pipe</u>*
smoke the pipe	*fumer la pipe*
tobacco-stopper	*bourre-pipe*
<u>smokeless tobacco</u>	*<u>le tabac non fumé</u>*
an alternative to cigarettes	*autre chose que la cigarette / une alternative à la cigarette*
Prevalent misconception that smokeless tobacco is safe.	*L'idée dominante et fausse, que le tabac non fumé est sans danger.*
chewing tobacco / dip / spit tobacco.	*tabac à mâcher / à chiquer / chique*
It is held in the mouth instead of being burned / burnt.	*On le garde en bouche au lieu de le consumer.*

Chewing tobacco is a shredded tobacco leaf.	*Le tabac à chiquer est une feuille hachée menu.*
Snuff is a finely shredded form of tobacco.	*La prise est une sorte de tabac finement broyé.*
Dipping means placing moist snuff between the inside of the cheek and gum.	*La chique consiste à placer la prise humidifiée entre la joue et la gencive.*
You hold the tobacco in your mouth for minutes at a time.	*On conserve le tabac dans la bouche pendant plusieurs minutes à chaque fois.*
In consequence, more harmful chemicals can enter your body than when you smoke.	*En conséquence, il y a davantage de produits chimiques nocifs qui pénètrent dans l'organisme que lorsqu'on fume.*
The nicotine in smokeless tobacco is as addictive as the nicotine in cigarettes.	*La nicotine absorbée avec le tabac non fumé crée autant de dépendance que celle de la cigarette.*
It can lead to cancer of the throat, mouth and gums.	*Cela peut provoquer un cancer de la gorge, de la bouche et des gencives.*
Young men are more likely than older men to be regular smokeless tobacco users.	*Les hommes jeunes ont plus tendance que les plus âgés à faire un usage régulier du tabac non fumé.*
the tobacco industry	*l'industrie du tabac*
tobacco plantation	*plantation de tabac*
tobacco leaf	*feuille de tabac*
grow tobacco	*cultiver le tabac*
cure / dry	*sécher*
make / manufacture cigarettes	*fabriquer des cigarettes*
tobacco company	*fabricant de cigarettes / compagnie de tabac*
cigarette maker	*fabricant de cigarettes*
cigarette marketing	*commercialisation des cigarettes*
cigarette brand	*marque de cigarettes*
filtered brand	*marque à filtre*
brand appeal	*attrait de la marque*
brand loyalty	*fidélité à la marque*
tobacco company policy	*la politique des compagnies de tabac*
cigarette advertising	*la publicité pour les cigarettes*
a cigarette advertisement / advert / ad	*une publicité / pub pour les cigarettes*
a TV commercial for cigarettes	*un spot publicitaire pour les cigarettes*
Tobacco is one of the most heavily advertised consumer products.	*Le tabac est un des produits de consommation courante dont la publicité est la plus intense.*
pervasive influence in the media	*influence envahissante dans les médias*
encourage children to experiment with cigarettes	*inciter les enfants à faire l'expérience de la cigarette*
initiate regular use of cigarettes	*initier à l'usage régulier de la cigarette*
deter smokers from quitting	*dissuader les fumeurs de s'arrêter*
prompt former smokers to begin again	*pousser les ex-fumeurs à recommencer*
promotion through indirect advertising	*la promotion d'un produit grâce à la publicité indirecte*
use image	*utiliser l'image associée (au produit)*
awareness programme	*campagne de sensibilisation*
the use of the trademark	*l'utilisation de la marque déposée*
brand name	*nom du produit*
increase regular smokers' consumption	*augmenter la consommation du fumeur habituel*
serve as an external cue	*servir de / offrir une sollicitation externe*
reinforce the social acceptability of smoking	*accroître l'acceptabilité sociale du tabac*

4. Quitting smoking — *Cesser de fumer*

smoking cessation counselling	*conseils pour cesser de fumer*
office-based approaches	*démarches centrées sur le cabinet de consultation*
Minimal contact counselling can be performed in less than 3 minutes.	*Le conseil minimal peut être donné en moins de 3 minutes.*
Smoking cessation counselling is more cost effective than treating hypertension.	*Le conseil pour arrêter de fumer est plus rentable que le traitement de l'hypertension.*
GPs can achieve quit rates of 10%.	*Les généralistes peuvent arriver à un taux de sevrage de 10 %.*
Issue an unequivocal statement that the patient must stop smoking.	*Déclarez sans ambiguïté que le malade doit cesser de fumer.*
at every encounter	*à chaque visite*
The message must be routine.	*Il faut répéter le message à chaque fois.*
The message must be tailored to the individual's needs.	*Il faut que la consigne soit adaptée aux besoins de la personne.*
be given a hand-out / pamphlet	*se voir remettre de la documentation / un dépliant*
act as a role model	*servir d'exemple / fournir un exemple*

"No smoking policy" for office staff.	*« Interdiction de fumer » pour le personnel.*
"No smoking" signs clearly posted.	*Signalisation « Interdit de fumer » bien en évidence.*
give tailored advice	*donner un conseil adapté à la personne*
avoid "scare tactics"	*éviter de faire du terrorisme*
shape the approach to	*adapter sa démarche selon*
A teenager is likely to be sensitive to social desirability.	*Un adolescent sera probablement sensible à l'argument de la séduction.*
"Kiss a non-smoker and enjoy the difference."	*« Embrassez un non-fumeur et appréciez la différence. »*
A smoking-related symptom can be used as a teachable moment	*Un symptôme directement associé au tabagisme peut être le bon moment pour faire passer le message.*
A pregnant women is concerned by the risk of miscarriage.	*La fausse-couche est un risque qui parle à une femme enceinte.*
A middle-aged woman will respond to the risk of facial-wrinkling.	*Une femme d'âge mûr est sensible au risque d'avoir un visage ridé.*
guidelines for GPs	*recommandations à l'attention des omnipraticiens*
How to help your patient quit.	*Comment aider le malade à s'arrêter:*
the four As: Ask, Advise, Assist, Arrange	*la règle de 4 : interroger, conseiller, assister, organiser*
Ask	*Interroger*
smoking status	*habitudes tabagiques*
Smoking status should be the new vital sign.	*Le comportement vis à vis du tabac devrait être le nouveau signe vital.*
a smoking flow chart (GB) / sheet (US)	*tableau de suivi du fumeur*
a blank space for smoking status	*un blanc / une case pour préciser les habitudes tabagiques*
initiation into tobacco use	*l'initiation au tabac*
At what age did you start smoking?	*A quel âge avez-vous commencé à fumer ?*
How old were you when you began smoking daily?	*Quel âge aviez-vous quand vous vous êtes mis à fumer tous les jours ?*
habits	*habitudes*
pack-year	*paquet-année*
How long have you been smoking 2 packets (GB) / packs (US) a day?	*Il y a combien de temps que vous fumez 2 paquets par jour ?*
What brand do you smoke?	*Quelle est la marque que fumez ?*
Are the cigarettes you smoke filtered or non-filtered?	*Vos cigarettes sont-elles avec ou sans filtre ?*

Do you know that the tar / nicotine level of your brand is high?	*Savez-vous que la quantité de goudron / nicotine de cette marque est élevée ?*
smoking cessation process	*Comment s'arrêter de fumer ?*
Smoking cessation is a long-term process.	*Il faut beaucoup de temps pour cesser de fumer.*
Tobacco use cessation goes through / involves different stages.	*Le processus de sevrage passe par / inclut plusieurs étapes.*
different degrees of readiness	*être plus ou moins prêt à s'arrêter*
pre-contemplative stage	*étape antérieure au désir de s'arrêter*
Smokers do not even consider stopping smoking.	*Les fumeurs n'envisagent même pas de s'arrêter.*
the contemplative stage	*« On envisage de s'arrêter »*
Smokers are concerned with their habit.	*Les fumeurs s'inquiètent de leur tabagisme.*
follow criticism of people around you	*être sensible aux critiques de l'entourage*
The Fagerström tolerance test	*Le test de Fagerström / test de dépendance à la nicotine*
How many cigarettes do you smoke per day / a day / daily?	*Combien de cigarettes fumez-vous par jour ?*
What is the nicotine content of your cigarettes?	*Combien de nicotine vos cigarettes contiennent-elles ?*
Do you inhale?	*Avalez-vous la fumée ?*
Do you smoke more in the morning than in the afternoon?	*Fumez-vous davantage le matin que l'après-midi ?*
When do you smoke your fist cigarette?	*Quand fumez-vous votre première cigarette ?*
Which cigarette is the most important?	*Laquelle de vos cigarettes est la plus précieuse ?*
the first of the day	*la première de la journée*
Do you smoke even when you are so ill that you must stay in bed?	*Fumez-vous même quand votre état de santé vous oblige à rester au lit ?*
Is it difficult not to smoke in places where it is forbidden?	*Vous est-il difficile de ne pas fumer là où c'est interdit ?*
How many minutes after you wake up do you light up your first cigarette?	*Vous fumez votre première cigarette combien de minutes après vous être réveillé ?*
Thirty minutes or less indicates a high level of addiction.	*Si vous fumez dans les trente premières minutes, vous êtes très dépendant.*
nicotine withdrawal test	*test de sevrage de la nicotine*
abrupt cessation of nicotine use	*arrêt brutal de l'absorption de nicotine*
severage from / withdrawal from	*sevrage de*

progressive reduction in the amount of nicotine	*diminution progressive de la quantité de nicotine*
dysphoric / depressed mood	*état dépressif*
insomnia / sleeplessness	*insomnie*
irritability	*irritabilité*
frustration	*frustration*
anger	*colère*
anxiety	*anxiété*
difficulty (in) concentrating on	*difficultés à se concentrer sur*
restlessness	*agitation*
increased appetite	*davantage d'appétit*
weight gain	*prise de poids*
<u>Associated features for severage</u>	<u>*Caractéristiques associées au sevrage*</u>
craving for nicotine	*besoin impérieux de fumer*
impaired performance on tasks requiring vigilance	*baisse des performances dans les tâches nécessitant de la concentration*
decreased metabolism of some medications	*dégradation du métabolisme de certains médicaments*
experience additional stress after quitting	*subir une tension accrue après avoir arrêté*
fight down urges to smoke	*réprimer le désir de fumer*
behavioural and social addiction	*dépendance comportementale et sociale*
chew away	*mastiquer sans arrêt*
related to oral habits	*en relation avec les habitudes orales*
finger use / twiddling	*ne pas cesser de bouger les doigts nerveusement*
fiddle around with a pack or a lighter	*tripoter un paquet ou un briquet*
<u>social circumstances</u>	<u>*les événements / la vie sociale*</u>
They can lead to smoke.	*Ils peuvent amener à fumer.*
irresistible urge to smoke	*désir irrépressible de fumer*
drink a coffee after a meal	*prendre un café après le repas*
kill time	*tuer le temps*
spend unstructured time with friends	*passer du temps sans but avec des amis*
social cues to light up (US)	*incitations à en griller une*
social pressure to light up (GB)	*pression extérieure pour allumer une cigarette*
Non-pharmacological dependencies must not be neglected.	*Il ne faut pas oublier les dépendances pharmacologiques.*
Failure is unavoidable if these dependencies are disregarded	*L'échec est inévitable en cas d'oubli de ces dépendances.*
<u>reasons for quitting</u>	<u>*pourquoi s'arrêter*</u>
Why would you like to stop?	*Pour quelle(s) raison(s) voulez-vous vous arrêter ?*
accurately predict who is likely to quit	*prédire avec exactitude qui est susceptible de s'arrêter*
swear off tobacco (US)	*prendre l'engagement de ne plus fumer*
promise not to smoke any more	*promettre de ne plus fumer*
give up smoking	*arrêter de fumer*
kick a habit	*se désintoxiquer*
social disapproval	*réprobation sociale*
It's money saving.	*Ca fait faire des économies.*
live long enough to	*vivre suffisamment longtemps pour*
be a poor role model for / a bad example for	*être un mauvais exemple pour*
be angry to be trapped by	*s'insurger de se voir piégé par*
The last step is less rewarding.	*La dernière étape est moins gratifiante.*
loss of self-esteem	*perte de l'estime de soi*
<u>ready to stop</u>	<u>*prêt à s'arrêter*</u>
level of readiness	*degré de motivation*
figure out what behaviour	*se représenter / imaginer quel comportement*
associated with non-smoking	*qui accompagne le fait de ne pas fumer*
Would you like to stop smoking completely?	*Aimeriez-vous cesser de fumer complètement ?*
Have you ever tried to give up smoking?	*Avez-vous parfois tenté d'arrêter ?*
If so, how long did you resist the temptation of smoking?	*Si oui, combien de temps avez-vous pu résister à la tentation de fumer ?*
When do you intend to stop?	*Quand pensez-vous vous arrêter ?*
In the past 12 months, did you abstain for one day or more?	*Dans les 12 mois écoulés, vous-êtes vous abstenus vingt-quatre heures ou plus ?*
Are you worried about withdrawal problems?	*Craignez-vous des difficultés en cas de sevrage ?*
Do you expect to be under pressure at work for the next three months?	*Pensez-vous être sous pression au travail dans les trois mois à venir ?*
Is the person who is most important to you a smoker?	*La personne qui a le plus d'importance pour vous fume-t-elle ?*
What do you expect to be the most difficult aspect of giving up smoking?	*Quelle sera,selon vous,la difficulté majeure pour vous arrêter de fumer ?*
Some smokers stop because they have decided to.	*Certains fumeurs s'arrêtent parce qu'ils l'ont décidé.*
The majority need a trigger to move into action.	*La majorité a besoin d'un facteur déclenchant pour passer à l'action.*
special event marking a change	*événement qui représente un changement*
The GP must uphold / reinforce motivation.	*Le généraliste doit renforcer la motivation.*
make quitting easier	*faciliter le sevrage*

Maintenance is the key point.	*La poursuite du sevrage est le point clef.*
coping with stress	*face à la tension nerveuse*
What else are you doing while you are smoking?	*Que faites-vous d'autre quand vous fumez ?*
take time out from	*faire une pause après / pendant*
You smoke to take your mind off a problem.	*On fume pour penser à autre chose.*
a stressful situation	*un moment de tension nerveuse*
reach for a cigarette to	*prendre une cigarette pour*
cope / deal with stress	*maîtriser un état de tension*
take a break	*s'offrir une pause*
tranquillity breaks	*moments de repos / répit*
provided by smoking	*procurés par le tabac*
be in a relaxed mood	*être détendu*
a peaceful mood	*une humeur paisible / sereine*
It helps you calm down.	*Ça vous permet de vous calmer.*
<u>Advise</u>	<u>*Conseiller*</u>
Avoid buying by the carton.	*Evitez d'acheter des cartouches.*
Avoid buying your regular brand.	*Evitez d'acheter votre marque habituelle.*
Switch brands every pack.	*A chaque paquet, changez de marque.*
Wait an additional half hour before your first smoke each morning.	*Repoussez d'une demi-heure la première cigarette du matin.*
A few tips to avoid behavioural dependence	*Quelques astuces pour éviter la dépendance comportementale*
Keep mouth and fingers busy.	*Veillez à toujours mobiliser la bouche et les doigts.*
Chew sugarless gum.	*Mastiquez de la gomme sans sucre.*
Fiddle with an item.	*Manipulez un objet.*
Carry away smoking-related items.	*Faites disparaître tout ce qui touche au tabac.*
Remove ashtrays.	*Enlevez les cendriers.*
Have the rugs cleaned.	*Nettoyez les tapis.*
Avoid smoking-associated stimulus.	*Evitez tout ce qui fait référence au tabac,*
These items precipitate relapse.	*Tout cela favorise la rechute.*
Avoid associating with smokers for a while.	*S'abstenir de revoir des fumeurs pendant quelque temps.*
Give yourself compensation.	*Trouvez-vous des compensations.*
Shift from one pleasure to another.	*Passez d'un plaisir à l'autre.*
Do odd jobs at home.	*Bricolez à la maison.*
Resume sporting activity.	*Remettez-vous au sport.*
<u>Assist</u>	<u>*Aider*</u>
Whatever has been agreed to should be recorded.	*Tout ce qui a été convenu doit être consigné.*
The GP should make a note of the agreements for behaviour change.	*Le généraliste doit noter par écrit ce qui a été convenu pour modifier le comportement.*
quitting day (QD)	*le jour où on s'arrête*
A calendar is used to establish a quit date.	*On prend un calendrier pour fixer une date.*
Select a quit date within the next month.	*Choisissez une date dans le mois qui vient.*
Write down in your note book.	*Notez-la dans votre agenda.*
do away with the fear of not succeeding	*éliminer la crainte de l'échec*
Smokers Anonymous	*(équivalent d'Alcooliques anonymes pour les fumeurs)*
<u>Arrangefollow-up</u>	<u>*Organiser le suivi*</u>
a plan for follow-up	*l'organisation du suivi*
Arranging follow-up is a critical step.	*L'organisation du suivi est un point capital.*
It boosts quit rate dramatically.	*Le taux de réussite s'en trouve démultiplié.*
written material handed directly by the GP	*information écrite distribuée par le généraliste lui-même*
Keeping written patient information handy is a must.	*Il est impératif qu'une information écrite à destination du patient soit accessible.*
<u>relapse</u>	<u>*la rechute*</u>
Complete abstinence for the first two weeks is mandatory.	*Pendant les deux premières semaines, l'abstinence totale est obligatoire.*
It's the strongest predictor of relapse.	*C'est le plus sûr indicateur de rechute.*
They wonder whether just one cigarette could harm them.	*Ils s'étonnent qu'une seule cigarette puisse être si dangereuse.*
Relapse is an integral part of the smoking cessation process.	*La rechute fait partie intégrante du processus d'arrêt.*
Interpret relapse as a step towards the ultimate goal...	*Interprétez la rechute comme un pas supplémentaire vers le succès...*
not as a failure	*et non pas comme un échec*
It is a learning experience.	*C'est un enseignement.*
Among smokers, one half relapse within 1 week.	*Un fumeur sur deux rechute la première semaine.*
The relapse pattern is similar for heroin.	*Le processus de rechute est le même pour l'héroïne.*
multiple quit attempts for success	*des tentatives répétées pour s'arrêter définitivement*
low success rate on a given quit attempt	*faible taux de réussite pour une tentative donnée*
The GP should remain visible throughout the process.	*Le généraliste doit rester accessible pendant la durée du processus.*

Office staff involvement saves physician time.	*L'implication du personnel permet une économie de temps médical.*
Ancillary staff can be trained.	*On peut former le personnel paramédical.*
They can deliver much of the brief follow-up.	*Ils peut se charger d'une bonne partie du suivi-minute.*
Receiving counselling from multiple care-givers improves quit rates.	*Les conseils reçus de différents soignants améliorent le taux de réussite.*
Smokers will welcome staff concern.	*Les fumeurs seront sensibles à l'implication du personnel.*
Smoking cessation counselling is still a part of the unmet role of GPs.	*Le conseil au fumeur reste une tâche à accomplir pour le médecin.*

5. Fighting smoking — *La lutte contre le tabac*

campaign against	*faire campagne contre*
anti-smoking campaign	*campagne antitabac*
set out to reduce / curb consumption	*se proposer de réduire la consommation*
crusade	*croisade*
anti-smoking activists	*adversaires de la cigarette*
anti-smoking lobby	*groupe de pression antitabac*
take it out on the tobacco industry	*s'en prendre à l'industrie du tabac*
lash out at cigarette makers	*fustiger les fabricants de cigarettes*
pay counter-advertising	*financer la contre-publicité*
<u>government policies</u>	<u>*la politique de l'Etat*</u>
tobacco control and regulations	*réglementation du tabac*
regulations that can be enacted	*une législation qui peut être mise en œuvre*
tobacco products control Act (TPCA)	*Loi portant réglementation des produits du tabac*
prohibit / bar / ban	*interdire*
put a ban on	*mettre un interdit sur*
lift the ban off	*lever l'interdit sur*
termination of the ban	*fin de l'interdiction*
implement a ban on	*mettre une interdiction en application*
set up a ban on	*mettre en œuvre une interdiction*
prior to the ban	*antérieurement à l'interdiction*
onset of the ban	*prise d'effet de l'interdiction*
ban smoking on domestic flights	*interdire le tabac sur les vols intérieurs*
pass an ordinance against	*signer un arrêté contre*
take anti-smoking steps	*prendre des mesures contre le tabac*
post a smoking policy	*afficher un règlement antitabac*
posting clearly visible signs	*information par un affichage clair*
no smoking	*défense de fumer*
curb smoking in the workplace	*réduire l'usage du tabac au travail*
designated smoking areas	*zones fumeur bien repérées*
smoke-free area	*zone non-fumeur*
Smoking in closed public places should be restricted.	*On devrait limiter l'usage du tabac dans les lieux clos qui accueillent du public.*
put a ban on tobacco advertising and promotion	*interdire la publicité et la promotion du tabac*
The Ministry of Health (GB) / The Surgeon General (US) issued a warning that....	*Le Ministère de la Santé a publié un mise en garde concernant...*
a fine for each violation of the law	*un amende pour toute infraction*
No person shall use the brand name of a tobacco product.	*Nul ne peut faire usage du nom d'un produit du tabac.*
Tobacco products may not promote an educational, cultural or sporting event or activity.	*Les produits du tabac ne sont pas autorisés à financer une activité ou manifestation éducative, culturelle ou sportive.*
raise an anti-smoking sentiment	*susciter l'hostilité envers la tabac*
<u>limiting access</u>	<u>*limiter l'accès*</u>
imports	*les importations*
ban imports	*interdire les importations*
prices	*les prix*
The price of tobacco products should be increased sharply.	*On devrait augmenter fortement le prix des produits du tabac.*
source of revenue	*source de revenus*
cigarette monopoly	*monopole des cigarettes*
government monopoly	*monopole d'Etat*
state-owned tobacco firm	*firme de cigarettes, propriété d'Etat*
put tax / excise duties on tobacco	*taxer le tabac / prélever des droits sur le tabac*
slap taxes on tobacco	*avoir la main lourde pour taxer le tabac*
retailer	*détaillant*
tobacconist	*buraliste*
teenagers	*adolescents*
limit sales of tobacco products to young people	*limiter la vente des produits du tabac aux jeunes*
getting people to know	*l'information du public*

World No-Tobacco Day (WNTD) — *Journée mondiale sans tabac (JMST)*
training health-care staff — *la formation des personnels soignants*
Health professionals should get specific training. — *Les professionnels de Santé devraient recevoir une formation adaptée.*
Training on how to support the patients who wish to stop smoking. — *Une formation portant sur les moyens pour aider les malades qui désirent cesser de fumer.*

6. Treatment — *Le traitement*

nicotine replacement therapy (NRT) — *traitement de substitution de la nicotine*
If the GP deems it to be the only solution... — *Si le généraliste estime que c'est la seule solution...*
highly addicted adults — *adultes très / fortement dépendants*
physical symptoms of nicotine withdrawal — *symptômes physiques du sevrage en nicotine*
NRT should always be delivered with concomitant counselling. — *La mise en place du traitement de substitution doit toujours s'accompagner du conseil au malade.*
It is not appropriate as a telephone prescription. — *Le prescription par téléphone ne convient pas dans ce cas.*
A common mistake is prescribing too little.... — *L'erreur habituelle, c'est de prescrire trop peu...*
... for too little a period. — *... pour une période de temps trop courte.*
Nicotine patches worn for 24 hours... — *Les timbres antitabac portés 24 heures...*
... to be changed each morning. — *... doivent être changés tous les matins.*
Refills should be provided. — *Le réapprovisionnement doit être assuré.*
The patch prescription should be filled ahead of time. — *La prescription doit être faite d'avance.*
Patches are not covered by many health plans.(US) — *Beaucoup de sociétés d'assurance-maladie ne remboursent pas le timbre.*
The patch is not approved for use beyond 6 months. — *L'utilisation du timbre au-delà de six mois est déconseillée.*
transdermal nicotine — *nicotine transdermique*
nicotine gum — *gomme à la nicotine*
At least 10 pieces should be chewed prophylactically throughout the day. — *A titre préventif, il faut mâcher au moins 10 tablettes par jour.*
Patients must chew slowly, gently and intermittently. — *Il faut mâcher lentement et calmement de temps en temps.*
One piece should last 20 to 30 minutes. — *Une tablette doit durer de 20 à 30 minutes.*
Relief of nicotine withdrawal symptoms requires 20 to 30 minutes. — *La disparition des signes de sevrage demande 20 à 30 minutes.*
Techniques to distract oneself from the urge to smoke are necessary. — *Il faut utiliser des techniques qui permettent de passer outre au désir puissant de prendre une cigarette.*
Those on full dose nicotine replacement have lower blood nicotine levels than they had during smoking. — *Sous traitement substitutif à dose maximale, la nicotinémie est inférieure à celle de la période où l'on fume.*
other pharmacology therapy — *autre traitement pharmacologique*
an adjunct to treatment — *un auxiliaire pour / un additif au traitement*
adjunctive use of antidepressant prior to the quit attempt — *association d'un antidépresseur avant essai de sevrage*
Weight gain may seriously interfere with cessation. — *La prise de poids peut présenter un sérieux obstacle à l'arrêt.*

7. Abbreviations — *Sigles*

ETS	environmental tobacco smoke	-	*tabagisme passif*
GP	general practitioner	-	*médecin généraliste*
NRT	nicotine replacement therapy	-	*traitement de substitution nicotinique*
QD	quitting day	-	*le jour où on s'arrête*
TPCA	tobacco products control Act	-	*Loi portant réglementation des produits du tabac*
WNTD	World No-Tobacco Day	*JMST*	*Journée mondiale sans tabac*

III. Drugs — La drogue

1. General background — Généralités

A. Drugs — *Médicaments et drogues*

pharmaceuticals	*produits pharmaceutiques*
drug taking	*l'usage de drogue*
an over-the-counter drug (OTC)	*un médicament en vente libre sans ordonnance*
obtain over the counter	*obtenir un médicament en vente libre sans ordonnance*
a controlled drug	*un médicament inscrit à un tableau*
prescription-only medication (PoM)	*médicament sur ordonnance exclusivement*
a prescription drug	*un médicament sur ordonnance*
a doctor's prescription	*une ordonnance médicale*
a class-A drug	*un médicament du tableau A*
a drug	*une drogue / un médicament*
a soft drug	*une drogue douce*
a hard drug	*une drogue dure*
a pill	*une pilule*
a sleeping-pill	*un somnifère*
a tranquilliser	*un tranquillisant / un calmant*
a barbiturate	*un barbiturique*
a downer	*un calmant*
an anti-depressant	*un antidépresseur*
a pep pill	*un stimulant*
a hypnotic	*un hypnotique*

B. A problem of society — *Un problème de société*

a public health concern	*un problème de santé publique*
a plague	*un fléau*
a scourge	*une calamité*
a public bane	*une calamité publique*
an evil	*un mal / un fléau*
a legitimate worry	*une préoccupation légitime*
a matter for public concern	*un sujet d'inquiétude collective*
be concerned over	*se préoccuper de / s'inquiéter de*
a controversial social issue	*une question / un problème social controversé*
play up the dangers of	*exagérer les dangers de*
be widespread	*être largement répandu*
pervasive	*envahissant*
far-reaching consequences	*lourd de conséquences*
the swelling ranks of	*le nombre croissant de*
cause havoc amongst the population	*faire des ravages dans la population*

2. Drug products and their use — Les drogues et leur usage

A. Past and current drugs — *Drogues d'hier et d'aujourd'hui*

<u>cannabis</u>	*<u>cannabis</u>*
hemp	*chanvre indien*
a hallucinogenic plant	*une plante hallucinogène*
hallucinogens	*hallucinogènes*
grass / marijuana	*herbe*
pot / weed	*herbe*
smoke grass	*fumer de l'herbe*
hashish / hash	*haschisch*
a joint	*un joint / pétard*
a reefer	*un joint de marijuana*
cocaine	*cocaïne*
coke	*coke / came*
coca paste	*pâte de coca*
binge on cocaine	*se défoncer à la cocaïne*
an intake of cocaine	*une prise de cocaïne*
a line of coke	*un rail / une ligne de coke*
crack (a mixture of cocaine, sodium bicarbonate and water)	*crack (mélange de cocaïne, de bicarbonate de soude et d'eau)*
<u>amphetamines</u>	*<u>amphétamines</u>*
uppers	*amphés*
be on uppers	*prendre des / marcher aux amphés*
a speed / ice / cristal	*un excitant puissant*
<u>an opiate</u>	*<u>un opiacé</u>*
opium	*opium*
morphia / morphine	*morphine*
heroin	*héroïne*
smack	*héro*
ecstasy	*ecstasy*
poppers	*poppers (nitrite vasodilatateur)*

B. Taking the drug
L'absorption de la drogue

sniff	*inhaler / renifler*
glue sniffing	*respirer de la colle*
sniff a line	*renifler un rail / une ligne de poudre*
snort a line	*respirer une ligne de poudre*
a dose	*une dose*
an overdose	*une surdose*
a fix / a shot	*une auto-injection de drogue / une piquouse*
give oneself a fix	*se shooter*
get a fix	*se shooter*
an injection / a jab	*une injection*
a needle	*une aiguille*
a syringe	*une seringue*
inject oneself	*s'injecter / se piquer*
inject into a vein	*injecter dans une veine*
mainline	*se piquer*
a mainliner	*un drogué par intraveineuse*
swallow pills	*avaler des cachets*
pop up a pill	*prendre un cachet*
chew opium	*mâcher de l'opium*

3. Causes of drug addiction — *Les causes de la toxicomanie*

A. Cultural causes
Causes culturelles

liberalise	*libéraliser*
liberalisation	*la libéralisation*
permissiveness	*laissez-faire / laxisme*
permissive	*laxiste*
a fad drug	*une drogue à la mode*
be trendy	*être à la mode*
be all the craze	*être branché*
assert one's manhood	*affirmer sa virilité*
assert oneself	*s'affirmer*
a manhood thing	*une question de virilité*

B. Social causes
Causes sociales

seek an escape from the pressure of life	*chercher à échapper à les contraintes de l'existence*
be under pressure	*être sous pression*
life in the fast lane	*vivre à cent à l'heure*
a fast-paced work environment	*un rythme de travail effréné*
live at a frantic pace	*vivre sur un rythme frénétique*
be out of a job	*être sans emploi*
be on welfare	*être assisté*
the needy	*les nécessiteux*
the poor	*les pauvres*
someone poor	*une personne pauvre*
a pauper	*un pauvre*
the homeless	*les s.d.f.*
a homeless person	*un s.d.f.*
the misfits	*les inadaptés sociaux*
a feeling of inadequacy	*un sentiment d'inadaptation*
have no sense of purpose	*n'avoir aucun but*
a sense of worthlessness	*un sentiment d'inutilité*
drift through life	*vivre au jour le jour*
have a hazy sense of identity	*n'avoir qu'une notion vague de son identité*
be uncommunicative	*être renfermé / ne pas s'exprimer*
shut others out	*se replier sur soi*
generation gap	*le fossé des générations*
not get on well with	*ne pas bien s'entendre avec*
be at odds with	*être en désaccord avec / en conflit avec*
a strained relationship	*une relation tendue*
be a bully	*être un tyran*
ill-treat	*maltraiter*
stern	*strict / sévère*
mother	*materner*
pamper	*choyer*
lenient	*indulgent*
caring	*attentif / à l'écoute*
permissive	*laxiste*
a lack of discipline	*un manque de discipline*
neglect	*se désintéresser de*
be in want of	*être privé de*
be left to one's own devices	*être livré à soi-même*
teenage pregnancy	*la grossesse de l'adolescente*
rape	*violer*
a teen mother	*une mère adolescente*
fill a void in life	*combler un manque dans la vie*
be born to a single mother	*être né de mère célibataire*
be born premature	*naître avant terme*
abandon	*abandonner*
be cast out from	*être rejeté de*
loneliness	*solitude*
feel lonely	*se sentir seul*
reject adult direction	*rejeter le conseil des adultes*
reject one's parents' values	*rejeter les valeurs de ses parents*

run away from home	*faire une fugue*
not keep in school	*ne pas poursuivre ses études*
drop out of school	*abandonner l'école*
school dropouts	*les jeunes qui ont abandonné l'école*
He is underachieving.	*Il reste en deçà de ses capacités scolaires.*
an underachiever	*un élève en situation d'échec scolaire*
scholastic underachievement	*échec scolaire*
be illiterate	*ne savoir ni lire ni écrire*
a poor training record	*une médiocre formation*
basic education	*éducation minimum*
a skills gap	*un écart de qualification*
not graduate from high school	*ne pas être bachelier / ne pas passer le bac*
I've been through a divorce.	*Je viens de subir un divorce.*
My partner has walked out on me.	*Mon compagnon m'a quitté.*
not keep in touch	*ne pas rester en contact*
lose touch with	*perdre le contact avec*
have severed links with	*avoir coupé les ponts avec*
become estranged from	*se brouiller avec / ne plus revoir*

4. Consequences of addiction — *Les conséquences de la toxicomanie*

A. Physiological consequences
Conséquences physiologiques

a kick / a high	*une sensation forte*
get one's kick	*se donner des sensations fortes*
get a kick out of it	*trouver ça stimulant / y trouver un surcroît d'énergie*
a potent stimulant	*un puissant excitant*
be exhilarated	*être dans un état d'ivresse*
be euphoric	*être dans un état d'euphorie*
have euphoric effects	*avoir des effets euphorisants*
produce a feeling of	*produire un sentiment de*
give the feeling that / a sense of	*donner le sentiment que*
give the illusion of	*donner l'illusion de*
feel the illusion of	*avoir l'illusion de*
instant gratification	*le plaisir instantané*
feel strong	*se sentir fort*
masterful	*dominateur*
enhance one's self	*développer / accroître son ego*
be in control	*se sentir le chef*
a feeling of supremacy	*un sentiment de domination*
bolster creative energy	*stimuler l'énergie créatrice*
heighten awareness	*aiguiser la conscience*

B. Physical consequences
Conséquences physiques

the evils of drugs	*les ravages de la drogue*
do someone harm	*faire du mal / causer du tort à quelqu'un*
do harm to	*faire du mal à*
harmful	*nuisible / nocif*
pose a threat to life	*représenter un danger pour la santé*
a health hazard	*un danger pour la santé*
carry a medical risk	*comporter un risque pour la santé*
impair the health	*ruiner la santé*
undermine the health	*miner la santé*
a side effect	*un effet secondaire*
play havoc with health	*gravement perturber la santé*
pump poison into oneself	*s'injecter du poison*
make someone heedless	*faire perdre ses capacités d'attention à quelqu'un*
droopy	*apathique / sans réaction*
listless	*apathique / sans énergie*
lazy	*paresseux*
throw up	*vomir*
fever	*fièvre*
have / run a fever	*avoir la fièvre*
a bout of fever	*un accès de fièvre*
give the shivers	*donner des frissons*
a headache	*un mal de tête*
a blackout	*une syncope*
have a blackout	*s'évanouir*
a faint	*un évanouissement*
fall in a faint	*s'évanouir*
pass out	*perdre connaissance*
lose one's appetite	*perdre l'appétit*
kill the appetite	*ôter l'appétit*
lose weight	*perdre du poids*
result in severe weight loss	*provoquer une grave perte de poids*
withdrawal symptoms	*symptômes de sevrage / de manque*
exhibit withdrawal symptoms	*manifester des signes de sevrage*
have the horrors	*avoir des hallucinations*
cause lung damage	*causer des lésions pulmonaires*
trigger a heart attack	*provoquer une crise cardiaque / un infarctus*
a heart failure	*une défaillance cardiaque*
a kidney failure	*une défaillance rénale*

destroy liver cells	*détruire les cellules hépatiques*
hepatitis	*l'hépatite*
catch AIDS	*contracter le sida*
pick up the virus	*attraper le virus*
an unsterilized needle	*une aiguille non stérilisée*
re-usable	*réutilisable*
a birth defect	*une malformation congénitale*
mental disorders	*troubles mentaux*
a bout of paranoia	*un accès / une crise de paranoïa*
persecution mania	*délire de persécution*
psychosis	*psychose*
pick up fights with	*se quereller avec / chercher querelle à*
a death from drugs	*un décès causé par la drogue*
drive like a maniac	*conduire comme un fou*
kill oneself	*se tuer*
collapse from an overdose	*s'effondrer par overdose*
lethal / deadly / fatal	*mortel / fatal / léthal*
die from an overdose	*décéder par overdose*
take a high toll on	*prélever un lourd tribut sur*

C. Economic consequences
Conséquences économiques

be a drain on the budget	*obérer les ressources financières*
detrimental for the health	*préjudiciable à la santé*
have a detrimental effect on	*nuire à*
detrimental to someone	*nocif / nuisible pour quelqu'un*
a drug-connected offence	*un délit lié à drogue*
a drug-connected crime	*une infraction liée à la drogue*
quit one's job	*quitter son emploi / sa place*
be reduced / driven to stealing	*en être réduit / conduit à voler*
support a drug habit	*financer ses besoins en drogue*
finance a habit	*financer ses besoins*
maintain a habit	*subvenir à ses besoins*
satisfy / meet one's needs	*satisfaire ses besoins*
ride a drug habit to bankruptcy	*se retrouver sans argent à cause de la drogue*
ride a drug habit to homelessness	*se retrouver à la rue à cause de la drogue / sa toxicomanie*
be an easy prey to	*être une proie facile pour*
be helpless to	*être sans ressource / impuissant devant*
helplessness	*l'impuissance*

5. Quitting — *Comment s'arrêter*

A. Seeking help
Chercher du secours

a detoxification centre	*un centre de désintoxication*
the staff	*le personnel*
a member of staff / a staff member	*un membre du personnel*
a male nurse	*un infirmier*
drug department	*service de toxicologie*
a drug clinic	*un centre de soins pour drogués*
a drug unit	*un service de toxicologie*
seek help for drugs	*chercher à se faire aider pour un problème de drogues*
drug addicts	*les toxicomanes*
an addict	*un drogué*
a drug addict	*un drogué*
a heavy addict	*un gros consommateur de drogues*
a drug misuser	*un toxicomane*
a junkie / junky	*un toxico / un camé*
a dope addict / a doper	*un toxico / un accro*
a heroin user	*un héroïnomane*
a morphine user	*un morphinomane*
a cocaine user	*un cocaïnomane*
a glue sniffer	*un accro à la colle*

B. Drug addiction
La toxicomanie

have a habit	*être toxicomane*
the drug habit	*l'accoutumance à la drogue*
drug abuse	*toxicomanie*
the advent of a drug	*l'arrivée d'une drogue*
introduce a drug on the market	*introduire une drogue sur le marché*
explore the effects of a drug	*explorer les effets d'une drogue*
try a drug	*essayer une drogue*
experiment with drugs	*s'essayer à / faire une première expérience de la drogue*

abuse drugs	*abuser de la drogue*
take drugs	*se droguer*
be on drugs	*se droguer*
be addicted	*être dépendant*
be drug-dependent	*être toxico-dépendant*
consume drugs	*consommer / utiliser de la drogue*
develop a liking for	*prendre goût à*
develop a habit	*devenir dépendant*
habit-forming	*qui crée l'accoutumance / toxicomanogène*
hide a habit from	*dissimuler sa dépendance à*
dependence	*la dépendance*
be dependent on drugs	*être dépendant / en état de dépendance*
be addictive	*qui crée la dépendance / toxicomanogène*
the addictive potential of	*la capacité à créer la dépendance de*
have an addictive personality	*avoir une personnalité propice à la dépendance*
cause addiction in	*créer la dépendance chez / l'accoutumance chez*
crave for drugs	*être en manque*
be desperate for	*avoir un besoin urgent de*
be hooked on	*être accro à*
be cold turkey	*être en manque*
be strung out	*être en manque*
hung up	*en manque*
get high on	*se défoncer à*
be on a high	*avoir un trip / être sous l'effet de la drogue*
be under the influence of	*être sous l'influence de*

C. Past and present history
Antécédents et histoire actuelle

When did you start taking hard / soft drugs?	*Quand avez-vous commencé à prendre des drogues dures / douces ?*
I started at school.	*J'ai commencé à l'école.*
when I was a teenager.	*à l'adolescence.*
when I joined the Army.	*au service militaire.*
when I started to smoke cigarettes.	*quand j'ai commencé à fumer la cigarette.*
What kind of stuff did you use then?	*Vous utilisiez quoi à l'époque ?*
Were these hard or soft drugs in your opinion?	*A votre avis, s'agissait-il de drogues dures ou non ?*
Have you ever been a crack / heroin addict?	*Avez-vous déjà pris du crack / de héroïne régulièrement ?*
Did you try sniffing glue?	*Avez-vous essayé la colle ?*
taking cocaine?	*la cocaïne ?*
Did you have a try with pot?	*Avez-vous essayé de l'herbe ?*
give cannabis a try	*essayer le cannabis*
When did you start injecting yourself?	*Quand avez-vous commencé à vous piquer ?*
I had my first experience with drugs at a rave party.	*Ma première expérience de la drogue, ça a été dans une rave party.*
I used to smoke with my mates.	*C'était pour fumer avec les copains.*
I was in a rock group.	*Je faisais partie d'un groupe de rock.*
a band	*un groupe musical*
How did you fare at school?	*Comment ça se passait à l'école ?*
I was always playing truant.	*Je faisais de l'absentéisme en permanence.*
I dropped out of school when...	*J'ai complètement arrêté l'école quand...*
my parents split up.	*mes parents se sont séparés.*
I failed my exams.	*j'ai échoué à mes examens.*
I had my first love affair.	*j'ai eu ma première aventure.*
my parents went out of a job.	*mes parents ont perdu leur emploi.*
I got hung up in a trice	*Je suis devenu accro en moins de deux.*
Can you tell me how it was after a fix?	*Vous pouvez me dire comment ça se passait après une piqûre ?*
How did you feel after you had had a fix?	*Que ressentiez-vous après vous être fait une piqûre ?*
Why did you do it at that time?	*Pourquoi faisiez-vous cela à l'époque ?*
escape from reality	*échapper à la réalité*
escape from oneself	*se fuir*
fill a vacuum	*combler un vide*
relieve the boredom of	*échapper à / supporter l'ennui de*
be idle	*être désœuvré*
for want of anything better to do	*par désœuvrement*
I had nothing better to do.	*Je n'avais rien de mieux à faire.*
through lack of purpose	*par absence de but bien défini*
take comfort from	*se consoler avec*
find comfort in	*se réconforter avec*
relieve the pressure	*faire baisser la pression*
ease one's tension	*calmer ses nerfs*
be attracted by	*être attiré par*
lure	*fasciner*
the lure of drugs	*l'attrait puissant de la drogue*
Roll up your sleeve please.	*Remontez votre manche, s'il vous plaît.*
Hold out your arm.	*Etendez le bras.*
Could you show me the crook of your arm, please?	*Pouvez-vous me montrer le creux de votre bras ?*

Have you ever had an HIV screening?	*Avez-vous déjà subi un test de dépistage du VIH ?*
I will prescribe a blood test.	*Je vais vous prescrire une prise de sang.*

D. Detoxification
La désintoxication

a counselling session	*une séance de thérapie*
a drug counsellor	*un thérapeute spécialiste de la toxicomanie*
provide psychiatric counselling	*apporter une aide psychiatrique*
Issue an unequivocal statement that the patient must stop taking drugs.	*Déclarez sans ambiguïté que le malade doit cesser de se droguer.*
at every encounter	*à chaque visite*
The message must be routine.	*Il faut répéter le message à chaque fois.*
The message must be tailored to the individual's needs.	*Il faut que la consigne soit adaptée aux besoins de la personne.*
give tailored advice	*donner un conseil adapté à la personne*
avoid "scare tactics"	*éviter de faire du terrorisme*
shape the approach to	*adapter sa démarche selon*
A drug-related symptom can be used as a teachable moment.	*Le symptôme directement associé à la dépendance peut être le bon moment pour faire passer le message.*
be in detox	*être en cure de désintoxication*
detoxify	*désintoxiquer*
rehabilitate drug addicts	*réinsérer les toxicomanes*
enter a rehabilitation clinic	*être admis dans un centre de réadaptation*
need medical treatment	*nécessiter un traitement médical*
accept treatment	*accepter de se faire soigner*
be refused treatment	*se voir refusé un traitement*
undergo treatment for drug addiction	*subir un traitement contre la toxicomanie*
a drug-treatment programme	*un programme de lutte contre la toxicomanie*
a drug-abuse treatment programme	*un programme de traitement de la toxicomanie*
set up a program for quitting	*établir un programme de sevrage*
an assistance programme	*un programme d'aide*
a substitute for	*un substitut de*
methadone	*méthadone*
a hot line	*une ligne spéciale*
set up a hot line	*installer une ligne spéciale*
a toll-free number	*un numéro vert*
Cocaine Anonymous	*(équivalent des) Alcooliques Anonymes*
a self-help group	*un groupe d'entraide*
join a supportive group	*adhérer à un groupe d'aide*
provide a supportive environment for	*créer des conditions favorables autour de*
a cured addict	*un toxicomane guéri*
a non-user	*un ancien drogué*
recover from	*guérir de*
be detoxified	*être désintoxiqué*
have / experience withdrawal pangs	*souffrir de l'arrêt / du sevrage*
follow-up	*le suivi*
office staff involvement	*implication du personnel / des collaborateurs*
deliver brief follow up	*assurer le suivi-minute*
a plan for follow-up	*l'organisation du suivi*
Arranging follow-up is a critical step.	*L'organisation du suivi est un point capital.*
It boosts quit rate dramatically.	*Le taux de réussite s'en trouve démultiplié.*
written material handed directly by the GP	*information écrite distribuée par le généraliste lui-même*
be given a hand-out	*se voir remettre de la documentation*
a pamphlet	*un dépliant*
accompanying diet	*régime alimentaire associé*
Keeping written patient information handy is a must.	*Il est impératif qu'une information écrite à destination du patient reste accessible.*
The GP should remain visible throughout the process.	*Le généraliste doit rester accessible pendant la durée du processus.*
Office staff involvement saves physician time.	*La participation du personnel permet une économie de temps du médecin.*
Ancillary staff can be trained.	*On peut former le personnel paramédical.*
They can deliver much of the brief follow-up.	*Ils peuvent se charger d'une bonne partie du suivi-minute.*
Receiving counselling from multiple care-givers improves quit rates.	*Le conseil reçu de différents soignants améliore le taux de réussite.*
Drug misusers will welcome staff concern.	*La personne qui se drogue sera sensible à l'implication du personnel soignant.*

E. Withdrawal syndrome
L'état de manque

abrupt cessation of drug use	*arrêt brutal de la prise de drogues*
severage from / withdrawal from	*sevrage de*
dysphoric mood	*état dépressif*
depressed	*dépressif*
insomnia	*insomnie*

sleeplessness	*insomnie*
irritability	*irritabilité*
frustration	*frustration*
anger	*colère*
anxiety	*anxiété*
difficulty (in) concentrating on	*difficultés à se concentrer sur*
restlessness	*agitation*
associated features for severage	*caractéristiques associées au sevrage*
craving for	*besoin impérieux de*
experience additional stress after quitting	*subir une tension accrue après avoir arrêté*
fight down urges to start again	*réprimer le désir de recommencer*

F. Relapse
La rechute

relapse	*rechuter*
slip back into	*retomber dans*
switch over to	*se mettre à / adopter... après...*
Complete abstinence is mandatory.	*L'abstinence totale est obligatoire.*
It's the strongest predictor of relapse.	*C'est le plus sûr indicateur de rechute.*
Relapse is an integral part of the drug cessation process.	*La rechute fait partie intégrante du processus d'arrêt.*
Interpret relapse as a step towards the ultimate goal...	*Interprétez la rechute comme un pas supplémentaire vers le succès...*
not as a failure	*et non pas comme un échec*
as a learning experience.	*comme un enseignement.*
a quit attempt	*une tentative d'arrêt*
The relapse pattern is similar for smoking.	*Le processus de rechute est identique avec le tabac.*
multiple quit attempts for success	*des tentatives répétées pour s'arrêter définitivement*
low success rate on a given quit attempt	*faible taux de réussite pour une tentative donnée*
quit rate	*taux de réussite*
avoid relapse	*éviter la rechute*

6. The fight against drugs — *La lutte anti-drogue*

A. The authorities
Les pouvoirs publics

the Drug Enforcement Administration (DEA) (US)	*équivalent américain de l'Office central de répression du trafic de stupéfiants (OCRTS)*
the drug squad	*la brigade des stupéfiants*
Customs and Excise officers	*les agents des Douanes*
an antidrug unit	*une unité de lutte contre la drogue*
an anti-narcotics police unit	*une unité chargée de la répression du trafic des stupéfiants*
a narcotics expert	*un spécialiste des stupéfiants*

B. Enforcing the law
L'application de la loi

enforce the law	*appliquer la loi*
sanction the use of	*sanctionner l'usage de*
pass anti-drug legislation	*adopter / mettre en place une réglementation contre la droguc*
a suspected user	*un toxicomane présumé*
keep track of traffickers	*suivre les mouvements des trafiquants*
prosecute	*poursuivre en justice*
put on trial on drug charges	*juger pour détention de drogue*
a charge of	*une accusation de*
be charged with	*être / se voir accusé de*
be convicted of	*être condamné pour*
be found guilty of	*être reconnu coupable de*
conviction	*condamnation*
release	*relâcher*
let out on bail	*relâché sous caution*
make a juvenile arrest	*arrêter un mineur*
a foster home	*une famille d'accueil*
be monitored	*être sous surveillance*
put on probation	*mettre à l'épreuve*

C. A national drug-control policy
Une politique nationale de lutte contre la drogue

set up a task force on	*mettre sur pied un groupe de travail sur*
drug abuse / misuse	*usage de drogue*
a campaign	*une campagne*
run a campaign on	*faire campagne sur*
run a campaign for / against	*mener un campagne pour / contre*

a drug-education programme	*un programme d'éducation anti-drogue / une campagne d'information sur la drogue*
a drug-prevention programme	*un programme de prévention anti-drogue*
increase anti-drug expenditures	*accroître les dépenses pour la lutte anti-drogue*
a drug-free neighbourhood	*un voisinage sans drogue*
a drug-plagued city district	*un quartier ravagé par la drogue*
a drug-ridden society	*une société envahie par la drogue*
legalise	*légaliser*
decriminalise	*dépénaliser*
decriminalisation	*dépénalisation*

7. Abbreviations — *Sigles*

DEA	the Drug Enforcement Administration (US)	*OCRTS*	*équivalent américain de l'Office central de répression du trafic de stupéfiants*
LSD	Lyserg Saüre Diethylamid	*LSD*	*acide lysergique diéthélamidique*
OD	overdose	-	*overdose*
OTC	an over-the-counter drug	-	*un médicament en vente libre*
PoM	prescription-only medication	-	*médicament sur ordonnance exclusivement*
AIDS	acquired immune deficiency syndrome	*SIDA*	*syndrome immuno-déficient acquis*
-	the homeless	*SDF*	*sans domicile fixe*

IV. Suicide — *Le suicide*

1. General background — *Généralités*

a suicide	*un suicide / une personne qui s'est suicidée*
the rate of suicide	*le taux de suicide*
be suicide-prone	*être suicidaire*
present with suicidal risk	*présenter des risques de suicide*
attempt to kill oneself	*tenter de se supprimer*
an attempted suicide	*une tentative de suicide*
a suicide attempt	*une tentative de suicide*
a suicide bid	*une tentative de suicide*
a failed attempt	*une tentative ratée*
plan one's death	*préparer / organiser sa mort*
a self-inflicted death	*une mort délibérée*
an act of self-destruction	*un acte d'autodestruction*
bring about one's own self-destruction	*provoquer / causer sa propre mort*
a death pact	*un pacte avec la mort*
prompt suicide	*pousser au suicide*
be driven to suicide	*être conduit au suicide*
commit suicide	*se suicider*
end one's life	*mettre fin à ses jours*
kill oneself	*se donner la mort*
self-killing	*le suicide*
take one's life	*mettre fin à ses jours*
snuff out a life	*supprimer une vie*
do oneself in	*se supprimer*
suicidal	*suicidaire*
a suicidal tendency	*une tendance suicidaire*
a suicidal act	*un acte suicidaire*
self-destructive	*suicidaire / autodestructeur*
a high-risk group	*un groupe à haut risque*
a suicide pact	*suicide d'un commun accord*
aiding and abetting suicide	*complicité dans un cas de suicide*
death by misadventure	*mort accidentelle*

2. Means of suicide — *Les formes de suicide*

a drug	*une drogue*
analgesics	*analgésiques*
narcotics	*narcotiques*
narcotise	*s'administrer des narcotiques*
poison	*poison*

carbon monoxide poisoning	*asphyxie à l'oxyde de carbone*	swim away from a shore	*s'éloigner d'un rivage à la nage*
domestic gas	*gaz domestique*	firearm	*arme à feu*
hanging	*pendaison*	weapon	*arme*
hang oneself	*se pendre*	turn a weapon on oneself	*retourner une arme contre soi*
drowning	*noyade*	jump from	*sauter de*
drown	*se noyer*		

3. Causes of suicide — *Les causes de suicide*

be correlated to a factor	*être relié à un facteur*	be overstressed	*être surmené*
solve a problem	*résoudre un problème*	yield to depression	*céder à la dépression*
exhaust all other options	*épuiser toutes les autres solutions*	be in the grip of	*être en proie à / soumis à*
a last resort	*un dernier recours*	a nervous breakdown	*une dépression nerveuse*
as a last resort / in the last resort	*en dernier recours*	breakdown	*craquer*
resort to	*recourir à*	go to pieces	*s'effondrer*
		collapse	*s'effondrer*

A. Health problems — *Les problèmes de santé*

be plagued by health problems	*être assailli de problèmes de santé*
failing health	*santé déclinante*
end pain	*mettre fin à ses souffrances*
despair	*le désespoir*
give way to despair	*céder au désespoir*
despondency	*la déprime / accablement*
despondent	*déprimé / accablé*
depression	*dépression*
a depressive illness	*une maladie dépressive*
carry a suicidal risk	*comporter un risque de suicide*
unstable	*instable*
unbalanced	*déséquilibré*
unhinged	*désaxé*
vulnerable	*vulnérable*
exhibit signs of strain	*montrer des signes de surmenage*
mental illness	*maladie mentale*
be mentally ill	*être dérangé mentalement*
a neurosis	*une névrose*
be under strain	*être dans un état de tension nerveuse*

B. Miscellaneous — *Divers*

bereavement	*deuil*
loneliness	*solitude*
poverty	*pauvreté*
reluctance to become a burden	*ne pas vouloir être une charge*
love-sick	*malade d'amour*
bottle up one's feelings	*contenir ses sentiments*
attract attention	*attirer l'attention*
get attention	*chercher à se faire remarquer*
attention-seeking	*destiné à se faire remarquer*
contagion effect	*effet contagieux*
cluster effect	*effet boule de neige*
copycat death	*mort par imitation / suicide collectif*
impulse	*impulsion*
on an impulse	*impulsivement*
rash	*irréfléchi*
an urge to	*un puissant désir de*
on the spur of the moment	*sur un coup de tête*
a glamorous way to die	*mourir avec panache*

4. Consequences and prevention — *Conséquences et prévention*

shake a family	*ébranler une famille*	be in need of support	*avoir besoin d'aide*
numb a community	*paralyser une communauté*	avert a suicide	*éviter un suicide*
a sense of horror	*un sentiment d'horreur*	a hot line	*une ligne réservée*
suicide prevention	*la prévention du suicide*	set up a line	*installer une ligne*
deter potential victims	*décourager les candidats au suicide*	a suicide hot line	*S.O.S. suicide*
identify	*identifier*	counsel	*conseiller*
		a counselling network	*un réseau de conseil*

V. Air pollution — *La pollution atmosphérique*

1. General background — *Généralités*

the atmosphere	*l'atmosphère*
oxygen	*oxygène*
the biosphere	*la biosphère*
the troposphere	*la troposphère*
the stratosphere	*la stratosphère*
atmosphere pollution	*la pollution atmosphérique*
air pollution levels	*niveaux de pollution aérienne*
an atmosphere physicist	*un physicien de l'atmosphère*
gather atmospheric data	*rassembler des données sur l'atmosphère*
breathe	*respirer*
breathing	*la respiration*
unbreathable air	*un air irrespirable*
a gas mask	*un masque à gaz*
a cloud	*un nuage*
a poison cloud	*un nuage toxique*
hang over	*être suspendu au-dessus / planer sur*
evaporate from	*s'évaporer de*
emanate from	*provenir de*
discharge into the atmosphere	*se dégager dans l'atmosphère*
throw up into the atmosphere	*rejeter dans l'atmosphère*
spew into	*recracher dans*
leak out of	*s'échapper de*
heave out noxious clouds	*soulever des nuages toxiques*
disgorge into	*se déverser dans*
belch into	*recracher dans*
escape into space	*s'échapper dans l'atmosphère*
combine with other substances	*se combiner avec d'autres substances*
foul the air	*polluer l'atmosphère*
sully	*souiller*
shroud	*envelopper*
be wrapped in clouds	*être enveloppé de nuages*
noxious gases	*gaz délétères*
gaseous wastes	*déchets gazeux*
overload the atmosphere with	*charger l'atmosphère de*
yellowish	*jaunâtre*
a mist	*une brume*
a haze	*une légère brume*
a vapour	*une vapeur*
smog	*brouillard et fumées*
fog	*brouillard*
airborne particles	*particules en suspension*
cake faces in	*recouvrir les visages de*
burn	*brûler*
burning	*combustion*
generate	*produire*
build up	*s'accumuler*
a build-up	*une accumulation / une concentration*
the wear and tear	*l'usure*
a pollution-eroded sculpture	*une sculpture rongée par la pollution*
urban sprawl	*l'urbanisation rampante*
automobile traffic	*le trafic automobile*
a gas guzzler	*un véhicule glouton*
overcrowding	*la surpopulation*
high density population	*population fortement concentrée*
heavily populated	*à forte densité de population*
traffic jam	*embouteillages*
be strangled by traffic	*être étouffé par la circulation*
a bacterium (pl. bacteria)	*une bactérie*
rotting garbage	*ordures en décomposition*
a landfill	*un dépôt d'ordures*
a dumping ground	*une décharge à ordures*

2. Air pollution in urban and industrialised countries — *La pollution dans les pays urbanisés et industrialisés*

a major concern in developed countries	*un souci majeur dans les pays développés*
breathe air of marginal or unacceptable quality	*respirer un air de qualité médiocre ou inacceptable*
Air pollution has no respect for natural borders.	*La pollution atmosphérique ne respecte pas les frontières.*
ozone / O_3	*l'ozone / le O_3*
Ozone is one of the most common air-pollutants.	*L'ozone est l'un des polluants aériens les plus habituels.*
It can be wind-borne from where it is produced.	*Il peut être transporté par le vent à partir du lieu d'émission.*
to other areas.	*à d'autres zones.*

an indirect man-made type of pollution	*un type de pollution secondaire d'origine humaine*
It builds up through a complex chemical interaction.	*Il résulte d'un phénomène complexe d'interactions chimiques.*
It requires sunshine, heat and NO_2 sources.	*Il faut un ensoleillement, de la chaleur et des sources de NO_2*
transient irritation for the eyes, the nose and the airways	*irritation passagère des yeux, du nez et des voies respiratoires*
nitrogen / NO_2	*le dioxyde d'azote / NO_2*
a many-sided threat	*une menace multiforme*
It contributes to ozone production.	*Il contribue à la formation d'ozone.*
be produced both indoors and outdoors	*être produit à la fois à l'intérieur et à l'extérieur*
NoX is produced by cars and power plants burning fossil fuels.	*NoX est produit par les voitures et les centrales thermiques qui fonctionnent avec de l'énergie fossile.*
Nitrogen mainly appears in the form of NO.	*Le dioxyde d'azote apparaît sous la forme de NO.*
It is rapidly oxidised by ozone in the atmosphere to form NO_2.	*Il est rapidement oxydé par l'ozone de l'atmosphère pour former du NO_2.*
The levels of NO_2 pollution are in proportion to how great car traffic is.	*Les niveaux de NO_2 y sont fonction de l'intensité du trafic automobile.*
within the home	*chez soi*
a gas stove	*une cuisinière à gaz*
a portable kerosene space heater	*un chauffage d'appoint au kerdane*
a water heater	*un chauffe-eau*
The key factor to rising pollution is the presence of a water heater without an air outlet.	*L'élément-clef de la hausse de la pollution est l'utilisation d'un chauffe-eau sans prise d'air.*
It is important for indoor NO_2 sources to be regulated.	*Il est important que les sources de NO_2 en lieu fermé soient réglementées.*
NoX makes a significant contribution towards rain acidification.	*NoX joue un grand rôle dans l'apparition des pluies acides.*
Rain acidification is involved in the ruin of forests.	*Les pluies acides contribuent à la destruction des forêts.*
sulphur dioxide / SO_2	*dioxyde de souffre / SO_2*
SO_2 is another well-known air pollutant.	*Le SO_2 est un autre polluant atmosphérique bien connu.*
Large emissions of SO_2 come from coal-burning power stations with high smokestacks.	*Les rejets massifs de SO_2 sont le fait de centrales au charbon munies de hautes cheminées.*
SO_2 reacts with air particles to form acid aerosols.	*Le SO_2 réagit avec les particules de l'air pour former des aérosols acides.*
Acid aerosols contain sulphuric acid.	*Les aérosols acides contiennent de l'acide sulfurique.*
It can travel long distances as it is wind-borne.	*Comme il est transporté par le vent, il peut se déplacer sur de longues distances.*
It does not easily infiltrate indoors.	*Il ne s'infiltre pas aisément à l'intérieur.*
It is one of the best-studied air-pollutants	*C'est l'un des polluants aériens les mieux étudiés.*
Its toxicological effects are more consistent than those of other pollutants.	*Ses effets toxiques sont plus importants que ceux des autres polluants.*
Asthmatic individuals are particularly at risk.	*Les asthmatiques sont particulièrement exposés.*
<u>other aerosols</u>	*<u>autres aérosols</u>*
These particles come from natural sources.	*Ces particules proviennent de sources naturelles.*
dust, volcanoes, pollen, bacteria, fungi	*la poussière, les volcans, le pollen, les bactéries, les champignons*
man-made sources	*les sources humaines*
cars, power plants and incinerators	*les véhicules automobiles, les centrales thermiques et les incinérateur à ordures*
<u>lead</u>	*<u>le plomb</u>*
Lead is a toxin found everywhere.	*Le plomb est un produit toxique qu'on trouve partout.*
Children are especially susceptible to the toxin.	*Les enfants sont particulièrement réceptifs à ce toxique.*
Leaded gasoline is the primary source.	*L'essence au plomb est la première source.*
World-wide, the problem is bounded with that of the use of air pollutants.	*Dans le monde entier, ce problème est fortement lié à celui des polluants atmosphériques.*
the analysis in terms of cost versus benefits	*l'analyse en termes de coût rapporté au bénéfice*
The benefits outweigh the costs of eliminating it.	*Les bénéfices sont supérieurs au coût de l'élimination.*
The use of leaded gasoline has dropped sharply.	*L'utilisation d'essence au plomb a beaucoup diminué.*
It has been eliminated since the 1991 EC directive was implemented.	*Elle a été éliminée depuis la mise en œuvre de la directive européenne de 1991.*
How are things shaping up for the future?	*Comment se présentent les choses pour l'avenir ?*
The world's population is soaring and becoming increasingly urban.	*Le chiffre de la population mondiale explose, tandis qu'elle s'urbanise de plus en plus.*

Air pollution presents a major health risk for a large number of people throughout the population.	*La pollution atmosphérique présente un risque grave pour un grand nombre de gens dans l'ensemble de la population.*
The problem cannot fail to worsen as the world's population keeps growing.	*Ce problème ne pourra que s'aggraver en raison de l'augmentation constante de la population mondiale.*
More energy is needed for our more industrialised world.	*Il faut davantage d'énergie pour notre monde qui s'industrialise toujours davantage.*
Industrialised nations have toughened regulations on the use of pollutants.	*Les pays industrialisés ont durci leur réglementation sur l'usage des polluants.*
The goals they have set themselves require huge sums of money.	*Les objectifs qu'ils se sont fixés nécessitent des sommes colossales.*
The only way to get results is to get people to realise that everyone can do something about the problem.	*Le seul moyen d'obtenir des résultats, c'est de faire prendre conscience que chacun peut y faire quelque chose.*

3. The ozone layer — *La couche d'ozone*

deplete	*épuiser*
depletion	*la diminution*
a thin layer	*une couche mince*
the thinning	*la réduction*
attack ozone	*attaquer l'ozone*
ozone-destroying	*qui détruit l'ozone*
chlorofluorocarbures (CFCs)	*chlorofluorocarbones*
spray	*pulvériser*
an aerosol spray	*une bombe aérosol*
a spray can	*un atomiseur*
a propellant gas	*un gaz propulseur*
an air conditioner	*un climatiseur*
air-conditioning	*la climatisation*
a coolant	*un produit refroidissant*
a food insulator	*un emballage isolant*
plastic foam materials	*matériaux en mousse de polystyrène*
refrigerator coil	*une bobine de réfrigérateur*
liquid cleaners	*nettoyants liquides*
destroy ozone molecules	*détruire les molécules d'ozone*
shatter the oxygen molecules	*briser les molécules d'oxygène*
be vital to block cancer-triggering rays	*être vital pour arrêter le rayonnement source de cancer*
excessive exposure to ultraviolet radiation	*exposition excessive aux rayons ultraviolets*
cause sun burns	*provoquer des coups de soleil*
a skin rash	*une irritation de la peau*
skin cancer	*un cancer de la peau*
be blinded	*rendre aveugle*
a cataract	*une cataracte*

4. The green house effect — *L'effet de serre*

a greenhouse	*une serre*
heat up the earth in a green house effect	*réchauffer le terre par l'effet de serre*
heat	*chaleur (désagréable)*
excess heat	*chaleur excessive*
retain heat	*retenir la chaleur*
trap heat	*attraper le chaleur*
a heat-trapping blanket	*une couverture qui retient la chaleur*
act as a cap on	*faire l'effet d'une chape sur*
warm up	*se réchauffer*
warming	*échauffement*
warming warning	*signal d'un réchauffement*
radiate into space	*se répandre dans l'espace*
ease the green house effect	*réduire l'effet de serre*
curb the green house effect	*contenir l'effet de serre*
threaten the earth's climate	*menacer le climat de la terre*
alter weather patterns	*modifier les données climatiques*
perturb the climate	*perturber le climat*
bring about climactic changes	*amener des changements climatiques*
a major shift in	*un bouleversement important de*
hasten a global warming trend	*précipiter la tendance planétaire au réchauffement*
usher in global warming	*introduire le réchauffement planétaire*
the average temperature	*la température moyenne*
drive up the temperature	*faire monter la température*
send glaciers creeping	*provoquer le glissement des glaciers*
melt	*fondre*
the polar cap	*la calotte polaire*
flood	*inonder*

floods	*inondation*	a dike	*une digue*
be wracked by floods	*être la proie des inondations*	a bulwark	*un rempart*
devastate	*dévaster*	a seawall	*un fronton*
raise the level	*faire monter le niveau*	the tidal flow	*le flux des marées*
a rise in sea level	*une augmentation du niveau de la mer*	shore up a city	*consolider les défenses d'une ville*
cause the oceans to rise	*provoquer l'élévation du niveau des océans*	touch off refugee movements	*provoquer des mouvements de population*
shoreline erosion	*érosion des rivages*	intensification of tropical storms	*intensification des orages tropicaux*
coastal flooding	*inondations côtières*	revamp the ecological face	*refaçonner le paysage*
a coastal town	*une ville côtière*	agricultural disruption	*bouleversement de l'agriculture*
a coastal area	*une zone côtière*		
a levee	*une levée*		

5. Air pollution control — *La lutte contre la pollution atmosphérique*

monitor the use of pollutants	*contrôler l'usage des polluants*
air quality standards	*normes de qualité de l'air*
Clean Air Act	*loi sur la protection de l'air*
set emission standards	*fixer des normes en matière d'émissions*
tighten emission standards	*durcir les normes en matière d'émissions*
counteract global warming	*agir contre le réchauffement de la planète*
take CO_2 out of the air	*nettoyer l'atmosphère de son CO_2*
plant trees to absorb CO_2	*planter des arbres pour absorber le CO_2*
launch a tree-planting campaign	*lancer une campagne de reforestation*
stop deforestation	*arrêter le déboisement*
spare fuel	*économiser l'énergie*
high CO_2 fossil fuels	*énergies fossiles riches en CO_2*
cut down fossil fuel burning	*réduire la combustion des énergies fossiles*
reduce man's dependence on	*réduire la dépendance à l'égard de*
end man's overreliance on	*mettre fin à la dépendance exclusive vis-à-vis de*
not rely on fossil fuels for house heating	*ne pas s'en remettre aux énergies fossiles pour le chauffage domestique*
use public transit systems	*utiliser les transports en commun*
a mass transit system	*un réseau de transport en commun*
traffic on alternate days:	*le trafic automobile un jour sur deux :*
run on odd days	*rouler les jours impairs*
on even days	*les jours pairs*
a number plate	*une plaque minéralogique*
exhaust fumes	*gaz d'échappement*
emit fumes	*émettre des gaz*
a tail pipe	*un pot d'échappement*
tail pipe emissions	*les gaz d'échappement*
fit up a car with / equip a car with	*équiper une voiture de*
a catalytic converter / a cat	*un pot catalytique*
a car trip	*un trajet en voiture*
car pool	*partager une voiture*
car pooling	*le co-voiturage*
join an auto pool	*s'entendre à plusieurs pour partager le même véhicule*
develop alternative energy cars	*mettre au point des voitures utilisant d'autres formes d'énergie*
run on clean fuels	*utiliser des énergies non polluantes*
lead-free petrol	*essence sans plomb*
be fuel efficient	*qui consomme peu de carburant / peu gourmand*
methanol	*méthanol*
natural gas	*gaz naturel*
propane	*propane*
raise the cost of fuels	*relever le prix de l'énergie*
pay a CO_2 user fee	*payer une taxe sur la production de CO_2*
favour the use of ozone-free propellants	*encourager l'utilisation de gaz propulseur respectant la couche d'ozone*
aerosol spray minus CFCs	*aérosol sans CFC*
use re-usable fuels	*utiliser des énergies renouvelables*
a scrubber	*un épurateur*

Research
La recherche

I. Medical research — *La recherche médicale*

1. General background — *Généralités*

bring a project off	*mener à bien un projet*
research project	*projet de recherche*
complete a research project	*réaliser un projet de recherches*
research work made possible by	*travail de recherche rendu possible par*
grant from	*bourse accordée par*
the high cost of research	*le coût élevé de la recherche*
a research team	*une équipe de chercheurs*
a researcher / scientist	*un chercheur*
do research in	*faire de la recherche en*
a search for	*une recherche de*
discover	*découvrir*
a discovery	*une découverte*
a medical scheme	*un projet médical*
a foolproof test	*un test sans danger / fiable*
duplicate the findings of another team	*reproduire les résultats d'une autre équipe*
new testing methods	*nouvelles procédures de contrôle*
Animal testing is a matter of debate.	*L'expérimentation animale est l'objet de discussions.*
a laboratory animal	*un animal de laboratoire*
animal suffering	*souffrance des animaux*
receive / win approval from health officials	*recevoir l'approbation des responsables de la santé*

2. Progress of medicine — *Progrès de la médecine*

make progress	*faire des progrès*
make strides in genome mapping	*avancer à grand pas dans la cartographie du génome*
technical abilities	*capacités techniques*
high technology medicine	*médecine de pointe*
pioneer	*faire œuvre de pionnier en ce qui concerne*
pioneering efforts	*efforts de recherche dans un domaine nouveau*
He chanced upon penicillin.	*Il a découvert la pénicilline par hasard.*
come up with a solution	*proposer / avancer une solution*
Medical research proceeds by fits and starts.	*La recherche médicale avance par à-coups.*
a breakthrough in viral therapy	*une percée dans le traitement antiviral*
break through	*faire une percée*
push back the frontiers of	*repousser les frontières de*
open up a new era	*ouvrir une nouvelle ère*
lead up to pharmaceutical innovations	*déboucher sur des innovations en pharmacologie*

The epidemiological survey has yielded interesting results.	*L'enquête épidémiologique a produit des résultats intéressants.*
This is a fruitful technique.	*C'est une technique féconde.*
technically feasible	*faisable techniquement*
halt a technique / put an end to a technique	*arrêter une technique*
push forward the bounds of medical knowledge	*repousser les limites de la connaissance médicale*
fight a battle against viral diseases	*livrer bataille contre les maladies virales*
Boiling water wards off cholera.	*L'eau bouillie permet d'éviter le choléra.*
postpone the appearance of the early signs of AIDS	*retarder l'apparition des premiers signes du SIDA*
thwart / hinder development	*contrecarrer le développement*
enable the general public to	*permettre au grand public de*
live longer	*vivre plus vieux*
lead a healthier life	*mener une vie plus saine*
raise the level of health	*augmenter le niveau de la santé*
attainable for everybody	*à la portée de tous*
devise a treatment	*mettre au point un traitement*
a promising therapy	*une thérapie prometteuse*
a cornerstone of therapy against cancer	*une pierre angulaire du traitement du cancer*
win a battle	*gagner la bataille*
Europe is now free of poliomyelitis.	*L'Europe est à présent débarrassée de la poliomyélite.*
halt the progression of	*stopper l'avance de*
We have eradicated smallpox.	*Nous avons fait disparaître la variole.*
Poliomyelitis has been stamped out.	*La poliomyélite a été éradiquée.*
Immunisation has ushered in a revolution in preventive care.	*La vaccination a introduit une révolution dans le domaine de la prévention.*
test a vaccine	*tester un vaccin*

II. A clinical trial — *Un essai clinique*

1. General background — *Généralités*

a trial participant	*un participant à un essai*
aim to further the scientific knowledge	*se donner pour but de faire progresser la connaissance scientifique*
give proof that a treatment is effective	*fournir la preuve qu'un traitement est efficace*
implement a policy	*mettre en place une politique*
develop enrolment techniques for clinical trials	*mettre au point des techniques de participation à des essais cliniques*
fund a trial	*financer un essai*
recruit patients	*recruter des malades*
pay for enrolled patients	*payer les patients participants*
refer a patient to a centre	*adresser un patient à un centre*
receive the drug for free	*recevoir le médicament gratuitement*
provide a drug to	*fournir un médicament à*
not be able to afford health care	*ne pas avoir les moyens de se payer des soins*
not pay out of one's pocket	*ne pas payer de sa poche*
not have to pick up the cost	*ne pas avoir à régler la facture*
give financial incentives	*inciter financièrement*
not scare patients off	*ne pas dissuader le malade en l'effrayant*
on the first try	*au premier essai*
meet the firm's market deadline	*respecter la date de commercialisation fixée par l'entreprise*

2. What is a clinical trial? — *En quoi consiste un essai clinique ?*

a protocol	*un protocole*
a set of rules	*un ensemble de règles*
schedule of tests	*date des contrôles*
dosages	*posologie*
length of the study	*durée de l'étude*

monitor the health of the participants	*surveiller l'état de santé des participants*
determine the safety and efficacy of the treatment	*déterminer la fiabilité et l'efficacité du traitement*
enter a clinical trial	*participer à un essai clinique*
<u>a clinical trial</u>	*<u>un essai clinique</u>*
a medical research	*une recherche médicale*
research studies	*études*
carry out / conduct a clinical trial	*procéder à / faire un essai clinique*
the fastest and safest way to find a treatment that works	*le moyen le plus rapide et le plus sûr pour découvrir un traitement efficace*
laboratories and animal studies show promising results	*les études en laboratoire et in-vivo sont encourageantes*
plan Phase 1 clinical trials	*projeter des essais cliniques de phase 1*
receive a treatment before it is widely available	*recevoir un traitement avant qu'il soit largement disponible*
receive the drug prior to marketing approval	*recevoir le médicament avant son autorisation de mise sur le marché*
pledge to withhold information related to	*s'engager à ne pas révéler l'information portant sur*
prior to the carrying out of	*antérieurement à l'exécution / à la mise en œuvre de*
<u>clinical trial phases</u>	*<u>étapes de l'essai clinique</u>*
proceed through phases	*procéder par étapes*
phase I: toxicity	*phase I : toxicité*
Does it kill?	*Est-ce qu'il tue ?*
Phase II: activity	*Phase II : activité*
Does it work?	*Est-ce qu'il marche ?*
phase III: efficacy	*phase III : efficacité*
Does it cure?	*Est-ce qu'il guérit ?*
phase IV: use	*phase IV : utilité*
Is it useful?	*Est-il utile ?*
test a new drug in a small group of people	*tester un nouveau médicament sur un petit groupe*
determine a safe dosage range	*mettre au point la zone de posologie non dangereuse*
further evaluate safety	*évaluer le degré de sécurité*
confirm effectiveness	*confirmer l'efficacité*
monitor side effects	*surveiller les effets secondaires*
collect information	*collecter les informations*
allow the drug to be used safely	*permettre un usage sûr du médicament*
market the drug	*commercialiser le médicament*

side effects associated with long-term use	*effets secondaires associés à l'usage au long cours*
<u>protections</u>	*<u>garanties</u>*
government guidelines and safeguards	*recommandations administratives à respecter*
make sure the risks are as low as possible	*veiller à la minimisation du risque*
worthy of potential benefits	*susceptible d'apporter des améliorations*
Institutional Review Board (IRB) (US)	*comité consultatif de protection des personnes (CCPP)*
a random selection from amongst persons nominated by	*un tirage au sort parmi les personnes nommées par*
organisations empowered to do so	*les organismes habilités à pratiquer*
ensure diversity of expertise	*assurer une variété de compétences*
see to it for the clinical trial to be ethical	*surveiller l'application des règles d'éthique lors de l'essai clinique*
a body responsible for protecting the rights of the people in the trial	*un comité qui veille au respect des droits de la personne en essai thérapeutique*
unethical behaviour	*comportement non éthique*
skewed report of trial data	*compte-rendu biaisé des données de l'essai*
regardless of efficacy	*indépendamment de l'efficacité*
Committees have jurisdiction over the region where they sit.	*Pleine autorité est exercée par les assemblées du siège / de la région de leur ressort.*
clinical trials conducted with the aim of developing...	*les essais cliniques menés dans le but de...*
are hereby authorised under the conditions...	*sont autorisés par le présent document aux conditions...*
referred to herein by the term...	*ici spécifiées sous la dénomination...*
not be conducted otherwise	*ne pas être mené différemment*
The sponsor, even when not at fault, takes responsibility for...	*Le commanditaire, même en l'absence d'erreur de sa part, est tenu pour responsable de...*
notwithstanding the possible action of a third party	*sans exclusive de l'action en justice d'un tiers*
unless adverse effects are proved to be attributable to	*sauf s'il est prouvé que les effets indésirables doivent être attribués à*
The sponsor shall take out insurance covering...	*Le commanditaire s'engage à contracter une assurance qui couvrira...*

participating party's liability	la responsabilité juridique des parties en cause
irrespective of the relationship between	indépendamment du lien entre
reimbursement of expenses incurred	remboursement des sommes engagées
periodically review the research	procéder régulièrement à une évaluation critique des travaux de recherche
protect the rights of participants	protéger les droits des participants
inform the person of their rights	informer la personne de ses droits
not be under guardianship	ne pas être sous tutelle
the person's next of kin	le plus proche parent de la personne
be solicited where a direct benefit to health is expected	faire / être l'objet d'une demande dans le cas où un bénéfice direct pour la santé est attendu
anticipated benefits	bénéfices attendus
a successful participation	une participation fructueuse
not carry foreseeable risk to	ne pas être porteur de risques prévisibles pour
informed consent	**consentement éclairé**
learn the key facts	être instruit des éléments essentiels
decide whether or not to participate	décider de participer ou non
why the research is being done	raisons qui justifient la recherche en cours
involved risks	risque inhérent / associé
expected benefit	bénéfices escomptés
other available treatment	autre traitement disponible
may leave the trial at any time	possibilité de sortir de l'essai à tout moment
consider joining a trial	envisager d'entrer dans un essai
enable prior consent	**mettre le malade en mesure de donner son consentement**
review the consent documents	analyser les termes du documents
help patient feel comfortable with his / her decision	conforter le malade dans sa décision
Informed consent was granted by...	On s'est assuré du consentement éclairé de...
Consent shall be witnessed by a third party.	Le consentement se donne devant témoins.
withdraw consent at any time without incurring...	retirer son accord à tout moment sans encourir...
have a feeling that you are being mistreated	avoir le sentiment qu'on vous traite mal
have a feeling that you are being experimented on against your will	avoir le sentiment que vous êtes livré à des expériences contre votre gré
notice a change in your health	remarquer un changement dans votre état de santé
participants	**participants**
What types of people may participate in the trial?	Qui peut prendre part à l'essai ?
age	âge
type of disease	type d'affection
medical history	antécédents
current medical condition	pathologie présente / actuelle
qualify for the study	être retenu pour l'étude / l'essai / la recherche
join the trial	entrer dans l'essai
a healthy volunteer	un volontaire sain
number of patients	**population concernée**
a sample size	la taille de l'échantillon
select	choisir / sélectionner
enrol	admettre / accepter / enrôler
inclusion criteria	critères d'inclusion
male or female outpatients	patients ambulatoires des deux sexes
be motivated to	être motivé pour
factors that allow the patient to participate in the trial	facteurs permettant aux patients de participer à l'essai
exclusion criteria	critères d'exclusion
identify appropriate participants	sélectionner les bons participants
keep participants safe	assurer la sécurité des participants
requirements to be eligible for the trial	critères d'acceptabilité
current medical condition	état de santé actuel
location	**lieu**
doctor's office	cabinet médical
community clinic	établissement hospitalier local
university / teaching hospital	centre hospitalier universitaire (CHU)
what happens during the trial	**déroulement**
depend on the kind of trial	être fonction du type d'essai
a team including	une équipe qui réunit
social worker	assistante sociale
health care professional	personnel de santé
check the health at the beginning of the trial	évaluer l'état de santé au début de l'essai
give instructions for participating in	donner des instructions pour participer à

monitor the participants carefully through the trial	*surveiller étroitement les participants pendant la durée de l'essai*
keep in touch	*rester en contact*
placebo	*placebo*
inactive chemical with no treatment value	*substance dépourvue d'effet thérapeutique*
assess the treatment effectiveness	*évaluer l'efficacité thérapeutique*
the control / non-intervention group	*le groupe témoin*
the experimental / intervention group	*le groupe traité*
an active drug	*un médicament efficace*
an experimental drug or treatment	*un médicament ou un traitement en cours d'essai*
a standard treatment for a disease	*un traitement habituel pour une maladie*
a blinded / masked study	*une étude en aveugle*
a placebo trial	*un essai sous placebo*
a blinded trial	*un essai en aveugle*
not know whether you are in the control or experimental group	*ignorer si vous êtes dans le groupe témoin ou non*
get the medication being tested	*recevoir le médicament étudié*
a double-blind / double-masked study	*étude en double aveugle / double insu*
neither the participants nor the study staff know which participants are receiving the drug	*ni les participants ni l'équipe soignante ne savent qui reçoit le traitement*
not influence the outcome	*ne pas influencer les résultats*
a mid-term success rate	*un taux de réussite à mi-parcours*
rules and methods to limit the effects of bias on the results	*comment limiter les effets des biais sur les résultats*
methods designed to eliminate one kind of bias	*méthodes conçues pour éliminer une forme de biais*
methods likely to improve conditions	*méthodes susceptibles d'améliorer les conditions / l'état*
compatible with the requirements of	*compatible avec les exigences de*
meeting the requirements of	*qui obéit aux exigences de*
side effects / adverse reactions	*effets secondaires / indésirables*
undesired actions or effects	*effets indésirables*
evaluate experimental treatments for both immediate and long-term side effects	*évaluer un traitement expérimental dans ses effets secondaires à court et à long terme*
take an active role in one's health care	*jouer un rôle actif dans son état de santé*
advantages	*bénéfices*
gain access to new treatments	*avoir accès à de nouveaux traitements*
not available to the general public	*inaccessible au grand public*
drawbacks	*inconvénients*
not effective for the participant	*inefficace pour ce participant*
require a lot of time	*nécessiter beaucoup de temps*
trip to the study site	*déplacement jusqu'au lieu de l'étude*
hospital stay	*séjour à l'hôpital*
complex dosage requirements	*contraintes d'une posologie complexe*

3. Entering a clinical trial — *Participation à un essai clinique*

What is a clinical trial?	*Qu'est-ce qu'un essai clinique ?*
a test of a new drug or treatment on people	*l'essai, sur des personnes, d'un nouveau médicament ou d'un nouveau traitement*
a way to study the benefits and risks of using a new treatment	*un moyen pour étudier les bénéfices et les risques qu'il y a à utiliser un nouveau traitement*
Why should I enter a clinical trial?	*Pourquoi dois-je entrer dans un essai clinique ?*
have the chance to receive an experimental treatment	*avoir la chance de recevoir un traitement expérimental*
before it is widely available	*avant qu'il soit mis à la disposition de tous*
get regular, sustained medical attention	*recevoir une attention régulière et soutenue de son médecin*
at little or no cost at all	*pour un coût très faible ou nul*
contribute to scientific knowledge	*contribuer à la connaissance scientifique*
What are the involved risks for me?	*Quels sont les risques pour moi ?*

We can't say for certain that the treatment will be any better than another.	*Nous ne pouvons pas affirmer que ce traitement sera meilleur qu'un autre.*
A treatment that works for some at one stage of disease may not work for others.	*Un traitement qui marche pour certains à une étape de la maladie peut très bien être inefficace pour d'autres.*
have harmful side effects	*avoir des effets secondaires négatifs*
take every precaution to detect possible side effects before they get serious	*prendre toutes les précautions pour repérer les effets secondaires possibles avant qu'ils ne deviennent graves*
How will I be protected from side effects during my clinical trial?	*Comment serai-je protégé des effets secondaires pendant l'essai ?*
learn about the symptoms	*apprendre à connaître les symptômes*
promptly report them to doctors and investigators alike	*les signaler rapidement au médecin ainsi qu'aux investigateurs*
whenever there is a change in your health	*à chaque fois qu'il se produit un changement dans votre état*
as minor a change as can be	*aussi minime soit-il*
be approved by a panel of doctors	*être approuvé par une commission de médecins*
an Institutional Review Board (IRB)	*un comité d'éthique*
At each community organisation carrying out clinical trials	*Dans chaque institution qui procède à des essais cliniques*
the body responsible for the rights of the people in the trial	*l'organisme responsable des droits de ceux qui participent à l'essai*
make sure that the trial is ethical	*vérifier que l'essai répond aux règles d'éthique*
as safe as possible	*aussi peu dangereux que possible*
Could you tell how clinical trials work?	*Pourriez-vous me dire comment se passe un essai clinique ?*
keep to a number of rules and methods	*s'en tenir à un certain nombre de règles*
limit the effects of bias on results	*limiter le effets de biais sur les résultats*
methods designed to eliminate biases	*méthodes élaborées pour supprimer les biais*
the blinding method to make sure the investigator's personal beliefs have not wrongly influenced the trial results	*la méthode en aveugle pour être sûr que les croyances de l'investigateur n'ont pas influencé à tort les résultats de l'essai*
a blinded trial	*un essai en aveugle*
not know which treatment has been given to which patients	*ne pas savoir quel traitement a été donné à quel patient*
be given placebos	*se voir donner un placebo*
The drug is inactive.	*Le médicament est inactif.*
be convinced that a placebo is an effective drug	*être convaincu qu'un placebo est un médicament efficace*
an Open Label Study	*une étude ouverte*
a study that does not blind the treatment	*une étude qui n'occulte pas le traitement*
What is a placebo?	*Qu'est-ce qu'un placebo ?*
look and taste like the drug under study	*avoir l'aspect et le goût du médicament étudié*
not be active medicine	*ne pas être un médicament actif*
In a placebo trial, we compare a new treatment against...	*Lors d'un essai clinique, on compare un nouveau traitement avec...*
the beneficial effects that come from a belief in the patient that he has been given a true treatment.	*les effets bénéfiques nés de la croyance chez le patient qu'on lui a donné un vrai traitement.*
Placebo trials give the clearest proof that a new treatment is effective.	*Les essais sous placebo donnent la meilleure preuve de l'efficacité d'un traitement.*
ethical only if there is no other available treatment for the disease	*éthique seulement s'il n'existe aucun autre traitement disponible contre la maladie*
no immediate danger arising from withholding treatment for a while	*aucun danger immédiat à ne pas administrer un traitement pendant un certain temps*
What are the requirements to be eligible for a trial?	*Que faut-il pour être accepté ?*
limitations about the kind of people who can get involved in the clinical trial	*règles quant au choix de ceux qui peuvent participer à un essai*
current medical condition	*état physique actuel*
a list of Inclusion Criteria	*liste des critères d'inclusion*
which characteristics will allow a person into the study	*quelles caractéristiques permettront d'être admis*

similar enough people for reliable comparisons to be made between the different treatments	*personnes suffisamment semblables pour que des comparaisons valables puissent être faites entre les différents traitements*
a list of Exclusion Criteria	*critères d'exclusion*
which characteristics will keep people out	*quelles caractéristiques vous excluront*
What are my rights if I enter a clinical trial?	*Quels sont mes droits au cas où j'entrerais dans un essai clinique ?*
No one can force you to enter a trial.	*Nul ne peut vous y forcer.*
a choice that the patient alone is to make	*un choix que, seul, le patient doit faire*
have the right to get understandable answers to any questions you might have	*avoir le droit d'obtenir des réponses claires à toute question*
have the right to leave at any time after you've entered	*avoir le droit de quitter l'essai n'importe quand une fois entré*
not feel you are being mistreated	*ne pas avoir le sentiment qu'on vous traite mal*
not feel you're being harmed against you will	*ne pas avoir le sentiment qu'on vous fait du mal malgré vous*
not feel that the trial is bad for your health	*ne pas avoir le sentiment que cet essai est nocif*
The law protects you from being experimented on against your will.	*La loi vous protège contre toute expérimentation non désirée*
require informed consent from the patient	*nécessiter le consentement éclairé de la personne*
Which means?	*Ce qui signifie ?*
We are required to make sure that the people who are being asked to join a trial...	*Nous avons l'obligation de vérifier que ceux à qui nous demandons de participer à un essai...*
They have understood the purpose of the study	*Ils ont compris le but de l'étude.*
the possible dangers and benefits of the drug	*les dangers et les bénéfices possibles à attendre du médicament*
the number of clinic visits needed	*le nombres nécessaire de visites à l'hôpital*
Should I fill in an Informed Consent form right now?	*Dois-je remplir le formulaire de consentement maintenant ?*
discuss the terms of the form at home	*discuter des termes du document chez soi*
You won't give up any of your rights by signing this document.	*Vous ne renoncez à aucun de vos droits en signant cette feuille.*

4. A clinical trial report summary — *Compte-rendu d'essai clinique*

title of the trial	*intitulé*
investigators	*investigateurs*
concerned centres	*centres impliqués*
publication	*presse / publications*
main objective	*objectif principal*
to evaluate efficacy of	*pour évaluer l'efficacité de*
in patients with	*chez les malades atteints de*
safety of high doses of	*innocuité de doses élevées de*
safety procedures	*procédures de sécurité*
test for safety	*évaluer l'innocuité*
design	*description du projet*
evaluate / assess the efficacy of a drug	*évaluer l'efficacité d'un médicament*
for drug approval	*en vue de son autorisation*
a multi-centre trial	*un essai multicentrique*
multinational	*international*
prospective	*prospectif*
randomised	*randomisé*
double-blind	*en double aveugle / double insu*
placebo-controlled	*contre placebo*
a parallel group trial	*un essai en parallèle*
run-in period	*période de présélection*
randomise patients	*tirer au sort / randomiser les patients*
instruct patients not to take any other drug	*informer les patients de ne pas prendre d'autres médicaments*
self-reported abstinence	*déclaration d'abstinence par le patient*
allocate patients to two groups	*répartir les patients en deux groupes*
receive the same dose regimen	*recevoir un traitement identique*
Patients were down-titrated every three weeks by 10 mg.	*Les patients ont reçu des doses dégressives par palier de 10 mg toutes les trois semaines.*
test product	*médicament à étudier*
dose	*quantité*
mode of administration	*mode d'administration*
batch numbers	*numéros du lot*
duration of treatment	*durée du traitement*

duration of the trial / trial period — *durée de l'essai*
withhold treatment for a while — *suspendre le traitement pendant un certain temps*
prolong / extend — *prolonger*
termination of research — *date de fin de la recherche*
criteria for evaluation — *critères d'évaluation*
primary efficacy variable — *critère d'efficacité primaire*
body weight — *poids*
blood pressure — *pression artérielle*
heart rate — *rythme cardiaque*
adverse experiences — *accidents antérieurs*
statistical method — *méthode statistique*
a randomised, well-controlled clinical trial for drug approval — *un essai randomisé bien construit pour la validation d'un médicament*
adverse experiences — *accidents / effets secondaires*
20 patients reported at least one trial drug-related adverse experience. — *20 patients ont signalé au moins un incident lié à la prise du médicament.*
No difference was found between the two groups. — *Aucune différence n'a été signalée entre les deux groupes.*
Five patients experienced a total of 6 severe adverse effects which were considered unrelated to trial drugs. — *Cinq malades ont été l'objet de 6 accidents sévères considérés comme sans rapport avec l'essai.*
One death occurred. — *Un décès est survenu.*
discontinuations due to adverse events — *interruption en raison d'effets secondaires*
conclusion — *conclusion*
Safety and tolerability of the higher doses were comparable to those of the standard regimen except for the frequency of hair loss. — *L'innocuité et la tolérance des doses élevées ont été comparables à celles de la posologie standard sauf en ce qui concerne la perte des cheveux.*

5. Good clinical practices — *Bonnes pratiques cliniques*

measures to be implemented — *dispositions à mettre place*
to ensure quality and truthfulness — *pour la qualité et l'authenticité*
scientific, trial-based data — *données scientifiques tirées d'essais*
together with a respect for ethics — *ainsi que le respect de l'éthique*

A. Definition of terms
Définition des termes employés

prerequisites — *prérequis*
before the clinical trial starts — *avant le début de l'essai*
to be presented as a confidential statement — *à présenter sous forme d'un document confidentiel*
to be updated as the trial is getting on — *à actualiser au fur et à mesure de l'avancement de l'essai*
protocol — *protocole*
clearly state the objective of the trial — *définir l'objectif de l'essai*
accompanying conditions for the trial — *conditions attachées au déroulement de l'essai*
case report — *cahier d'observations*
collect data as defined by the protocol — *recueillir l'information telle que définie par le protocole*
disclosure procedure — *levée de l'anonymat*
in order to know the nature — *afin de connaître la nature*
the ongoing treatment given to an individual — *le traitement en cours administré à un sujet*
code to be kept — *code à conserver*
in a sealed opaque envelope — *dans une enveloppe scellée opaque*
operating procedures — *mesures opérationnelles*
written instructions — *instructions écrites*
describe the operations to be carried out — *décrire les opérations à effectuer*
measures to be implemented — *mesures à mettre en œuvre*
patient files — *dossier du malade*
a specific file — *un dossier spécial*
to be completed for every individual — *à compléter pour chaque sujet*
be involved in the trial — *être inclus dans l'essai*
investigational drugs — *produits étudiés*
be compared with — *être comparé avec*
a reference drug product — *un produit de référence*
batch — *lot*
definite quantity of drug product — *quantité définie d'un produit*
to be obtained during a given manufacturing cycle — *pendant la durée fabriquée d'un cycle donné*
batch consistency — *homogénéité d'un lot*

B. Responsibilities of the investigator
Responsabilités de l'investigateur

prior to trial start — *avant le début de l'essai*

availability	*disponibilité*
availability of the staff	*disponibilité de l'équipe*
be compatible with the requirements for the trial	*être compatible avec les exigences de l'essai*
the intended trial	*l'essai proposé*
not be interfered with	*ne pas être perturbé par*
a possibly ongoing trial	*un essai éventuellement en cours*
adequacy of facilities	*adéquation des locaux*
organise the available facilities	*organiser les locaux disponibles*
according to the nature of the intended trial	*selon la nature de l'essai proposé*
ensure safety of the participants	*assurer la sécurité des participants*
in an emergency	*en cas d'urgence*
ensure storage of the investigational drug	*assurer le stockage du produit étudié*
storage facilities	*entrepôts*
ensure filing of the documents	*assurer le classement des documents*
enrolling participants	*recrutement des participants*
sign up a protocol	*signer un protocole*
make sure you have a large enough sample of individuals	*s'assurer qu'on dispose d'un échantillon suffisamment important*
ensure proper trial performance	*assurer le bon déroulement de l'essai*
be wary of disrupting factors	*être vigilant sur les éléments perturbateurs*
alter trial outcome	*changer le résultat de l'essai*
difficulty in follow up of involved persons	*difficultés dans le suivi des personnes impliquées*
monitoring	*surveillance*
live away from the study site	*demeurer loin du lieu de l'étude*
participant's inability to comply with the protocol requirements	*incapacité du sujet à suivre les exigences du protocoles*
an intellectual barrier	*une barrière intellectuelle*
external interference	*interférence externe*
consent of participants	*consentement des sujets*
clearly indicate the contents of	*indiquer clairement le contenu de*
the information given to the participant	*les informations données au sujet*
Written consent is standard practice.	*Le consentement écrit est la règle.*
ethical statements from the ethics committee	*avis du comité d'éthique*
consult an ethics committee	*consulter un comité d'éthique*
pass on the pieces of advice to the sponsor	*communiquer les avis au promoteur de l'essai*
while the trial is in progress	*pendant le déroulement de l'essai*
critical incidents	*événements critiques*
inform the sponsor as soon as possible	*informer le promoteur dès que possible*
report any disclosure of personal data	*signaler toute levée d'anonymat*
to be regarded as an exceptional procedure	*à considérer comme un fait exceptionnel*

C. About a few problems
Quelques problèmes éventuels

a multicentre trial	*un essai multicentrique*
set up a monitoring committee	*mettre en place un comité de surveillance*
keep the ethics committee informed	*tenir au courant le comité d'éthique*
notify a decision to the committee	*notifier les décisions au comité*
discuss possible changes in the protocol	*débattre des changements éventuels à apporter au protocole*
arbitrate litigation on follow up	*rendre des arbitrages au sujet du suivi*
continue a trial	*poursuivre un essai*
discontinue a trial	*arrêter un essai*
not enrol sitting members of the co-ordinating body	*ne pas prendre les membres de l'organisme coordinateur*
trial without any therapeutic aim	*essai sans but thérapeutique*
carry out a trial designed to get better knowledge of the drug product under study	*faire un essai destiné à améliorer la connaissance du produit étudié*
pay special attention to the health status	*porter une attention particulière à l'état de santé*
a self-declared healthy individual	*un sujet qui se déclare en bonne santé*
participant's level of retribution	*rétribution du sujet*

D. The responsibilities of the ethics committee
Les responsabilités du comité d'éthique

see to it that	*veiller à*
no discrepancy between	*adéquation entre...*
the potential risks of the trial	*les risques potentiels de l'essai*

the possibly unpleasant effects caused by	*les désagréments éventuels causés par*
how the protocol is implemented	*les modalités de mise en œuvre du protocole*
the information to be given to the participant	*les informations à donner au participant*
a guardian	*un tuteur*
how consent is secured	*la façon dont on s'est assuré du consentement*

III. The pharmaceutical industry — *L'industrie pharmaceutique*

I. Commercial strategies — *Stratégies commerciales*

A. General background — *Généralités*

druggist / pharmacist (US) / chemist (GB)	*pharmacien*
drug representative / drug rep	*visiteur médical / représentant*
drug company / drug firm / pharmaceutical firm	*société / compagnie pharmaceutique*
drug plant (US)	*usine pharmaceutique*
a product	*un produit*
a range of products	*une gamme de produits*
span a product line	*couvrir une gamme de produits*
run a line	*vendre une gamme*
a top-of-the-line / top-grade product	*un produit haut de gamme*
bottom-grade	*bas de gamme*
an imitation product	*une contrefaçon*
produce	*produire*
producer	*producteur*
a generic drug	*un médicament générique*
a non-branded drug	*un médicament hors marque*
a brand name	*un nom de marque*
a global brand	*une marque mondiale*
a leading brand	*une marque vedette*
a proprietary name	*une marque déposée*

B. Drug development — *Mise au point des médicaments*

research and development	*recherche et développement*
research budget	*budget de recherche*
research and development spending	*dépenses de recherche et développement*
drug life span	*durée de vie du médicament*
a drug change-over	*la mutation d'un médicament*
discontinue	*arrêter*
clinical trial	*essai clinique*
conduct a trial	*mener une expérience*
test a drug	*évaluer un médicament*
assess	*évaluer*
long-term testing	*expérimentation à long terme*
run diagnostic tests on a drug	*tester un médicament*
approve a drug application	*agréer un produit pharmaceutique*
approval process	*processus d'approbation / d'autorisation*
license a drug	*breveter un médicament*
approve for use	*autoriser la mise sur le marché (AMM)*
Food and Drug Administration (FDA)	*service fédéral américain de contrôle des aliments et médicaments*
British Committee on Safety of Medicines (BCSM)	*service britannique de pharmacovigilance*
patent protection	*protection d'un brevet*
Medicines Control Agency (MCA)	*l'Agence française de sécurité sanitaire des produits de santé*

C. Quality — *La qualité*

a quality product	*un produit de qualité*
set tough standards	*établir des normes sévères*
meet the safety standards	*être au niveau des normes de sécurité*
comply with quality standards	*se soumettre aux normes de qualité*

monitor quality — *surveiller la qualité*
a key-component of quality — *un élément essentiel de la qualité*
pursue quality — *rechercher la qualité*
the pursuit of — *la recherche de*
a quality enhancement programme — *un programme d'amélioration de la qualité*
spot defects — *repérer les défauts*
restore quality — *restaurer la qualité*
a quality gain — *un gain en qualité*
cut down manufacturing errors — *réduire les erreurs de fabrication*
seek manufacturing excellence — *rechercher l'excellence en matière de fabrication*
design quality into a drug — *concevoir un médicament de qualité*
stand for excellence — *représenter / être l'image de la qualité*
not waste money — *ne pas gaspiller l'argent*
a faulty drug — *un médicament défectueux*
a flaw in — *un défaut dans*
flawless — *impeccable / sans défaut*

D. Marketing
Commercialisation

enter a market — *être mis sur le marché*
market a drug — *mettre un médicament sur le marché*
a marketplace — *un marché*
a pharmaceutical market — *un marché des produits pharmaceutiques*
the world market — *le marché mondial*
the home market — *le marché national*
a fast-growing market for a drug — *le marché d'un médicament en pleine expansion*
<u>market analysis</u> — <u>*analyse du marché*</u>
a market survey — *une étude de marché*
carry out a survey — *mener une étude*
conduct — *mener*
a market appraisal — *une évaluation du marché*
market forecasts — *prévisions du marché*
prospects — *perspectives*
trends — *orientation*
demand — *besoins*
target — *objectif*
target a market — *cibler un marché*
target consumer — *consommateur-cible*
aim at a market — *viser un marché*
hit a market — *atteindre un marché*
research a market for a drug — *étudier le marché d'un médicament*
find a niche — *trouver un créneau*
energise a market — *dynamiser un marché*
a buoyant market — *un marché demandeur*
match a drug to a market — *adapter un médicament à un marché*
<u>the launching campaign</u> — <u>*la campagne de lancement*</u>
launch a drug — *lancer un médicament*
launch — *lancement*
launch a drive — *lancer une campagne*
an export drive — *une campagne pour l'exportation*
a marketer — *un distributeur*
a market test — *un test de vente*
a test area — *une zone-test*
promote a drug — *faire la promotion d'un médicament*
promote an image — *promouvoir une image*
sell well — *bien se vendre*
sell poorly — *mal se vendre*
a flop — *un échec*
a hit — *un gros succès*
<u>market penetration</u> — <u>*implantation sur un marché*</u>
penetrate a market — *s'implanter sur un marché*
put on the market — *mettre sur le marché*
find a market for — *trouver un débouché pour*
an outlet — *un débouché*
find a place in the market — *trouver une place sur le marché*
meet with pitfalls — *rencontrer des obstacles*
a newcomer — *un nouveau venu*
fail to penetrate — *ne pas parvenir à s'implanter*
not recoup one's outlay — *ne pas récupérer sa mise de départ*
lose an edge over — *perdre l'avantage par rapport à*
have an edge over — *prendre l'avantage sur*
<u>advertising</u> — *<u>la publicité</u> (activité économique)*
an advertisement — *une publicité (information affichée)*
an advert / an ad — *une pub*
publicity — *publicité (donnée à un événement)*
put up an ad — *faire passer une pub*
a TV commercial — *une pub télé*
a follow-up ad — *une pub de rappel*
a service ad — *une pub pour un service public*
know-better advertising — *publicité de mise en garde / consumériste*
an advertising message — *un message publicitaire*

advertising in medical journals	*publicité dans les revues médicales*
a spread	*une double page*
an insert	*un encart*
sponsoring	*parrainer financièrement*
sponsorship	*parrainage*
deliver a message	*émettre / transmettre un message*
intended for	*à l'attention de*
<u>advertising strategy</u>	*<u>stratégie publicitaire</u>*
targeting	*le ciblage*
consumer advertising	*publicité pour le consommateur*
an advertising budget	*un budget publicitaire*
advertising expenditures	*dépenses pour la publicité*
an advertising claim	*un argument publicitaire*
aim at consumers	*viser le consommateur*
break down a public into segments	*diviser en sous-groupes*
a cross section	*un échantillon représentatif*
an age group	*une tranche d'âge*
a psychological make-up	*un profil psychologique*
sell a need	*vendre un besoin*
a target audience	*une audience-cible*
<u>advertising a product</u>	*<u>la publicité d'un produit</u>*
a blind test	*un test en aveugle*
get people to use	*amener les gens à utiliser*
build a brand preference	*fidéliser un client à une marque*
build an identity for the drug	*construire l'identité du médicament*
<u>prices</u>	*<u>les prix</u>*
selling price	*prix de vente*
cost price	*prix de revient*
Value Added Tax (VAT)	*taxe sur la valeur ajoutée (TVA)*
all-inclusive price / VAT-included price	*prix toutes taxes comprises TTC*
price bracket	*fourchette de prix*
price differential	*écart de prix*
<u>costs</u>	*<u>les coûts</u>*
cost	*coûter*
cut cost	*réduire le coût*
cost-cutting	*réduction des coûts*
cost-effective	*rentable*
cost saving	*économique*
<u>sales policy</u>	*<u>politique des ventes</u>*
pricing	*fixation des prix*
set a price for	*fixer un prix pour*
charge a price	*demander un prix*
keep prices down	*contenir les prix*
a fall / drop in prices	*une chute des prix*
collapse	*s'effondrer*
rise	*augmenter*
a rise in prices / a price rise	*une augmentation des prix*
raise prices	*augmenter les prix*
mark up	*majorer*
mark up	*une majoration*
sales returns	*produit des ventes*
a sales chart	*une courbe des ventes*
a sales drive	*une campagne de ventes*
sales expectation / sales forecasts	*prévisions de vente*
<u>sales</u>	*<u>les soldes</u>*
bargain sales	*les soldes*
an odd lot	*les articles en solde*
a red tag sale	*une vente promotionnelle*
sell off / clear off	*liquider / solder*
slash prices	*sacrifier les prix*
undercut prices	*brader les prix*
move merchandise	*écouler la marchandise*
give a discount / a rebate	*accorder un rabais*
a price mark-down	*une démarque*
marked down	*démarqué*
margin	*marge*
refund	*rembourser*
refund	*remboursement*
no refund	*non remboursable*

2. Drug monograph — *Fiche de présentation du médicament*

A. General background
Généralités

<u>name of drug:</u>	*<u>dénomination :</u>*
calkounin®	*calkounin®*
<u>therapeutic classification</u>	*<u>classe thérapeutique</u>*
pain suppressant / pain killer	*antalgique*
<u>action and clinical pharmacology</u>	*<u>effet et pharmacologie clinique</u>*
intended for oral administration	*à prendre oralement*
<u>pharmacokinetics</u>	*<u>pharmacocinétique</u>*
well absorbed following oral administration	*bien absorbé par voie orale*
in both fasting and non-fasting subjects	*qu'on soit à jeun ou non*
oral bioavailability	*biodisponibilité par voie orale*

not altered when administered with meals	*inchangée si accompagnée de nourriture*
co-administered with	*administré conjointement avec*
the average plasma half-life in normal subjects	*la demi-vie plasmatique moyenne chez le sujet normal*
patients with impaired hepatic function	*malades porteurs d'insuffisance hépatique*
no differences were observed when compared with normal control subjects	*il n'a été noté aucune différence avec les sujets témoins*
healthy elderly subjects	*les sujets âgés en bonne santé*
60% higher than that of healthy young adults	*supérieur de 60 % par rapport au chiffre observé chez l'adulte jeune bien portant*
necessitate dosage adjustment	*nécessiter une adaptation de la posologie*

B. Indications and clinical use
Indications et utilisation clinique

Results of clinical studies	*Résultats des études cliniques*
For 12 months doctors studied 500 men and women aged 18 to 41 with recurrent headache.	*On a étudié sur une période de 12 mois 500 hommes et femmes âgés de 18 à 41 ans présentant des migraines récurrentes.*
study for an additional 12 months	*poursuivre l'étude pendant les 12 mois suivants*
notice improvement	*remarquer une amélioration*
with the effect maintained in the second year	*avec effet qui se maintient dans l'année suivante*
warnings	*précautions / mise en garde*
Patients with hypersensitivity reactions should discontinue use of calkounin®.	*Les malades présentant une hypersensibilité doivent cesser de prendre le calkounin®.*
occur in up to 10% of patients with a history of allergy	*survenir chez un maximum de 10 % des malades présentant des antécédents allergiques*
general precautions	*précautions d'emploi*
effects seen in patients with	*effets observés chez les malades atteints de*
unusually responsive to	*anormalement sensible à*
The decrease in potassium is usually transient.	*La diminution du potassium est en général temporaire.*
It may require supplementation.	*Elle peut nécessiter un complément.*
renal status	*fonction rénale*
Evaluation of renal status before and during therapy is recommended, especially in seriously ill patients.	*Il est recommandé d'évaluer l'état rénal avant et pendant le traitement, particulièrement chez les malades graves.*
suspected renal impairment	*atteinte rénale suspectée*
Appropriate laboratory studies should be done prior to and during therapy.	*Les études de laboratoires appropriées doivent être faites avant et pendant le traitement.*
The total daily dose should be reduced in patients with renal dysfunction.	*On devra diminuer la dose journalière totale en cas d'altération des fonctions rénales.*
occur from usual doses	*survenir pour des doses habituelles*
To be given with caution in patients receiving concurrent treatment with potent drugs since these agents are suspected of adversely affecting renal function.	*A administrer avec prudence aux malades recevant un autre médicament en raison d'effet délétère possible sur la fonction rénale.*
hepatic status	*fonction hépatique*
extensively metabolised	*fortement métabolisé*
system clearance is dependent on liver blood flow	*la clearance dépend du flux sanguin hépatique*
pregnancy and breast feeding	*grossesse et allaitement*
The presence of drug product in the blood does not interfere with the assay of...	*La présence du médicament dans le sang n'interfère pas avec l'analyse de...*
Studies have been performed in rats and mice.	*Des études ont été réalisées chez le rat et la souris.*
at oral doses up to	*à des doses orales allant jusqu'à*
the maximum recommended human daily dose on a mg / m^2 basis	*la dose maximale quotidienne en mg par m^2 recommandée chez l'homme*
reveal no evidence of harm to the foetus due to the drug	*n'apporte pas la preuve de dommage fœtal lié au médicament*
The relevance of these findings to humans is not known.	*On ignore dans quelle mesure ces résultats sont applicables à l'homme.*
studies revealed no evidence of...	*les études n'ont pas apporté la preuve que...*

To be used during pregnancy only if the potential benefit justifies the potential risk.	*A utiliser pendant la grossesse uniquement si les avantages escomptés justifient les risques.*
To be restricted to those patients in whom the benefits outweigh the risks.	*A donner seulement aux malades pour qui les avantages sont supérieurs aux risques.*
The risks should be weighed against the benefits of including...	*Les risques doivent être comparés aux bénéfices qu'il y a à inclure...*
Caution should be exercised when administered to a nursing mother.	*Administrer avec prudence aux mères allaitantes.*
safety and effectiveness in children has not been evaluated / assessed	*l'innocuité et l'efficacité chez l'enfant n'ont pas été évaluées*
body aches and dizziness may occur slightly more often in a patient with...	*courbatures et vertiges peuvent se produire un peu plus fréquemment chez le malade ayant...*

<u>drug dependency</u>	<u>*pharmacodépendance*</u>
therapy is likely to have a low abuse potential	*il existe une possibilité d'usage abusif lié à ce traitement*
use beyond 3 months should be discouraged	*l'utilisation au-delà de 3 mois est déconseillée*
To minimise the risk of dependence, withdraw gradually from treatment by decreasing the dose every 2 to 4 weeks.	*Afin de réduire les risques de dépendance, opérer un sevrage progressif en abaissant les doses toutes les 2 ou 4 semaines.*

<u>adverse reactions</u>	<u>*effets indésirables*</u>
Additional information may be obtained from...	*Pour toute information complémentaire, contacter...*
Safety and effectiveness in children below the age of 6 have not been established.	*L'innocuité et l'efficacité chez l'enfant de moins de 6 ans n'ont pas été démontrées.*
studies in the chronically ill or institutionalised elderly patient	*études chez le malade chronique âgé ou placé en institution*
experience adverse effects due to peak levels	*subir des effets indésirables en raison des pics observés*

C. Information for the patient
Informations pour le patient

Please read this leaflet before you start taking the drug.	*Veuillez lire la notice avant de prendre ce médicament.*
This leaflet does not take the place of careful discussion with your doctor.	*La notice ne peut se substituer à un entretien approfondi avec votre médecin.*
Your doctor should discuss the drug when you start taking your medication.	*Votre médecin doit vous expliquer l'effet du médicament quand vous débutez votre traitement.*
at regular check-ups.	*à chaque visite de contrôle.*

<u>What is the drug used for?</u>	<u>*A quoi sert ce médicament ?*</u>
indications and usage	*indications et posologie*
used for the treatment of	*utilisé pour le traitement de*
indicated for use in patients with	*recommandé chez le malade atteint de*
should not be used by	*ne pas administrer à*
have evidence of	*manifester des signes de*

<u>Will the drug work for me?</u>	<u>*Ce médicament me fera-t-il de l'effet ?*</u>
results will vary	*les résultats sont variables*
occur gradually over time	*se produire peu à peu*
on average	*en moyenne*
take time to see any effect	*prendre du temps pour percevoir un effet*
You may need to take the drug for 3 months before you see a benefit from taking it.	*Vous pouvez avoir à prendre le traitement pendant 3 mois avant que vous notiez une amélioration.*
can only work over the long term	*ne peut être efficace qu'à long terme*

<u>side effects</u>	<u>*effets secondaires*</u>
A prescribed product may cause adverse side effects.	*Un médicament sur ordonnance peut déclencher des effets secondaires indésirables.*
Side effects occur in less than 2% of patients.	*Les effets secondaires se produisent chez moins de 2 % des patients.*
common event associated with	*en association fréquente avec*
resolve within 24 hours	*se résorber en 24 heures*
be cautioned to avoid using	*attention à ne pas utiliser*
may result in worsening of	*peut aboutir à l'aggravation de*
Should any combination of these symptoms develop, consult your physician immediately.	*Consultez votre médecin sans attendre en cas d'association de ces symptômes, quelle qu'elle soit.*
discontinue the treatment	*interrompre le traitement*
The side effects should not last longer.	*Les effets secondaires ne devraient pas durer plus longtemps*

seek medical attention	*demander l'avis d'un médecin*
a drug to be taken as indicated by the prescriber	*un médicament à prendre selon les indications données par le prescripteur*
Appropriate use of the drug includes an understanding of how it should be administered.	*Le bon usage du médicament implique que l'on a compris comment il doit être utilisé.*
<u>How should I take the drug?</u>	<u>*Comment utiliser ce médicament ?*</u>
Follow your doctor's instructions.	*Suivez les indications de votre médecin.*
one tablet per day	*un comprimé par jour*
with or without food	*avec ou sans nourriture*
not take an extra tablet	*ne pas prendre de comprimé supplémentaire*
not take it more than once a day	*ne pas le prendre plus d'une fois par jour*
<u>Who should not take the drug?</u>	<u>*Qui ne doit pas prendre ce médicament ?*</u>
contra-indicated in patients with a history of allergy	*contre indiqué chez les malades allergiques*
<u>dosage and administration</u>	<u>*posologie et administration*</u>
patients should be instructed to	*le malade doit avoir été informé que*
read the patient instruction sheet	*lire la notice*
make sure the product has not been tampered	*vérifier que ce produit n'a pas été modifié / altéré*
how to use your metered-dose inhaler (MDI)	*comment utiliser votre flacon nébuliseur*
supplied as an actuator	*se présente sous la forme d'un flacon doseur*
each actuation meters 20 mg of the product	*chaque dose libère 20 mg du produit*
provide sufficient medication for one month	*contenir suffisamment de produit pour un mois*
to be discarded after the labelled number of actuations have been used	*ne plus utiliser au delà du nombre de doses spécifié sur le flacon*
Shake well before using.	*Agiter vigoureusement avant usage.*
<u>storage and handling</u>	<u>*conservation et utilisation*</u>
storage conditions	*conditions de conservation*
Keep in the original container.	*A conserver dans son emballage d'origine.*
keep closed	*maintenir fermé*
Store in a dry place at room temperature.	*Conservez-le dans un endroit sec à température ambiante.*
under pressure	*pressurisé*
do not puncture	*ne pas percer*
do not store close to a source of heat	*ne pas conserver près d'une source de chaleur*
do not bring into contact with a naked flame	*ne pas mettre au contact d'une flamme*
exposure to high temperatures may cause bursting	*le contact avec la chaleur élevée peut provoquer l'éclatement*
do not give to anyone else	*ne pas administrer à d'autre que vous*
keep out of reach of children	*tenir hors de portée des enfants*

3. Abbreviations — *Sigles*

BCSM	British Commitee on Safety of Medicines	-	*service britannique de pharmacovigilance*
FDA	Food and Drug Administration (US)	-	*service fédéral américain de contrôle des aliments et médicaments*
MCA	Medicines Control Agency (GB)	-	*l'Agence française de sécurité sanitaire des produits de santé*
MDI	metered-dose inhaler	-	*flacon nébuliseur*
VAT	Value Added Tax	*TVA*	*taxe sur la valeur ajoutée*

IV. Pharmacovigilance — Pharmacovigilance

1. General background — Généralités

Ministry of Health	*Ministère de la santé*
scientific committee	*conseil scientifique*
health professionals	*professionnels de la santé*
the physician (US) / general practitioner (GP) (GB)	*le médecin*
the pharmacist	*le pharmacien*
the dentist	*le dentiste*
the midwife	*la sage-femme*
the prescriber	*le prescripteur*
the patient	*le patient*
official marketing authorization	*autorisation officielle de mise sur le marché*
European guidelines	*directives européennes*
implement standardized principles	*mettre en œuvre des principes standardisés*
clinical trial	*essai clinique*
placebo	*placebo*
monitoring of adverse side effects	*surveillance des effets indésirables*
report the effects	*signaler ces effets*
record them	*les enregistrer*
information about the manufacturing	*informations relatives à la fabrication*
conservation	*à la conservation*
sale	*à la vente*
delivery	*à la délivrance*
prescription	*à la prescription*
administration to patients	*à l'administration au patient*
an advisory panel	*un comité consultatif*
approve a new class of drug	*autoriser une nouvelle classe de médicaments*
drug approval	*autorisation de mise sur le marché (AMM)*
deliver approval	*delivrer l'autorisation*
temporary approval	*autorisation temporaire d'utilisation*

2. Objectives — Objectifs

assess / evaluate the anticipated toxicity risk	*évaluer le risque potentiel de toxicité*
assessment / evaluation	*évaluation*
update the information	*mettre à jour les informations*
out of date	*dépassé / obsolète*
leaflet	*notice*
label	*étiquette*
significant information	*informations significatives*
specify the status of the product	*préciser le statut du produit*
prescribed dosage	*dose prescrite*
on prescription	*sur ordonnance*
over the counter (OCT)	*sans ordonnance*
information clearly outlined	*informations clairement exposées*
unambiguously	*sans ambiguïté*
comprehensively	*de manière exhaustive*
clinically relevant interactions	*interactions cliniques significatives*
specify gray areas	*préciser les zones d'incertitude*
emphasize	*souligner*
draw the prescriber's attention	*attirer l'attention du prescripteur*
highlight reversibility	*mettre en relief la réversibilité*
time of onset	*le moment de survenue*

3. Side effects — Les effets secondaires

side effects / secondary effects	*effets secondaires*
unwanted effects / undesirable effects / adverse drug reaction	*effets indésirables / réaction paradoxale*
unforeseen	*imprévu*
harmful	*nocif*
harmless	*inoffensif*
misuse	*mauvais usage*
serious	*sévère*
lethal dose	*dose létale*
deadly	*mortel*
drug-induced disease	*maladie d'origine médicamenteuse*

iatrogenic disorder	*pathologie iatrogénique*
drug interaction	*interaction médicamenteuse*
mutually exclusive drugs	*médicaments incompatibles*
on serious grounds / for serious reasons	*pour des raisons sérieuses*
safety	*sécurité*
use the product safely	*utiliser le produit en toute sécurité*
safe	*sûr / sans danger*
unsafe	*dangereux*
efficacy / effectiveness	*efficacité*
use the product effectively	*tirer bénéfice du produit*
effective	*efficace*
ineffective	*inefficace*
therapeutic indication	*indication thérapeutique*
posology	*posologie*
method of administration	*mode d'administration*
contraindication	*contre-indication*
concomittant use	*utilisation concomittante*
consecutive use	*utilisation consécutive*
special warnings	*mises en garde particulières*
special precautions in use	*précautions particulières d'emploi*
predictable	*prévisible*
unpredictable	*imprévisible*
expected	*attendu*
unexpected	*inattendu*
patients at risk	*patients à risque*
the onset of a noxious condition	*l'apparition d'un effet nuisible*
the occurence	*la survenue*
the worsening	*l'aggravation*
pregnancy	*grossesse*
lactation	*allaitement*
effects on ability to drive	*effets sur l'aptitude à conduire*
to use machines	*à utiliser des machines*
improve medical evaluation	*améliorer l'évaluation médicale*

4. What to do in case of undesirable effects? / *Que faire en cas d'effets indésirables ?*

table of adverse reaction	*répertoire des effets indésirables*
alphabetical order	*ordre alphabétique*
rank under headings of frequency	*classer par ordre de fréquence*
common	*fréquent*
uncommon	*rare*
fill in a form	*remplir un formulaire*
tick the right box	*cocher la bonne case*
give brand name of drug	*donner le nom commercial du médicament*
batch number if known	*le numéro du lot s'il est connu*
make the right choice	*faire le bon choix*
choose the wording carefully	*bien choisir les termes*
specific and medically informative terms	*termes spécifiques et apportant une information médicale*
not overload	*ne pas surcharger*
overdose	*surdosage*
describe acute symptoms	*décrire les symptômes aigus*
avoid similar terms	*éviter les termes semblables*
neither too much, nor too little	*ni trop, ni trop peu*
check the established risk factors	*vérifier les facteurs de risque bien établis*
relevant additional information	*information supplémentaire pertinente*
medical history	*antécédents médicaux*
known allergies	*allergies connues*
investigations	*examens*
accidental mistakes	*erreurs involontaires*
suicide attempts	*tentatives de suicide*
discontinue taking medication	*arrêter le traitement*
measures to be taken	*mesures à prendre*
if doubts persist	*si le doute persiste*
evolution after discontinuing	*évolution après interruption*
follow-up	*suivi*
potential complications and sequelae	*complications et séquelles éventuelles*
disabling	*invalidant*
life-threatening	*mettant la vie en danger*
fatal outcome	*issue fatale*
death	*la mort*

5. Abbreviations *Sigles*

GP	general practitioner	-	*médecin*
OCT	over the counter	-	*sans ordonnance*
-	drug approval	*AMM*	*autorisation de mise sur le marché*

CHAPITRE 

Medical communication
Communication médicale

I. Oral presentation — *Communication orale*

1. Getting ready — *La préparation*

make sure the mike is on	*s'assurer que le micro est branché*
check the screen	*vérifier l'écran*
how to use the penlight	*comment utiliser la flèche*
check the sequencing of your talk	*vérifier l'enchaînement de la présentation*
first	*d'abord*
firstly	*premièrement*
in the first section	*dans la première partie*
to start / begin with	*pour commencer*
In the first part I would like to review...	*Dans la première partie je voudrais passer en revue...*
then / next	*puis / ensuite / alors*
secondly	*deuxièmement*
afterwards	*après / par la suite*
in the next stage	*dans l'étape suivante*
I will now move on to the next point.	*Je vais maintenant passer au point suivant.*
I would like now to go on with...	*Je voudrais maintenant continuer avec...*
thirdly	*troisièmement*
Before going into detail...	*Avant d'entrer dans les détails...*
later on in the presentation	*un peu plus loin dans la communication*
half way through the study	*à mi-chemin dans l'étude*
prior to	*avant de*
before going on to	*avant de passer à*
As I have already mentioned...	*Comme je l'ai déjà mentionné...*
As I said earlier...	*Comme je l'ai dit précédemment...*
in the meantime	*dans l'intervalle*
meanwhile	*pendant ce temps*
During the final stage of the process...	*Durant l'étape finale du processus...*
lastly	*pour terminer*
to finish with	*pour terminer par*
finally	*finalement*
to conclude	*pour conclure*
in conclusion / as a conclusion	*en conclusion*

2. Opening the session — *Ouverture de la séance*

the chairman	*le président*
the chairperson	*la présidente*
If everyone is seated, we can perhaps begin.	*Si tout le monde est assis, nous pouvons peut-être commencer.*
Time is limited, so we should perhaps start.	*Le temps nous est limité, nous devrions peut-être commencer.*
Before starting, I would just like to remind you.	*Avant de commencer, je voudrais juste vous rappeler...*
I wish to thank...	*Je voudrais remercier...*

On behalf of...	*Au nom de...*
introducing the first speaker	*présentation du premier conférencier*
We have an impressive list of speakers.	*Nous avons une liste impressionnante de conférenciers.*
I will introduce the first speaker.	*Je vais vous présenter le premier orateur.*
Now, it's my pleasure to introduce...	*Maintenant j'ai le plaisir de vous présenter...*
It's a great honour to welcome...	*C'est un grand honneur d'accueillir...*
good morning	*bonjour*

3. Introduction — *Introduction*

Well, Mr Chairman...	*Et bien, Monsieur le Président...*
Ladies and gentlemen	*Mesdames et messieurs*
Thank you for your invitation.	*Merci de votre invitation.*

A. General background — *Contexte*

over the past ten years	*durants les dix dernières années*
in the 1980s	*dans les années 80*
in the early 90s	*au début des années 90*
in the mid 90s	*au milieu des années 90*
in the late 90s	*à la fin des années 90*
There has been an increasing interest in...	*Il y a eu un intérêt croissant pour...*
By now, most people are aware of the fact that...	*Maintenant, on a en général pris conscience que...*
There has been much in the literature over the last few years...	*On a beaucoup écrit ces dernières années...*
The article was originally published in...	*L'article a été publié initialement dans...*
The findings are taken from...	*Ces résultats proviennent de...*
All this is based on...	*Tout ceci s'appuie sur...*
It is an extract from...	*C'est extrait de...*
a quotation	*une citation*
quote	*citer*
Quoting Mr Smith...	*Pour citer M Smith...*
End of quote.	*Fin de citation.*
A survey was carried out...	*Une enquête a été réalisée...*
The data were adapted from...	*Les données ont été adaptées de...*

B. Topic — *Thème*

On behalf of my colleagues...	*Au nom de mes collègues...*
This talk deals with...	*Cet exposé traite de...*
The rationale of this topic is...	*La justification du thème, c'est...*
I would like to speak about...	*Je voudrais vous parler de...*
I would like to briefly present...	*J'aimerais vous présenter rapidement...*
I am going to talk about...	*Je vais parler de...*
What I would like to do in this paper is...	*Dans cette communication, j'aimerais...*
I shall attempt to analyse results...	*Je vais essayer d'analyser les résultats...*
The question I would like to address...	*La question que je souhaiterais aborder...*
The topic / subject I have chosen is...	*Le sujet que j'ai choisi est...*
The issue I would like to discuss is...	*La question que je voudrais aborder est...*
I would like to start by raising a problem...	*J'aimerais commencer en soulevant un problème...*
I intend to review certain aspects of...	*J'ai l'intention de traiter certains aspects de...*
It raises the question of...	*Cela soulève le problème de...*
It is a report on...	*C'est un rapport sur...*
It is concerned with...	*Cela touche à...*
It is an account of...	*C'est un compte-rendu de...*

C. Focusing — *Délimitations du sujet*

This talk focuses on...	*Nous concentrerons notre exposé sur...*
more especially / particularly / specifically	*plus particulièrement*
in particular	*en particulier*
with particular reference to	*en référence spéciale à*
lay particular emphasis on	*insister particulièrement sur*
in view of	*à la lueur de*
in relation to	*en relation avec*
with a detailed analysis of	*avec une analyse détaillée de*
It's interesting to see...	*C'est intéressant de voir...*

What emerges from this...	*Ce qui ressort de cela...*
You must be aware that...	*Vous devez savoir que...*
in light of our present knowledge	*à la lueur de nos connaissances actuelles*

D. Hypothesis *Hypothèse*

Some writers have assumed that...	*Certains auteurs ont supposé que...*
speculated that...	*spéculé sur le fait que...*
hypothesised that...	*avancé l'hypothèse que...*
postulated that...	*postulé que...*
questioned the data.	*mis en doute les données.*
One can presume...	*Nous pouvons présumer,*
suppose	*supposer...*
It would appear likely that...	*Il semblerait probable que...*
possible that	*possible que...*
In all probability / likelihood...	*Selon toute probabilité / vraisemblance...*
There may be...	*Il se peut qu'il y ait...*
It might even be the case that...	*Il se pourrait même que...*
One can only assume that...	*Nous ne pouvons que supposer que...*
I suspect that ..	*Je pense que...*
They postulate that this could be due to...	*Ils font l'hypothèse que cela pourrait être dû à...*
It must not be supposed...	*Il ne faut pas croire que...*
Let us suppose that...	*Supposons que...*
Given that...	*Etant donné que...*
It has been estimated that...	*On estime que...*
foresee a development	*prévoir une suite*
the foreseeable future	*l'avenir prévisible*
It seems a possibility that...	*Il semble possible que...*
It is quite possible that...	*Il est tout à fait possible que...*
As far as we are concerned...	*En ce qui nous concerne...*
It is true that...	*Il est vrai que...*
Unless it is reversed...	*Sauf phénomène inverse...*
Provided it remains constant...	*A condition que cela reste constant...*
otherwise	*par ailleurs / sinon*
the probable results	*les résultats probables*
It seems reasonable to expect...	*On peut raisonnablement s'attendre à...*
The most likely explanation...	*L'explication la plus probable...*
apparently	*apparemment*
unexpected	*inattendu*
presumably	*certainement / probablement*
doubtless / no doubt	*sans doute*
doubtful	*douteux*
obvious	*évident*
evidence	*preuve*
This has been checked, double-checked, and cross-checked.	*Cela a été vérifié par multiples recoupements.*
If it is proved correct, then, we'll have to...	*Si cela se vérifie, alors il nous faudra...*

4. Methods *Méthodes*

setting	*lieu de l'étude*
study design	*type d'étude*
study population	*population concernée*
study sample	*échantillon*
Subjects were randomly assigned to two groups.	*On a distribué les sujets au hasard en deux groupes.*
double-blind	*en double aveugle / à double insu*
a randomised study	*une étude randomisée*
The subjects received a placebo.	*On a donné un placebo aux sujets.*
Control groups were matched for age and sex.	*Les groupes témoins ont été appariés en fonction de l'âge et du sexe.*
Once located it is a simple matter to...	*Une fois situé il est facile de...*

5. Results *Résultats*

At the onset...	*Au début...*
After ending the protocol...	*Après avoir terminé le protocole...*
At all stages...	*A toutes les étapes...*
In the presence of...	*En présence de...*
When optimally applied...	*Lorsqu'il est appliqué de manière optimale...*
Under these conditions...	*A ces conditions...*
After a short time, they slow down...	*Après un court instant, ils ralentissent...*

they lose their efficacy...	*ils perdent de leur efficacité...*
they remain intact...	*ils restent intacts...*
an even further increase	*une augmentation encore plus importante*
The effect is offset by...	*L'effet est contre-balancé par...*
The same principle holds for...	*Le même principe est valable pour...*
Completely different results were obtained...	*On a obtenu des résultats complètement différents...*
the results are promising	*les résultats sont prometteurs*
It proved to be reliable to...	*Il est apparu fiable de...*
preliminary calculations	*des calculs préliminaires*
currently	*actuellement*
on-going research	*les recherches en cours*
underway / in process	*en cours*
intermittently	*de manière intermittente*
subsequently	*par la suite*

6. Discussion — *Discussion*

A. Explanation — *Explication*

Tests failed to show...	*Les tests n'ont pas réussi à montrer...*
Unless otherwise stated...	*A moins que cela ne soit montré autrement...*
There are several extensive studies which suggest...	*Il y a plusieurs études extensives qui suggèrent...*
There was a considerable number of indications to...	*Il y a eu un nombre considérable d'indications pour...*
First of all, one has to increase...	*Tout d'abord, nous devons augmenter...*
One can conclude...	*Nous pouvons conclure...*
One must consider the possibility...	*Nous devons prendre en compte la possibilité...*
One has the impression...	*Nous avons l'impression...*
One has to keep in mind...	*Nous devons garder à l'esprit...*
Our experimental set-up...	*Notre cadre expérimental...*
The article states...	*L'article établit...*
explains...	*explique...*
shows...	*montre...*
illustrates...	*illustre...*
demonstrates...	*démontre...*
proves...	*prouve...*
confirms...	*confirme...*
identifies...	*identifie...*
clarifies...	*clarifie...*
makes clear...	*montre clairement...*
The writer points out...	*L'auteur signale...*
brings out...	*met en évidence...*
underlines...	*souligne...*
outlines...	*esquisse...*
highlights...	*met en lumière...*
remarks...	*fait remarquer...*
notices...	*remarque...*
notes...	*note...*
comments on...	*commente...*
observes...	*observe...*
mentions...	*mentionne...*
reports...	*rapporte...*
It was claimed...	*On a déclaré...*
maintained...	*maintenu...*
proposed...	*proposé...*
suggested...	*suggéré...*
defined...	*défini...*
The author considers...	*L'auteur considère...*
refers to...	*fait référence à...*
summarises / sums up...	*résume...*
It is generally acknowledged...	*On reconnaît généralement...*
admitted...	*admet...*
accepted...	*accepte...*
agreed...	*accorde...*
As already pointed out by Smith in 1955...	*Comme l'a déjà signalé Smith en 1955...*
This had already been demonstrated by Smith in 1955...	*Ceci avait déjà été démontré par Smith en 1955...*
Dr Jones has shown that...	*Le Docteur Jones a montré que...*
As described by Jones...	*Comme l'a décrit Jones...*
Using Smith's technique, it can be seen...	*On peut voir avec la technique de Smith...*
According to Smith's technique...	*D'après la technique de Smith...*
Statistics show...	*Les statistiques montrent...*
There has been much literature in the past few years...	*On a beaucoup écrit ces dernières années...*
Over the past twenty years it has been clearly established...	*On a clairement établi durant ces vingt dernières années...*

In a recent study among a female population...	*Dans une étude récente sur une population féminine...*
In the light of our present knowledge...	*A la lueur de nos connaissances actuelles...*
As you are aware...	*Comme vous le savez...*
As you may / probably know...	*Comme vous le savez peut-être...*
The classical theory assumes...	*La théorie classique suppose...*
Smith's theory postulates that...	*La théorie de Smith postule que...*

B. Similarity *Similitude*

It is equally important to...	*Il est également important de...*
By comparison...	*En comparaison...*
similarly / likewise	*de même*
Similar experiments were carried out...	*Des expériences similaires ont été réalisées...*
These data are compared to	*Ces données sont comparées à...*
like me	*comme moi*
as I said	*comme je l'ai dit*
In both cases the results were identical.	*Les résultats étaient semblables dans les deux cas.*

C. Contrast *Opposition*

however	*cependant*
nevertheless	*néanmoins*
whereas	*alors que*
although	*bien que*
yet	*cependant*
while	*pendant que / tandis que*
in spite of / despite	*malgré / en dépit de*
on the one hand	*d'une part*
on the other hand	*d'autre part*
As opposed to / contrary to / unlike...	*contrairement à...*
actually / in fact	*en fait*
in reality	*en réalité*
clearly	*clairement*
obviously	*évidemment*
naturally	*naturellement*
doubtless	*sans doute*
doubtlessly	*indubitablement*
needless to say...	*il va sans dire que...*

D. Generalisation *Généralisation*

more or less	*plus ou moins*
roughly 50%	*à peu près / approximativement / environ 50 %*
to a certain extent	*jusqu'à un certain point*
on the whole	*dans l'ensemble*
As a rule...	*En règle générale...*
An overall review	*Une critique générale / d'ensemble*
generally speaking	*en règle générale*
almost / nearly	*presque*
Basically, there are three classifications...	*A la base, il y a trois classifications...*

E. Modification *Amplitude et variations*

a mild increase	*une légère augmentation*
a moderate increase	*une augmentation d'importance moyenne*
a sharp increase	*une augmentation importante*
a huge increase	*une augmentation gigantesque*
It has become extremely valuable.	*C'est devenu extrêmement convaincant.*
A massive enzyme release...	*Une libération massive d'enzymes...*
A substantial improvement was recorded...	*On a enregistré une amélioration conséquente...*
There is considerable controversy...	*Il y a une controverse importante...*
One of the most effective techniques is to...	*L'une des techniques les plus efficaces consiste à...*
Extensive studies have shown...	*Des études extensives ont montré...*
of relatively minor importance	*d'une importance relativement mineure*
an insignificant amount of...	*une quantité insignifiante de...*
a tiny amount of	*une quantité minuscule de...*
of secondary importance	*d'importance secondaire*
a marked discrepancy	*une différence marquée*

F. Cause *Cause*

It is caused by...	*C'est causé par...*
It is induced by...	*C'est induit par...*

It was due to...	*C'était dû à...*
It was owing to...	*C'était grâce à...*
because of	*à cause de*
as	*comme*
since	*puisque*
thanks to	*grâce à*

G. Consequence *Conséquence*

It brings about...	*Cela débouche sur...*
It gives rise to...	*Cela amène à...*
It results in...	*Cela aboutit à...*
It triggers off...	*Cela déclenche...*
It accounts for...	*Cela explique...*
It means that...	*Cela signifie que...*
It entails that...	*Cela entraîne...*
It leads to...	*Cela conduit à...*
It contributes to...	*Cela contribue à...*
It provokes...	*Cela provoque...*
It engenders...	*Cela engendre...*
That's why...	*C'est pourquoi...*
therefore / consequently / thus	*par conséquent / ainsi / donc*
so that	*de telle sorte que...*
hence	*d'où*
thereby	*de ce fait*
whereby	*grâce à quoi*
additional information	*informations complémentaires*

not only... but	*pas seulement... mais*
furthermore / moreover / in addition	*de plus*
besides	*d'ailleurs*
apart from	*à part*
except for	*excepté / si ce n'est*
what's more	*qui plus est*
all the more so as	*d'autant plus que*

H. Opinions *Opinions*

It appears...	*Il apparaît / semble...*
It would appear...	*Il semblerait...*
It seems to be the case.	*Cela semble être la cas.*
apparently	*apparemment*
possibly	*il est possible que*
presumably	*on peut supposer que*
I personally favour this opinion.	*Je penche plutôt pour cet avis.*
maybe / perhaps	*peut-être*
it may / can...	*il se peut que...*
He could / might...	*Il se pourrait qu'il...*
She should...	*Elle devrait...*
It has been suggested...	*On a suggéré...*
It has been claimed...	*on a déclaré...*
It has been maintained...	*Il a été maintenu...*
It is fairly clear...	*Il est relativement évident...*
It is relatively certain...	*Il est relativement sûr...*

7. Conclusion *Conclusion*

The aim of this talk was to bring together...	*Le but de cet exposé était de rassembler...*
This work has enabled us to bridge the gap between...	*Ce travail nous a permis de combler l'écart entre...*
The purpose of this talk was to emphasise...	*L'objectif de cet exposé était de mettre l'accent sur...*
So it can be seen...	*Ainsi on peut voir que...*
To go over the main points again...	*Pour reprendre les points principaux...*
Well, I think we've covered the main points.	*Bon, je crois que nous avons couvert les points principaux.*
What I have tried to bring out...	*Ce que j'ai essayé de faire ressortir...*
The time constraints do not allow me to develop...	*Les contraintes d'horaire ne me permettent pas de développer...*
I would like to close my talk with a discussion of...	*J'aimerais terminer cette communication en parlant de...*
My last point is...	*Mon dernier point porte sur...*
All that remains for me to say is that...	*Tout ce qui me reste à dire est que...*
It is now up to clinical researchers to...	*C'est maintenant aux cliniciens de...*
Now, all that remains to be done is...	*Maintenant tout ce qui reste à faire, c'est...*
To recap / to summarise / to sum up...	*Pour résumer...*
To mention one last thing...	*Pour mentionner un dernier élément...*
And last but not least...	*Un dernier point, mais d'importance.*
To make one final remark...	*Pour faire un dernière remarque...*
finally / lastly	*finalement*

To end, to end up	*Pour terminer*
To conclude	*Pour conclure*
as a conclusion	*en conclusion*
Thank you very much for your attention.	*Merci beaucoup de votre attention.*

8. Question time — *Le moment de la discussion Questions-réponses*

A. Calling for time — *Rappeler l'heure*

moderator	*modérateur*
You have five minutes left.	*Il vous reste cinq minutes.*
You have no time left.	*Il ne vous reste plus de temps.*
I'm afraid we'll have to skip the questions.	*Il ne reste pas assez de temps pour les questions.*
You've gone beyond your time.	*Vous avez dépassé votre temps.*

B. Inviting questions — *Appel aux questions*

The paper is open to questions / discussion now.	*Vous êtes invités à poser des questions sur cet exposé.*
Are there any comments?	*Y-a-t-il des commentaires ?*
Somebody else remarked that...	*Quelqu'un d'autre a fait remarquer que...*
I have noticed that...	*J'ai remarqué que...*
I have a general remark and two questions.	*J'ai une remarque générale et deux questions.*
Could you possibly tell us a bit more about...	*Pourriez-vous nous en dire un peu plus sur...*
Could you say that again / repeat?	*Pourriez-vous répéter ?*
I am afraid I did not quite catch...	*J'ai peur de ne pas avoir bien saisi...*
I am afraid I have missed the point.	*Je crois que je n'ai pas bien compris.*
I am not quite sure what you mean by...	*Je ne suis pas tout à fait sûr de ce que vous voulez dire par...*
I am not sure that I follow...	*Je ne suis pas sûr de suivre...*
It is still not clear to me whether your conclusion is valid.	*Je ne suis toujours pas convaincu de la validité de votre conclusion.*
If I have understood your question correctly...	*Si j'ai bien compris votre question...*
With regards to the first part of your question...	*En ce qui concerne la première partie de votre question...*
In so far as the second point is concerned...	*Pour ce qui est du deuxième point...*
And the second part of your question was...?	*Et la deuxième partie de votre question était... ?*
Is that a satisfactory answer to your question?	*Ai-je répondu à votre question ?*
Not really.	*Pas vraiment.*
Can we get back to the main problem?	*Pouvons-nous revenir au problème principal ?*
Well, I think we need to think more about this matter.	*Bien, je pense qu'il nous faut encore réfléchir à cette question.*
Let's review the whole situation regarding...	*Résumons la situation au sujet de...*
the question is not whether... but...	*La question n'est pas de savoir si... mais...*
What do you mean by that?	*Qu'entendez-vous par là ?*
Going back to what I said before...	*Pour revenir à ce que je disais avant...*

C. Clarification — *Eclaircissement*

for example / for instance (e.g.)	*par exemple*
such as	*tel que*
that is to say (i.e.)	*c'est-à-dire (c.a.d.)*
in other words	*en d'autres termes*
namely	*à savoir*
This means that...	*Cela signifie que...*
What I mean is...	*Ce que je veux dire, c'est que...*
What I am trying to say...	*Ce que j'essaye de dire, c'est que...*
By way of illustration...	*Pour illustrer cela...*
As can be seen on the diagram.	*Comme on peut le voir sur le schéma.*
To simplify / to put it simply...	*Pour simplifier...*
To clarify / to make it clearer...	*Pour clarifier...*
This can be demonstrated by...	*Cela peut être démontré en...*
These data tend to indicate...	*Ces données tendent à montrer...*
There is no experimental evidence...	*Il n'y a pas de preuve expérimentale que...*

This is clearly the case.	*C'est tout à fait le cas.*
In our experience...	*D'après nos travaux...*
This supports the argument...	*Cela défend la thèse que...*
There is only one way to show...	*Il n'y a qu'une manière de montrer...*
Another type of measurement...	*Une autre manière de mesurer...*

D. Acknowledging a lack of information
Reconnaître / admettre un manque d'information

We don't have the data.	*Nous n'avons pas les données.*
I have no personal information...	*Je n'ai pas d'informations personnelles...*
I have no knowledge on that.	*Je n'ai pas d'informations à ce sujet.*
The area that we studied was restricted to...	*Le domaine que nous avons étudié était limité à...*
Frankly, I don't know.	*Franchement, je ne sais pas.*
We haven't had time to look at the data.	*Nous n'avons pas eu le temps de consulter ces données.*
We haven't investigated that.	*Nous n'avons pas enquêté sur cela.*
We don't yet completely understand...	*Nous ne comprenons pas encore...*
To my knowledge...	*A ma connaissance...*
The only thing I can say...	*Tout ce que je peux dire...*
As far as I know...	*Tout ce que je sais...*
We have given this a considerable amount of thought...	*Nous avons beaucoup réfléchi à cela...*
It is an open question whether...	*Savoir si... reste une question en suspens.*
We intend to study this particular point in more detail.	*Nous avons l'intention d'étudier ce point plus en détail.*
We are going to carry out investigations in that field.	*Nous allons poursuivre nos recherches dans ce domaine.*
Certainly!	*Certainement !*
Sure!	*Bien sûr !*
Our means were somewhat limited.	*Nos moyens étaient quelque peu limités.*

E. Agreement
Être d'accord

I totally agree, nevertheless...	*Je suis tout à fait d'accord, néanmoins...*
That's a good point, however...	*C'est un point intéressant, cependant...*
This is a very valid point.	*Voilà qui est tout à fait fondé.*
The trouble is that there is a lack of evidence.	*L'ennui, c'est l'insuffisance de preuves.*
That is a good suggestion.	*C'est une bonne suggestion.*
The relevance of what you say...	*La pertinence de ce que vous dîtes...*

F. Expressing doubts
Exprimer des doutes

I agree up to a certain point.	*Je suis d'accord jusqu'à un certain point.*
I agree with you up to a certain extent.	*Je suis d'accord avec vous jusqu'à un certain point.*
I must say, however...	*Je dois dire, cependant...*
Nevertheless, we must be careful.	*Néanmoins, nous devons être prudent.*
However valid this may be...	*Aussi valable que ce soit...*
I am reluctant to...	*J'hésite à...*
To a certain extent...	*Jusqu'à un certain point...*
This may not always be the case.	*Ce n'est peut-être pas toujours le cas.*
There is not enough evidence to...	*Il n'y a pas assez de preuve pour...*
The question is not so much... as...	*La question n'est pas tant de... que...*
It should not be forgotten that...	*On ne devrait pas oublier que...*
Supposing we were...	*Supposons que nous soyons...*
You've spoken about the "pros", what about the "cons"?	*Vous avez parlé du « pour », qu'en est-il du « contre » ?*
I'm afraid it's dangerous to take it for granted.	*Il me semble dangereux de prendre cela pour acquis.*
Really?	*C'est vrai ?*
Indeed!	*Vraiment !*
That's amazing!	*C'est étonnant !*
I can't believe it!	*Je ne peux pas le croire !*

G. Answering
Réponse

I hope that came through in what I said.	*J'espère que le message est bien passé.*
As I mentioned before...	*Comme je l'ai mentionné précédemment...*
I should have perhaps made it clearer that...	*J'aurais peut-être dû dire plus clairement que...*

As time was short, I didn't deal with this aspect.	*Vu le peu de temps qui nous était imparti, je n'ai pas traité cet aspect.*
From a clinical point of view...	*D'un point de vue clinique...*
There is evidence that show...	*Il y a des preuves qui montrent...*
In a recent paper...	*Dans un article récent...*
The issue has been discussed in detail by...	*La question a été traitée en détail par...*
There is a certain amount of controversy...	*Il y a un certain désaccord...*
The simplest explanation is...	*L'explication la plus simple est que...*
It probably has something to do with	*Cela vient probablement du fait que...*
It seems unlikely...	*Il semble improbable que...*
We have a theory...	*Nous avons une théorie...*
a working hypothesis...	*une hypothèse de travail...*
This hypothesis needs to be qualified.	*Cette hypothèse doit être nuancée.*
It is not a question of...	*Il ne s'agit pas de...*
Personally, I suggest...	*Personnellement, je propose...*
There is very little evidence of this.	*Il y a très peu de preuves à ce sujet.*
We must stop now.	*Nous devons nous arrêter maintenant.*
We have to move on to the next speaker.	*Nous devons passer au conférencier suivant.*
Thank you very much for this very interesting presentation.	*Merci beaucoup pour cette communication très intéressante.*

H. Closing the session
Clore la session

Well, I think we've covered the main points.	*Bien, je crois que nous avons couvert les points principaux.*
As a conclusion, I could say this session covers the most up-to-date research.	*En conclusion, je pourrais dire que cette session couvre les recherches les plus récentes.*
If no one has anything else to add, I suggest that we stop here.	*Si personne n'a rien à ajouter, je suggère d'arrêter ici.*
We can thank all the lecturers for their very interesting contributions.	*Nous remercions tous les conférenciers pour leur très intéressante contribution.*
May I remind you that the session is continuing after lunch.	*Je vous rappelle que la session continue après le déjeuner.*
It will start again at 1.30 p.m. in this room.	*Elle recommencera à 13 h 30 dans cette salle.*
The session is closed now.	*La session est close.*

9. Material organisation — *Organisation matérielle*

Could I have the lights off please?	*Pourrais-je avoir le noir s'il vous plaît ?*
Please dim the lights...	*Baissez la lumière s'il vous plaît...*
Could you turn on the lights please?	*Pourriez-vous allumer s'il vous plaît ?*
I don't think the microphone is switched on.	*Je ne pense pas que le micro soit branché.*
projection facilities	*matériel de projection*
Is the projector plugged in?	*Le projecteur est-il branché ?*
I'm afraid the appliance is too far from the plug.	*J'ai bien peur que l'appareil ne soit trop loin de la prise.*
The wire is too short.	*Le fil est trop court.*
Have you got an extension cord?	*Avez-vous une rallonge électrique ?*
Have you got a multi-plug?	*Avez-vous une prise multiple ?*
Could I have the blinds drawn please?	*Pourriez-vous tirer les rideaux s'il vous plaît ?*
Are the slides duly spotted / correctly marked?	*Les diapositives sont-elles correctement repérées ?*
May I have the first slide please?	*Puis-je avoir la première diapositive s'il vous pâlit ?*
Where's the penlight / laser?	*Où est la flèche ?*
Next slide please.	*Diapositive suivante s'il vous plaît.*
Sorry, could we have that slide again?	*Excusez-moi, pourrais-je avoir cette diapositive de nouveau ?*
I am afraid the slides are in the wrong order.	*J'ai bien peur que les diapositives ne soient pas dans le bon ordre.*
the projector is not in focus.	*La netteté du projecteur n'est pas bonne.*
The image is blurred.	*L'image est floue.*
I'll show you a video.	*Je vais vous passer une vidéo.*
Is the video recorder on?	*Le magnétoscope est-il allumé ?*
I'll rewind the tape.	*Je vais rembobiner la bande.*

Could you please turn it off?	*Pourriez-vous l'éteindre, s'il vous plaît*
overhead projector (OHP)	*rétroprojecteur*
transparency	*transparent*
screen	*écran*

10. Visual presentation — *Présentation visuelle*

A. Visuals — *Documents visuels*

As can be seen on the transparency / acetate...	*Comme nous le voyons sur le transparent / l'acétate...*
Here we can see...	*Nous voyons ici...*
As illustrated here,	*Comme on le voit ici,*
in the background	*à l'arrière plan*
in the foreground	*au premier plan*
in the distance	*au loin*
in the middle	*au milieu*
against	*contre / en fonction de*
behind	*derrière*
between	*entre*
in front of	*devant*
on either side	*de chaque côté*
on the right	*à droite*
on the left	*à gauche*
in the bottom half	*dans la partie inférieure*
in the top half	*dans la partie supérieure*
in the bottom / lower right-hand corner	*en bas à droite*
in the bottom / lower left-hand corner	*en bas à gauche*
in the top row	*dans la rangée du haut*
in the bottom row	*dans la rangée du bas*
the top part	*la partie du haut*
the bottom part	*la partie du bas*
the lower part	*la partie inférieure*
at the bottom	*en bas*
at the top	*en haut*
in the top / upper right hand corner	*en haut à droite*
in the top / upper left-hand corner	*en haut à gauche*
the upper part	*la partie supérieure*
beyond	*au-delà de*
below	*au-dessous*
above	*au-dessus*
round	*autour de*
outside	*à l'extérieur de*
inside	*à l'intérieur de*
opposite	*en face de*
out of	*hors de*
along	*le long de*
far from / away from	*loin de*
over	*par-dessus*
under	*sous*
among	*parmi*
close to / near	*près de*
next to / beside	*à côté de*
on	*sur*
up there	*là en haut*
down there	*là en bas*
up here	*ici en haut*
down here	*ici en bas*

B. Graphs — *Graphiques*

There is a discontinuity in these data.	*Il y a une discontinuité dans ces données.*
The figures in these columns show...	*Les chiffres de ces colonnes indiquent...*
This is a logarithmic scale...	*Voici une échelle logarithmique...*
a micrograph	*une microphotographie*
an organisation chart / a flow chart	*un organigramme*

C. The curve — *La courbe*

a drawing	*un dessin*
a draft	*une ébauche*
a straight line	*une ligne droite*
the line graph	*la ligne (qui joint les points)*
Indicated by a full line...	*Indiqué par une ligne continue*
a dashed line	*une ligne discontinue*
a dotted line	*une ligne en pointillés*
a thick line	*un trait épais*
a thin line	*un trait fin*
fall to a low point	*atteindre un minimum*
remain stable	*rester stable*
level off	*se stabiliser*
overshoot	*passer au dessus*
undershoot	*passer en dessous*
The curve peters out.	*La courbe se confond avec la ligne de base.*

You can see the figures in blue.	*Vous voyez les chiffres en bleu.*
It is represented on the green curve.	*C'est représenté sur la courbe verte.*
This is symbolised by the square.	*C'est symbolisé par le carré.*
the full circle.	*le cercle plein.*
the open circle.	*le cercle vide.*
the half-filled circle	*le cercle à moitié plein*
the cross.	*la croix.*
the triangle.	*le triangle.*
the dot	*le point*
the dash	*le tiret*

D. A bar graph / chart
Un histogramme / tableau à colonnes

on the y axis / vertical axis	*sur l'axe vertical / en ordonnée*
on the x axis / horizontal axis	*sur l'axe horizontal / en abscisse*
on the z axis	*en profondeur*
a time scale	*une échelle de temps*
0 is the origin	*0 est l'origine*
The point A has an abscissa x.	*Le point A a pour abscisse x.*
an ordinate y.	*pour ordonnée y.*
a coordinate z.	*pour 3e axe z.*
On the vertical axis, you can see the percentage of survivals.	*Sur l'axe vertical, on peut voir le pourcentage de survie.*
On the horizontal axis, you can see the different years.	*Sur l'axe horizontal, on peut voir les différentes années.*

E. A pie chart
Un diagramme circulaire / « camembert »

the segment / portion	*le segment*
the area	*l'aire / la surface*
hatched	*hachuré*
cross-hatched	*en croisillons / quadrillé*
shaded	*en grisé*
light grey	*gris clair*
dark grey	*gris foncé*

F. A diagram
Un schéma simplifié

oversimplified	*très schématique*
confusing	*confus*
simplified	*simplifié*
simple	*simple*
complex / complicated	*complexe*
comprehensive	*complet*
a tendency towards	*une tendance à / vers*
a non-significant trend	*une tendance non significative*
a general trend	*une tendance générale*
an upward trend	*une tendance à monter*
a downward trend	*une tendance à baisser*
rise / go up / increase	*monter / augmenter*
climb	*grimper*
a rise / an increase	*une hausse / une augmentation*
grow	*croître / se développer*
keep on growing	*croître continuellement / sans cesse*
the growth	*la croissance*
vary in opposite directions	*varier en raison inverse*
sudden	*soudain*
unexpected	*inattendu*
hardly noticeable	*à peine perceptible*
fall / go down / decrease	*baisser / diminuer*
drop	*chuter*
decrease by 10%	*diminuer de 10 %*
abruptly / sharply	*brutalement*
steeply	*fortement*
dramatically	*de manière spectaculaire*
progressively	*de manière progressive*
gradually	*graduellement*
steadily	*régulièrement*
slightly	*légèrement*
fluctuate	*fluctuer*
reach / attain a peak	*atteindre un sommet*
a series of peaks / high points	*une série de pics / points élevés*
a low	*un creux / point bas*
stability	*la stabilité*
reach a plateau	*atteindre un plateau*
stagnate	*stagner*
show no sign of improvement	*ne montrer aucun signe d'amélioration*
minor fluctuations	*des variations faibles*

II. The medical convention *Le congrès médical*

I. Before the convention *Avant le congrès*

A. First announcement *Première annonce*

preliminary programme	*programme provisoire*
advance notice	*première information*
conference centre	*palais des congrès*
convention centre	*lieu de réunion*
meeting venue	*lieu du congrès*
The congress will be held at...	*Le congrès se tiendra à...*
convention / congress / meeting	*congrès*
symposium	*symposium*
conference	*conférence*
colloquium	*colloque*
seminar	*séminaire*
meeting room	*salle de réunion*
The conference aims to foster discussions on...	*La conférence vise à alimenter le débat sur...*
different fields	*domaines différents*
broad range of topics	*une vaste gamme de sujets*
conference lecture	*présentation lors d'une conférence*
attend a conference	*assister à une conférence*
participation at a conference	*participation à une conférence*
workshop sessions	*ateliers*
sessions focusing on	*séances centrées sur*
consider attending the congress	*envisager de participer au congrès*
event	*manifestation*
event tailored for pneumologists	*manifestation à l'attention des pneumologues*
theme / specialty	*thème / spécialité*
topic / issue	*sujet / question*
gear the meeting to be educational	*orienter le colloque vers l'enseignement*
a common ground for networking	*un terrain de rencontres*
Many issues will be addressed concerning this topic.	*De nombreux aspects de cette question seront abordés.*
guideline	*recommandations*
programme (GB) / program (US)	*programme*
scientific programme	*programme scientifique*
plan	*prévoir*
preview the offerings	*liste des thèmes proposés*
prior to	*avant*
following	*suite à*
multidisciplinary	*pluridisciplinaire*
multiprofessional	*pluriprofessionnel*
diversity	*diversité*
varied	*varié*
<u>brochure</u>	<u>*programme*</u>
printed brochure	*brochure*
advanced brochure / preliminary brochure	*pré-programme*
guide to sessions	*guide des séances*
programme at a glance	*résumé du programme*
schedule	*programme*
programme overview	*programme général*
cutting edge medicine	*médecine de pointe*
core knowledge	*connaissance fondamentale*
pre-requisites	*pré-requis*
<u>programme committee / organising committee</u>	<u>*comité d'organisation*</u>
scientific committee	*conseil scientifique*
local organisation committee	*comité d'organisation local*
congress president	*président du congrès*
ad-hoc scientific committee	*comité scientifique ad-hoc*
<u>society</u>	<u>*société (savante)*</u>
president	*président*
president-elect	*prochain président*
vice-president	*vice-président*
treasurer	*trésorier*
congress secretary	*secrétaire du congrès*
honorary members	*membre honoraire*
board of trustees	*conseil d'administration*
<u>membership</u>	<u>*adhésion*</u>
member	*membre*
list of members	*annuaire*
subscription costs	*frais d'adhésion*
subscriber	*souscripteur*
credentials / titles	*titres universitaires*

B. Call for abstracts *Appel à communications*

guidelines for abstracts / authors'kit / information for authors	*recommandations aux auteurs*
rules for submission	*directives à suivre*
original contribution	*contribution originale*

The abstract should not exceed 300 words.	*L'abstract ne devrait pas dépasser 300 mots.*
Abstracts must contain new, previously unpublished material.	*Les abstracts doivent avoir un contenu nouveau non publié à ce jour.*
keywords	*mots clés*
submit a manuscript	*soumettre un manuscrit*
submit electronically	*soumettre par courrier électronique*
The text must be typewritten and double-spaced throughout.	*Le texte doit être entièrement tapé à la machine et en interligne double.*
The fonts to be used are Times 12 for text,	*La police de caractère doit être en Times 12 pour le texte,*
Times 16 for the title,	*Times 16 pour le titre,*
Times 14 for the subheadings,	*Times 14 pour les sous-titres,*
Times 8 for footnotes.	*Times 8 pour les notes de bas de page.*
type text in 12 point fonts	*taper le texte en corps 12*
print must be black	*impression en noir obligatoire*
spell out abbreviations	*développer les sigles*
Use a word processor with a letter-quality printer.	*Utiliser un traitement de texte avec une imprimante de qualité.*
single-spaced	*interligne simple*
bold	*gras*
underlined	*souligné*
capitals / upper case / block capitals	*majuscules*
capitalise the first letter	*première lettre en majuscules*
small letters / lower case	*minuscules*
Type the title in upper and lower case letters.	*Taper le titre en majuscules et minuscules.*
italics	*italiques*
leave one line blank	*laisser une ligne d'espace*
indent first line	*faire un retrait pour la première ligne*
centred	*centré*
left-justified	*aligné à gauche*
right-justified	*aligné à droite*
justified	*justifié*
a two-column format	*un format en deux colonnes*
tables	*tableaux*
figure captions	*légendes de figures*
camera-ready copy	*exemplaire prêt à la reproduction*
a zipped file	*un fichier compressé*
the deadline for receipt of abstracts	*la date limite de réception des abstracts*
Abstracts will be printed in the proceedings.	*Les abstracts seront publiés dans le livre des résumés.*
Abstracts are peer-reviewed.	*Les abstracts sont lus par le conseil scientifique.*
ranked by experts in the category selected.	*classés par les experts dans le domaine concerné.*
Reviewers score papers.	*Les lecteurs classent les abstracts.*
presentation format	*type de présentation choisi*
slide presentation	*présentation avec diapositives*
poster presentation	*par affiche*
video presentation	*avec vidéo*
Do not fold the abstract.	*Ne pas plier l'abstract.*
Mail with cardboard backing in envelope.	*Expédition avec feuille cartonnée dans l'enveloppe.*
include a self-addressed stamped postcard / envelope	*inclure une carte / enveloppe timbrée à votre adresse*
submit on an original form	*soumettre sur un formulaire original*
send by registered mail	*envoyer avec accusé de réception*
acknowledgement of receipt of an abstract	*accusé de réception d'un abstract*
notification of acceptance	*acceptation*

C. Registration *Inscription*

<u>registration</u>	*<u>inscription</u>*
pre-registration	*pré-inscription*
Participants are urged to register in advance.	*Les participants sont priés de s'inscrire d'avance.*
full registration	*inscription à plein tarif*
student registration	*inscription à tarif étudiant*
educational stipends for postdoctoral trainees	*bourses d'enseignement pour les étudiants post-doctorants*
be enrolled in a full-time programme	*être inscrit dans un programme à plein temps*
recipients of educational stipends	*allocataires de bourses d'enseignement*
proof of student status	*justificatif de l'inscription universitaire*
Registration fees will be waived for students.	*Les étudiants sont dispensés de frais d'inscription.*
on-site registration	*inscription sur place*

registration form	*formulaire d'inscription*
early-bird discount	*réduction pour inscription précoce*
register by phone	*inscription par téléphone*
by fax	*par fax*
by mail	*par courrier*
by e-mail	*par courrier électronique*
first name / Christian name	*prénom*
middle initials	*initiales des autres prénoms*
last name / family name	*nom de famille*
degree	*diplôme universitaire*
mailing address	*adresse postale*
city / town	*ville*
state / province	*Etat / province*
zip code (US)	*code postal*
daytime phone	*téléphone aux heures de bureau*
If you have any question regarding...	*Si vous avez des questions concernant...*
please contact	*veuillez contacter*
Print or type all information to avoid processing delays.	*Imprimer ou taper à la machine tous les renseignements afin d'éviter des délais de traitement.*
check (US) / tick (GB) the box	*cocher la case*
Each registrant must complete a separate form.	*Pour s'inscrire, remplir un formulaire individuel.*
fill in a form	*remplir un formulaire*
front / first side	*recto*
reverse side	*verso*
on both sides of the form	*recto-verso*
Enclose full payment.	*Joindre votre règlement en totalité.*
settle accounts on site	*régler la différence sur place*
The exchange rate is effective on the date the charge is applied.	*Le taux de change est celui du jour où le règlement est effectué.*
welcome counter	*bureau d'accueil*
registration desk	*bureau d'inscription*
The confirmation letter should be presented upon arrival.	*La lettre de confirmation doit être présentée lors de l'arrivée.*
congress bag	*mallette du congressiste*
registration packet	*documents du congressiste*
abstracts book	*livre des abstracts*
authors' index	*liste des auteurs*
attendance certificate	*certificat de participation*
badge	*badge*
the wearing of the badge is compulsory	*le port du badge est obligatoire*
name tag	*étiquette nominative*
tickets	*billets*
luncheon vouchers	*ticket repas*
meal expenses	*frais de repas*
cancellation policy	*procédure de remboursement*
Refund requests must be received in writing.	*Les demandes de remboursement doivent être effectuées par écrit.*
refund / reimbursement	*remboursement*
Refunds will not be issued after...	*Les remboursements ne seront pas effectués après...*

D. Travel arrangements
Organisation du voyage

members are eligible for discounts	*les membres ont droit à des réductions*
travel partners	*transporteurs officiels*
fare	*tarif*
full fare	*plein tarif*
half fare	*demi tarif*
reduction voucher	*fichet de réduction*
discount	*réduction*
special convention rate	*tarif préférentiel pour le congrès*
lowest available rates	*tarifs les moins chers actuellement*
additional 5% discount	*réduction supplémentaire de 5 %*
book / reserve a ticket	*réserver un billet*
toll-free number	*numéro vert*
seven days prior to departure	*une semaine / huit jours avant le départ*
a fortnight (GB) / two weeks before leaving	*quinze jours / deux semaines avant de partir*
need a passport	*avoir besoin d'un passeport*
non-European residents	*les résidents non européens*
photo ID / identity card	*carte d'identité*

E. Accommodation
Hébergement

on the phone	*au téléphone*
Can I help you?	*Puis-je vous aider ?*
I would like to call France.	*Je voudrais appeler la France.*
I want to make a collect call / to reverse charge please.	*Je veux appeler en PCV s'il vous plaît.*
What number must I dial?	*Quel numéro dois-je composer ?*

Who's speaking / who's calling, please?	*Qui est à l'appareil ?*
Mr Walker speaking.	*M Walker à l'appareil.*
Can I speak to someone at the reservation desk, please?	*Puis-je parler à quelqu'un aux réservations ?*
Hold the line / hold on please.	*Ne quittez pas.*
One moment please, I'm putting you through.	*Un instant s'il vous plaît, je vous le passe.*
I'm sorry, but he is on another line.	*Je suis désolé mais il est sur une autre ligne.*
The line is engaged / busy.	*La ligne est occupée.*
Could you call later?	*Pourriez-vous appeler ultérieurement ?*
Could you take a message please?	*Pourriez-vous prendre un message ?*
May I leave a message for him?	*Puis-je lui laisser un message ?*
Could you ask him to call me back?	*Pourriez-vous lui demander de me rappeler ?*
I'll put you back to the switch board.	*Je vous repasse le standard.*
I'm afraid you've got the wrong number.	*J'ai bien peur que vous ayez fait un mauvais numéro.*
the answering machine	*le répondeur*
Leave a message after the beep.	*Laissez un message après le signal sonore.*
Please speak after the tone.	*Veuillez parler après le signal sonore.*
<u>type of accommodation</u>	<u>*type d'hébergement*</u>
a three-star hotel	*un hôtel trois étoiles*
cheap accommodation available	*hébergement économique disponible*
low room rates	*tarif de chambre bon marché*
student discounts	*réduction étudiants*
rooms are subject to availability	*réservation des chambres selon disponibilité*
single / double occupancy	*occupé par une ou deux personnes*
housing / lodging information	*renseignement sur l'hébergement*
Sleeping room rates are subject to the local tax.	*Les tarifs des chambres sont assujettis à la taxe locale.*
amenities / facilities	*aménagements*
room facilities	*aménagements intérieurs*
continental breakfast	*petit déjeuner continental*
full English breakfast	*petit déjeuner anglais complet*
<u>reservation</u>	<u>*réservation*</u>
hotel reservation request form	*formulaire de demande de réservation d'hôtel*
Reservations must be made through the conference housing bureau.	*L'organisation du congrès se charge des réservations.*
first night room deposit	*arrhes pour la première nuit*
Acknowledgements will be faxed within 2 weeks.	*Les accusés de réception seront faxés sous 2 semaines.*
A deposit must accompany your reservation form.	*Des arrhes doivent être jointes à votre formulaire de réservation.*
Deposits must be made in US funds.	*Les arrhes doivent être versées en devises US.*
Reservations must be made directly with the hotel.	*Les réservations doivent être faites directement à l'hôtel.*
arrival date	*date d'arrivée*
departure date	*date de départ*
<u>cancellation</u>	<u>*annulation*</u>
booking changes	*modifications de la réservation*
refund	*remboursement*
full reimbursement less a processing fee / handling fee	*remboursement intégral moins les frais de dossier*
cancel	*annuler*
Cancellations made within 72 hours of your arrival date will be forfeited.	*Il n'y aura pas de remboursement pour les annulations faites moins de 72 heures avant l'arrivée.*
check-in	*accueil*
Rooms are not guaranteed for late arrival.	*La réservation de la chambre ne peut plus être assurée en cas d'arrivée tardive.*
<u>payment</u>	<u>*paiement*</u>
Payment may be made by cheque (GB) / check (US).	*Le paiement peut être fait par chèque.*
by money order.	*par virement bancaire / postal.*
by credit card.	*par carte bancaire.*
in US currency	*en devises américaines*
in foreign currency	*en devises étrangères*
Make cheques payable to...	*Etablissez les chèques à l'ordre de...*
Please charge my credit card.	*Veuillez débiter ma carte bancaire.*
Please bill me.	*Veuillez m'adresser la facture.*
bill to a third party	*adresser la facture à un tiers*
<u>arrivals and departures</u>	<u>*arrivées et départs*</u>
Boarding on flight AF 303 at gate C.	*Embarquement pour le vol AF 303 porte C.*
Flight AF 303 is delayed.	*Le vol AF 303 est retardé.*

is cancelled.	*est annulé.*
Your plane takes off at ten o'clock.	*Votre avion décolle à 10 heures.*
Our scheduled arrival time is 3 o'clock in the afternoon, local time.	*Notre heure d'arrivée est prévue à 15 heures, heure locale.*
We will land at 3 o'clock.	*Nous atterrirons à 15 heures.*
A shuttle service is available from the airport.	*Une navette assure le trajet depuis l'aéroport.*
rental vehicles / cars	*véhicules / voitures de location*
cars for hire (US) / rent-a-car (GB)	*location de voitures*
<u>location</u>	*<u>lieu (du congrès)</u>*
city-centre map	*carte du centre ville*
Could you tell me where the hotel is?	*Pourriez-vous me dire où est l'hôtel ?*
It's one block straight ahead.	*C'est au prochain carrefour.*
Take the first street on your left.	*Prenez la première rue à gauche.*
hotel within easy walking distance	*hôtel facilement accessible à pied*
Hotels are located downtown.	*Les hôtels sont situés au centre ville.*
ten minutes from the congress centre.	*à dix minutes du lieu de congrès.*
It's a ten minutes'walk / a ten-minute walk.	*C'est à dix minutes à pied.*
It's a ten-minute ride.	*C'est à dix minutes en voiture.*

2. The convention — *Le congrès*

A. Site information
Renseignements sur place

Main entrance	*Entrée principale*
nominal cost / charge	*prix / forfait très intéressant*
opportunities for networking	*occasion de créer des contacts*
opportunities for socialising	*occasion de faire des rencontres*
opening reception	*cérémonie d'ouverture*
welcome	*bienvenue*
meeting registrant	*personne inscrite*
annual business / general meeting	*assemblée générale*
meeting point	*point de rendez-vous*

B. Registration formalities
Formalités d'inscription

registration desk	*bureau d'inscription*
pre-registration	*pré-inscription*
on-site registration	*inscription sur place*
proof of payment	*attestation de paiement*
enquiries	*renseignements*

C. Participants
Participants

participants / attendees / delegates	*participants*
clinicians	*les cliniciens*
basic scientists	*les fondamentalistes*
technologists	*les technologues*
technicians	*les techniciens*
nurses	*le personnel infirmier*
social workers	*les travailleurs sociaux*
resident	*interne*
research worker in academia	*chercheur universitaire*

D. Sessions
Séances

<u>opening session</u>	*<u>séance d'ouverture</u>*
introductory address	*discours d'introduction*
<u>plenary lecture</u>	*<u>conférence plénière</u>*
review paper	*conférence de synthèse*
invited paper	*conférence invitée*
keynote lecturer	*conférencier principal*
ongoing efforts	*efforts soutenus*
cornerstone topic	*sujet majeur*
state of the art reviews	*état actuel des connaissances*
invited speaker	*conférencier invité*
target audience	*public cible*
<u>oral presentation</u>	*<u>communication orale</u>*
contributed oral paper	*communication orale*
participant list	*liste de participants*
scientific sessions	*sessions scientifiques*
chair	*le président de séance*
chairing	*assurer les fonctions de président de séance*
moderator	*modérateur*
clinical focus sessions	*sessions cliniques*
proffered papers	*travaux retenus*
speakers	*orateurs*
parallel sessions	*séances parallèles*

young scientists' awards	*prix pour les jeunes chercheurs*
panel discussion	*table ronde*
workshops	*ateliers*
poster session	*présentation par affichage*
poster presentation	*présentation par poster*
poster paper	*communication par affiche*
the board	*le panneau*
drawing pins	*punaises*
pins	*épingles*
cellotape / sticky tape	*scotch*
poster walking tour	*visite des posters*

E. Food and meals
Restauration

meals	*repas*
sunrise session	*session matinale / petit déjeuner de travail*
coffee break / refreshment break	*pause café*
boxed lunch / pack lunch	*panier-repas*
complimentary lunch	*déjeuner gratuit*
Places will be attributed on a first-come, first-served basis.	*Les places seront attribuées en fonction de l'ordre d'arrivée.*
sunset seminar	*session de fin de journée*

F. Teaching
Enseignement

course listing	*liste des cours*
course syllabus	*programme des cours*
faculty roster	*liste des intervenants*
additional fee to attend postgraduate courses	*supplément à payer pour assister à l'enseignement post-universitaire*
course objectives	*objectifs du cours*
precongress education courses	*séances d'enseignement avant le congrès*
course registration	*inscription particulière au cours*
morning categorical courses	*séances matinales par thème*
two one-day advanced courses	*deux cours de niveau perfectionné d'une journée*
enrolment is limited	*le nombre d'inscrits est limité*
interactive small group class setting	*enseignement interactif en petits groupes*
lecture	*conférence*
lectures	*cours magistraux*
tutorials	*travaux dirigés*
practicals	*travaux pratiques*
hands-on approach	*méthode interactive*
hands-on workshop	*atelier pratique*
The two courses are scheduled back-to-back.	*Les deux cours s'enchaînent.*
in-depth treatment of special topics	*analyse approfondie de sujets particuliers*
enhance your knowledge	*améliorer vos connaissances*
a practical update	*une mise à jour concrète*
in-depth review of topics	*étude approfondie de différents sujets*
round out the educational courses	*pour couronner l'enseignement*
keep abreast of clinical advances	*se tenir au courant des avancées cliniques*
an education-packed meeting	*un congrès fécond*
hot topics for clinical practice	*sujets brûlants en pratique clinique*
continuing medical education (CME)	*formation médicale continue (FMC)*
accreditation	*accréditation*
10 credit hours	*10 équivalents-heure*

G. Technical exhibition
Exposants

exhibits	*exposants*
exhibit hours	*heures d'ouverture de l'exposition*
exhibit hall	*hall d'exposition*
booths	*stands*
displays	*présentoirs*
equipment manufacturers	*fabricants / constructeurs*
firms	*entreprises*
medical publishers	*éditeurs d'ouvrages médicaux*

H. Special events
Programme social

opening ceremony	*cérémonie d'ouverture*
a get-together party	*une réunion pour faire connaissance*
the gala dinner	*la soirée de gala*
formal / evening dress	*tenue de soirée*
appropriately dressed	*tenue correcte*
accompanying person / guest	*accompagnant*
guest activities	*activités pour les accompagnants*
Excursions will be organised.	*Des excursions seront organisées.*

a half day tour	*une excursion d'une demi-journée*	child care information	*prise en charge des enfants*
a full-day bus tour	*une excursion en car d'une journée entière.*	fun run	*course à pied pour les participants*

CHAPITRE 

Health economy
Economie de la santé

I. The poor — *Les pauvres*

1. The needy — *Les nécessiteux*

the downtrodden	*les opprimés*
the destitute	*les indigents*
the underprivileged	*les personnes défavorisées*
the outcasts	*les exclus*
the shut-outs	*les sans-abri*
the homeless	*les s.d.f. (sans domicile fixe)*
a homeless person	*un s.d.f.*
the misfits	*les inadaptés sociaux*
the lowly	*les humbles*
an underclass	*une classe défavorisée*
someone poor	*une personne pauvre*
a pauper	*un pauvre*
destitution	*la misère / la pauvreté*
a two-tier society	*une société à deux vitesses*
the underdog	*les personnes en état de faiblesse sociale*
a derelict	*une épave*
a beggar	*un mendiant*

2. Poverty — *La pauvreté*

structural poverty	*la pauvreté structurelle*
poverty-stricken	*en état de pauvreté*
the poverty threshold	*le seuil de pauvreté*
poverty line	*seuil de pauvreté*
below the poverty line	*sous le seuil de pauvreté*
live in poverty	*être dans le besoin*
in dire poverty	*dans l'indigence*
entrenched poverty	*pauvreté chronique*
a depressed area	*un zone en difficulté*
an enclave of poverty	*une poche de pauvreté*
grinding poverty	*misère noire*
live in distress	*vivre dans la détresse*
in deprivation	*dans les privations*
a plight	*une situation très difficile*
a hardship	*une épreuve*
a predicament	*une situation pénible*
poverty stares you in the face	*la pauvreté vous saute au visage*
live in precarious conditions	*vivre dans des conditions précaires*
live from hand to mouth	*vivre au jour le jour / d'expédients*
the bare necessities of life	*le strict minimum*
live in necessity	*vivre dans le besoin*
do without necessities	*se passer de l'essentiel*
below a bare comfort level	*dans le dénuement*
eke out a living	*subsister / survivre*
scrape an existence	*vivre chichement*
want	*le besoin*
earn starvation wages	*gagner un salaire de misère*
be destitute	*être sans ressources*
in dire straits	*dans une situation très difficile*
in poor circumstances / poorly off / badly off	*dans la gêne*
in need	*dans le besoin*

deprived — *déshérité*
not make both ends meet — *ne pas joindre les deux bouts*
be down and out — *être au bout du rouleau*
have narrow / slender means — *avoir de petits moyens*
the cycle of poverty — *le cycle de la pauvreté*
economic status — *statut économique*
the working poor — *les travailleurs pauvres*
strike at the poor — *frapper les pauvres*
wind up in poverty — *se retrouver dans la pauvreté*
join the ranks of the poor — *rejoindre les rangs des pauvres*
slide into poverty — *s'appauvrir peu à peu*
fall on hard times — *être dans une passe difficile*
grasp at straws — *se raccrocher à des riens*
tighten one's belt — *se serrer la ceinture*
be caught up in a crisis — *être victime d'une crise*
live off one's savings — *vivre sur ses économies*
run dry of funds — *être à sec*
scrimp and save — *économiser sur tout*
be beyond hope of recovery — *n'avoir aucune chance de s'en sortir*
be caught in a vicious circle — *être pris dans un cercle vicieux*
experience downward social mobility — *subir une déchéance sociale*
face up to — *être confronté à*
be shut out — *être exclu*
locked out — *exclu*
be driven out of the labour market — *être exclu du marché du travail*
drop out of the labour force — *être rejeté du monde du travail*
provide a minimum income — *apporter / fournir un revenu de minimum*
perform the dirty work for — *faire le sale boulot de*
be in the lowest pay / income brackets — *faire partie / appartenir à la tranche des plus bas revenus*

3. The homeless — *Les sans-abri*

A. Who are they? *Qui sont-ils ?*

homelessness — *l'absence de logement*
street people — *les sans-logis*
drift — *errer*
a drifter — *un instable*
a wanderer — *un vagabond*
a runaway child — *un enfant en fuite / fugueur*
run away from home — *faire une fugue*
vagrancy — *le vagabondage*
a vagrant — *un vagabond*
a tramp — *un vagabond*
a hobo — *un clochard*
a transient — *un migrant (à la recherche d'un emploi)*
an itinerant worker — *un travailleur saisonnier*
a migrant — *un migrant / un immigré*
a migrant worker — *un travailleur saisonnier*
a dosser — *un sans-abri*
a skid-row alcoholic — *un alcoolique désocialisé*
the mentally ill — *les personnes malades mentales*
a mentally ill person — *un malade mental*
be deinstitutionalized — *être sorti d'un établissement spécialisé*
a drug addict — *un toxicomane*
the disabled — *les handicapés*
the chronically ill — *les malades chroniques*
school dropouts — *les jeunes en échec scolaire*
the dropouts — *les marginaux*

B. Be down and out *A la rue*

be uprooted — *être déraciné*
the uprooted — *les déracinés*
swell the ranks of — *grossir les rangs de*
wander in search of — *partir au hasard à la recherche de*
dump onto the streets — *mettre sur le pavé*
trudge the streets — *arpenter les rues*
roam a country — *parcourir un pays*
set up a squatters' camp — *créer un campement de squatters*
sleep rough — *dormir à la belle étoile / dehors*
doss down for the night — *se trouver un lieu pour la nuit*
be exposed to the weather — *être exposé aux intempéries*
huddle in — *se blottir dans*
a hallway — *une entrée d'immeuble*
the entrance way to — *l'accès à*
a doorway — *une embrasure*

freeze to death	*mourir de froid*
perish of / from pneumonia	*mourir de pneumonie*
perish from cold	*mourir de froid*
not make it through the winter	*ne pas passer l'hiver*
sleep in public places	*dormir dans les lieux publics*
live a transient life	*mener une vie de vagabond*
lack a fixed address	*ne pas avoir de domicile fixe*
be robbed of all one's belongings	*se faire voler tout ce qu'on possède*

C. What is done for them
Ce qu'on fait pour eux

a surge in the number of homeless persons	*un gonflement du nombre des sans-logis*
be ousted from	*être mis à la porte*
be thrown out of	*se faire expulser de*
assist the homeless	*venir en aide aux sans-logis*
provide for	*venir en aide*
a social worker	*une assistante sociale*
remedial housing	*logement temporaire*
a shelter	*un foyer / un centre d'accueil*
shelter	*accueillir / recueillir*
house	*abriter*
an Emergency Assistance Unit (EAU) (GB)	*un logement temporaire*
a flophouse / doss house / dormitory shelter	*un asile de nuit*
a municipal Lodging House (GB) / city shelter	*un foyer municipal*
a city-run shelter	*un foyer géré par la municipalité*
a congregate shelter	*un foyer collectif*
an emergency shelter	*un foyer de secours*
provide shelter	*procurer un asile*
be unsheltered	*être sans abri*
receive shelter	*être logé dans un foyer*
offer shelter	*offrir un asile*
open a shelter	*ouvrir un foyer*
request shelter	*demander à être logé dans un foyer*
apply for shelter	*faire une demande de logement*
be placed in a shelter	*être placé dans un foyer*
be assigned to a shelter	*se voir attribué une place dans un foyer*
be granted temporary placement	*être logé temporairement*
be shunted from one shelter to another	*être déplacé d'un foyer à un autre*
a length of stay	*la durée d'un séjour*
an adult home	*un foyer pour adultes*

II. Life on welfare — *Vivre avec l'aide sociale*

I. General background — *Généralités*

the welfare / communal responsibility	*solidarité*
promote general welfare	*favoriser / promouvoir le bien-être de la population / de tous*
the welfare state	*l'Etat-Providence*
welfare services	*les services de l'aide sociale*
a welfare agency	*un bureau d'aide sociale*
a social assistance programme	*un programme d'aide sociale*
public charity	*charité publique*
a social worker	*une assistante sociale*
a welfare fund	*un fond de solidarité*
run a welfare programme	*gérer un programme d'assistance*
a welfare recipient	*un bénéficiaire d'aide sociale*
a long-term welfare recipient	*un allocataire de longue durée*
a welfare hotel	*un foyer de secours*
the welfare rolls	*la liste des bénéficiaires de l'aide*
put on the list	*inscrire sur la liste*
remove from the list	*supprimer de la liste*
welfare benefits	*prestations sociales*
turn to welfare	*recourir à l'aide sociale*
be on welfare	*bénéficier de l'aide sociale*
be cut off welfare benefits	*se voir supprimer l'aide sociale*
restore lost welfare benefits	*retrouver ses prestations sociales*

assist	*venir en aide / aider*
assistance	*aide*
give assistance	*apporter de l'aide à*
ask for public assistance	*demander l'aide publique*
get public assistance	*recevoir l'aide publique*
relieve	*assister / secourir*
relief	*aide / assistance*
bring relief to	*apporter de l'aide à*
go on relief	*recourir à l'aide publique*
get relief	*percevoir l'aide publique*
rely on welfare	*dépendre de l'aide sociale*
contribute to charity	*donner aux œuvres*
afford protection	*offrir une couverture sociale*
He is provided for.	*Il est à l'abri du besoin.*
be covered	*être pris en charge*
cover a risk	*couvrir / prendre en charge un risque*
coverage	*couverture*

2. Bad life conditions — *Mauvaises conditions de vie*

housing	*logement*
the poor	*les pauvres*
a slum area	*une zone de taudis*
a low-income resident	*un locataire à faible revenu*
live in wretched housing conditions	*vivre dans un cadre misérable*
substandard housing	*logement précaire*
a tenement	*un logement modeste*
live in tenement	*habiter une HLM*
Council Houses (GB)	*HLM en Grande-Bretagne*
a health violation	*une infraction aux règlements d'hygiène*
run-down	*à l'abandon*
dilapidated / derelict	*délabré*
unwholesome / unhealthy housing	*logement insalubre / malsain*
no running water	*pas d'eau courante*
unheated	*sans chauffage*
a draught	*un courant d'air*
squalor / filth	*saleté / crasse*
damp	*humide*
dampness	*humidité*
garbage	*ordures*
garbage-strewn	*jonché de détritus*
rat-infested	*envahi par les rats*
hunger	*la faim*
racked by hunger	*tenaillé par la faim*
hunger-racked	*affamé*
starve	*être affamé*
go hungry	*souffrir de la faim*
malnutrition	*la malnutrition*
malnourished	*mal nourri*
fend off hunger	*assouvir sa faim*
for lack of	*par manque de*
a food allowance	*une allocation d'aide alimentaire*
light up on meat	*se priver de / se passer de viande*
do without	*se passer de*
make do with bread	*faire avec / se contenter de pain*
a chunk of bread	*un quignon de pain*
a bowl of soup	*un bol de soupe*
be on an empty stomach	*avoir l'estomac / le ventre vide*
have scarce food	*faire de maigres repas*
a soup kitchen / soup line	*une soupe populaire*
line up at a soup kitchen	*faire la queue pour recevoir une soupe populaire*
be on the breadline	*aller à la soupe populaire*
set up a soup line	*organiser une soupe populaire*
panhandle	*faire la manche*
a handout	*une aumône*
health care	*les soins médicaux*
be excluded from regular health care schemes	*être exclu des programmes sanitaires ordinaires*
a health threat	*une menace pour la santé*
a health hazard	*un risque pour la santé*
meet the health needs of	*satisfaire les besoins médicaux de*
assist the needy	*aider les nécessiteux*
pre-natal care	*soins prénatals*
follow-up care	*suivi médical*
a high-risk pregnancy	*une grossesse à haut risque*
put a life at risk	*mettre une vie en danger*
a low-birth-weight baby	*un nourrisson de faible poids*
deny essential health care	*refuser les soins élémentaires*

3. Welfare benefits — *Les aides sociales*

tailor a programme to	*adapter un programme à*
a categorical assistance programme	*un programme d'aide catégoriel*
the social security budget	*le budget de la Sécurité Sociale*
finance from the government revenues	*financer à partir du budget de l'Etat*
government outlays	*dépenses publiques*
outlay money for	*débourser de l'argent pour*
public spending	*dépenses publiques*
a benefit	*une aide financière / une allocation*
in kind benefits	*avantages en nature*
in-cash benefits	*avantages en espèces*
pay out benefits	*verser des prestations*
claim benefits	*demander / réclamer des prestations*
benefit entitlements	*allocation de droits sociaux*
forfeit benefits	*perdre / renoncer à des droits sociaux*
a claimant	*un assuré / un ayant-droit*
a subsidy	*une subvention*
subsidise	*subventionner*
grant	*accorder*
grant	*don / allocation / aide*
a cash grant	*aide en espèces*
a welfare grant	*une aide sociale*
a coupon for	*un bon pour / de*
be eligible / qualify for an allowance	*avoir droit à / remplir les conditions pour une allocation*
eligibility standards	*critères de recevabilité*
be entitled to	*avoir droit à*
register	*s'inscrire*
register with	*s'inscrire auprès de*
registration	*inscription*
medical care	*soins médicaux*
child benefits	*allocations familiales / complément familial*
give a child to foster care	*confier un enfant à la DDAOO*
an employer contribution	*une cotisation patronale*
an employee contribution	*une cotisation salariale*
Old Age Assistance	*fonds de vieillesse*
housing aid	*aide au logement*
housing benefit	*allocation de logement*
a city allocation	*une subvention municipale*
housing subsidies	*aides au logement*
a meal ticket	*un ticket-restaurant*
food stamps	*bons d'alimentation*
food-stamp benefits	*allocations pour bons d'alimentation*
a sickness benefit	*une prestation-maladie*

4. Welfare reform — *La réforme de l'aide sociale*

ignore the issue	*ignorer le problème*
mute the debate	*étouffer le débat*
turn one's back on	*tourner le dos à*
turn a deaf ear to	*faire la sourde oreille à*
chip away at the margins	*rogner sur les bords*
cut down services	*réduire les services*
reduce dependency	*réduire l'état de dépendance*
discourage welfare applicants	*décourager les candidats à l'assistance*
eligibility rules / requirements	*règles de recevabilité*
spell out obligations	*énoncer clairement les devoirs*
satisfy a minimum work requirement	*accomplir une tâche minimum*
in exchange for benefits	*en échange de prestations*
not coddle the poor into laziness	*ne pas encourager les pauvres à la paresse*
not freeload on the welfare system	*ne pas abuser du système d'aide sociale*
a welfare cheat	*un resquilleur / fraudeur aux / des allocations*
live off the government	*vivre aux frais de l'Etat*
have a free ride	*bien en profiter*
terminate a programme	*mettre fin à un programme*
an overburdened programme	*un programme surchargé*
withhold funds for	*suspendre le financement de*
request a cut in	*exiger une réduction de*
a stoppage measure	*une mesure bouche-trou*
a quick fix	*un expédient*
relieve the crisis	*remédier à la crise*
a new social contract	*un nouveau contrat social*
ease poverty and want	*soulager la misère*
ease the plight of the poor	*soulager la situation critique des pauvres*
reform a system	*réformer un système*

a welfare reform plan	*un plan de réforme de l'aide sociale*	overhaul a system	*refondre un système*
carry out a welfare programme	*mettre en œuvre un programme d'aide sociale*		

III. The economics of health *L'économie de la santé*

1. Health systems *Systèmes de santé*

the World Health Organisation (WHO)	*l'Organisation Mondiale de la Santé (OMS)*
Health Ministry	*le Ministère de la Santé*
the National Health Service (NHS) (GB)	*le service national de Santé / la Sécurité Sociale britannique*
a health care system	*un système de santé*
Medicare (US)	*couverture maladie pour handicapés et personnes âgées*
Medicaid (US)	*couverture maladie pour faibles revenus*
health maintenance organisation (HMO) / preferred provider organisation (PPO) (US)	*compagnies d'assurance médicale privées aux Etats-Unis*
private health insurance	*assurance maladie privée*
insurance agency / company	*compagnie d'assurance*
compulsory social insurance	*assurance médicale obligatoire*
mutual benefit insurance company / contributory fund	*mutuelle*
managed care	*gestion / encadrement des soins*
managed-care plan	*système de gestion des soins*
Do you have a health-care plan / health plan?	*Avez-vous une couverture médicale ?*
be on the NHS (GB) / be on social security	*bénéficier de / être à la Sécurité Sociale*
be on social security (US)	*percevoir une aide sociale (US)*
health benefit package	*contrat global d'assurance maladie*
health care cover	*couverture médicale*
be covered	*être couvert*
a cover	*une couverture sociale*
coverage	*couverture sociale*
lose cover	*ne plus être assuré*
sickness insurance	*assurance maladie*
a health care beneficiary	*un assuré social*
a claimant	*un assuré*
a dependent	*un ayant-droit*
write out a sick note	*remplir un certificat médical*
sick leave	*congé de maladie*
be on sick leave	*être en congé de maladie*
put a patient on sick leave	*mettre un malade en congé (de maladie)*
be (in)eligible for sick pay	*(ne pas) avoir droit à des indemnités pour maladie*
maternity leave	*congé maternité*
be on maternity leave	*être en congés maternité*
maternity insurance	*assurance maternité*
social security benefits / health care benefits	*prestations de Sécurité Sociale*
child benefits	*allocations familiales*
get workman's compensation / daily allowance	*percevoir des indemnités journalières*
draw a disability pension	*percevoir une pension d'invalidité*
draw sick pay	*percevoir des indemnités de maladie*
a medical exemption certificate	*une exonération pour raisons médicales*

2. Medical costs *Coûts de la médecine*

doctor's fee	*honoraires du médecin*
a referral doctor / a referral	*le médecin référent*
a panel patient	*un patient inscrit chez un médecin référent*
cover costs	*couvrir les frais*
financed from	*financé par*
taxation	*imposition*
payroll taxes	*charges sociales*
premium	*prélèvement*

be paid on a full-time basis	*rémunéré à temps plein*
part-time basis	*à temps partiel*
private practice	*clientèle privée*
fee-for-service	*paiement à l'acte*
charge a fee	*demander des honoraires*
patient's contribution	*partie à charge des malades*
bill the patient	*adresser son relevé d'honoraires au malade*
claim direct to the insurer	*se faire payer par la caisse d'assurance*
claim from the patient	*se faire payer par le malade*
a receipt and refund claim	*une feuille de remboursements de soins*
I'll be refunded by the insurer.	*Je serai remboursé par ma caisse d'assurance.*
in whole or in part	*complètement ou en partie*
negotiated fee	*tarif conventionnel*
meet hospital bills	*payer les factures de l'hospitalisation*
<u>health in crisis</u>	*<u>crise de la santé</u>*
cost of getting sick	*coût de la maladie*
high quality care	*soins de grande qualité*
high-cost care	*soins coûteux*
low-cost care	*soins à faible coût*
spend too much on health care	*dépenser trop pour la santé*
stop providing for the needs of	*ne plus subvenir aux besoins de*
turn away patients from	*refuser les malades*
be denied care	*se voir refuser les soins*
health expenditures / health spending	*dépenses de santé*
rocketing medical costs	*coût astronomique des dépenses de santé*
skyrocket / go through the roof	*exploser*
shoot up	*grimper en flèche*
run away costs	*coûts incontrôlables*
run over budget	*dépasser les prévisions*
all-inclusive targeted health-care expenses	*budget prévisionnel de l'ensemble des dépenses de santé*
Who is going to pick up the bill?	*Qui va payer la facture ?*
foot the bill	*régler la note*
<u>reasons for overspending in health</u>	*<u>dépenses de santé excessives : pourquoi ?</u>*
life expectancy	*espérance de vie*
life span	*durée de vie*
long-term care	*maladie de longue durée*
catastrophic coverage	*prise en charge des gros risques*

state-of-the-art treatment	*traitement sophistiqué*
costly procedure	*intervention coûteuse*
high-tech treatment	*traitement de pointe*
spectacular surgical experiment	*chirurgie d'exception*
expensively-equipped hospitals	*hôpitaux disposant de moyens coûteux*
growth of expensive malpractice suits	*augmentation du nombre de procès coûteux pour faute professionnelle*
doctors ordering more laboratory tests	*médecins qui demandent davantage d'actes de laboratoire*
expensive procedures to save or prolong life	*protocoles coûteux pour sauver ou prolonger la vie*
an unhealthy lifestyle with many people	*un mode de vie à risque chez beaucoup de gens*
overuse of healthcare services by a few people	*sur-utilisation des services de santé par un petit groupe*
The present healthcare system is not price competitive.	*Le système actuel de santé a un coût non compétitif*
opinion shared by Insurance executives, corporate benefit officers and union leaders	*opinion partagée par la direction des compagnies d'assurance, les responsables des services sociaux dans l'industrie et les dirigeants syndicaux*
Overwhelming majorities endorse changes that would reduce hospital stays.	*Une majorité écrasante est d'accord pour opérer des changements qui raccourciraient le séjour en hôpital.*
an effective cost-reducing means	*un moyen efficace pour réduire les coûts*
set up competition to keep prices down	*introduire la concurrence afin de contenir les prix*
implement government price control	*mettre en place une politique d'encadrement des prix*
fix fees paid to doctors and hospitals for the treatment of specific conditions	*fixer les honoraires médicaux et les coûts hospitaliers de certaines pathologies*
avoid duplication of expensive equipment at adjacent hospitals	*éviter les doublons en matériel dans des hôpitaux voisins*
Younger doctors are more receptive to the proposed changes.	*Les jeunes médecins sont plus réceptifs aux projets de réforme.*

3. Rationing health-care — *Rationnement des soins*

health reform	*réforme de la santé*
curb expenses / restrain costs	*réduire les coûts*
curtail spending	*tailler dans les dépenses*
cut the cost of health-care	*diminuer le coût des dépenses de santé*
drive down costs	*restreindre les coûts*
stamp down on medical spending	*comprimer les dépenses de santé*
cost containment	*maîtrise des coûts*
limit health benefits	*plafonner les prestations*
cap health-care costs	*encadrer les dépenses de santé*
cost-effective management of medical spending	*gestion comptable des dépenses de santé*
out-of-pocket health care	*soins non remboursés*
eliminate costly operations	*supprimer les interventions coûteuses*
retreat from high-tech medicine	*se retirer des programmes de médecine de pointe*
needless operation	*intervention inutile*
at government expense	*aux frais de l'Etat*
shortlist efficient treatments	*sélectionner les traitements efficaces*
put off treatment	*différer un traitement*
deny medical services on financial grounds	*refuser l'accès aux soins pour des raisons financières*
practice triage by age	*sélectionner selon l'âge*
by money	*le revenu*
offload bad risks	*se débarrasser des risques graves*
the medically indigent	*les malades indigents*
the elderly	*les personnes âgées*
the disabled	*les handicapés*
pay for medical treatment	*payer les frais médicaux*
be uninsured	*ne pas être assuré*
lack insurance	*être sans couverture sociale*
You'll get preference if you are in good health.	*Vous avez priorité si vous êtes en bonne santé*
bring about a drastic change	*apporter un changement radical*
overhaul health systems	*refondre les systèmes de santé*
be in the balance / at stake	*être en jeu*
seek a more efficient system	*rechercher un système plus efficace*
develop preventive care	*développer la médecine préventive*

4. Health care reform — *La réforme de la santé*

a white paper on health care reform	*un livre blanc sur la réforme de la santé*
support universal coverage	*être en faveur de la couverture maladie universelle*
devise ways to provide access to universal coverage	*inventer des moyens pour permettre l'accès à une couverture maladie universelle*
expand public coverage	*généraliser la couverture sociale*
get your proposals through	*faire adopter vos propositions*
move ahead with universal access	*faire avancer le principe de la généralisation*
a comprehensive health care reform	*une réforme globale de la Santé*
availability of health care provided to the majority of patients	*accès aux soins offerts à la majorité des malades*
widespread availability of primary care	*large mise à disposition des soins de base*
the family doctor as gatekeeper for health care	*le médecin de famille régulateur de l'accès aux soins*
the primary care doctor as manager of health care	*le médecin généraliste coordinateur de l'administration des soins*
employers	*les patrons*
large employers	*les grandes entreprises*
medium-sized employers	*les PME*
small employers	*les petites entreprises*
be required to offer employees with health plans	*se voir requis d'offrir aux employés un système d'assurance maladie*
an employer-based insurance	*une couverture assurée par l'employeur*
cover an employee's dependents	*assurer les personnes à charge de l'employé*
provide basic primary coverage	*assurer une couverture de base*
a comprehensive health package	*une formule globale d'assurance maladie*

be required to contribute 50% of the premium	*se voir requis de verser 50 % de la prime d'assurance*
1.5% of your gross wages	*1,5 % de votre salaire brut*

5. An example of a health maintenance organisation / *Un exemple de caisse d'assurance maladie*

A. Definitions applicable to plan / *Définitions ici applicables*

plan hospitals and medical offices	*hôpitaux et services médicaux ayant passé convention*
Apply to this plan:	*S'appliquent à ce contrat :*
continuation of coverage	*maintien de la couverture*
office visit	*consultation en cabinet*
regular office visit copay	*participation financière pour le règlement des consultations périodiques*
skilled nursing facilities	*mise à disposition de personnel infirmier qualifié*
covered days of inpatient hospitalisation	*prise en charge des journées d'hospitalisation*
length and type of treatment	*durée et type de traitement*
smoking cessation plan	*programme de sevrage tabagique*
health plan's formulary	*liste des médicaments remboursables*

B. Eligibility / *Souscription*

be eligible to enrol	*demande recevable*
basic plan coverage	*couverture de base*
enjoy the comprehensive benefits offered by health plan	*bénéficier de la couverture globale assurée par ce contrat*
enrolment	*souscription*
cancellation of coverage	*suspension des droits*
termination	*arrêt*
conversion rights	*changement de régime : vos droits*
persons eligible	*qui peut souscrire*
persons that are disabled or reaching age 65	*les porteurs d'un handicap, les personnes en âge d'entrer en retraite*
active employees	*les actifs / les salariés actifs*
dependents	*ayants-droit*
It reduces covered benefits.	*Vos prestations sont minorées.*

C. How to receive care? / *Comment se soigner ?*

select a physician and facilities	*choix du médecin et de l'établissement de santé*
receive care at a medical facility	*être soigné dans un centre de santé*
referral to specialist	*adresser à un spécialiste*
offer inpatient care	*possibilité d'hospitalisation*
We can arrange for hospitalisation.	*Nous pouvons organiser votre hospitalisation.*
member identification card	*carte d'affilié*
mail a card	*poster une carte*
have the card available when scheduling an appointment	*avoir sa carte lors de la prise de rendez-vous*
customer service	*service clientèle*
call the toll-free number	*appeler le numéro vert*
Our representatives are available.	*Des conseillers sont à votre service.*
replace an ID card	*remplacer une carte d'affilié*
file an emergency services claim	*remplir un dossier pour une prise en charge lors d'une urgence*
grievance	*réclamation*

D. Rates and fees / *Cotisations et honoraires*

Rates for basic plan	*tarifs de base*
self only	*individuel*
self and one dependent	*individuel avec une autre personne*
self and two or more dependents	*individuel avec deux personnes ou plus à charge*
public agency employees and annuitants	*employés et retraités d'un service de l'Etat*
contribute towards the cost of your health benefit plan	*participation financière à l'assurance-santé individuelle*
collective bargaining agreements	*conventions collectives*
retirement system health benefit officer	*personne chargée du versement des prestations-retraite*
third party payment	*paiement par un tiers*

third party recovery process and the members' responsibility	*remboursement à un tiers et responsabilité de l'assuré*
workers' compensation	*indemnités pour pertes de salaire*
co-ordination of benefits	*cumul des prestations*
copayment limit	*limites de la participation financière*
referrals to non-plan providers	*recours à des systèmes de soins non agréés*
pay supplemental charges	*payer un surcoût*
liability	*responsabilité pénale*
non-contracting provider	*prestataire non agréé*

E. Termination of group membership: continuation of coverage *Vous cessez d'appartenir à une collectivité : comment ne pas interrompre votre couverture-maladie ?*

termination of benefit and re-enrolment	*cessation de versement des prestations et réinscription*
conversion to individual plan coverage	*comment passer à la formule individuelle*
direct payment for coverage while on leave of absence / sick leave	*pour être assuré en cas de congé-maladie : le paiement direct (tiers-payant)*

F. Plan grievance procedure *Vous n'êtes pas satisfait : démarche à suivre*

arbitration of claims brought by the claimant	*arbitrage des plaintes*
a three-person arbitrator panel	*un jury composé de trois personnes*
damages claimed by claimant	*dommages et intérêts réclamés par l'assuré*
appeal procedure following dispositions of plan	*faire appel de la décision rendue d'après les dispositions du contrat*
members' rights and responsibilities	*droits et obligations des assurés*
physician-patient relationship	*la relation médecin-malade*
refusal to accept treatment	*refus du traitement préconisé*
confidentiality and disclosure of information	*les limites du secret médical*
Patient-identifying information is not disclosed without prior consent.	*Les éléments permettant l'identification du malade ne sont pas divulgués sans son accord préalable.*

6. How the French system works *Le système français de santé*

A. National health plan and policies *Politique nationale de santé*

the State Department of Health	*le Secrétariat d'Etat à la Santé*
It is part of France's Ministry of Labour and Social Affairs.	*Il fait partie du ministère du Travail et des Affaires sociales.*
The other participating ministries are	*Les autres ministères participants sont*
the Ministry of the Interior	*le ministère de l'Intérieur*
for drug abuse programs	*pour les programmes contre la toxicomanie*
the Ministry of Environment	*le ministère de l'Environnement*
the Ministry of Agriculture	*le ministère de l'Agriculture*
for food safety	*pour la sécurité alimentaire*
the Ministry of National Education	*le ministère de l'Education nationale*
for school health	*pour la santé scolaire*
Anyone residing in France has the right to...	*Toute personne résidant en France a droit à...*
financial assistance for medical treatment costs	*une aide financière pour payer les soins*
in case of need.	*en cas de besoin.*
access to medical attention for the poor	*l'accès aux soins des indigents*
health insurance	*l'assurance-maladie*
be provided by the social security system	*être fourni par la Sécurité Sociale*
a State-sponsored mechanism	*un système financé par l'Etat*
be financed with compulsory contributions from salaries	*être financé par des prélèvements sur les salaires*
be reimbursed by a health insurance agency	*se faire rembourser par une caisse d'assurance maladie*
take out additional insurance	*prendre une assurance complémentaire*
finance non-reimbursable portions	*payer la partie non remboursée*
direct payment by insurers	*le paiement direct par l'assureur*

relieve the patient from having to advance the cost	*ne pas avoir à avancer le montant par le malade*
hospital and drug costs	*coûts d'hospitalisation et de traitement*
the health insurance system	*la Sécurité Sociale*
pay directly to the healthcare provider	*payer à l'acte*
The patient contributes the "ticket moderateur" / the patient-paid portion.	*Le malade paie le ticket modérateur.*
pay the entire cost	*supporter le coût en entier*
depending on	*selon*
the nature of the illness	*la nature de la maladie*
the care provided	*le type de soins*
the type of medication	*le type de médicaments*

B. Organisation of the health sector *Organisation du système de santé*

<u>the State</u>	<u>*l'Etat*</u>
have responsibility for general public health	*être responsable de la Santé publique*
community-wide disease prevention	*la Prévention à l'échelon local*
sanitation surveillance	*surveillance des conditions sanitaires*
drug and alcohol addiction	*conduites addictives aux drogues et à l'alcool*
border health control	*contrôle sanitaire aux frontières*
oversee training of health personnel	*surveiller la formation des personnels de santé*
monitor observance of quality-control regulations	*veiller à l'application de la réglementation sur la qualité*
health-safety regulations in treatment centres	*la réglementation sanitaire dans les centres de soins*
regulate pharmaceutical products	*réguler les produits pharmaceutiques*
regulate the volume of treatment provided	*réguler le volume des soins*
oversee the functioning of public hospitals	*superviser le fonctionnement des hôpitaux publics*
appoint the directors	*nommer les directeurs*
establish their budgets	*établir les budgets*
organise their staff recruitment	*organiser le recrutement*
supervise social welfare and its financing	*superviser l'administration de la santé et son financement*
the rules for population coverage	*les règles de prise en charge de la population*
A few State medical and social responsibilities have been passed down to Department level.	*Quelques responsabilités de l'Etat en matière de Santé et de Sécurité Sociale ont été dévolues au département.*
<u>Department</u>	<u>*Département*</u>
maternal and child welfare	*la protection maternelle et infantile*
immunisation	*les vaccinations*
tuberculosis control	*le contrôle de la tuberculose*
sexually transmitted diseases (excluding AIDS)	*les maladies sexuellement transmissibles (à l'exception du SIDA)*
assistance to the elderly and to disabled adults	*aide aux personnes âgées et aux adultes handicapés*
<u>City-hall</u>	<u>*Mairie*</u>
They have responsibilities for sanitation and immunisation.	*Elle est responsable de l'hygiène et des vaccinations.*
the mayor	*le maire*
chair the boards of directors of public health establishments	*présider le conseil d'administration des hôpitaux publics*
the University Hospitals	*les hôpitaux universitaires*
the Regional Cancer Control Centres	*les centres anticancéreux*
The social security system reimburses hospital expenses.	*La Sécurité Sociale rembourse les frais d'hospitalisation.*
<u>the public and private sectors</u>	<u>*le secteur public et le secteur privé*</u>
public and private hospitals	*les hôpitaux publics et les établissements privés*
provide full hospitalisation	*fournir une hospitalisation complète*
ambulatory treatment	*traitement en ambulatoire*
outpatient consultations	*des consultations en externe*
inpatient care	*prise en charge des malades hospitalisés*
divide into short-term treatment (acute conditions)	*se répartir en établissements de court séjour (pour les affections aiguës)*
follow-up (convalescence, readaptation, and functional rehabilitation)	*établissements de moyen séjour (pour la convalescence, la réadaptation et la rééducation fonctionnelle)*
long-term care (designed essentially for the elderly)	*établissements de long séjour (essentiellement pour les personnes âgées)*
<u>private practitioners</u>	<u>*les médecins privés*</u>

provide most ambulatory or home care	*fournir l'essentiel des soins ambulatoires ou à domicile*
Patients may also turn to outpatient services at hospitals.	*Les malades peuvent aussi avoir recours aux consultations externes à l'hôpital.*
public establishments	*les établissements publics*
Public hospitals are obliged to accept all patients.	*Les hôpitaux publics sont tenus d'accepter tous les malades.*
employ salaried staff	*employer un personnel salarié*
Teaching and research are part of the specific missions of the public hospitals.	*l'enseignement et le recherche font partie des missions assignées aux hôpitaux publics.*
be financed through a grant made by the State	*être financé par une dotation de l'Etat*
on an annual basis	*sur une base annuelle*
be paid by the health insurance scheme	*être payé par la Sécurité Sociale*
Private establishments are funded through lump-sum payments.	*Les établissements privés sont financés sur la base de tarifs forfaitaires.*
Daily rates are fixed by the regional health insurance offices.	*Le prix de journée est fixé par la caisse régionale d'Assurance-maladie.*
Funding is proportionate to activity.	*Le financement est proportionnel à l'activité.*
Physicians in private hospitals charge fees.	*Les médecins en établissement privé prennent des honoraires.*

C. Organisation of health regulation activities
Mise en application de la réglementation

environmental protection	*protection de l'environnement*
responsibility of the State in each Department	*responsabilité de l'Etat dans chaque département*
water for human consumption and use	*l'eau pour usage domestique*
treatment of wastewater	*le traitement des eaux usées*
water for consumption	*l'eau potable*
be subject to intensive controls	*être soumis à des contrôles répétés*
regularly check parameters	*contrôler les paramètres régulièrement*
have warning procedures in place	*avoir des procédures d'alarme*
detect contaminants	*détecter les produits contaminants*
conform to national standards	*être conforme aux normes nationales*
the drinking water supply	*l'approvisionnement en eau potable*
food safety	*la sécurité alimentaire*
the Departmental Bureau of Health and Social Affairs	*la Direction départementale de l'action sanitaire et sociale (DDASS)*
the Veterinary Department (Ministry of Agriculture)	*les services vétérinaires du Ministère de l'Agriculture*
conduct food poisoning surveys	*faire des enquêtes sur les intoxications alimentaires*
The Departmental Bureau of Competency, Consumption and Fraud Elimination (Ministry of Internal Revenue)	*le service départemental de la Concurrence, de la Consommation et de la Répression des fraudes (ministère des Finances) (DCCRF)*
perform quality control of comestible goods and food preservation	*enquêter sur la qualité et la conservation des aliments*
health equipments	*équipements sanitaires*
be nationally supervised	*être sous surveillance nationale*
be installed at health facilities	*être installé dans les centres de soins*
after clearance from national authorities	*après autorisation des services de l'Etat*
on the basis of a sanitary map	*d'après la carte sanitaire*
show the relation of bed capacity and major medical equipments to the number of inhabitants	*faire apparaître la relation entre la capacité hospitalière et les équipements lourds rapportés au nombre d'habitants*

D. Health services and resources
Les ressources des services de santé

organisation of Services for care of the Population	*organisation de la Santé publique*
health promotion	*le développement de la santé*
the Centres for Health Education	*les comités d'Education pour la Santé*
develop campaigns on a variety of health and hygiene topics	*faire campagne sur un ensemble de problèmes de santé et d'hygiène*
the National System of Medical Insurance	*l'Assurance-maladie en France*
conduct screening and prevention campaigns	*mener des campagnes de dépistage et de prévention*
have the capacity to conduct campaigns using education materials	*pouvoir mener des campagnes avec du matériel éducatif*

be sensitive to the local conditions	*en fonction des besoins locaux*
public services regarding health and environmental issues	*les services publics touchant aux questions de santé et d'environnement*
involve State units and local communities	*impliquer des services de l'Etat et les communes*
atmospheric pollution	*la pollution atmosphérique*
automobile emissions	*gaz d'échappement*
Cars are required to be equipped with catalytic exhaust systems.	*Les véhicules doivent être équipés de pots catalytiques.*
use unleaded gas (US) / petrol (GB)	*utiliser de l'essence sans plomb*
Disease Prevention and Control Programs	*actions de médecine préventive*
have access to regular examinations	*avoir droit à des examens réguliers*
during school years	*pendant la scolarité*
in the workplace	*sur le lieu de travail*
maternal and child welfare services	*services de protection maternelle et infantile (PMI)*
be available to pregnant women and young children	*être accessible aux femmes enceintes et aux jeunes enfants*
be responsible for reporting notifiable communicable diseases	*être chargé de signaler les maladies à déclaration obligatoire*
the regional health organisation plan	*le schéma régional d'organisation de la Santé (SROS)*
include an "emergency" and "resuscitation" section	*comprendre les services d'urgence et de réanimation*
offer beds for short-term hospitalisation	*offrir des lits pour des hospitalisations de court séjour*
beds for follow-up and functional rehabilitation	*des lits de convalescence et de rééducation fonctionnelle*
beds for medium-term care	*des lits de moyen séjour*
provide specialties in all categories	*avoir toutes les spécialités*
offer a full range of treatment	*offrir une gamme complète de traitements*
ambulatory care	*soins ambulatoires*
include home dialysis	*inclure les dialyses à domicile*
cancer control centres	*centre anticancéreux*
a multiple-addiction centre	*prise en charge centralisée des toxicomanies*
emergency calls made to Centre 15	*appels d'urgence sur le 15*
emergency medical care	*soins d'urgence*

be serviced by an emergency unit	*être pris en charge par un service d'urgences / le SAMU*
establish a hotline centre	*mettre en place un numéro spécial*
be accessed through a single toll-free emergency telephone number	*accessible grâce à son numéro gratuit pour les urgences*
service networks	*le réseau sanitaire*
build up the level of co-ordination among hospital doctors and private HIV information practitioners	*renforcer le coordination entre les médecins hospitaliers et les médecins libéraux qui diffusent l'information sur le Sida*
Blood transfusion units operate nationally.	*Les services de transfusion opèrent à l'échelon national.*
under the French Blood Agency.	*dans le cadre de l'Agence Française du Sang.*
A physician monitors proper blood-transfusion practices regionally.	*Un médecin surveille le bon fonctionnement des services de transfusion à l'échelon régional.*
Public biomedical labs are part of the public hospitals.	*Les laboratoires publics d'analyses biomédicales font partie des hôpitaux publics.*
psychiatric services	*les services de psychiatrie*
be organised by geographical areas	*être organisé selon le principe de la sectorisation*
an adult psychiatry service	*un service de psychiatrie pour adultes*
cover an area of about 70,000 inhabitants	*couvrir une zone d'environ 70 000 habitants*
a child psychiatry service	*un service de pédopsychiatrie*
the disabled	*les handicapés*
administrative offices in charge of...	*services administratifs chargés de...*
the Departmental Commission for Special Education	*la commission départementale de l'Education spécialisée*
review employment applications	*examiner les demandes d'emploi*
disabled persons under 20 years of age	*personnes handicapées de moins de 20 ans*
financial support applications from their families	*demandes d'aide financière émanant des familles*
the Commission for Technical Orientation and Professional Reclassification	*la commission d'Orientation et de Réinsertion professionnelle (COTOREP)*
offer work placement services	*s'occuper du placement professionnel*

disabled persons 20 years of age and older	*les personnes handicapées de plus de 20 ans et au-delà*
assessment of financial assistance	*évaluation de la participation financière*
prison population	*la population carcérale*
receive medical coverage	*recevoir des soins médicaux*
drugs products	*produits médicamenteux*
a pharmacy	*une pharmacie*
a wholesale distributor	*un grossiste*
pharmaceutical products	*des produits pharmaceutiques*
Drugs are available by doctors' prescription.	*Les médicaments sont délivrés sur ordonnance.*
The patient is reimbursed by a health insurance agency.	*Le malade est remboursé par une caisse d'Assurance-maladie.*
The authorities set the price of reimbursable drugs.	*Les autorités fixent le prix des médicaments remboursables.*
Generic drugs have yet to find a significant niche in the French drug market.	*Les médicaments génériques n'ont toujours pas de place significative sur le marché français.*
a sharp increase in expenditures for medications by households	*une forte augmentation des dépenses de médicaments par foyer*
quality control of pharmaceutical products	***le contrôle de la qualité des produits pharmaceutiques***
be based on health surveillance activities	*reposer sur un observatoire des pratiques de Santé*
a soon to be mandatory continuing education of pharmaceutic personnel	*un système de formation continue bientôt obligatoire pour les personnels de la pharmacie*
site inspections to pharmacies	*inspection des pharmacies sur place*
Health authorities conduct periodic information campaigns	*Les autorités sanitaires mènent régulièrement des campagnes d'information.*
on drugs and their proper use	*sur les médicaments et leur bon usage*
regulate drug advertising to the public and physicians	*contrôler la publicité à l'attention du public et des médecins*
medical equipment	***équipement médical***
implementation of major medical equipment	*la mise en place des équipements lourds*
require clearance from the prefect	*nécessiter l'autorisation du préfet*
share major equipments among establishments	*partager les équipements lourds entre les établissements*

E. Human resources
Ressources humaines

education and training	***enseignement et formation***
train doctors in the medical schools attached to the university hospitals	*former les médecins dans les facultés associées aux hôpitaux universitaires*
a tertiary cycle of medical studies	*une troisième cycle d'études médicales*
a training capacity of	*une capacité de formation de*
Teaching hospitals serve as supervised practical training facilities.	*Les hôpitaux universitaires servent de terrains de stage agréés.*
train midwives	*former les sages-femmes*
a school for operating room nurses	*une école d'infirmières instrumentistes*
a school for ambulance staff	*une école d'ambulanciers*
a school of nursing in each department	*une école d'infirmières dans chaque département*
train health professionals	***former les personnels de santé***
continuing medical education (CME)	*formation médicale continue (FMC)*
be provided for salaried doctors	*à l'intention des médecins salariés*
in the health establishments	*dans les établissements de santé*
where they are employed	*là où ils sont employés*
be compulsory for private doctors	*être obligatoire pour les médecins libéraux*
Training is managed by the Regional Councils for Medical Continuing Education.	*La formation médicale continue est confiée aux conseils régionaux de FMC.*
the National Council for Medical Continuing Education	*le Comité national de la Formation médicale continue*
healthcare personnel	***le personnel de santé***
The ratio of specialists to GP's is now over 50%.	*Le taux de spécialistes rapporté au nombre de généralistes est, à présent, supérieur à 50 %.*
Private doctors are paid for each consultation.	*Les médecins libéraux sont payés à l'acte.*
Health professionals may be salaried or may practice privately.	*Les personnels de santé peuvent soit être salariés soit exercer dans le privé.*

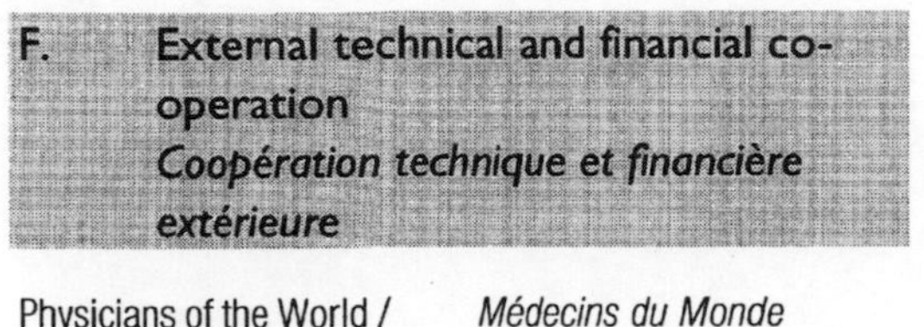

F. External technical and financial co-operation
Coopération technique et financière extérieure

Physicians of the World / Médecins du Monde	*Médecins du Monde*
a non-governmental organisation	*une organisation non gouvernementale*
ensure access to care for the destitute	*assurer l'accès aux soins des plus démunis*
provide free medical consultations	*fournir des consultations gratuitement*
the AIDES Association	*l'association AIDES*
in partnership with State authorities	*en partenariat avec les autorités de l'Etat*
be involved in the fight against AIDS	*être partie prenante du combat contre le SIDA*

CHAPITRE 

Volunteer medicine
Médecine humanitaire

I. A humanitarian mission — *Une mission humanitaire*

1. General background — *Généralités*

a non-governmental organisation (NGO)	*une organisation non gouvernementale (ONG)*
the United Nations Organisation (UNO)	*l'organisation des nations unies (ONU)*
the UN High Commission for Refugiees Act	*la réglementation de l'ONU concernant le Haut Comité aux refugiés*
an international humanitarian aid organisation	*une organisation internationale d'aide humanitaire*
medical organisation	*organisation médicale*
Doctors without Borders	*Médecins sans Frontières (MSF)*
"Our duty is to interfere."	*le devoir d'ingérence*
a special breed of doctors	*une race particulière de médecins*
volunteer doctor	*médecin bénévole*
volunteer-medic movement	*association de médecins bénévoles*
a pool of volunteer doctors	*un groupe de médecins bénévoles*
offer one's services to	*offrir ses services à*
Our action saves lives.	*Notre action sauve des vies.*
relief group	*aide / aide humanitaire*
assume greater proportions worldwide	*prendre de l'ampleur dans le monde entier*

2. Who and where? — *Qui et où ?*

developed countries	*pays développés*
developing countries	*pays en voie de développement (PVD)*
Third World countries	*pays du tiers-monde*
emergent countries	*pays émergents*
the suffering of	*la souffrance de*
a displaced population	*une population déplacée*
a refugee	*un réfugié*
a deportee	*un déporté*
daily confrontation with violence and death	*le face à face quotidien avec la violence et la mort*
shatter beliefs in	*réduire à néant la croyance en*
belief in	*la croyance en*
believe in	*croire en*
undermine the self-esteem of	*miner / ruiner le sentiment de sa propre estime chez*
disaster	*catastrophe*
assist at the scene of a disaster	*venir en aide aux victimes d'une catastrophe*
disaster area	*région sinistrée*
cope with an emergency case	*faire face à une situation d'urgence*
act of God	*catastrophe naturelle*
a hot spot	*un point chaud*
a war-torn country in the Third World	*un pays du Tiers Monde déchiré par la guerre*
a troubled area	*une zone de troubles*
drop into a disaster situation	*débarquer au milieu d'une catastrophe*

a neglected corner of the world	une zone délaissée
hazardous	dangereux
remote	éloigné / reculé
way out in	perdu en / dans
off the beaten track	a l'écart des voies de circulation / difficile d'accès
risk one's life	risquer sa vie
pose special risks	présenter des risques particuliers

3. Screening applicants — *Le choix des candidats*

A. The right people — *Le bon profil*

selection	*sélection*
screen applicants	*sélectionner les candidats*
make a career of	*faire carrière dans*
take time from private practice	*prendre sur son temps d'exercice libéral*
turn away from money	*ne pas s'intéresser qu'à l'argent*
bare-foot doctors	*médecins aux pieds nus*

B. Training — *Formation*

train people for	*fomer les gens à / pour*
be fit for	*être apte à*
be unfit for	*être inapte à*
likely to adapt to	*susceptible de s'adapter à*
unlikely to adapt to	*peu susceptible de s'adapter à*
not to crack under the pressure of	*ne pas céder sous la pression de*
the faint-of-heart	*les pusillanimes*
field personnel / staff for	*disposer de / offrir du personnel pour*
trained personnel in tropical medicine	*personnel formé en médecine tropicale*
Are you trained in...	*Etes-vous formé en...*
tropical medicine?	*médecine tropicale ?*
epidemiology?	*épidémiologie ?*
intensive care?	*soins intensifs ?*
experience gained in paediatrics	*expérience acquise en pédiatrie*

C. Have a taste for adventure — *Avoir le goût de l'aventure*

venture out to unknown places	*partir à l'aventure dans des lieux inconnus*
It entails great risks and discomfort.	*Cela implique une vie dangereuse et sans confort.*
seek adventure	*être en quête d'aventure*
live intensely	*vivre avec intensité*
seek challenge	*se mesurer à / rechercher la difficulté*
take up the challenge of	*relever le défi de*

D. Compassion — *Compassion*

pity	*pitié*
take pity in	*prendre pitié de*
have pity for	*avoir de la pitié pour*
benevolence	*bienveillance*
show benevolence to	*montrer de la bienveillance à l'égard de*
have sympathy for	*avoir de la sympathie / de la compassion pour*
create a sense of dignity	*donner le sentiment de sa dignité*
offer one's services to	*se mettre au service de*
put oneself at someone else's disposal	*se mettre à la disposition de quelqu'un*
I'm at your disposal.	*Je suis à votre disposition.*
What do you want done?	*Que faut-il faire ?*
We don't charge anything for our services.	*On ne demande pas de rémunération.*
lend a strong hand to	*prêter main forte à*
render assistance	*prêter assistance*
serve	*servir*
out of a sense of mission	*par sentiment du devoir*
out of a commitment to	*par obligation envers*
a sense of duty	*le sens du devoir*
alleviate pain	*soulager les douleurs*
sufferings of mankind	*souffrances de l'humanité*
a sense of achievement	*un sentiment de réussite*
wage a noble battle	*mener un noble combat*

4. Ready to go? — *Prêt ?*

Just pack up your skills.	*Vous n'avez besoin que de vos compétences.*
real-life experience	*une vraie expérience*
sign on for a mission	*s'engager pour une mission*
send on a mission	*envoyer en mission*
be dispatched on a mission	*être envoyé en mission*
undertake a mission	*entreprendre une mission*
mission of mercy	*mission humanitaire*
work on the field	*travailler sur le terrain*
logistics staff / team	*équipe de logistique*
mobile team	*équipe mobile*
a mobile clinic	*une unité mobile de soins*
be sent out to	*être envoyé à*
be deployed to	*être dépêché à / en*
crisis intervention	*intervention en situation de crise*
an emergency refugee crisis	*les réfugiés en situation d'urgence*
provision of primary health-care	*dispensation de soins de première intention*
long-term intervention is deemed appropriate	*une intervention longue semble nécessaire*
support refugees through outpatient departments	*apporter un soutien aux réfugiés grâce aux soins externes*
post	*affecter*
be posted	*être affecté*
posting	*affectation / poste*
take up one's post	*prendre son poste*
assign	*nommer*
assignment	*mission / poste*
accept an assignment	*accepter une mission / un poste*
be on an assignment	*être en mission / en poste*
do one's stint in	*faire sa période (de service) en*
a place in need	*une zone de détresse*
all-round needs	*besoins tous azimuts / multiformes*
cater to the needs of	*pourvoir aux besoins de*
cope with the needs	*faire face aux besoins*

5. On the spot — *Sur place*

A. Precarious sanitation — *Conditions sanitaires précaires*

lack of equipment	*manque d'équipement*
lack of drugs	*manque de médicaments*
run out of drugs	*manquer de médicaments*
have run out of drugs	*être en rupture de stock*
run through the store of	*épuiser rapidement le stock de*
medical supplies	*fournitures médicales*
medical device	*matériel / équipement médical*
workload	*charge de travail*
operate in difficult conditions	*travailler dans des conditions difficiles*
under primitive conditions	*dans des conditions sommaires*
live under pressure	*vivre sous tension*
under the strain of	*sous la pression de*
an inhumane situation	*une situation inhumaine*
be confronted with an inhumane choice	*être confronté à un choix inhumain*
badly hit medical personnel	*durement frapper le personnel de santé*
go on starvation ration	*être insuffisamment nourri / avoir des rations alimentaires insuffisantes*
die from dehydration	*mourir de déshydratation*
stench	*puanteur*
filth	*saleté*
be apprehensive of	*avoir de l'appréhension face à*

B. Setting up health care services — *La mise sur pied d'un système de santé*

the core element of a health-care programme	*l'élément-clef / le point fort d'un programme sanitaire*
lie in	*se trouver dans / résider dans*
build up healthcare facilities	*construire des centres de soins / des dispensaires*
administer medical care / health care	*donner des soins*
set up a camp	*établir un camp*
set up an emergency hospital	*installer un hôpital de campagne*
staff a hospital	*équiper un hôpital en personnel*
local health worker	*secouriste sur place / médecin aux pieds nus*
bring medical assistance to	*apporter une aide médicale à*

medical care to	des soins médicaux à
offer relief to	porter secours à
conduct a programme	mener un programme
launch / initiate / implement a programme	mettre en place / lancer un programme
help people through programmes	appporter une aide au moyen de programmes / de projets
in cooperation with	en coopération avec
be referred to a health service	être orienté vers un service de santé
to facilities for patients	vers un organisme de prise en charge
establish / set up accessible helth care centres	installer des centres de soins accessibles
outreach services	les services de proximité
provide back-up for	apporter un appui à
a back-up service for psychiatry	un service d'appui / une unité-ressource en psychiatrie
be overworked	être surchargé de travail
starvation	famine
worm disease	parasitose
have taeniasis / tape worm	avoir le ténia
have worms	avoir des vers
diarrhoea (GB) / diarrhea (US)	diarrhée
increased susceptibility to infection	susceptibilité accrue aux infections

C. Providing psychological services
Le soutien psychologique

effect of violence on the human psyche	effet de la violence sur les esprits
psychological impact of war in emergency situations	impact psychologique de la guerre en situation d'urgence
need for mental health support	besoin d'un soutien psychologique / d'une assistance psychologique
alleviate a burden	alléger un fardeau
a mental health programme	une campagne d'aide / de soutien psychologique
ensure the sustainability of a programme	assurer la pérennité d'un programme
war-related symptoms	pathologie de temps de guerre
sleep disturbances	troubles du sommeil
flash-back	réminiscence instantanée / flash-back
visual hallucination	hallucination visuelle
auditory hallucination	hallucination auditive
muteness	mutisme
social withdrawal	repli sur soi
chronic and acute stress	état de tension permanente ou aiguë
be exhausted	être épuisé
suffer from exhaustion	souffrir d'épuisement
be unable to care for oneself	être incapable de s'occuper de soi-même
mental disability	être mentalement diminué

D. Medical care
Soins médicaux

primary health care	soins de première intention
preventive medicine / care	médecine préventive
early detection of disease	la détection précoce des maladies
need for sanitation and immunization	besoins en matière d'équipements sanitaires et de vaccination
immunization	vaccination
treat civilian populations for	traiter les civils contre
treat with large / high doses	traitement par doses massives
measles with serious complications	rougeole à complications majeures
oversee a health project / scheme	superviser un projet sanitaire
no running water	absence d'eau courante
build a clean water system	construire un réseau d'eau potable
lay down piping for drinkable water	pose des canalisations d'eau potable
check on a water system	vérifier un réseau d'alimentation en eau
hospital sanitation	conditions sanitaires en hopital
a pan of water	un récipient d'eau
wash one's hands	se laver les mains
dry one's hands	se sécher les mains

E. Surgical care
Soins chirurgicaux

an overcrowded hospital	un hopital surpeuplé
operate a surgical clinic	faire fonctionner une unité de chirurgie
perform operations	effectuer des opérations
handle surgeries	pratiquer des interventions chirurgicales
operate through the night	opérer toute la nuit
keep operating	opérer sans discontinuer
perform an amputation	pratiquer une amputation
artificial limb	prothèse d'un membre
bullet wound	plaie par balle

F. Supportive community
Un soutien issu de la communauté

The network of families and friends can be broken down.	*Le réseau familial et d'amis peut être rompu.*
restore lost protective factors offered by social networks	*restaurer la sécurité qu'offre l'environnement social*
restore bonds between	*restaurer les liens entre*
improve resilience in the face of	*augmenter les capacités de résistance devant*
contribute to high levels of	*aider fortement*
develop independence from	*développer l'indépendance à l'égard de*
foster self-help mechanisms	*promouvoir une prise en charge autonome*
self-help	*autonomie*
principles of self-help and support	*les principes de l'autonomie*
a normal coping response to acute stress	*une réponse bien adaptée à une situation de tension extrême*
beneficial for the whole community	*bénéfique à la communauté entière*

G. Community worker
Un travailleur social

offer a training session in	*proposer une session de formation en*
instruct local people in primary health care	*former la population aux soins primaires*
health education in	*éducation sanitaire en*
provide specific short-term intervention	*faire des interventions ponctuelles et ciblées*
provision of skills	*apport de compétences*
forms of assistance provided range from... to	*les différentes types d'assistance vont de... à*
education on the job	*formation sur le tas*
focus on	*se centrer sur*
local counsellors and supervisors	*conseillers et responsables locaux*
address the needs of	*pourvoir aux besoins de*
on an individual basis	*par une approche personnalisée*
community awareness is driven home	*le groupe prend conscience qu'il faut être vigilant*
expatriate staff	*le personnel expatrié*
staff training followed up by	*suivi de la formation du personnel par*
in-depth training of	*formation approfondie de*
a hospital-based health system	*un système de soins centré sur l'hôpital*
carry out a mental health assessment amongst	*faire un bilan psychologique au sein de*
disseminate psycho-education	*répandre les connaissances en matière de psychologie*

6. Coping with difficulties — *Face aux difficultés*

crime against humanity	*crime contre l'humanité*
gather testimonies on	*recueillir des témoignages sur*
be sensitive to	*être sensible à*
recount experience	*faire part de son expérience*
be willing to discuss	*avoir envie de parler de / de débattre de*
feel an urge to talk about	*ressentir le besoin impérieux de parler de*
advocate telling N.G.O.'s about	*militer pour que les O.N.G. soient informées de*
advocacy	*plaidoyer*
report violations of	*rapporter des cas de violation de*
a neglected issue	*une question délaissée / négligée*
record the history of events	*noter le film / le fil des événements*
a life-endangering situation	*une situation critique*
be subjected to	*être contraint de*
leave at gun point	*partir sous la menace des armes*
witness an execution	*être le témoin d'une éxécution*
victimise people	*prendre les gens pour victimes*
a process of victimisation	*se retrouver la victime de / être pris pour cible*
seek shelter from	*chercher refuge loin de / chercher à s'abriter de*
be sheltered in a camp	*être recueilli dans un camp*
familiarise a refugee with	*familiariser le réfugié avec*
show the camp facilities	*montrer les installations du camp*
find refuge in the homes of local people	*trouver refuge chez les habitants*
overcome repression	*surmonter la répression*
a barrier	*une barrière*
war zone	*zone de guerre*

a guerilla-held territory	*une région tenue par la guérilla*
be caught / involved in a civil war	*être pris / impliqué dans une guerre civile*
internecine war	*guerre intestine*
a battle-scarred / war-torn country	*un pays ravagé par la guerre*
area stricken / hit by	*zone frappée par*
a bandit-infested area	*une zone de banditisme / de brigandage*
wreak havoc	*causer des ravages*
plunder	*piller*
work behind the lines	*travailler derrière les lignes*
ignore the lines of combat	*ne pas tenir compte des positions armées*
the other side of the frontier	*l'autre côté de la frontière*
place medicine above the affairs of state	*placer la médecine au-dessus des préoccupations gouvernementales*
put medical needs above	*placer les besoins sanitaires au-dessus*
face up to red tape	*s'affronter aux formalités administratives*
red-tapism	*tracasseries administratives*
beat politicking	*dépasser la politique politicienne*
seek government approval	*tenter d'obtenir l'approbation du gouvernement*

7. Fund-raising — *Les financements*

derive profit / benefit from	*tirer profit de*
a charity	*association caritative*
be funded by	*être financé par*
appeal for funds	*demander des fonds*
a collection	*une quête*
raise money	*se procurer de l'argent*
raise funds for / towards	*lever des fonds en vue de*
run a money drive for	*faire une campagne de financement pour*
run on a shoestring budget	*fonctionner avec un budget de misère*
operate on a hefty budget	*fonctionner avec un solide budget*
raise money through	*lever de l'argent grâce à*
raise money from	*avoir pour source de financement*
make public appeals for	*faire appel à l'opinion publique pour*
public money	*deniers publics*
private funding sources	*sources de financement privées*
private contributors	*donations privées*
give money towards	*donner de l'argent pour*
donate	*faire un don*
donator	*donateur*
donation	*don*
subsidize	*subventionner*
subsidies	*subventions*
get scant / poor wages	*recevoir une maigre rétribution*
meager salary	*maigre salaire*
rely on	*s'appuyer sur*
government backing	*soutien gouvernemental*
the paucity of resources	*le manque de ressources*
bypass official channels	*contourner les voies officielles*
regulatory routes	*voies réglementaires*

8. Abbreviations — *Sigles*

NGO	a non-governmental organisation	*ONG*	*une organisation non gouvernementale*
UNO	the United Nations Organisation	*ONU*	*l'organisation des nations unies*
-	Doctors without Borders	*MSF*	*médecins sans Frontières*
-	developing countries	*PVD*	*pays en voie de développement*

II. Famine — *La famine*

1. The food crisis — *La crise alimentaire*

<u>hunger</u>	<u>*la faim*</u>
a hunger crisis	*une crise alimentaire*
the hungry	*les affamés*
be famished	*être affamé*
go hungry	*se passer de nourriture*
die of hunger	*mourir de faim*
be hunger-stricken	*être victime de la faim*
look hungry	*avoir l'air affamé*
be mal nourished / underfed	*être mal nourri / sous-alimenté*
hunger stalks Africa	*la faim sévit en Afrique*
<u>starvation</u>	<u>*la famine*</u>
starve	*être affamé*
starving	*famélique*
starve to death	*mourir de faim*
be starved of food	*être privé de nourriture*
hover on the brink / on the verge of starvation	*être au bord de la famine*
live on the brink of starvation	*vivre au bord de la famine*
be threatened by starvation	*être menacé par la famine*
meet food needs	*satisfaire les besoins alimentaires*
face starvation	*faire face à la famine*
<u>food</u>	<u>*la nourriture*</u>
foodstuffs	*vivres / aliments*
food relief	*l'aide alimentaire*
feed / nourish a country	*nourrir un pays*
be dependent on a relief programme for food	*dépendre d'une assistance alimentaire*
a lack of food	*un manque de nourriture*
lack food	*manquer de nourriture*
be deprived of food	*être privé de nourriture*
run out of food supplies	*venir à manquer de vivres*
go / do without food	*se passer de nourriture*
make do with	*se contenter*
a food shortage	*une pénurie de nourriture*
a scarcity of food	*un manque de nourriture*
cry out for food	*réclamer de la nourriture*
beg for food	*mendier de la nourriture*
be put on half ration	*réduire de moitié la quantité de nourriture*
feel wretched	*se sentir misérable*
wander in search of food	*errer à la recherche de nourriture*
go in search of food	*partir à la recherche de nourriture*
<u>famine crisis</u>	<u>*crise alimentaire*</u>
a scourge / blight / plague	*un fléau*
the scope of a famine	*l'ampleur d'une famine*
a widespread famine	*une famine étendue*
a rampant famine	*une famine qui sévit*
a famine-threatened country	*un pays menacé par la famine*
a man-made famine	*une famine artificielle*
a famine-prone nation	*un pays enclin à la famine*
a belt of privation	*une région de pauvreté*
a famine-stricken / famine-ridden country	*un pays frappé par la famine*
admit to a famine	*admettre l'existence de la famine*
suffer from famine	*souffrir de la famine*
face famine	*être confronté à la famine*
be famine-plagued	*être touché par la famine*
be in the throes of famine	*être en proie à la famine*
be the prey of famine	*être la proie de la famine*
strike a country	*frapper un pays*
affected by	*touché par*
hard hit by	*durement touché par*
overwhelmed by	*accablé par*
crushed by	*écrasé*

2. Consequences of famine — *Les conséquences de la famine*

<u>the physical appearance</u>	<u>*l'apparence physique*</u>
play havoc with someone's body	*ruiner la santé de quelqu'un*
turn a man into a ghost	*devenir l'ombre de soi-même*
deprived	*démuni*
destitute	*sans ressources*
too weak to help oneself	*trop faible pour s'alimenter*
a spectre	*un spectre*
flesh	*la chair*
shrivel	*flétrir*
wither	*s'étioler*
wasted	*décharné*
a hollow face	*un visage creusé*

hollow-cheeked / with sunken cheeks	*les joues creuses*
with hollow eyes	*les yeux caves*
an anguished stare	*un regard chargé d'angoisse*
haggard looking	*à l'air hâve / hagard*
drawn features	*traits tirés*
sickly looking	*à l'air malingre*
The bones are showing through.	*Les os sont proéminents.*
gaunt	*décharné*
emaciated	*maigre / émacié*
skinny	*maigre*
scrawny	*efflanqué / décharné*
scraggy	*famélique*
scragginess	*aspect efflanqué*
a swollen belly	*un ventre ballonné*
<u>health problems</u>	<u>*problèmes de santé*</u>
be susceptible to	*être vulnérable à*
be the prey of a disease	*être la proie d'une maladie*
riddled with a disease	*ravagé par une maladie*
a disease-riddled body	*un corps ravagé par la maladie*
wrecked with a disease	*dévasté par une maladie*
suffer from vitamin deficiency	*souffrir d'une carence en vitamines*
have the rickets	*être atteint de rachitisme*
diphtheria	*diphtérie*
typhoid fever	*fièvre typhoïde*
malaria	*malaria / paludisme*
dysentery	*dysenterie*
dehydration	*déshydratation*
a fly-covered face	*un visage couvert de mouches*
go blind	*perdre la vue*
the death toll	*le bilan des victimes*
exact a heavy toll on	*prélever un lourd tribut sur*
<u>helplessness</u>	<u>*impuissance*</u>
hopeless	*sans espoir*
give up all hope of	*renoncer à tout espoir de*
resign oneself to one's fate	*se résigner à son sort*
resignation	*résignation*
passivity	*passivité*
passive	*passif*
feel helpless	*se sentir impuissant*
defenceless	*sans défense*
be under the burden / weight of	*plier sous le poids de*
sorrow	*chagrin*
misery	*souffrance*
wretchedness	*état de misère / caractère misérable*
<u>economic woes</u>	<u>*malheurs économiques*</u>
a continent-wide tragedy	*une tragédie à l'échelle d'un continent*
ruin the economy	*ruiner l'économie*
bring an economy to its heels	*mettre une économie à genoux*
economic collapse	*effondrement économique*
break apart	*se briser / tomber en morceaux*
declare a state of emergency	*instaurer l'état d'urgence*
a natural disaster area	*une zone sinistrée*
rebuild the economy	*reconstruire l'économie*
put the economy back onto its feet	*remettre l'économie sur ses pieds*

3. Famine relief — *Le secours aux affamés*

<u>a public fund-raising campaign</u>	<u>*une collecte publique*</u>
send money to	*envoyer de l'argent à*
pitch in	*y aller de son obole*
pledge money to	*promettre de l'argent à*
a pledge	*une promesse*
vote special funding for	*voter des crédits spéciaux pour*
approve special funding for	*approuver des crédits spéciaux pour*
contribute money to / towards	*apporter de l'argent pour / en vue de*
a contribution	*un versement volontaire*
awaken / arouse public sympathy	*soulever la compassion publique*
spark a response from the public	*provoquer un élan de la part du public*
a call for help	*un appel au secours / à l'aide*
call for help	*appeler à l'aide*
appeal for aid	*lancer un appel à l'aide*
humanitarian aid	*aide humanitaire*
<u>outside aid</u>	<u>*aide extérieure*</u>
send in aid	*envoyer une aide*
grant aid with no strings attached	*accorder une aide sans condition*
elicit no response from the local government	*ne susciter aucun commentaire du gouvernement local*
dispatch aid to	*envoyer de l'aide à*

volunteer help	*offrir son aide bénévolement*
allocate aid	*répartir l'aide*
aid funds	*aide financière*
earmark aid funds	*affecter des fonds pour l'aide*
channel aid to	*diriger l'aide vers*
pour in aid	*apporter une aide massive*
a sinkhole for aid	*une aide sans fond*
mount a relief operation	*monter une opération de secours*
send relief to	*envoyer des secours à*
emergency relief	*secours d'urgence*
relief supplies	*secours*
co-ordinate a relief program	*coordonner un programme de secours / d'aide*
a logistical problem	*un problème de logistique*
a relief worker	*un membre d'une équipe de secours*
a volunteer worker	*un volontaire*
a relief party / team	*une équipe de secours*
come to the rescue	*venir en aide*
not fold one's arms	*ne pas se croiser les bras*
launch a rescue operation	*lancer une opération de sauvetage*
converge on	*se diriger sur*
be under way to	*être en cours*
on its way to	*en route pour*
relocate / resettle people	*réinstaller la population*
a relocation scheme / resettlement scheme	*un programme de réinstallation*
displaced and uprooted people	*populations déplacées et déracinées*
an emergency relief centre	*un centre d'aide alimentaire d'urgence*
a famine camp	*un camp de secours aux affamés*
a refugee camp	*un camp de réfugiés*
set up a relief camp	*mettre en place un camp de secours*
a makeshift camp	*un campement de fortune*
allot rations	*distribuer des rations*
a tent	*une tente*
a famine victim / famine casualty	*une victime de la faim*
dole out rations	*distribuer de quoi manger avec parcimonie*
ration	*rationner*
bowl of rice	*bol de riz*
vitamin tablet	*comprimé de vitamines*
salt enriched water	*eau enrichie en sel*
a salt tablet	*un comprimé de sel*
food supplies	*l'aide alimentaire*
a food aid agency	*un bureau d'aide alimentaire*
supply	*apporter / fournir*
supplies	*fournitures / vivres*
the relief pipeline	*l'organisation des secours*
an emergency relief flight	*une expédition de secours d'urgence par avion*
airlift	*pont aérien*
airlift food supplies	*envoyer des vivres par avion*
a planeload of food	*une cargaison aérienne de nourriture*
ship off relief supplies to	*expédier des secours / une aide par bateau à / en*
a food shipment	*une cargaison de nourriture*
provide food and clothing to	*fournir de la nourriture et des vêtements à*
approve the delivery of	*approuver la livraison de*
pledge to send in	*promettre d'envoyer*
a distribution network	*un réseau de distribution*
distribute food to	*distribuer la nourriture à*
portion out food	*répartir la nourriture*
allocate the food to	*attribuer la nourriture à*
grant food aid to	*octroyer une aide alimentaire à*
earmark food for	*destiner une aide alimentaire à*
get food to the hungry	*ravitailler les affamés*
pour food into	*déverser de la nourriture à / dans*
difficulties / pitfalls	*difficultés / pièges*
stockpile food	*accumuler des réserves de nourriture*
The food supplies trickled in the remote areas.	*Les vivres sont arrivées au compte-gouttes dans les zones reculées.*
flooded in the capital.	*sont arrivées massivement dans la capitale.*
get through to a country	*arriver à atteindre un pays / parvenir jusqu'à un pays*
The food truck had trouble reaching the camp.	*Le camion de vivres parvint difficilement jusqu'au camp.*
It was hard to come through.	*Parvenir à bon port fut difficile.*
be scarce	*être rare*
get scarce	*se faire rare*
run low	*venir à manquer*
abundant / plentiful / in plenty	*abondant*
War disrupted the aid effort.	*La guerre a perturbé les efforts d'assistance.*

divert food from the minorities	*détourner l'aide alimentaire à destination des minorités*	rotting food	*nourriture avariée*
a distribution foul-up	*une erreur de distribution*	go to waste	*se gâter*
rot	*pourrir*		

III. An earthquake — *Un tremblement de terre*

1. General background — *Généralités*

cope with the aftermath of a disaster	*faire face aux conséquences d'une catastrophe*	the Federal Emergency Management Agency (US)	*le service fédéral des catastrophes naturelles*
in the wake of	*dans la sillage de / à la suite de*	civil defence (GB) / defense (US)	*défense civile*
a disaster assistance agency	*un service d'aide aux victimes*	a disaster specialist	*un spécialiste des catastrophes*

2. Rescue — *Les secours*

<u>rescue</u>	<u>*secourir*</u>	put up	*monter / installer*
a rescuer	*un sauveteur*	a rescue mission	*une mission de sauvetage / de secours*
a rescuing party	*les sauveteurs*	send on a mission	*envoyer en mission*
a rescue operation	*une opération de secours*	a rescue squad	*une équipe de sauveteurs / une unité de secours*
put up	*monter / organiser*	a rescue crew	*une équipe de sauveteurs*
carry out	*mettre en œuvre*	take part in	*prendre part à*
rescue work	*le travail des sauveteurs*	direct	*diriger*
step up efforts	*intensifier les efforts*	monitor efforts	*surveiller la mise en œuvre*
rescue efforts	*les efforts des sauveteurs*	suspend an operation	*suspendre une opération*
round the clock efforts	*efforts ininterrompus / sans désemparer*	halt rescue efforts	*mettre fin aux opérations de sauvetage*
rush to the rescue of	*se ruer / se précipiter au secours de*	grassroots efforts	*les efforts de la population*
speed to the rescue of	*se précipiter au secours de*	show civic spirit	*faire preuve de civisme*
rush into action	*se dépêcher d'intervenir*	an efficient response	*une aide efficace*
be under way	*être en cours*	provide	*apporter*
on the way	*en route*	<u>a task force</u>	<u>*une cellule de crise*</u>
impede the efforts of	*entraver les efforts de*	a civilian force	*une force civile / un groupe de civils*
hamper	*retarder*	state-wide co-ordination	*coordination nationale*
<u>a rescue co-ordination centre</u>	<u>*un P.C. des opérations de secours*</u>	assist the victims	*venir en aide aux victimes*
set up	*installer / organiser*	provide relief	*apporter des secours / fournir de l'aide*
call together	*réunir*	disaster relief	*secours aux victimes de catastrophes*
a rescue team	*une équipe de secours*	a relief fund	*un fond de secours*
a rescue	*un sauvetage*	run	*tenir*
quake rescue	*secours aux victimes d'un tremblement de terre*	set up	*ouvrir*
a rescue camp	*des installations de secours*	emergency aid	*aide d'urgence*

emergency plan	*plan pour des secours d'urgence / plan ORSEC*
emergency centre	*poste de secours*
emergency procedures	*procédures d'urgence*
respond to an emergency	*réagir face à une crise*
the search for victims	*la recherche des victimes*
an attempt	*une tentative*
give up the attempt	*renoncer à la tentative / abandonner la tentative*
search for	*rechercher*
join the search for	*participer aux recherches de*
the wreckage	*les décombres*
search an area	*fouiller une zone*
search for wreckage	*fouiller les décombres*
a search operation	*une opération de recherche*
mount	*monter / organiser*
suspend	*suspendre*
inspect a wreckage for victims	*fouiller les décombres / une épave pour retrouver des rescapés*
a wreckage	*une épave*
hunt for	*être à la recherche de*
a sniffer dog	*un chien de catastrophe*
sniff out	*renifler / détecter au flair / flairer*
spot	*repérer*
free a person from	*libérer quelqu'un de*
be trapped in the rubble	*être prisonnier des décombres*
be trapped underground	*être bloqué sous terre*
be entombed	*être enseveli*
entombment	*ensevelissement*
work against time	*lutter contre la montre*
work frantically	*travailler avec acharnement*
hunt for survivors	*rechercher les survivants*
sift through the rubble	*fouiller les décombres*
reach out to people	*parvenir à entrer en contact avec les victimes*
pull clear	*dégager*
be pulled free from	*être dégagé / libéré de*
pick through the ruins	*ramasser / récolter dans les ruines*
be buried up the neck	*être enterré jusqu'au cou*
be buried alive	*être enterré vivant*
retrieve bodies from	*récupérer des corps de*
recover	*retrouver*
identify	*identifier*
rescue equipment	*le matériel de secours*
equipment	*le matériel*
relief material	*matériel de secours*
a cherry picker	*un chariot élévateur*
a crane	*une grue*
a generator	*un générateur*
a back up generator	*un groupe électrogène*
a cutting torch	*un chalumeau*
cutting gear	*matériel de désincarcération*
pliers	*pinces*
a car jack	*un cric*
a shovel	*une pelle*
a pickaxe	*une pioche*
a sledgehammer / power-hammer	*un marteau-pilon*
a hammer drill	*une perceuse à percussion*
a pneumatic drill	*un marteau piqueur*
a flashlight	*une torche*
a fiberscope	*un fibroscope*
a sound detector	*une sonde acoustique*
a stretcher	*une civière*
bandages	*des pansements*
gauze	*de la gaze*
drinking water	*eau potable*
bottled water	*eau minérale*

3. The casualties — *Les victimes*

fatal results	*conséquences mortelles*
a victim / a fatality / a casualty	*une victime*
the deceased	*les morts*
a corpse / dead body	*un cadavre*
safe and sound	*sain et sauf*
alive and well	*bien portant*
escape unhurt	*s'en sortir indemne*
unscathed / unharmed	*indemne*
be grateful for	*être reconnaissant pour*
count one's blessings	*s'estimer heureux*
survive a quake	*survivre à un tremblement de terre*
manage to survive	*s'en sortir*
reach safety	*se mettre à l'abri*
run for one's life	*courir se mettre à l'abri*
shock	*le choc*
shock	*horreur / indignation*
be in shock	*être en état de choc*
a shocking sight	*un spectacle affreux*
express shock	*exprimer l'horreur*
be dazed	*être stupéfait*

astounded	*atterré*
bewildered	*désorienté*
dismayed	*désemparé*
stunned	*abasourdi*
shell shocked	*commotionné*
overcome with panic	*pris de / submergé par la panique*
panic-stricken	*frappé de panique*
terror-stricken	*terrorisé / paralysé par la peur*
gripped by	*saisi par*
transfixed with	*paralysé par*
experience shock	*subir un choc*
sheer surprise at	*surprise totale devant*
grope for words	*chercher ses mots*
disbelief	*incrédulité*
a ghastly sight	*un spectacle abominable / horrible*
staggering	*renversant*
unexpected	*inattendu*
appalled at	*horrifié de / par*
recoil from	*reculer devant / refuser d'admettre*
horror	*horreur*
a nightmare	*un cauchemar*
nightmarish	*de cauchemar*
mystified	*perplexe*
mystification	*perplexité*
worried sick	*fou d'inquiétude*
<u>aftershock</u>	<u>*après le traumatisme*</u>
a delayed trauma reaction	*une réaction traumatique retardée / à retardement*
post-traumatic stress disorder	*troubles du comportement post-traumatiques*
live in a state of terror	*vivre dans la terreur*
experience nightmares	*avoir / faire des cauchemars*
sleep disturbances	*troubles du sommeil*
lingering depression	*dépression persistante*
irritability	*irritabilité*
hypervigilance	*hypervigilance*
seek professional help	*faire appel à la médecine*
seek counselling	*avoir recours à la psychothérapie*
air one's anxieties	*faire part de ses angoisses*
emotional aftershock	*réactions psychologiques au choc*
handle a crisis	*affronter une crise*
cope with the unknown	*faire face à l'inconnu*
<u>the injured</u>	<u>*les blessés*</u>
be hurt	*être blessé*
be hit	*être atteint*
an injury	*une blessure*
sustain a serious injury	*recevoir / être atteint par une blessure grave*
slight injury	*blessure légère*
lose blood	*perdre du sang*
drained of one's blood	*vidé de son sang*
blood donor	*donneur de sang*
collect a pint of blood	*recueillir un flacon de sang*
a concussion	*une commotion*
concussed	*commotionné*
paralysis	*paralysie*
stricken with	*frappé par*
a trauma victim	*la victime d'un traumatisme*
endure an ordeal	*subir un calvaire*
require urgent medical attention	*nécessiter des soins d'urgence*
be in critical condition	*être dans un état critique*
suffer from traumatic injuries	*souffrir de traumatismes*
suffer serious lesions	*souffrir de lésions graves*
a collection spot	*un don du sang*
a survivor	*un survivant*
recover from	*guérir de*
a makeshift clinic	*une clinique de fortune*
an operating theatre	*une salle d'opérations*
treated at hospitals	*soignés dans les hôpitaux*
keep a vigil over	*veiller sur*
set up a morgue	*installer une morgue*
a chapel of rest	*une chapelle ardente*
overwhelm hospital facilities	*envahir les hôpitaux*
overwhelmed	*débordé*
be overworked	*travailler sans relâche*
work under harrowing conditions	*travailler dans des conditions épouvantables*
be undersupplied	*être à court de matériel*
the emergency service	*le service des urgences*
an intensive care unit	*une unité de soins intensifs*
in intensive care	*en réanimation*

4. Hope and death — *Espoir et mort*

<u>hope</u>	<u>*l'espoir*</u>
a glimmer of hope	*une pointe / une lueur d'espoir*
a fleeting hope	*un mince espoir*
take heart	*reprendre courage*
hope for a miracle	*espérer un miracle*
hope is running out	*les espoirs s'amenuisent*
despair	*le désespoir*

dash hopes	*anéantir les espoirs*
wreck	*réduire à néant / ruiner*
shattered hopes	*espoirs anéantis*
a hopeless situation	*une situation désespérée*
beyond hope	*sans espoir*
hope against hope	*espérer envers et contre tout*
despair	*désespérer*
lose hope / heart	*perdre espoir*
death	*la mort*
kill instantly	*tuer sur le coup*
die from the effects of	*mourir des suites de*
succumb to the effects of	*succomber sous l'effet de*
a sepulchral silence	*un silence de mort*
a high casualty count	*une longue liste de victimes*
a casualty list	*une liste des victimes*
claim / take the lives of 1,000 casualties	*faire 1000 victimes*
claim lives	*faire des morts*
range beyond 1000	*s'élever à plus de 1000*
swell to	*enfler pour atteindre*
be counted among the dead	*faire partie des victimes*
suffer losses of life	*subir des pertes humaines*
heavy losses	*lourdes pertes*
widespread loss of life	*lourdes pertes en vie humaines*
a death toll	*un bilan des victimes*
take a heavy toll amongst	*faire de nombreuses victimes chez / parmi*
a grim task	*une tâche douloureuse*
be reported missing	*être porté disparu*
be missing	*avoir disparu*
be orphaned	*être / se retrouver orphelin*
an orphan	*un orphelin*
rotting flech	*chair en décomposition*
spread lime over	*répandre de la chaux vive sur*
the threat of epidemics	*la menace d'épidémies*
the spectre of cholera	*le spectre du choléra*

Medical ethics
Ethique médicale

I. A few ethical issues — *Quelques questions d'éthique*

1. General background — *Généralités*

ethics	*l'éthique*
ethical	*éthique*
unethical	*non déontologique*
code of ethics	*code d'éthique*
medical ethics	*éthique médicale*
ethics commission	*comité d'éthique*
bioethicist	*spécialiste des questions de bioéthique*
the Hippocratic oath	*le serment d'Hippocrate*
take the oath	*prêter serment*
carry out an oath	*appliquer un serment*
use medicine only to help the sick	*n'utiliser la médecine que pour venir en aide aux malades*
not injure or wrong patients	*ne pas blesser ni faire du tort au malade*
keep oneself free from any intentional wrong-doing	*se garder de toute volonté de mal faire*
not divulge secrets	*ne pas divulguer de secret*
swear obedience to	*jurer obéissance à*
keep the oath	*rester fidèle à son serment*
not forswear oneself	*ne pas se parjurer*

2. Abortion — *L'avortement*

<u>a matter of controversy</u>	<u>*un sujet de controverse*</u>
One of the most contentious issues of our time.	*L'un des plus difficiles problèmes de notre époque.*
a matter of conscience	*un problème de conscience*
take issue with	*polémiquer avec*
open up a host of issues	*poser une foule de problèmes*
face an issue	*se trouver devant un problème*
much-debated issue	*problème fort débattu*
raise an issue about	*soulever un problème concernant*
roll back an issue	*repousser un problème*
turn down an issue	*laisser tomber une question*
wrestle / grapple / struggle with an issue	*se débattre avec une question*
be faced up with / come up against / meet with difficulties	*affronter / se heurter à des difficultés*
wage a battle against abortion	*mener une bataille contre l'avortement*
a long drawn-out battle	*une bataille interminable*
foster widespread debate over	*nourrir une ample controverse à propos de*
fuel a debate	*alimenter un débat*
There are no any easy answers.	*Il n'existe pas de réponse simple.*
baffle analysis	*déjouer l'analyse*
long-simmering debate	*conflit qui couve depuis longtemps*
raise a dilemma	*soulever un dilemme*

generate political heat	*enflammer les passions politiques*
the contending parties	*les adversaires*
upset the political orthodoxy	*bousculer l'orthodoxie politique*
sow discord	*semer la discorde*
The debate is long-overdue.	*Le débat n'a que trop tardé.*
a tough issue	*une sujet difficile*
knotty / touchy	*épineux*
emotional	*sensible*
disturbing	*troublant*
ticklish	*très délicat*
guidelines and regulations	*directives et réglementation*
the community's moral stance on	*le point de vue moral du groupe sur*
a basic ethical tenet	*un principe éthique fondamental*
guidelines on how to go about it	*directives pour savoir comment s'y prendre*
work out guidelines for induced abortion	*mettre au point des directives pour l'avortement provoqué*
provide decision-making guidelines	*donner des directives pour la prise de décision*
guidelines to sort things out	*guide pour y voir plus clair*
issue regulation on	*publier une réglementation sur*
(in-)appropriate regulation	*législation (in)adaptée*
legalise	*légaliser*
implement legislation for / against	*mettre en application une législation pour / contre*
legislate / pass a law	*légiférer / adopter une loi*
gain legal recognition	*être reconnu juridiquement*
act on	*agir conformément à*
grope for adequate policies	*tâtonner à la recherche d'une politique adaptée*
set of rules	*ensemble de règles*
turn down a rule	*contourner la règle*
end ambiguity	*mettre un terme à l'ambiguïté*
tread carefully on	*(s') avancer avec précaution dans le domaine de*
pro-choice people	*les partisans du libre choix*
pro-life people	*les opposants à l'avortement*
termination of pregnancy	*interruption de grossesse*
abortion	*avortement*
license to kill	*permis de tuer*
denounce / lash out at a practice	*dénoncer / s'en prendre violemment à une pratique*
the right to life	*le droit à la vie*
pro-lifers	*les anti-IVG / les partisans du droit à la vie*
Pro-lifers are dead set against abortion.	*Les partisans du droit à la vie sont totalement contre l'avortement.*
They hold it to be morally unacceptable.	*Ils le tiennent pour moralement inacceptable.*
go against the grain of	*aller à l'encontre de*
uphold the sacred principles of	*mettre en avant les principes sacrés de*
a widely-held principle like the sanctity of life	*un principe largement partagé : le caractère sacré de la vie humaine*
breach / violate a code of conduct	*contrevenir à une éthique*
breach the law	*enfreindre la loi*
a customary obligation to prevent suicide by restraining the patient if necessary	*l'obligation habituelle d'empêcher un suicide en faisant pression sur le malade si nécessaire*
encroach / infringe upon	*empiéter sur*
trespass the law	*contrevenir à la loi*
abuse a power	*abuser d'un pouvoir*
trample down	*écraser / fouler aux pieds*
take advantage of a legal limbo	*tirer avantage d'un vide juridique*
preserve life	*respecter la vie*

3. Euthanasia — *L'euthanasie*

pro-euthanasia	*partisan de l'euthanasie*
pro-euthanasia lobby	*groupe de pression pour l'euthanasie*
active / passive euthanasia	*euthanasie active / passive*
practise / carry out euthanasia	*pratiquer l'euthanasie*
favour euthanasia	*être partisan de l'euthanasie*
Euthanasia is a hotly-contested topic.	*L'euthanasie est un sujet de violente controverse.*
Euthanasia is a criminal offence	*L'euthanasie est un délit puni par la loi.*
punishable	*condamnable*
not condone euthanasia	*ne pas excuser l'euthanasie*
a case of barbarism / a barbarity	*un acte barbare*

You seldom know whether death will be inevitable	*On peut rarement savoir si la mort est inéluctable*
until the patient is actually dying.	*jusqu'au moment où la malade décède effectivement.*

A. The doctor's involvement
L'implication du médecin

doctor-assisted suicide	*mort médicalement assistée*
have a humane approach	*faire preuve d'humanité*
a humane doctor	*un médecin humain*
assisted death	*la mort assistée*
assist in a patient's dying	*assister un mourant*
palliative care	*soins palliatifs*
grant the patient's request	*accéder à la demande du malade*
aid a suicide	*aider à se suicider*
shorten a patient's life	*abréger la vie d'un malade*
be provided at your request with medications to end life	*fournir à la demande pressante du malade des médicaments pour qu'il abrège sa vie*
have the knowledge that the patient intends to use the medication for that purpose	*savoir que le malade a l'intention d'utiliser les médicaments dans ce but*
help the patient stop the suffering	*aider le malade à mettre fin à ses souffrances*
provide the means of committing a forbidden act	*lui donner les moyens de faire un acte illégal*
basic commitment to the preservation of life	*l'engagement fondamental à protéger la vie*
postpone the time of death	*de repousser l'heure de la mort*
duty to prevent harm	*devoir d'éviter tout mal*
preserve life at the risk of causing great suffering	*préserver la vie au risque de grandes souffrances*
balance free self-determination with responsible protection of life	*établir un équilibre entre la volonté du malade et l'obligation de protéger sa vie*
make hard choices	*faire un choix difficile*
be devoted to the patient's best interest	*se consacrer à l'intérêt supérieur du malade*
respect the patient's thoughtful choices	*respecter le choix raisonné du malade*
abide by / comply with a patient's wishes	*respecter les vœux du malade*
die in a setting of your own choosing	*décéder dans le cadre que vous avez choisi*
as free as possible of pain and other burdensome symptoms	*tant que possible, sans douleur ni peine*
not be a burden to one's family	*ne pas être un poids pour sa famille*
support any treatment intended to relieve suffering	*favoriser tout traitement qui soulage*
even if the unintended result is to hasten death	*même si le résultat involontaire est de hâter le décès*
serve the patient at this most significant juncture.	*aider le malade en ce moment crucial.*
Doctors often lack the requisite skills.	*Les médecins sont souvent dépourvus des compétences requises.*

B. The right to die in dignity
Le droit à mourir dignement

a good death	*une bonne mort*
It involves the right to self-determination in the matter of death.	*Cela implique le droit à se décider seul pour mourir.*
It entails the right to have control over the timing.	*Cela entraîne le droit de pouvoir décider du moment de sa mort.*
The patient is obviously yearning for death.	*Il est évident que ce malade aspire à mourir.*
But he has not yet stated a wish to die.	*Mais il n'a pas encore exprimé le souhait de mourir.*
have one's life terminated	*mettre fin à sa vie*
right to privacy	*droit à l'intimité*
due to current life-prolonging technology	*avec les techniques actuelles de prolongation de la vie*
The right to die in peace should supersede the other claims.	*Le droit à mourir en paix doit passer avant les autres impératifs.*
Some doctors feel inclined to overtreat.	*Il y a des médecins qui ont tendance à faire de l'acharnement thérapeutique.*
Either overtreatment or abandonment are inappropriate care.	*Ni l'acharnement ni l'arrêt du traitement ne sont de mise.*
not prolong life beyond the natural span	*ne pas prolonger la vie au-delà de son terme naturel*
a painless death	*une mort sans souffrance*
commit suicide	*se suicider*
make a capable, informed and rational decision	*prendre une décision de plein gré, éclairée et rationnelle*
provide a lethal drug to a patient physically capable of ending his or her life	*fournir un médicament mortel à un malade physiquement en état de mettre fin à ses jours*

inject a lethal drug if the patient is physically incapable of causing death	*injecter un médicament mortel si le malade est physiquement incapable de provoquer son décès*
suicide by proxy	*suicide par personne interposée*
pain-killing drugs / pain killers	*médicaments analgésiques*
death-inducing drugs	*médicaments pouvant entraîner la mort*
drift off into sleep	*s'endormir doucement*
choose to die from an intentional overdose	*choisir de mourir par surdosage volontaire*

C. Reasons for euthanasia
Les raisons de l'euthanasie

the vegetative state	*l'état végétatif*
be in a vegetative state	*être dans un état végétatif*
linger in a vegetative state	*se maintenir dans un état végétatif*
not regain consciousness	*ne pas reprendre conscience*
lie unconscious	*rester inconscient*
be irreversibly comatose	*être dans un coma irréversible*
clinically dead	*en état de mort clinique*
brain dead	*cérébralement mort*
means of life prolongation	*moyen de prolonger la vie*
be kept alive artificially	*être maintenu en vie artificiellement*
require heavy mechanical support	*nécessiter un équipement lourd*
life-support system	*respirateur artificiel / matériel d'assistance vitale*
provide life-sustaining medical care	*assurer des soins de survie*
life-saving equipment	*matériel de survie*
be hooked up to a respirator	*être dépendant de l'assistance respiratoire*
be attached to a machine	*dépendre d'un appareil*
prolong / extend life	*prolonger la vie*
incurable illness	*maladie incurable*
a terminally ill patient	*un malade en phase terminale*
the advanced stage of an illness	*le stade avancé d'une maladie*
be in the final stage	*être en phase terminale*
the incurably ill	*les malades incurables*
be beyond hope of recovery	*être dans un état désespéré*
pain	*souffrance*
suffer intolerable pain	*souffrir de douleurs insupportables*
intractable pain	*douleur sans rémission*
require treatment of	*nécessiter le traitement de*
put the patient out of misery	*abréger les souffrances du malade*
not prolong life needlessly	*ne pas prolonger la vie inutilement*
give deliverance to	*apporter la délivrance à*
relieve of suffering	*soulager de ses souffrances*
cut short the suffering of	*abréger les souffrances de*
aggressive life-sustaining therapy	*acharnement thérapeutique*
contemplated therapy	*expectative armée*

D. Dying in the ICU
La mort en service de réanimation

The patients know about CPR from TV.	*Les patients ont entendu parler de la réanimation à la télévision.*
The lay public overestimate the effectiveness of the procedure.	*Le public non averti surestime l'efficacité de ces techniques.*
Patients have images of failure of advanced technology to reverse organ failure.	*Les patients pensent que les techniques modernes ne peuvent pallier aux défaillances d'organe.*
images of pain and suffering, displacement from home and a bitter end	*évocation de souffrances, d'éloignement et d'une triste fin*
an overuse of limited resources	*un usage excessif de ressources limitées*
initiate a discussion about the limits of therapy	*ouvrir un débat sur la limite à donner aux soins*
Few patients have given any advance directives such as living wills.	*Peu de malades ont pris des dispositions telles que la déclaration de dernières volontés.*
clearly-stated wishes	*volontés nettement exprimées*
an incompetent adult	*un adulte incapable de jugement*
unable to give enlightened consent	*incapable de donner un consentement éclairé*
The matrix of decision making is the health care team and family.	*Au cœur du processus de décision, se trouvent l'équipe soignante et la famille.*
a family decision	*une décision de famille*
be empowered to give informed consent on behalf of the patient	*être habilité à accorder un consentement éclairé en lieu et place du malade*
make a decision	*prendre un décision*
the family surrogate	*le représentant de la famille*

family surrogate decision making — *prise de décision par le représentant de la famille*
a surrogate decision-maker — *un représentant qui prend les décisions*
try to make substituted judgements for the patient — *tenter de se mettre à la place du malade pour prendre des décisions*
The health care team must be prepared to agree with the patient's or surrogate's recommendations. — *L'équipe soignante doit être prête à accepter les demandes expresses du malade ou de son représentant.*
not let the surrogate do the dirty work of making the decision alone — *ne pas laisser au représentant le soin de faire le sale travail de prendre la décision seul*
It can be an abrogation of responsibility. — *Cela peut-être un abandon de responsabilité.*
listen to all the voices in the ICU — *écouter l'avis de chacun des membres du service de Réanimation*
unify the divergent disciplines — *faire une synthèse d'approches disciplinaires différentes*

<u>withdrawal of treatment</u> — <u>*arrêt du traitement*</u>
withdraw life-sustaining treatment — *arrêter tout traitement de survie*
withdrawal of life-support systems — *arrêt des techniques d'assistance*
The rule permits withholding life-sustaining treatment if death is inevitable. — *Il est généralement admis de ne pas initier un traitement de survie si la mort est inévitable.*
turn off the respirator — *débrancher le respirateur*
switch off a machine — *débrancher un appareil*
remove a patient from a respirator — *ne plus laisser le malade sous respirateur*
let death proceed — *laisser la mort faire son œuvre*
put an end to the patient's suffering — *mettre fin aux souffrances du malade*
if the patient is deteriorating despite aggressive therapy — *si l'état du malade se détériore en dépit d'un traitement très actif*
if the underlying condition is unlikely to be reversed — *si l'état profond n'est guère susceptible d'être amélioré*
if the ongoing treatment is only likely to delay death — *si le traitement en cours ne fera probablement que retarder le décès*
a state of potential discomfort and suffering — *une source potentielle d'inconfort et de souffrances*
no prognostic models to accurately predict death and disability — *absence de modèles pour prédire avec exactitude le décès et le handicap*
not use overly deterministic prognostic models — *ne pas utiliser de modèles pronostiques trop rigides*

4. From genetic counselling to abortion / *Du conseil génétique à l'avortement*

genetics clinic — *service de génétique*
genetics counsellor — *généticien / conseiller en génétique*
consultant clinical geneticist — *généticien hospitalier*
foetal medicine — *médecine prénatale*
foetal medicine unit — *unité de médecine prénatale*
foetal medicine department — *service de médecine prénatale*
antenatal ward / clinic — *consultation prénatale*

A. Clinical issues / *Aspects cliniques*

predict the likelihood of conceiving an affected child — *prévoir une tare génétique avant la conception*
provide prospective parents with the basis for an informed decision for child bearing — *fournir aux parents les bases d'une décision éclairée en ce qui concerne la grossesse*
screen prospective parents for genetic disease before conception — *procéder à un test de dépistage de maladie génétique avant la conception*
request prenatal diagnosis — *nécessiter un diagnostic prénatal*
avoid imposition of personal moral values — *éviter d'imposer ses propres valeurs*
legal and ethical requirements — *exigences juridiques et éthiques*
suggest to seek further genetic counselling from another specialist — *proposer de prendre l'avis d'un autre généticien*
unethical to engage in selection on the basis of non-disease related traits — *se livrer à des opérations de sélection de caractères non pathogènes n'est pas éthique*

<u>give the bad news</u> — <u>*annoncer la mauvaise nouvelle*</u>
Women suffer high levels of distress. — *Les femmes sont profondément affectées.*

The manner in which news of an abnormality is conveyed is important.	*La façon dont on annonce la malformation est importante.*
give a sensitive, unhurried face to face delivery of such information in privacy	*donner l'information délicatement et dans le calme lors d'un entretien en privé*
Give bad news personally and sensitively.	*Annoncer la mauvaise nouvelle personnellement et avec délicatesse.*
forewarn parents that they are at risk	*mettre les parents en garde qu'il y a un risque*
give a high risk on genetic grounds	*signaler un risque génétique important*
hold out little hope	*donner peu d'espoir*
the staff's lack of information	***le manque d'information du personnel***
paucity of written information	*rareté de l'information écrite*
Seeing many different professionals who are ill- or uninformed about the presenting woman's condition is experienced as difficult and demoralising.	*Le fait de voir plusieurs personnes qui ne sont pas ou peu informées de votre état est ressenti comme une obstacle qui vous démoralise.*
It may lead to misattribution of feelings to the behaviour of staff.	*Cela peut déboucher sur une mauvaise interprétation de l'attitude du personnel.*
the obvious lack of awareness and preparation of many of the staff	*l'absence évidente d'information et de préparation chez un grand nombre de membres de l'équipe*
They don't understand the woman's wish to avoid other mothers.	*Ils ne comprennent pas le désir de cette femme de ne pas se retrouver avec les autres mères.*
She is reluctant to queue up with the other women.	*Elle n'a pas du tout envie d'attendre avec les autres.*
She doesn't want to hear them say when is your baby due?	*Elle ne veut pas les entendre dire : Il est pour quand, ce bébé ?*
She is likely not to turn up for the antenatal exercise classes.	*Il est probable qu'elle ne se présentera pas aux séances de préparation à l'accouchement.*
Labour is something you've got to go through anyway.	*De toutes façons, il faut souffrir pour accoucher.*
inappropriateness of routine obstetric care	*caractère inapproprié des soins d'obstétrique ordinaires*
in an antenatal unit	*en service de médecine prénatale*
specialised antenatal counselling midwives	*des sages-femmes spécialisées en médecine prénatale*
highlight the importance of consistency in giving advice	*souligner l'importance de conseils cohérents*
ensure continuity of care by the senior doctor and midwife	*assurer la continuité des soins dispensés par l'assistant et la sage-femme*
Case conference is good from the point of view of both enhancing patient care and providing staff support.	*Discuter collectivement du cas est utile tant pour l'amélioration des soins que pour le soutien de l'équipe.*
have a non-hysterical discussion about abortion	*débattre sans passion de l'avortement*
gain heightened awareness for the required feelings of sensitivity	*acquérir une meilleure perception du tact nécessaire*
a supportive measure during decision making	*un soutien pendant le processus de prise de décision*
the decision-making process	***la prise de décision***
make a decision	*prendre une décision*
discuss options of termination and continuation of the pregnancy from an early stage	*envisager rapidement quelles solutions seront adoptées : l'arrêt ou la poursuite*
discuss all the options clearly and honestly	*débattre de toutes les possibilités de façon claire et loyale*
wish to continue a pregnancy given a poor prognosis for the foetus	*désir de poursuivre la grossesse malgré un mauvais pronostic fœtal*
continue with pregnancy	*poursuivre une grossesse*
terminate a pregnancy	*interrompre une grossesse*
be faced with a difficult decision if the condition is associated with a viable handicap such as Down's syndrome	*être devant une décision difficile si l'affection se présente avec un handicap viable tel que la trisomie 21*
elect to terminate the pregnancy	*choisir d'interrompre une grossesse*
allow nature to take its course	*permettre à la nature de suivre son cours*
give time for decision making in a relaxed atmosphere	*laisser du temps pour décider dans une atmosphère détendue*
Parents will welcome the offer of a second appointment for further discussions.	*Les parents sont toujours heureux de se voir proposer un second rendez-vous pour discuter plus amplement.*
make it clear that a life is at stake	*bien faire comprendre qu'une vie est en jeu*

be aware that continuation of the pregnancy is a real option	*avoir conscience que la poursuite de la grossesse est tout a fait possible*
periods of inpatient care before delivery	*périodes de soins hospitaliers avant l'accouchement*
monitor the pregnancy	***surveiller la grossesse***
beneficial effects of specialised monitoring	*effets bénéfiques d'une surveillance spécialisée*
not misinterpret the ultrasound findings	*ne pas faire une interprétation erronée de l'échographie*
see the woman regularly even outside normal antenatal clinic hours	*voir la patiente régulièrement même en dehors des heures habituelles de consultation prénatale*
diagnosis of lethal abnormality	*diagnostic de malformation léthale*
stillborn without any warning	*enfant mort-né inattendu*
not have prior knowledge of the lethal condition	*ne pas avoir été informé d'un risque mortel*
pregnancy complicated by the unexpected finding of a serious foetal defect	*grossesse compliquée du fait de la découverte inopinée d'une atteinte majeure du fœtus*
women who decline antenatal screening	*les femmes qui refusent les investigations fœtales*
discovering lethal foetal abnormality	*la découverte d'une malformation mortelle chez le fœtus*
handle delivery with great sensitivity	*procéder à l'accouchement avec délicatesse*
have a great degree of privacy	*avoir beaucoup d'intimité*
express concern about seeing the baby after delivery	*exprimer des inquiétudes à la vue du bébé après l'accouchement*
take the baby away from the mother	*retirer le bébé à sa mère*
express great relief at not seeing the baby	*exprimer son grand soulagement de ne pas avoir vu le bébé*
go through the grieving period	*en passer par une période de deuil*
a good preparation	***une bonne préparation***
give parents valuable time to prepare for the death of their child	*accorder aux parents un temps précieux pour qu'ils se préparent au décès*
make things easier in the end	*rendre les choses plus faciles en définitive*
avoid some feelings of guilt	*éviter un sentiment de culpabilité*
I had prepared myself.	*Je m'étais préparée.*
We had to come to terms with it.	*Il a fallu nous faire une raison.*
I found the compassion and sensitivity of the midwifery staff noteworthy.	*J'ai trouvé remarquables la compassion et la délicatesse de l'équipe de sages-femmes.*
They were all really understanding.	*Ils ont tous fait preuve de grande compréhension.*

B. Ethical issues involved in screening for foetal abnormality
Problèmes éthiques liés au dépistage des malformations fœtales

clarify good practice in respect of late abortion for foetal abnormality	*clarifier les règles de bonne pratique en cas d'avortement retardé pour malformation fœtale*
discuss the problems of providing a service sympathetic to women	*comment offrir des soins attentifs aux besoins des femmes*
This problem needs to be addressed from the very inception of an abortion service.	*Il faut s'intéresser à ce problème dès qu'on a décidé de faire des interruptions volontaires de grossesse (IVG).*
the practicalities of providing this kind of service	*les détails pratiques pour fournir ce type de service*
A pressing issue when discussing abortion.	*Un problème prioritaire quand on parle de l'avortement.*
a lack of any clear moral boundaries	*un manque de repères moraux clairs*
When should we regard a foetus as a person?	*A partir de quand faut-il considérer le fœtus comme une personne ?*
When does it become aware or feel pain?	*A partir de quand devient-il conscient ou éprouve-t-il une douleur ?*
The boundaries in development are "fuzzy".	*Les limites dans le développement sont floues.*
stages of development that many believe are morally relevant	*étapes du développement que beaucoup estiment être moralement pertinentes*
a moral blunder	*une gaffe en matière de morale*
raise a false equivalence between the woman and foetus	*créer une fausse équivalence entre mère et fœtus*
During pregnancy, it is the woman who should preoccupy our outlook.	*Pendant la grossesse, c'est la femme dont on doit s'occuper en premier.*

She should dominate our moral stance. — *Elle doit être au premier plan de nos préoccupations morales.*

After birth, decisions towards the neonate can be taken independently of the woman. — *Après la naissance, les décisions concernant le nouveau-né peuvent être prises indépendamment de la mère.*

the legality of abortion — *légalité de l'avortement*

go in to have the baby induced — *entrer en clinique pour subir une interruption volontaire de grossesse (IVG)*

report to the labour ward for "induction" at 21 weeks — *se présenter en salle de travail pour une interruption volontaire de grossesse (IVG) à 21 semaines*

allow for abortion after 24 weeks in cases of substantial risk of serious handicap — *autoriser l'avortement au-delà de 24 semaines dans les cas de risque sérieux de handicap majeur*

abortion after 28 weeks was illegal except to save the woman's life — *après la 28 ème semaine, l'avortement était illégal sauf pour sauver la mère*

Some people felt uncomfortable with this rule. — *Il y a des gens qui se sentaient mal à l'aise face à cette disposition.*

It can be interpreted liberally. — *Elle peut être interprétée libéralement.*

broad interpretation — *interprétation large*

narrow — *étroite*

Pregnant women are defenceless against restrictive interpretation. — *Les femmes enceintes sont sans défense en cas d'interprétation restrictive.*

Only the woman concerned, in consultation with her doctor, can decide whether an abortion is necessary. — *Lors de la consultation avec son médecin, seule la femme concernée peut décider d'avorter ou non.*

make abortion free from legal restraint — *lever les contraintes légales pesant sur l'avortement*

fail to resolve the moral and legal issues facing medical staff providing abortion — *ne pas réussir à résoudre les questions morales et légales du personnel médical qui participe à un avortement*

5. Cloning — *Le clonage*

brinkmanship — *le jeu avec le feu*

genetic tinkerer — *apprenti-sorcier de la génétique*

tamper / tinker with the genetic code — *manipuler le code génétique*

scientific manipulations — *manipulations scientifiques*

misuse a technique — *utiliser une technique à mauvais escient*

be (un)aware of — *(ne pas) être-conscient de*

not realise — *ne pas se rendre compte*

far-reaching implication — *lointaine conséquence*

inadequate safeguard — *garde-fou insuffisant*

safeguard against — *se protéger de*

not invade privacy — *ne pas envahir la vie privée*

eugenics — *eugénisme*

eugenic — *eugénique / eugéniste*

eugenicist — *eugéniste*

purge undesirable traits from — *se défaire des caractéristiques indésirables de*

purify a species — *purifier une espèce*

ethnic purification / cleansing — *purification ethnique*

cleanse — *nettoyer / purifier*

selective breeding — *sélection de la race*

not suit the needs of mankind — *ne pas correspondre aux besoins de l'humanité*

not meet required / accepted standards — *ne pas répondre aux critères exigés*

change the course of heredity — *modifier le cours de l'hérédité*

foster genetic uniformity — *contribuer à l'uniformité génétique*

cloning as a technique — *le clonage comme technique*

further step in the development of — *nouvelle étape dans le développement de*

a significant scientific breakthrough — *une percée scientifique majeure*

human embryo research — *recherche sur l'embryon humain*

permitted within certain restrictions — *autorisé sous certaines conditions*

have the power to broaden the scope of the research — *avoir le pouvoir d'élargir le champ de la recherche*

reproductive cloning — *le clonage pour reproduction*

an embryo is implanted into a woman's womb — *un embryon est implanté dans un utérus*

basic research applications of human relevance — *applications fondamentales applicables à l'homme*

offer a greater insight into the origins of cancer	*offrir un plus ample aperçu des origines du cancer*
aid research into new or improved therapies	*aider la recherche concernant les thérapeutiques nouvelles ou améliorées*
donate a compatible organ	*faire don d'un organe compatible*
avoid the transmission of inherited diseases	*éviter la transmission de maladies héréditaires*
research involving the creation of a cloned human embryo	*recherche portant sur le clonage d'un embryon humain*
allow research to be carried out on embryos up to 14 days development	*autoriser la recherche sur l'embryon pendant les 14 premiers jours*
provided the research is strictly controlled and monitored.	*à condition que la recherche soit strictement contrôlée et encadrée*
raise new issues in relation to the special status of the human embryo	*soulever des questions nouvelles portant sur le statut particulier de l'embryon humain*
Human embryos should not be used frivolously or unnecessarily.	*Les embryons ne doivent pas être utilisés sans raison sérieuse ni nécessité.*
ethical concerns of cloning	*dimension éthique du clonage*
artificially reproduce the natural process	*reproduire artificiellement le processus naturel*
naturally-occurring twins	*des jumeaux de naissance naturelle*
have a further sibling produced by cloning	*avoir un autre enfant reproduit par clonage*
use the DNA from one of your children's cells	*utiliser l'ADN de l'un de vos enfants*
cause lasting differences	*avoir des conséquences durables*
have problems in establishing one's identity	*avoir des problèmes pour se trouver une identité*
experience delayed language development	*prendre du retard dans l'acquisition du langage*
prior choice of characteristics in offspring	*la sélection anticipée des caractéristiques de l'enfant*
resolve a couple's infertility problem	*résoudre le problème de stérilité d'un couple*
It must not result in grossly malformed births.	*Cela ne doit ne pas avoir pour résultat une naissance monstrueuse.*
not have a shortened life-span	*ne pas avoir une durée de vie écourtée*
greater susceptibility to various diseases	*une susceptibilité accrue à différentes maladies*
require a large amount of human experimentation	*nécessiter une large expérimentation chez l'homme*

6. Organ donation — *Le don d'organes*

<u>organ shortage</u>	*<u>le manque d'organes</u>*
supply donor organs to those in need	*fournir des organes à ceux qui en ont besoin*
wait for a transplantation	*être en attente d'une transplantation*
put a patient on a waiting list	*mettre un malade en liste d'attente*
a listed patient	*un malade en attente*
(not be) eligible for a transplant	*(ne pas) être bon candidat pour une transplantation*
Patients will continue to die while on an organ waiting list.	*Les malades vont continuer à mourir pendant qu'ils sont sur liste d'attente.*
manage to bridge the gap between supply and demand	*réussir à combler le fossé entre l'offre et la demande*
in small supply	*existant en petite quantité*
scarcity of organs	*rareté des greffons*
scarce	*rare*
Our transplantation mortality rates are on the rise.	*Nos taux de décès après transplantation sont en hausse.*
The sickest patients have poor survival rates.	*Les malades les plus atteints ont un médiocre taux de survie.*
<u>call for donors</u>	*<u>appel à donneurs</u>*
need for organ donation	*besoin de don d'organes*
rely on organ donations for	*s'en remettre au don d'organes pour*
raise awareness for organ transplantation	*faire prendre conscience du problème de la transplantation*
provide more organs to meet the demand	*fournir davantage d'organes pour faire face à la demande*
increase consent to donate	*augmenter les autorisations de dons*
not yield great success	*ne pas donner de grands succès*
foster a contentious debate about transplantation	*nourrir un vif débat sur la transplantation*

allow consent to be given in advance of illness or death	*permettre que le consentement soit acquis avant une maladie ou un décès*
allow competent adults to make the donation decision for themselves	*permettre aux adultes conscients de prendre eux-mêmes la décision du don*
rather than have it made by a relative	*plutôt que celle-ci soit prise par un parent*
mandated choice	*le choix obligatoire*
make post-mortem organ donation mandatory	*rendre le prélèvement d'organes après décès obligatoire*
A survey has shown that a majority of respondents would sign up to donate under mandated choice.	*Une enquête a montré qu'une majorité signerait oui en cas d'obligation de choix.*
state whether or not you will donate your organs	*déclarer officiellement sa volonté ou non de faire un don d'organes*
presumed consent	*consentement présumé*
the French opt out system	*le système français du consentement implicite (par non-refus)*
initiating transplantation procedures	*mise en place de la procédure*
record in the country's donor register	*enregistrer sur une base nationale*
accessible to any transplantation centre at the time of death	*accessible à tout centre de transplantation lors du décès*
matching organs are made available to	*les organes compatibles sont mis à la disposition de*
standardise the criteria for determining the medical status of the patient	*généraliser des critères pour déterminer l'état du malade*
allocate donor organs to those in medical need	*attribuer les greffons à ceux qui en ont besoin*
the shortcomings of government policies	*les insuffisances de la politique gouvernementale*
raise a storm of protests	*soulever une tempête de protestations*
change the organ allocation process to correct inequities	*changer le processus d'attribution pour en corriger les inégalités*
call for a broader sharing of organs	*demander une répartition plus large des greffons*
among patients with greatest medical urgency	*entre les malades qui en ont le plus besoin*
government interference	*intervention de l'Etat*
revise the current policies	*revoir les principes de la politique actuelle*
conform to the rule	*se conformer à la règle*
take effect	*entrer en application*
not override regulation	*ne pas passer outre à la législation*
not cause the closure of small centres to benefit larger ones	*ne pas provoquer la fermeture des petits établissements au profit de plus importants*
Some differing policies are worth considering.	*Il existe des politiques différentes qu'il vaut la peine d'envisager.*
work out final regulations in response to scathing comments	*mettre au point une législation définitive en réponse aux critiques acerbes*
not reduce access to transplant services	*ne pas réduire l'accès aux services de transplantation*
among patients with low incomes	*pour les malades à faibles revenus*
lose control over medical decision making	*perdre le contrôle du processus de décision*
keep control	*garder le contrôle*

7. Confidentiality — *Confidentialité / Secret médical*

respect the privacy of patients	*respecter l'intimité du malade*
secure confidentiality	*assurer la confidentialité*
discuss one's personal problems candidly	*exposer ses problèmes personnels avec franchise*
not release information without the patient's consent	*ne pas divulguer d'information sur le malade sans son accord*
unless there is a duty to warn someone else	*sauf s'il existe une obligation morale de mettre en garde une autre personne*
override confidentiality	*passer outre à la confidentialité*
not breach confidentiality for trifling reasons	*ne pas enfreindre la confidentialité pour des raisons futiles*
computerised record keeping	*archives médicales informatisées*
the faxing of information	*faxer des documents écrits*
sharing of patient care among various care providers	*le partage des soins d'un patient entre plusieurs acteurs de la santé*

be wary of not invading the patient's privacy	*avoir le souci de ne pas empiéter sur l'intimité du patient*
be knowledgeable about patient's legal rights	*être au fait de la législation en matière de droits du malade*
withhold the source of information from the patient	*ne pas dévoiler les informations venant du patient*
urge the informant to address the patient directly	*insister auprès de celui qui détient l'information pour qu'il s'adresse directement au patient*
not impair the public's confidence in the medical profession	*ne pas entamer la confiance du public dans le corps médical*

8. Malpractice — *Faute professionnelle*

<u>wage a court battle</u>	<u>*mener une bataille juridique*</u>
sue	*poursuivre en justice*
be sued for malpractice	*être poursuivi en justice pour faute professionnelle*
a lawsuit	*une poursuite en justice*
bring a lawsuit against	*intenter une action en justice contre*
bring an action against	*faire un procès à*
try someone	*juger / mettre quelqu'un à l'épreuve*
trial	*jugement / procès*
put on trial in a bid to	*intenter un procès avec pour objectif de*
have a lawsuit pending against	*avoir un procès en cours contre*
malpractice suit	*procès pour faute professionnelle*
defendant	*défendeur / personne mise en examen*
litigation	*action en justice*
litigant	*plaignant*
litigate	*agir en justice contre*
a court case	*un procès / un jugement*
a court ruling	*une décision de justice*
argue / contend that	*soutenir le point de vue que*
<u>a case of malpractice</u>	<u>*une faute professionnelle*</u>
liability	*responsabilité pénale*
be held liable for	*être tenu pour pénalement responsable de*
faulty diagnosis	*erreur de diagnostic*
faulty performance of duties	*tâche professionnelle mal exécutée*
mishandled operation	*intervention mal conduite*
malpractice through negligence	*faute professionnelle par négligence*
instance of medical neglect	*exemple de négligence professionnelle*
reach out of court settlement	*parvenir à / s'accorder sur un règlement à l'amiable*
award damages	*accorder des dommages et intérêts*
appeal to courts	*faire appel devant les tribunaux*
The decision was upheld by the reviewing court.	*La décision a été confirmée par la juridiction d'appel.*
malpractice premium	*prime d'assurance couvrant la faute professionnelle*

9. Quality of life (QOL) — *Qualité de vie*

a new notion in clinical practice	*une idée nouvelle en pratique clinique*
a discrepancy between medical progress and pervasive dissatisfaction with medicine	*un écart entre les progrès de la médecine et un sentiment d'insatisfaction générale vis à vis de la médecine*
a growing feeling of disaffection	*un sentiment croissant de mécontentement*
insistence on the patient's rights	*accent mis sur les droits du malade*
a demand for a greater role in clinical decision-making	*une exigence de plus grande participation dans la prise de décision*
a widespread sense of doing better but feeling worse	*un sentiment largement partagé d'aller mieux mais de se sentir plus mal*
healthcare should include consideration of QOL	*les soins doivent prendre en compte l'aspect qualité de vie*
a multi-dimensional approach to health	*une approche plurielle de la santé*

physical concern	*problèmes physiques*
family well-being	*bien-être de la famille*
emotional well-being	*bien-être affectif*
treatment satisfaction (including financial concerns)	*satisfaction vis-à-vis du traitement (y compris les questions financières)*
future orientation	*projets*
measuring QOL	*comment mesurer la qualité de vie*
collect data by interview	*recueillir des données lors d'entretiens*
Interviews are time-consuming.	*Les entretiens prennent beaucoup de temps.*
Researchers have agreed upon the use of questionnaires.	*Les chercheurs sont d'accord pour utiliser des questionnaires.*
validate a questionnaire	*valider un questionnaire*
a treatment-related symptom	*un symptôme lié au traitement*
the accepted ways for measuring	*les méthodes d'évaluation reconnues*
make an accurate evaluation of	*faire une évaluation juste de*
carry out an assessment	*établir une évaluation*
How would you rate your QOL today?	*Comment évalueriez-vous votre qualité de vie, aujourd'hui ?*
Who makes an accurate evaluation?	*Qui fait une évaluation exacte ?*
take into account the opinion of	*tenir compte de l'opinion de*
Proxy assessment is not viewed as an acceptable alternative.	*L'évaluation par un tiers n'est pas considérée comme une alternative valable.*
QOL should be assessed by the patient himself.	*La qualité de vie doit être évaluée par le malade lui-même.*
Proxy ratings lack adequate agreement with the patient's own report.	*Les évaluations faites par un tiers ne coïncident pas avec celles du patient.*
an example:	*exemple :*
measuring QOL in cancer treatment	*comment mesurer la qualité de vie dans le traitement du cancer*
QOL is a more comprehensive evaluation of treatment outcome than a relapse-free interval.	*La qualité de vie offre une évaluation plus globale des résultats du traitement que la durée de la période sans rechute.*
It can be used in assessing palliative treatment.	*Elle peut être employée pour évaluer des soins palliatifs.*
chemotherapy given for palliation	*une chimiothérapie palliative*
Measuring QOL is also relevant in patients treated with curative intent	*La mesure de la qualité de vie est également appropriée en cas de traitement curatif.*
in decision-making	*pour la prise de décision*
to control acute side effects	*pour contrôler les effets secondaires*
QOL measures should be considered as mandatory.	*Les mesures de la qualité de vie devraient être considérées comme une obligation.*
constitute a study end-point	*constituer un des buts de l'étude*
in addition to survival	*en plus de la survie*
progression-free survival	*survie sans développement de la maladie*
tumour response	*réponse tumorale*
Short-term decrement in QOL may be necessary for long-term benefit in survival.	*Une diminution de la qualité de vie à court terme peut être nécessaire pour avoir un bénéfice à long terme sur la survie.*
reversible effects when the treatment has been completed	*effets réversibles quand le traitement est terminé*
an increased life-span	*une durée de vie accrue*

Aubin Imprimeur
LIGUGÉ, POITIERS

Achevé d'imprimer en septembre 2001
N° d'impression L 62269
Dépôt légal septembre 2001
Imprimé en France